HISTORIA DE ISRAEL

BIBLIOTECA DE ESTUDIOS BIBLICOS

23

Otras obras publicadas
por Ediciones Sígueme:

- G. von Rad, *Teología del Antiguo Testamento* (BEB 11-12)
- W. Schmidt, *Introducción al Antiguo Testamento* (BEB 36)
- M. Noth, *Estudios sobre el Antiguo Testamento* (BEB 44)
- R. Fabris, *Problemas y perspectivas de las cc. bíblicas* (BEB 48)
- H. J. Kraus, *Teología de los salmos* (BEB 52)
- H. J. Kraus, *Los salmos* (BEB 53-54)
- J. Maier, *Entre los dos testamentos* (BEB 89)

SIEGFRIED HERRMANN

HISTORIA DE ISRAEL
en la época del antiguo testamento

TERCERA EDICION

EDICIONES SIGUEME
SALAMANCA
1996

Título original: *Geschichte Israels in alttestamentlicher Zeit*
Tradujeron: Rafael Velasco Beteta, Manuel Olasagasti
y Senén Vidal

Apartado 332 - 37080 Salamanca (España)
ISBN: 84-301-0770-3
Depósito Legal: S. 1068-1996
Printed in Spain
Imprime: Gráficas Varona
Polígono «El Montalvo», parcela 49
Salamanca 1996

CONTENIDO

PROLOGO

Exponer e interpretar la historia del Israel veterotestamentario tiene su tradición. Es una tarea que en rigor se inicia ya en el antiguo testamento. Pero han sido ante todo historiadores judíos y cristianos, entre los cuales mencionemos aquí en primer lugar al historiador judío Flavio Josefo (m. hacia el 100 d.C.), quienes se han sentido estimulados a investigar esa turbulenta y a veces difícilmente descifrable historia. Unas veces preponderaban los puntos de vista religiosos, otras veces los puntos de vista «históricos», en especial en la época moderna, hasta que se empezó a comprender hasta qué punto el entonces pequeño pueblo, establecido en la orilla oriental del Mediterráneo, estaba vinculado a la historia política de grandes potencias orientales. Su destino apareció a los ojos del historiador en una encrucijada de zonas de influencia política, cultural y religiosa, en el puente geográfico Siria-Palestina entre Mesopotamia y Egipto y el desierto sirio-arábigo, que en este campo de fuerzas representaba una potencia no menospreciable. La interpretación, cada vez más segura, de fuentes en escritura cuneiforme y jeroglífica durante el siglo XIX y la primera mitad del XX contribuyó a que se diera un nuevo enfoque y explicación incluso a la historia de Israel. Mencionemos aquí la gran obra en varios tomos de Heinrich Ewald de los años sesenta del pasado siglo; vinieron después los libros profundos y orientadores sobre el mismo tema de Julius Wellhausen, Eduard Meyer y finalmente Rudolf Kittel, por mencionar tan sólo estos nombres. A partir de los años veinte y treinta de este siglo se ha ido abriendo paso una nueva orientación en la investigación de la historia del antiguo Israel. Se caracteriza por la razonable asociación de testimonios del antiguo testamento y conocimientos de la historia territorial, de la arqueología y de la topografía histórica de Palestina. Toda la potencia luminosa de los resultados así obtenidos no caló hasta después de la segunda guerra mundial en la conciencia de los investigadores y del gran público interesado en el tema. A pesar de la diversidad de sus respectivos puntos de partida ideológicos, podemos citar conjuntamente tres nombres como representativos de esta nueva orientación: Albrecht Alt, William Foxwell Albright y Roland de Vaux. En el ámbito lingüístico alemán Martin Noth, como consecuente discípulo de A. Alt, ofreció en el año 1950 en su *Geschichte Israels* una concepción armoniosa, que hizo escuela en amplios sectores, aunque también suscitó otras concepciones. Por ejemplo, la obra *A history of Israel* de John Bright (1959, [2]1972) se escribió a impulsos americanos y alemanes. La muy prometedora *Histoire ancienne d'Israël* de R. de Vaux (1971) quedó inconclusa.

A vista de tantos y tan amplios estudios, resulta arriesgado, pero necesario, ofrecer una nueva exposición de esta historia. Es necesario que la investigación especializada, con metodologías utilizadas a menudo de forma distinta, recuerde las bases y los condicionamientos de esa misma historia, pero también, empleando una exposición concisa, tenga muy presentes el marco y los grandes contextos, a los que desearía servir. Pero sobre todo vale la pena interesar en el tema de la historia de Israel y de su investigación a todos aquellos que querrían ocuparse en él con cualquier finalidad.

Un plan como el que aquí se pretende, a saber, el de unir entre sí investigaciones y exposición con la mayor claridad posible, exige cercenamientos y sacrificios. Bastantes colegas investigadores verán que se les ha prestado demasiado poca atención, no pocos sectores temáticos hubieran requerido un tratamiento más extenso. Algún que otro detalle académico aparece simplificado. Los entendidos lamentarán el diverso tratamiento de los nombres propios. Estos aparecen por lo general en la forma de las traducciones alemanas de la Biblia, aunque en sus versiones revisadas no son consecuentes y en muchos casos se aproximan al modelo hebraico. Se ha unificado la transcripción de palabras pertenecientes a otras lenguas orientales, sobre todo con el fin de que en cierto modo aparezcan legibles a primera vista. Por eso se ha tomado por base el sistema de transcripción, relativamente equilibrado y empleado oficialmente hasta hace muy poco tiempo, del *Bibelatlas* de Hermann Guthe ([2]1926).

Los mapas que se adjuntan sólo pretenden ofrecer una primera orientación. Han sido nuevamente diseñados según modelos tomados de las siguientes obras y revistas: 1. A. Alt, *Kl. Schr.* III, 21; 2. M. Noth, WAT, [4]1962, 9; 3. *ibid.*, 63; 4. Noth, *Aufsätze* 1, 348; 5. *ibid.*, 425; 6. ZDPV 54, 1931, 116; 7. PJB 12, 1916, 37; 8, BHH II, 1299.1300.

El libro está dedicado a la memoria de Albrecht Alt, a quien el autor pudo acompañar como auxiliar durante sus últimos años de vida (m. 1956). A los expertos no se les ocultará el fuerte influjo que también ha tenido en este libro la obra de Martin Noth. El autor se siente profundamente vinculado a esas dos personalidades. La primera sugerencia para escribir esta exposición partió de Hans Walter Wolff. La editorial Chr. Kaiser, y en especial el señor Fritz Bissinger, han seguido pacientemente la génesis de la obra, que él esperaba mucho antes. Expresémosle también desde aquí nuestra gratitud por su comprensión.

El autor está también sinceramente reconocido a sus colaboradores. La señora Gisela Kuchler escribió competentemente el manuscrito destinado a la imprenta. El señor Jürgen H. Ebach se tomó la molestia de elaborar los índices y hacer la corrección de pruebas.

Pero el libro tuvo su mejor abogado en mi esposa, quien, especialmente en los últimos y agitados años que tanto han sobrecargado a los catedráticos alemanes, mantuvo constantemente vivo el recuerdo de que había que terminar la «historia».

SIEGFRIED HERRMANN

INTRODUCCION

1. *El territorio*

La historia de Israel está inseparablemente unida con la tierra y los países en que se desarrolló. Esto se cumple de un modo absoluto por lo que respecta al pueblo de Israel del antiguo testamento. Sus orígenes rudimentarios los observamos por una parte en la Siria septentrional y en la fronteriza Mesopotamia como, por otra parte, en el nordeste de Egipto, antes de que en Palestina, la «tierra prometida», hallara una patria, por cuya conservación hubo de luchar constantemente. El escenario de la historia de Israel, en sus más amplias dimensiones, es el extenso territorio situado al norte de la península arábiga, que allí limita principalmente con dos comarcas distintas en su estructura.

Al nordeste de esta península y con acceso directo desde el desierto sirio-arábigo se extiende, hasta las estribaciones meridionales de la cordillera iraní, un alargado territorio cultivable, que debe su feracidad a los ríos Eufrates y Tigris, que fluyen en dirección sureste hacia el golfo Pérsico. Mesopotamia, la tierra «entre los ríos», fue el nombre que dieron ya los antiguos principalmente a la parte media y meridional de esas cultivables depresiones fluviales, donde los sumerios y los babilonios establecieron en otros tiempos sus civilizaciones. Otra cosa distinta es el límite noroccidental de la península arábiga. Allí, a lo largo de la costa oriental del Mediterráneo, se alza una zona montañosa desigualmente eslabonada, una especie de barrera que impide el libre acceso desde el desierto al mar. Siria se llama la parte septentrional de este territorio, mientras que para designar su parte meridional se ha hecho usual el nombre de Palestina. Esta región costera sirio-palestinense, cuyo promedio de anchura apenas supera los 120 kilómetros, representa una tierra laborable de muy diversa fertilidad. De norte a sur se suceden las montañas, casi todas de notable longitud, interrumpidas por altiplanicies y llanuras. Esto explica las variadas condiciones climáticas. Desde luego no faltan ríos, pero éstos son incomparablemente más modestos que el Eufrates y el Tigris y con frecuencia, debido a la profunda situación de sus cauces, tan sólo en algunos puntos se pueden aprovechar para la agricultura. Entre las montañas no hay terrenos extensos, que pudieran regarse con los ríos; no existen las condiciones adecuadas para un cultivo de valles fluviales.

De todos modos, el curso mismo de los ríos da una idea aproximada de las condiciones físicas de Siria - Palestina. Los mayores de estos ríos nacen en la región del Líbano, repliegue de dos macizos montañosos [1], que en cierto modo separan entre sí a los territorios de Siria y Palestina. Hacia el norte se une al Líbano la cordillera llamada *dschebel el-ansārīje,* en cuyo territorio interior el mayor río de Siria, el Orontes (*nahr el-'āsi*), puede regar, al menos a trechos, fértiles vegas [2]. En dirección opuesta al Orontes, exactamente hacia el sur, corre el Leontes (*nahr el-līṭāni*), que con el nombre de *nahr el-kāsimīje* y ya a la altura de Tiro al sur del Líbano atraviesa la cordillera en dirección oeste y llega pronto el Mediterráneo. Cierta importancia tiene también el Eleutheros (*nahr el-kebīr*), que en la Siria central y procedente de las montañas discurre en dirección este-oeste y al norte de Trípoli, después de atravesar una vasta llanura costera, desemboca también en el Mediterráneo.

Al sur del Líbano y del Hermón, que por el sur se une al Antilíbano, se elevan los montes calcáreos de Palestina, divididos por la depresión del Jordán en dos mitades, la occidental y la oriental. La depresión del Jordán constituye el fenómeno geológicamente más interesante de toda la zona. Es parte de la llamada depresión continental siria que se inicia en Siria con el valle del Orontes, prosigue en la gran hondonada *el-bikā',* entre el Líbano y el Antilíbano, pasa a la depresión del Jordán y alcanza su punto más profundo en el mar Muerto [3]. Se prolonga al sur del mar Muerto por medio del *wādi el-'araba,* finalmente a través del golfo de *el-'aḳaba* (golfo de Elath) y del mar Rojo hasta internarse en el mismo territorio africano oriental. Este fenómeno impresionante y geológicamente

[1] Se trata del Líbano al oeste y del Antilíbano al este, separado del anterior por medio de llanuras (*el -bikā'*). E. Wirth escribió un amplio estudio geográfico, limitado desde luego al estado actual de Siria, *Syrien, Wissenschaftliche Länderkunden* IV-V, 1971.

[2] Casi en su punto más septentrional y procedentes de la región situada al este de la cordillera Amanus confluyen en el Orontes el *ḳara ṣū y el 'afrīn,* cuyas aguas provienen en gran parte de la llanura pantanosa *el'amḳ* y del lago de Antioquía.

[3] Esta es al mismo tiempo la más profunda depresión de toda la tierra, aproximadamente 400 metros bajo el nivel del mar.

único, cuyo origen se sitúa al final del terciario, caracteriza con especial evidencia al imponente y a veces caprichoso paisaje del sur del mar Muerto, donde formaciones de antiquísimas rocas, con predominio de la rojiza piedra arenisca nubia, plasman solitarios montes pelados de austera belleza, al menos a ambos lados del *wādi el-araba*. Desde allí y en dirección este y oeste se extienden zonas esteparias y desérticas; las zonas occidentales se deben considerar ya como pertenecientes a la península del Sinaí, que en su parte meridional está dominada por gigantescos macizos, a los que tradicionalmente se da el nombre de montes del Sinaí. La escasamente poblada península del Sinaí sirve de puente entre la extensa península arábiga y el continente africano, mejor dicho, viene a ser como un «guión» (A. Alt) entre Palestina y Egipto, donde en otros tiempos se podía penetrar fácilmente desde la península del Sinaí hacia la zona oriental del delta del Nilo. Actualmente esta región fronteriza está dividida por el canal de Suez.

Egipto constituye una magnitud aparte. El país del Nilo tiene una estructura peculiar y es incomparablemente más cerrado que las demás comarcas descritas hasta aquí. En una única trayectoria longitudinal, aproximadamente desde los rabiones de la primera catarata al sur hasta el delta, Egipto consta de una sola y estrecha región fluvial, que apenas puede abrirse más allá de las montañas que limitan el valle del Nilo. El Nilo aporta sus abundantes aguas para el riego, facilitando así toda clase de cultivos. Egipto es un regalo del Nilo, en expresión perenne y lapidaria de Herodoto. El que dentro de esta alargada configuración del país se fueran formando ciertos puntos de gravedad, en los que se concentraron alternativamente la cultura y el poder político, principalmente en torno a la meridional Tebas y a la septentrional Menfis, cuyo emplazamiento estuvo aproximadamente donde más tarde se formó El Cairo, fue una consecuencia de circunstancias geográficas, pero más todavía fue el resultado final de evoluciones etnográfico-políticas. Egipto se encuentra, en comparación con las zonas adyacentes a la península arábiga, en una situación geográficamente independiente. Debido a sus condicionamientos naturales, la zona siriopalestinense junto con Mesopotamia es, por situación y estructura, un complejo notablemente homogéneo, que se encuentra en contacto bastante tenue con Egipto. El popular slogan de *fertile crescent,* de «fértil media luna», alude más bien a aquellas comarcas que limitan a la península arábiga por su lado norte.

Lo que hasta aquí se ha presentado como conjunto de regiones estrechamente relacionadas, constituye una unidad más fuerte en el aspecto cultural. Las condiciones de vida de este ámbito geográfico son peculiares, pero sustancialmente invariables. Dependen sobre todo de las circunstancias geográficas y climáticas. Si prescindimos aquí de la situación de Egipto, diferente en muchos aspectos, hay que decir que Mesopotamia y Siria constituyen territorios adyacentes de extensos desiertos y estepas [4]. Ni siquiera las zonas de clima más favorable disponen de espesos bosques, sino que presentan el aspecto de un paisaje «abierto», que desde siempre tuvo las mejores condiciones para la colonización, sin que se hicieran necesarias extensas roturaciones. De ahí que Mesopotamia y Siria pudieron dar cabida a frecuentes oleadas semíticas de población procedentes de las comarcas esteparias. Los puntos de partida de este pueblo semítico hay que buscarlos al norte de la península arábiga, o más exactamente, en el cinturón estepario colindante con la «fértil media luna», que se prestaba a un estilo de vida nómada con la cría de ganado menor, especialmente de ovejas y cabras, pero también de asnos [5]. Desde allí estos nómadas se propagaron por los posteriores territorios civilizados ya en tiempos prehistóricos. El trasiego de elementos nómadas desde la estepa hacia las tierras de residencia fija pudo conducir a que ellos mismos se establecieran allí permanentemente, hecho que, motivado por la necesaria mudanza entre los pastos de invierno y de verano, se ha mantenido hasta los tiempos modernos como lento proceso de infiltración, pero que en tiempos antiguos adoptó muchas veces la forma de gran movimiento compacto de carácter agresivo [6]. Este

[4] En las auténticas zonas desérticas caen menos de 100 mm. de lluvia al año; en las regiones esteparias 100-250 mm. y en una zona próxima a la tierra cultivable 250-500 mm. Tal es la diferencia que se consigna en el instructivo mapa del norte de Siria de R. de Vaux, *Die hebräischen Patriarchen und die modernen Entdeckungen,* 1959, 63. Sin tanta matización, pero sustancialmente lo mismo dice R. Gradmann, *Die Steppen des Morgenlandes in ihrer Bedeutung für die Geschichte der menschlichen Gesittung*: Geogr. Abh. 3/6 (1934) 22 ss. con mapas adjuntos; Id., *Palästinas Urlandschaft*: ZDPV 57 (1934) 161-185.

[5] Sobre la base de las fuentes disponibles, existen opiniones diversas sobre la cría y utilización del camello entre los semitas por lo que se refiere a su propagación y fecha de su aparición. Al principio del segundo milenio puede haber sido ya utilizado el camello, al menos parcialmente, como bestia de carga y como cabalgadura; hay pruebas ciertas de que se propagó mucho más hacia finales del segundo milenio. Este problema ha sido frecuentemente estudiado. Cf. un sucinto resumen en J. Henninger, *Über Lebensraum und Lebensformen der Frühsemiten*: AGF-G 151 (1968) 24-28; Id., en L. Földes (ed.), *Viehwirtschaft und Hirtenkultur. Ethnographische Studien,* Budapest 1969, 33-68.

[6] Sobre el nomadismo semítico informan numerosos estudios especiales. Ofrecen resúmenes (con numerosos datos bibliográficos): J. Henninger, *Frühsemiten;* M. Weippert, *Die Landnahme der israelitischen Stämme in der*

vivo contacto entre estepa y tierra de cultivo constituye en gran parte el secreto del elevado y renovado desarrollo de los cultivos en esos países. Pues la constante afluencia de gentes procedentes de las regiones esteparias suponía al mismo tiempo comunicación e intercambio de importantes medios de cultivo, que se perfeccionaban como consecuencia de la simbiosis entre los elementos nativos y los inmigrantes nómadas. Sabemos, por ejemplo, que las formas primitivas de nuestras principales especies de cereales, trigo y cebada, que aparecen en la estepa, con toda probabilidad se cultivaron por primera vez en las comarcas situadas al este del Jordán y en la Mesopotamia superior [7]. Junto con el arado como instrumento de cultivo fomentaban el afincamiento de grupos anteriormente nómadas. Allí donde eran menos favorables las condiciones para el cultivo de la tierra, el país ofrecía al menos posibilidades para la cría de ganados y explotación de pastos en gran escala, como por ejemplo ocurría en los pocos montes fértiles de piedra calcárea de Palestina.

Fácilmente se comprenden las repercusiones de estas circunstancias de la región sobre la colonización, el comercio, la lengua y las generales tendencias histórico-evolutivas. Era forzoso que en estos territorios se produjeran constantes superposiciones de estratos de población, que o bien eran motivadas por la estepa colindante o bien se debían a los movimientos de expansión de una política imperialista. Las llanuras sin bosques estimulaban el hambre de posesiones y posibilitaban operaciones militares de gran escala, a las que no raras veces tenían que sucumbir las agrupaciones nacionales, forzosamente reducidas y aisladas, de las zonas montañosas de Siria y Palestina. Si bien, tratándose de tan vastas regiones, no cabe pensar en una absoluta unidad lingüística, sin embargo los distintos idiomas están emparentados entre sí. Pero en todo caso no tiene fundamento derivar las lenguas de Mesopotamia y de Siria de un «protosemítico» como base común de todas ellas. El «protosemítico» es una hipótesis que carece de pruebas. Cierto es que la amplia cohesión étnica de los habitantes de la es-

neueren wissenschaftlichen Diskussion: FRLANT 92 (1967) 102-123; R. de Vaux, *Das Alte Testament und seine Lebensordnungen* I, ²1964, 17-41. Especial interés tuvieron los estudios suscitados por las Mari-Briefe; J.-R. Kupper, *Les nomades en Mésopotamie au temps des rois de Mari,* Paris 1967, 109-121. Cf. además S. Moscati, *The semites in ancient history,* Cardiff 1959; acerca de fenómenos similares, incluso en otros ámbitos y culturas informa el volumen mixto sobre la relación entre agricultores y ganaderos en el aspecto histórico, *Deutsche Akademie der Wissenschaften zu Berlin, Institut für Orientforschung*: Veröffentlichung 69 (1968).

7 R. Gradmann, *Die Steppen des Morgenlandes,* 59.

tepa, al entrar éstos en contacto con los elementos de residencia fija dio lugar a formas lingüísticas locales autónomas, que en su estructura presentan muchos aspectos comunes y por eso pueden considerarse «de carácter genéricamente semítico», pero no prototípicamente semíticas [8].

La distribución de las lenguas en el ámbito de que aquí hablamos está íntimamente relacionada con los diversos movimientos históricos, que constituirán el objeto de la próxima sección. Sin embargo, se puede decir en general que las lenguas llamadas tradicionalmente «semíticas» se encuentran exactamente en aquellas regiones que, dentro de su vasta extensión, limitan directamente con el desierto sirio-arábigo. Se trata de las lenguas de aquellos países civilizados que han sido poblados a partir de las zonas esteparias del desierto sirio-arábigo [9]. A tales lenguas pertenece en primer lugar el acádico (babilonio-asirio), diferenciado en varios dialectos, como primera lengua de Mesopotamia, llamado ahora ordinariamente «semítico oriental»; pero no el sumerio, que estriba en sus propias hipótesis y cuyo origen se desconoce. Como permiten deducir los mismos datos geográficos, las lenguas del ámbito sirio-palestinense se diferencian notablemente. Por lo que respecta a la época más antigua que se remonta al segundo milenio precristiano, «cananeo» se ha convertido en designación sintetizadora de una serie de dialectos semíticos noroccidentales, que nos son mejor o peor conocidos según los textos que se han podido hallar. Entran en consideración el ugarítico, el fenicio-púnico, el moabítico y no en último término el hebreo, como grupo dialectal del cananeo relativamente bien atestiguado. Pues los inmigrantes de la zona palestinense se asimilaron a la lengua allí preexistente incomparablemente más que aquellos que como arameos se establecieron al mismo tiempo en la Siria propiamente dicha, donde lograron aclimatar el arameo. Sin embargo, este arameo había de adquirir un influjo extraordinario en la primera mitad del primer milenio precristiano, pudo ahogar paulatina-

[8] El término de «protosemítico», como una de las ideas básicas de sus estudios, lo utilizan con resultados frecuentemente hipotéticos H. Bauer-P. Leander, *Historische Grammatik der hebräischen Sprache des Alten Testaments,* 1922 (reimpresión 1965). Estrechamente vinculado con el problema de la lengua «protosemítica» está el problema de los «protosemitas» y de su tierra natal. Para diferenciar estas consideraciones sumamente problemáticas, distingue últimamente la etnología entre «tierra natal primitiva o inicial» y «centro de irradiación»; de este modo el más antiguo centro o espacio de irradiación que podemos conocer se separa de aquellos puntos de residencia que presumiblemente fueron los más antiguos en sentido estricto. Por esta razón en vez de «protosemitas» se emplea el término justificable de «primitivos semitas». J. Henninger, *Über Lebensraum und Lebensformen der Frühsemiten,* especialmente 8-13.

[9] Tal es la teoría más admitida. Sobre otras teorías informa escuetamente (con muchas referencias bibliográficas) J. Henninger, *o. c.,* 9-13.

mente a los dialectos cananeos y en calidad de «arameo imperial» a partir del siglo VI convertirse incluso en lengua oficial de la cancillería persa, en lenguaje administrativo del imperio de los aqueménidas, incluidas las partes meridionales del imperio, Siria-Palestina y Egipto. Pero al mismo tiempo se desarrollaron numerosas formas dialectales arameas de carácter local, que se extinguieron sobre todo debido a la penetración del arábigo a partir del siglo VII d.C. El arábigo (dividido en arábigo septentrional y arábigo meridional) pertenece, junto con el abisinio-etiópico, al grupo meridional del semítico occidental. Del egipcio suele decirse que como lengua camítica posee solamente una componente semítica, que se manifiesta tan sólo en parte del vocabulario y en algunas peculiaridades gramaticales. Esto confirma la ya mencionada situación geográfica especial de Egipto con respecto a los países de la fértil media luna semítica por lo que se refiere a la filiación lingüística [10].

Palestina como escenario de la historia de Israel está inseparablemente vinculada a las condiciones de vida de sus países vecinos, ella misma es parte de ese gran conjunto, aunque también constituye de por sí una estructura relativamente independiente y compleja. A veces se ha exagerado la magnitud del país. La franja de tierra cultivable apenas supera los 120 kilómetros en dirección oeste-este. El punto septentrional y meridional de la zona de civilización israelítica suele designarlo atinadamente el mismo antiguo testamento con la expresión «desde Dan hasta Berseba»: la distancia en línea recta entre ambos puntos es solamente de 240 kilómetros. Según un cálculo exacto efectuado después de la primera guerra mundial, la tierra cultivable de Palestina al este del Jordán o Palestina cisjordánica es algo más reducida que el antiguo Württemberg [11]. Las extraordinarias diferencias de altitud pueden quedar ilustradas por medio del siguiente ejemplo: el nivel del mar Muerto se encuentra a algo más de 390 m. por debajo del

[10] Todos los demás pormenores relativos a las lenguas semíticas están resumidos en el manual de orientalística, editado por B. Spuler, *Semitistik*, Leiden [2]1964. Estudios especiales en lingüística semítica: Studi Semitici 4 (Roma 1961). Cf. además las introducciones de las correspondientes gramáticas; para el hebreo, R. Meyer, *Hebräische Grammatik* I, [3]1966, § 1-5; acerca de la situación lingüística en Siria en conexión con factores históricos A. Alt, *Kleine Schriften zur Geschichte des Volkes Israel* III, [2]1968, 25-42; sobre el semítico noroccidental E. Y. Kutscher, *Contemporary studies in north-western semitic*: JSS 10 (1965) 21-51.

[11] Más detalles sobre el tamaño del territorio y su población en M. Noth, *Die Welt des Alten Testaments*, [4]1962, 22-25. Mencionemos aquí simplemente que desde la fundación del moderno estado de Israel se han operado notables cambios en esos territorios precisamente en lo que respecta al aprovechamiento del suelo y al aspecto demográfico.

nivel del Mediterráneo [12], Jericó en el extremo septentrional del mar Muerto está a 250 m. bajo el nivel del mar, mientras que Jerusalén, situada a sólo unos 25 kilómetros de distancia al oeste de Jericó, está ya a 760 m. sobre el nivel del Mediterráneo y el cercano monte de los Olivos alcanza una altitud incluso de 815 m. Estas notables diferencias de altitud tienen su causa en procesos geológicos.

La tierra firme palestinense está formada por antiguas sedimentaciones marinas, que en su estratificación horizontal afloran todavía a trechos con bastante claridad. Pertenecen a las formaciones jurásica y cretácea. Resaltan principalmente las capas del cretáceo superior, sobre todo las duras piedras calcáreas del Cenoman y Turon con un promedio de espesor de 600 metros. Se caracterizan tales capas por una extraña formación de terrazas, que a menudo dominan el paisaje. Sobre Cenoman y el Turon se encuentra como capa superior de la formación cretácea la blanda piedra calcárea del Senon, deslumbradoramente blanca a los rayos del sol. El paisaje del Senon se caracteriza por superficies blandas y onduladas, sobre todo en los montes de Judea y Samaria. Hacia el final del terciario hubo procesos volcánicos al nordeste del país, sobre todo en la región del Haurán (*dschebel ed-drūz*) y en la comarca *dschōlān* al norte del Jarmuk. Esto motivó el que todo el tercio septentrional de la Transjordania y aun la parte sureste de la montaña galilaica se cubriera de un estrato basáltico.

Los procesos tectónicos fueron decisivos para originar la actual configuración de la superficie del país. Por presión lateral y tras la sedimentación de las capas cretáceas se produjeron alteraciones en ese estrato rocoso, que geológicamente se denominan pliegues o curvaturas (las también llamadas «flexuras»). Se reconocen todavía estos fenómenos sobre todo en la parte oriental de los montes de Judea y Samaria. En la segunda mitad del terciario (entre el mioceno y el plioceno) se rompieron los estratos en dirección norte-sur. De este modo se produjo el hundimiento del actual foso del Jordán, pero al mismo tiempo en la parte occidental de las montañas cisjordánicas tuvo lugar la depresión de la llanura costera. De este modo toda la cordillera cisjordánica ha mantenido la forma de un alargado «nido montañoso». De los hundimientos posteriores el más importante es el que se extiende desde el sureste hacia el noroeste, que ha formado la llanura de Jezrael. En tiempos posteriores la acción de las aguas y de los vientos ha contribuido a diferenciar aún más este cuadro geográfico. Y así es muy característico el que los estratos del Senon se encuentren aplanados en las laderas occidentales

12 El mar Muerto en su parte norte tiene una profundidad de hasta 400 metros; por el contrario, la parte sur, aproximadamente desde la península *el-lisān*, es sumamente somera.

de las montañas, donde iban descargando las lluvias que ascendían desde el Mediterráneo. Arroyos y regueros más o menos importantes contribuyeron a formar un paisaje tan múltiple y produjeron a menudo tal complejidad en las condiciones del terreno, que son una de las principales causas que dificultan la reconstrucción de bastantes acontecimientos históricos y su exacta localización. Como resultado de los grandes procesos tectónicos quedó el siguiente perfil geográfico de este a oeste: una subida suave de la Transjordania desde el llano desierto arábigo, un escarpado declive occidental hacia el foso del Jordán; en la parte occidental del foso del Jordán una brusca ascensión hasta el nivel de la cordillera judeo-samaritana y un declive más suave a trechos desde ese nido montañoso hacia la llanura costera.

Las diferentes comarcas palestinenses sólo pueden explicarse teniendo presentes estas estructuras fundamentales del país. Es conveniente enumerarlas brevemente comenzando por el sureste, precisamente allí donde una parte de las tribus israelíticas se aproximó a la tierra cultivable al conquistar el país. El más importante río fronterizo de la Transjordania meridional es el Arnon (*sēl el-mōdschib*), cuyo profundo valle separaba antiguamente el territorio principal de los moabitas al sur del territorio de los amonitas al norte. Desemboca en el mar Muerto, casi exactamente hacia la mitad de su costa oriental. La llanura que se encuentra al norte del Arnon tiene una altura de 700 metros por término medio, sólo parcialmente cultivable y unida directamente por el este al cinturón de estepas y desiertos. Por el norte sigue un terreno ondulado, que se extiende hasta el Jaboc (*nahr ez-zerḳa* = el río azul). Esta zona comprendida entre el Arnon y el Jaboc se denomina actualmente *el-belḳa*. El lugar más importante de la altiplanicie es Medebá (*mādebā*), ciudad que se ha hecho famosa por su mapa en mosaico. En el curso superior del Jaboc, que allí describe un gran arco hacia el sur, y en medio de una comarca de montañas y colinas se encuentra el antiguo Rabbath-Ammón, la actual capital de Jordania, *'ammān*. 7 kilómetros al oeste de *mādebā* se levanta, a manera de puesto avanzado, la cima montañosa *en-neba* (808 metros), el Nebo, desde donde se contempla un vasto panorama que abarca partes extensas de la Transjordania y hasta de Cisjordania; este panorama sería el que oteó Moisés al fin de sus días (Dt 34) [13].

A la zona de *el-belḳa* le siguen por el oeste el mar Muerto y

[13] Sin embargo, las auténticas tradiciones del Nebo están vinculadas a un punto situado algo más al oeste de *en-neba,* que se llama *rās es-sijāgha* y con una altura de 710 metros brinda también una bella panorámica.

el foso del Jordán en su parte inferior. El mar Muerto [14], como mar interior sin desagüe y sometido a una constantemente alta temperatura de evaporación, presenta un enorme contenido en sal y minerales [15], que hace imposible cualquier clase de vida en sus aguas. Sin embargo, todos los ríos que desembocan en el mar Muerto llevan agua dulce, de tal modo que en sus cercanías es posible una vegetación que es especialmente exuberante en la región de fuentes termales del litoral oriental. Existen pruebas de que en la época helenístico-romana se acudía a tales fuentes junto a un lugar llamado Kallirrhoe con propósitos medicinales [16]. Menos extensa es la comarca cultivable de *'ēn feschcha,* aproximadamente 1 kilómetro al sur de las ruinas de *chirbet ḳumrān,* famosas por el hallazgo de manuscritos que tuvo lugar en sus alrededores. La cordillera que recorre la margen oriental del mar Muerto, hendida por profundos valles, lleva en el antiguo testamento el nombre de Pisga [17], mientras que la cordillera de la margen occidental está formada por las estribaciones del desierto montañoso de Judá, que a trechos se precipitan directamente hacia el mar Muerto. La zona que circunda al mar Muerto no permite una colonización normal ni por sus condiciones climáticas ni por la configuración del terreno. Sin embargo, ha tenido a veces su peculiar importancia como comarca fronteriza y como refugio. El oasis de Engedi (*'ēn dschidi*) en la margen suroccidental del mar Muerto le sirvió ya a David como lugar de retirada, pero fueron sobre todo los macabeos y los herodianos quienes creyeron poderse proteger contra el peligro de los nabateos mediante el triángulo de fortificaciones formado por Maqueronte (*el-maschnaḳa* junto a *chirbet el-mukāwer*) en la parte oriental, Hyrkania (*chirbet mird*) y Masada, *es-sebbe*) [18]. Pero aun los mismos habitantes de Judea buscaron refugio repetidas veces en esa zona, la comunidad de *ḳumrān* en época precris-

[14] Su extensión de norte a sur es de unos 85 kilómetros; su anchura llega a los 15 kilómetros. Tiene 915,1 kilómetros cuadrados de superficie (el lago de Constanza tiene tan sólo 539).

[15] El contenido salino es unas seis veces superior al de nuestros océanos (entre el 20 y el 26 %); además predominan el cloruro de magnesio y el cloruro de calcio.

[16] Así se cuenta de Herodes el Grande poco antes de su muerte (4 a. C.). Junto al actual *'ēn ez-zāra* se observan aún restos de antiguas instalaciones. H. Donner, *Kallirrhoe*: ZDPV 79 (1963) 59-89.

[17] Núm 21, 20; 23, 14; 34, 1, etc.

[18] O. Plöger, *Die makkabäischen Burgen*: ZDPV 71 (1955) 141-172 (reimpresión en O. Plöger, *Aus der Spätzeit des Alten Testaments*: Studien [1971] 102-133), donde también se habla de la cuarta de las instalaciones de este tipo, el Alexandreion (*ḳarn ṣarṭabe*) junto a la salida del *wādi fār'a*.

tiana y amplios sectores del pueblo judío en tiempos inmediatamente postcristianos, cuando mantenían una desesperada lucha contra los romanos (70-73 y 132-135 d. C.).

Los montes de Judea comprenden un amplio conjunto geográfico, que constituye el territorio situado al sur de Jerusalén. Su parte principal, los «montes de Judea» en sentido estricto (*har Jᵉhūdā*), constituye la región situada entre Hebrón (*el-chalīl*), lugar más importante de la región, y Belén situado al norte de ahí (*bēt laḥm*). En sus sectores orientales los montes de Judea son muy escasos de lluvias y forman allí el «desierto de Judea» (*midbar Jᵉhūdā*). Por el oeste, en cambio, la cordillera está limitada por una gran falla geológica hacia la llanura costera. Allí el paisaje se convierte en un terreno de colinas de sólo 300-400 metros. Igualmente la cordillera va descendiendo cada vez más hacia el suroeste y hacia el sur. La zona esteparia y desértica, que entonces seguía a la cordillera en las inmediaciones de Berseba (*bīr es-sebaʿ*) es actualmente objeto de afanes israelíes por lograr allí una explotación agrícola. En cambio ya desde siempre fue cultivable la comarca que rodea a Hebrón, de lo cual se convencieron los exploradores israelitas (Núm 13.14).

El territorio judaico no puede considerarse como algo sólidamente aislado y compacto en todos los sentidos; pero es una región peculiar, una magnitud de por sí, que, como algo independiente, se destaca de las demás regiones. El camino que sube desde Belén a Jerusalén va poco a poco manifestando un distinto carácter geográfico. La altiplanicie de la cordillera judaica está en parte, en torno a Jerusalén, más nítidamente perfilada. Hondas cañadas llegan hasta la misma ciudad, cuya parte más antigua situada hoy día fuera de la auténtica ciudad antigua de Jerusalén, se encuentra todavía a un nivel relativamente bajo en comparación con la vieja ciudad amurallada situada al norte de ahí. Desde ella arranca, en dirección norte y oeste, el moderno Jerusalén.

Al norte de Jerusalén se extiende primeramente un terreno amplio y abierto con diversas cadenas de colinas, aunque a la altura del actual *el-bīre* y del poblado *rāmallah* está limitado por una loma claramente visible. Esta zona del norte de Jerusalén, que en la época veterotestamentaria estuvo poblada sustancialmente por miembros de la tribu de Benjamín, está limitada también por el oeste y el este por lomas y estribaciones montañosas. De ellas forma parte por el este la extraña prominencia que lleva el nombre de *en-nebi samwīl* y que se supone albergar la tumba de Samuel. A sus pies y separado por un valle se encuentra Gibeón (*ed-dschīb*). A partir de ahí y en dirección oeste la sierra se va elevando paulatinamente, interrumpida por algunas altiplanicies y adoptando a trechos muy caprichosas formas. A través de esta zona cruzaba uno de los más importantes caminos de transición desde el interior del país hacia la llanura costera, el camino de Beth-Horon, que la Biblia llama «sendero de Beth-Horon», pero que desempeñó un papel importante incluso en la época de los macabeos y de los romanos [19]. Pasaba junto a *ʿamwās* (probablemente el Emaús del nuevo testamento) y Geser (*tell dschezer* cerca de *abu schūsche*) bajando hacia la llanura costera. Esta zona montañosa es muy fértil en ciertos parajes. Distinta es la situación en el límite oriental montañoso de la gran altiplanicie que se extiende hacia el norte de Jerusalén. Una zona muy accidentada y de dificultoso tránsito la separa del foso del Jordán. El más profundo y conocido *wadi* (= valle o cauce seco de las zonas desérticas) de esta región, que se interna en la zona de Jericó, es el *wādi el-ḳelt.*

Desde Jerusalén arranca una conexión directa hacia el norte, el jerosolimitano «camino del norte», que dentro de la región benjaminítica pasa por el Guibeá de Saúl (*tell el-fūl*), el Rama de Samuel (*er-rām*), el Mispá de 1 Re 15 (*tell en-naṣbe*) y el actual *el-bīre* (¿Beeroth?), mientras que deja a la izquierda Guibeón y a la derecha los poblados de Anatot (*ʿanāta*), Gueba (*dscheba*ʿ) y Michmas (*muḥmās*). Se adentra en la región de la montaña efraimítico-samaritana, que aproximadamente desde la altura de Bethel (*burdsch bētīn*) en el sur hasta la llanura de Jezrael en el norte constituye el auténtico núcleo de la Palestina central, el sector del reino septentrional Israel. Las naturales circunstancias geográficas favorecieron las vicisitudes históricas. Estas montañas no son tan altas como las de Judá; de ahí que la zona afectada por las lluvias procedentes del oeste se extiende más hacia el este que en Judá. Es notable la feracidad de toda esta comarca. El verdadero centro es la zona de los contornos de Siquem (*nāblus;* el antiguo emplazamiento de la población se llamaba *tell balāṭa*), que está situada exactamente entre los montes Ebal (*dschebel islāmīje*) al norte (938 metros) y Garizim (*dschebel eṭ-ṭor*) al sur (868 metros).

El variado carácter de esta zona montañosa facilita, sobre todo en su parte septentrional, numerosas comunicaciones. El camino del norte de Jerusalén se ramifica hacia el centro de la cordillera junto a Siquem. Desde ahí se puede llegar rápidamente a Samaria

[19] Jos 10, 12; cf. también 1 Mac 3, 13 ss; 7, 1 ss. Sobre el recorrido e importancia de la calzada Beth-Horon, Th. Oelgarte, *Die Bethhoronstrasse*: PJB 14 (1918) 73-89 y láminas 6 y 7.

(*sebaṣṭje*) situada en lo alto de un círculo montañoso y continuar hasta la llanura de Jesreel junto a *dschenīn*. Por otra parte, desde Siquem parte un camino en dirección nor-nordeste a través del *wādi bēdān* hacia Tirsa (*tell el-fār'a*) y a través de la parte nordeste de la sierra hacia Tebes (*tūbās*) igualmente en las estribaciones orientales de la llanura de Jezrael. En dirección contraria, al sur de Tirsa, se puede pasar al *wādi fār'a,* amplia y fértil cadena de valles, que desde lo alto de la cordillera constituye una conexión directa con el foso del Jordán en dirección sureste, en especial con el vado de Adam (Jos 3, 16) (*tell ed-dāmje*) cerca de la desembocadura del Jaboc. También merece mención el paso del *wādi 'āra,* que hizo famoso sobre todo Thutmosis III antes de sitiar a Megiddo y que en la parte occidental de la cordillera facilita el enlace entre la llanura costera y la parte meridional de la llanura de Jezrael.

Esta extensa y fértil llanura, que separa las montañas efraimítico-samaritanas de la altiplanicie galilaica, recibe su nombre de la ciudad de Jezrael (*zer'īn*) situada en su margen oriental, pero a veces se la designa también llanura de Megiddo, antigua fortaleza situada en su extremo meridional. Hacia el oeste, la llanura tiene una angosta salida entre las crestas del Carmelo, que avanza hasta muy cerca del mar, y las estribaciones de las montañas de Galilea, hacia la ensenada de Acó. Actualmente entre Acó y el Carmelo está situada la importante ciudad portuaria de Haifa. En su lado oriental la llanura de Jezrael tiene en el *nahr dschālūd* al norte de los montes de Gelboé (*dschebel fuḳū'a*) un acceso directo al foso del Jordán, o más exactamente, a la llanura de Beth-Sean (*bēsān*). La llanura de Jezrael, por ser el más ancho y profundo tajo de toda la cordillera jordánica occidental, es la gran llanura de las batallas de Palestina; en sus extremos ya durante el segundo milenio a. C. se construyeron importantes fortalezas, que servían como base de operaciones para ulteriores avances hacia el interior del país y para inspeccionar las comunicaciones entre la llanura costera y los montes septentrionales hasta el interior de Siria. Estas fortalezas, enumeradas desde el noroeste hacia el sureste, eran: Jokneam (*tell ḳēmūn*), Megiddo (*tell el-mutesellim*), Tanac (*tell ta'annek*), Jibleam (*chirbet bel'ame*) y, cerrando la serie, Beth-Sean en el foso del Jordán (*bēsān*; antiguamente *tell el-hösn*). Jezrael fue residencia sólo provisional de los reyes israelitas.

Los montes galilaicos, que siguen hacia el norte, son el último macizo montañoso del lado oeste del Jordán, que tradicionalmente se considera como Palestina. La parte sur y suroeste de Galilea está constituida por una zona montañosa, que recibe el nombre de baja Galilea para distinguirla del norte montañoso. Prescindiendo de la comarca situada en torno al lago de Genesaret, que está al este de la baja Galilea, constituye ésta el principal escenario de la actividad de Jesús en Galilea, y allí se encuentran muy juntas las ciudades de Nazaret, Caná y Naím. En la parte suroriental de la baja Galilea se alza el imponente pico del monte Tabor (*dschebel eṭ-ṭōr*). En el lado oriental de la altiplanicie de la baja Galilea se encuentra la ciudad de Hazor (*tell wāḳḳāṣ*), ya más conocida gracias a recientes excavaciones. En la cordillera de la Galilea superior y a 8 kilómetros al noroeste de la ciudad de Safed, se eleva el monte más alto de la Cisjordania, el *dschebel dschermaḳ* (1.208 metros).

Digamos algo también de las tierras bajas del país, de las que aún no se ha tratado. La llanura costera, que se extiende a lo largo del lado occidental de la cordillera, creciendo su anchura desde menos de 3 kilómetros al suroeste del Carmelo hasta cerca de 40 kilómetros a la altura de Gaza, llega al fin hasta el mismo desierto del Sinaí sin interrupción perceptible. Ella hizo posible una buena comunicación a lo largo del mar y por eso al correr de los tiempos se convirtió en región de paso de los grandes conquistadores. Desde luego la poco profunda costa apenas ofrece posibilidades para puertos naturales.

Ya hemos hablado detalladamente sobre la formación del foso del Jordán. El mismo Jordán, que nace alimentado por las aguas de una serie de manantiales que provienen del extremo meridional del Hermón, atraviesa primeramente la pantanosa y hoy desecada comarca del antiguamente llamado lago superior del Jordán o lago de Merom (*baḥret el ḥūle*) y, después de horadar una sierra de basalto, llega al lago de Genesaret [20]. Los lugares principales de la actividad de Jesús se encuentran ante todo en sus márgenes occidentales, donde las montañas no llegan tan cerca del lago, especialmente en la llanura situada al sur de Cafarnaúm. Entre el extremo meridional del lago y el mar Muerto (105 kilómetros en línea recta) el Jordán atraviesa completamente un amplio foso o

[20] Su nombre veterotestamentario es *jām kinnärät* (según se llamaba una población, Kinnereth, situada hacia el noroeste por encima del posterior Cafarnaúm, Núm 34, 11; Jos 12, 3; 13, 27). La designación de «lago de Genesaret» se basa principalmente en el nuevo testamento (cf. especialmente Lc 5, 1) y proviene sin duda del nombre de la pequeña llanura situada al oeste del lago, que se llamaba «Gennesar» (así en Josefo, en el Talmud y en 1 Mac 11, 67). Por la ciudad de Tiberias (*ṭabarīje*) situada en su orilla oriental, este lago se llama también lago de Tiberíades (*baḥret ṭabarīje*) Tiene 21 kilómetros de longitud, su mayor anchura llega a 12 kilómetros; se encuentra por lo menos a 200 metros bajo el nivel del mar.

valle (*el-gōr* «terreno bajo»), que sólo al sur del recodo de Beth-Sean se estrecha a 3 kilómetros, pero al sur de la desembocadura del Jaboc su máximo ensanchamiento alcanza los 20 kilómetros. Este último tramo encierra el fértil oasis, que en el antiguo testamento lleva el nombre de *kikkar haj-jardēn* y en cuyo extremo suroccidental se encuentra, como ciudad más importante, Jericó (*erīḥa;* ruinas de *tell es-sulṭān*). El mismo Jordán se desliza allí describiendo múltiples curvas, a través de margales de un blancor deslumbrante erosionados por su corriente. La profundidad de su cauce hace casi imposible la extracción de sus aguas y su difusión por los campos circundantes. De ahí que el valle del Jordán sea en gran parte desértico. Los oasis de Beth-Sean y de Jericó se surten de agua de los manantiales existentes en las faldas de las sierras.

Nos resta, por fin, decir algo sobre la Transjordania media y septentrional. Al norte del Jaboc a la región de *el-belḳa* le sigue la zona del *'adschlūn;* se encuentra entre el Jaboc y el Jarmuk (*scherī'at el-menāḍire*). Esta montañosa comarca, que se eleva hasta los 1.250 metros, es todavía hoy la región de Palestina más poblada de bosques, en la que existen incluso grandes reservas de robles. Pero estos robles no alcanzan la altura de los europeos y los bosques no son tan densos y acogedores como los de nuestras tierras.

Al *'adschlūn* por la parte norte le sigue la comarca del *dschōlān* (llamada antaño Gaulanitis y hoy día «alturas del Golán»), que llega hasta las estribaciones meridionales del Hermón. Esta es la zona, que en el antiguo testamento se llama frecuentemente región de Basan (*hab-hāschān* = «el suelo liso»), que comprende además la llanura de *en-nuḳra* («la hondonada») que se une por el este al *dschōlān*. La feracidad del suelo se debe al hecho de estar compuesto de lava basáltica disgregada, que, desde los montes del Haurán, antiguamente volcánicos, en la más remota orilla del desierto, se fue derramando hasta esta región. Es curioso que el antiguo testamento en ningún sitio haga mención de los montes Haurán (*dschebel ed drūz*) situados en el extremo nordeste de Palestina y que se elevan a una altitud de 1.839 metros. Tan sólo en la época romana y postcristiana adquieren esos montes una mayor importancia en la evolución política y eclesiástica. Esto mismo se puede decir hasta cierto punto de toda la Transjordania. Así lo demuestran las impresionantes ruinas de Gerasa (*dscherasch*) en el *'adschlūn* suroriental, las de Bosra (*boṣra eski schām*), antigua capital del imperio nabateo en el extremo suroccidental del Haurán, y los numerosos restos de templos de *umm ed-dschemāl* al borde de la zona agrícola próxima a la moderna carretera de Bagdad. Al noroeste del Haurán se extiende la amplia y escasamente poblada región de *el-ledscha,* extremo límite nordeste del área geográfica que solemos llamar Palestina. Entre *ledscha* y *dschōlān* atraviesa la principal vía de comunicación con Damasco, capital de Siria, que se extiende en medio de un oasis en el lado oriental del Antilíbano.

La actual naturaleza del terreno, la desnudez de sus montañas, la aridez del suelo, que sólo puede aprovecharse para la agricultura a base de obras extraordinarias realizadas en amplios sectores, como sucede en el moderno estado de Israel, en especial utilizando al máximo el agua disponible, plantean el problema de un cambio fundamental de clima entre la antigüedad y nuestros días. Se piensa que en tiempos antiguos este territorio fue tal vez más floreciente, atractivo y agradable, si nos fijamos en la fórmula de «tierra prometida, que mana leche y miel». A esto hay que responder brevemente que ni los documentos bíblicos ni las observaciones científico-naturales hablan en favor de un tal cambio climático en los últimos milenios [21]. Palestina, como todo el mundo mediterráneo, pertenece a la zona del clima llamado subtropical, que se caracteriza por la alternancia entre un verano seco y una época de lluvias en el invierno. Ya el antiguo testamento nos habla del agostador calor veraniego y de la sucesión, tan extraordinariamente importante para la agricultura, de los períodos lluviosos invernales, que se designan atinadamente *jōrä* «lluvia temprana» (a finales de octubre), *gäschäm* como principal lluvia de invierno (enero-febrero) y *malkōsch* «lluvia tardía» (hacia el mes de mayo). Pero incluso todas las demás observaciones, que pueden hacerse a base del antiguo testamento y de la Mischna acerca de los procesos meteorológicos y agrícolas, están de acuerdo con la situación actual.

Un sólido argumento contra los cambios climáticos nos lo ofrece el mar Muerto. Los mares carentes de desagüe reaccionan muy rápidamente contra las mutaciones de la humedad climática y, si llega el caso, pueden desbordarse en una gran extensión. En cambio, el mar Muerto desde la antigüedad no ha cambiado de aspecto. Si por entonces se hubiera producido una humedad climática incluso moderadamente superior, hubiera subido también

[21] R. Gradmann, *Die Steppen des Morgenlandes,* 55 ss; sobre el problema de la desecación del Asia occidental, recientemente K. W. Butzer, *Late glacial and postglacial climatic variation in the near east*: Erdkunde 11 (1957) 21-35; H. v. Wissmann, *Ursprungsherde und Ausbreitungswege von Pflanzen- und Tierzucht und ihre Abhängigkeit von der Klimageschichte*: Erdkunde 81-94, 175-193. El resultado principal de los más recientes estudios es que aproximadamente desde el año 2400 a. C. el clima, con leves oscilaciones, se ha mantenido constante. J. Henninger, *Frühsemiten,* 10 s.

considerablemente el nivel del mar, hasta el punto de que probablemente hubiera quedado cubierta por las aguas la península *el-lisān*. Pero esto no ha ocurrido, como puede demostrarse por las descripciones de Plinio [22].

La gran regresión de la productividad del país está sólo parcialmente relacionada con la evolución natural. Es cierto que en el decurso de los siglos las aguas arrastraron fértil tierra laborable, quedando al descubierto la piedra caliza. Pero esto es precisamente una consecuencia del defectuoso cultivo del terreno, lo que se debe en gran parte a las oscilaciones de su densidad de población. Diversas razones históricas, como los cambios en las relaciones de poderío, abandono de todo el territorio como consecuencia de amplias evoluciones históricas, decadencia del imperio romano, invasión de persas y árabes, alteraciones de la soberanía territorial, fueron las que sustancialmente motivaron la formación y desaparición de centros culturales y de colonización, pero también la gradual regresión en el cultivo del terreno. A la inversa también quedan confirmados estos hechos mediante la consecuente aplicación de métodos modernos para la explotación económica del terreno, tal como la está realizando con éxito especialmente el moderno estado de Israel. En todo caso, la tierra «prometida» ni antiguamente ni hoy día ha sido, por sus calidades naturales, una tierra «que mana leche y miel» [23]. Esta expresión, ya de por sí difícilmente explicable, encierra muy probablemente una concepción ideal, que pudo surgir entre habitantes de la estepa a la vista de países con cultivos autóctonos [24].

22 Plinio, *Hist. nat.* V, 72; además, J. Partsch, *Über den Nachweis einer Klimaänderung der Mittelmeerländer in geschichtlicher Zeit,* en *Verh. des 8. Deutschen Geographen-Tages,* 1889, 124 s; Id., *Palmyra, eine historisch-klimatische Studie*: Berichte üb. d. Verh. d. Sächs. Akad. d. Wiss. phil.-hist. Kl. 74/1 (1922) 2-4; Gradmann, *Die Steppen,* 58.

23 El antiguo testamento aplica en una ocasión (Núm 16, 13) este giro incluso a Egipto. Cf. H. Guthe, *Palästina,* ²1972, 50-73; además la impresionante descripción sobre las condiciones de Palmira y Damasco en el aspecto geográfico-climático por I. Burton, citado por Partsch, *Palmyra,* 16 s.

24 Está todavía por hacer una detallada exposición de la geografía de Palestina que tenga en cuenta los datos más recientes. Predominan las obras sobre la geografía histórica del país: F.-M. Abel, *Géographie de la Palestine,* Paris, I, 1933; II, 1938; reimpresión 1967; D. Baly, *The geography of the Bible,* London 1959; Y. Aharoni, *The land of the Bible. A historical geography,* London 1967. Para los lectores de habla alemana conserva su vigencia M. Noth, *Die Welt des Alten Testaments,* ⁴1962, 1-95, con numerosas referencias a obras especializadas; sigue siendo instructivo H. Guthe, *Palästina*: Monographien zur Erdkunde 21 (²1927). Crece constantemente el número de obras ilustradas, pero en su mayor parte son científicamente inservibles ya que lo que se representa o no se describe o se describe deficientemente; en cuanto a la bibliografía no tan reciente son representativos L. Preiss - P. Rohrbach, *Palästina und das Ostjordanland,* 1925; P. Volz, *64 cuadros de tierra santa,* sin indicación de año; recientemente ofrece buen material gráfico, aunque escasamente explicado L. H. Grollenberg, *Bildatlas zur Bibel,* ⁴1962; de los tres volúmenes ilustrados de H. Bardtke, *Zu beiden*

2. *La época*

Sobre el marco geográfico, que acabamos de trazar, no es difícil proyectar las líneas fundamentales de los movimientos históricos. Estas líneas con intensidad cambiante a lo largo de milenios se han mantenido las mismas hasta los tiempos postcristianos. Uno de los ejes de empuje procedía del desierto arábigo y sirio en dirección nororiental, septentrional y noroeste hacia las colindantes tierras de cultivo. Con ocasión de la trashumancia en busca de nuevos pastos, o bien mediante concentraciones agresivas, elementos de población procedentes del desierto y de la estepa colindante se posesionaban de comarcas fértiles y cultivables, bien en las dilatadas llanuras de Mesopotamia, bien, lo que bajo muchos aspectos resultaba más laborioso, en las zonas montañosas de Siria-Palestina. Frente a este principal movimiento se producía un contramovimiento, a veces amenazador, desde el nordeste, el norte y el noroeste, sobre todo por parte de los llamados «pueblos de la montaña», que desde la altiplanicie iranio-persa, posteriormente armenia, y desde la altiplanicie del Asia menor se dirigían a las llanuras mesopotámicas y al puente sirio-palestinense de tierra cultivable. Pero este puente geográfico estaba también bajo la amenaza meridional del expansionismo ocasional de los reyes egipcios, quienes a través de la península del Sinaí eran capaces de avanzar, en su época de apogeo, hasta más allá del Eufrates.

Tales expansiones de largo alcance podían, tras períodos más o menos largos, convertir a ciertos pueblos en «potencias mundiales» en los mismos límites de la perspectiva política imperialista. En un sentido amplio esto lo consiguieron por vez primera los asirios en el séptimo siglo precristiano, cuando fueron capaces de avanzar hasta Egipto, mientras que un siglo más tarde los babilonios adquirieron una potencia análoga, pero se detuvieron a las puertas

Seiten des Jordans, 1958; *Vom Roten Meer zum See Genezareth,* 1962, y *Vom Nildelta zum Sinai,* 1967, el último es el más original; una serie de fascinantes fotografías en color se encuentra en *Vérité et poésie de la Bible,* Fribourg-Paris 1969, con la colaboración de H. Cazelles, J. Bottéro, E. Lessing y otros. Entre los altas históricos aún sigue sin ser superado el de H. Guthe, *Bibelatlas,* [2]1926; de fecha más reciente son G. N. S. Hunt, *Oxford Bible Atlas,* London 1962; *Atlas of Israel. Cartography, physical geography, history, demography, economics, education,* 1956-1964; *Biblical world,* New York 1971; para situar con exactitud científica los emplazamientos de Palestina sirve el mapa, provisto de una cuadrícula especial, *1: 100.000 South levant series;* la edición israelí (24 hojas) *1: 100.000 Palestine* lleva sobreimpresos los actuales toponímicos hebraicos. Sobre mapas más antiguos cf. M. Noth, WAT, 2 s.

de Egipto. Sólo los persas volvieron a poseer un imperio, que incluía a Egipto, pero que, como más extensa estructura política del cercano oriente, hubo de sucumbir ante el arrollador occidente, al empuje de los ejércitos de Alejandro. El imperio romano fue capaz de dominar al oriente con éxito variable. Sin embargo desde el siglo VII d. C. ha sido sobre todo el arabismo el que bajo la bandera de Mahoma triunfó sobre los países que se interesaban por aquellas tierras; y éste fue el último avance agresivo de envergadura procedente del espacio arábigo, que sobrepasó con mucho los límites de la «fértil media luna».

Cuando en medio de estos movimientos hacia el final del segundo milenio precristiano comenzó Israel a entrar en la escena de la historia, se produjeron precisamente trascendentales desplazamientos de las relaciones de fuerza; pero su importancia sólo podrá comprenderse plenamente, si se toman en consideración sus condicionamientos y su prehistoria. Sólo así puede Israel ser comprendido debidamente dentro del armazón estructural de la historia del antiguo oriente [25].

[25] El número de las exposiciones de conjunto de la historia del antiguo oriente o de algunos sectores parciales, a menudo muy diversas en extensión y calidad, ha crecido extraordinariamente en los últimos decenios. Mencionemos aquí tan sólo algunas obras importantes, cuyas respectivas bibliografías pueden brindar una ulterior ayuda: exposiciones de conjunto: A. Scharff-A. Moortgat, *Ägypten und Vorderasien im Altertum*, [3]1962; *Fischer Weltgeschichte* II-IV: *Die Altorientalischen Reiche* I-III, 1965-1967; cf. también V-VIII: *Die Mittelmeerwelt im Altertum* I-IV. Un estudio detallado por épocas y teniendo en cuenta el material arqueológico con amplias bibliografías se puede ver en la *Ancient history* de Cambridge, que va apareciendo en cuadernos separados, edición revisada del vol. I y II, Cambridge 1962 ss; con más extensión que en las obras hasta ahora citadas y muchas veces enmarcadas en más amplios contextos se ofrecen las épocas de la historia del antiguo oriente en las exposiciones de conjunto de la historia universal; señalemos los respectivos volúmenes de la *Propyläen-Weltgeschichte* y de la *Saeculum-Weltgeschichte;* clásico es E. Meyer, *Geschichte des Altertums*, reimpresión 1965-1969.

Monografías sobre la historia de determinados países y pueblos: E. Otto, *Ägypten. Der Weg des Pharaonenreiches*, [4]1966; A. H. Gardiner, *Geschichte des alten Ägypten*, 1965 (muy citado el título del original inglés: *Egypt of the pharaos*, [3]1962); E. Drioton-J. Vandier, *L'Égypte*, Paris [4]1962; W. Wolf, *Das alte Ägypten*, 1971; W. Helck, *Geschichte des alten Ägypten*, en *Handbuch des Orientalistik* I/1, 3, Leiden 1968; H. Schmökel, *Geschichte des alten Vorderasien*, en *Handbuch des Orientalistik*, I/2, 3, Leiden 1957; W. Helck, *Die Beziehungen Ägyptens zu Vorderasien im 3. und 2. Jahrtausend v. Chr.*, *Ägyptologische Abhandlungen* V, [2]1971.

Exposiciones de la historia de la cultura: H. Kees, *Ägypten*, 1933; A. Goetze, *Kleinasien*, [2]1957 (estas dos obras han aparecido en el *Handbuch der Altertumswissenschaft*); H. Schmökel, *Kulturgeschichte des Alten Orient*, 1961; S. Moscati, *Geschichte und Kultur der semitischen Völker*, 1961.

El tercer milenio precristiano conoció en Egipto lo mismo que en Mesopotamia el establecimiento de aquellas relaciones de fuerza, que más tarde se convirtieron en organizaciones imperiales. La «unión de los dos países», el alto y el bajo Egipto bajo el reinado de Menes es, según la tradición, el dato más antiguo de la historia egipcia [26], que en los comienzos del tercer milenio tiene lugar desde luego un poco antes que la decisiva aparición del sumerismo en la Mesopotamia meridional. Aquí, la victoria del rey Sargón I sobre el sumerio Lugalzaggisi (hacia el 2350 a. C) es un dato fundamental no menos decisivo en orden a la ulterior evolución de los acontecimientos. Sargón I, en efecto, pertenecía a uno de aquellos grandes movimientos semíticos que avanzaron desde el desierto arábigo, y al mando de Sargón pudieron convertirse en un reino independiente en Akkad. Hay que reconocer desde luego que los semitas de Akkad no lograron un estado unitario tan impresionante como lo consiguieron por la misma época los egipcios desde la tercera hasta la sexta dinastía en el llamado antiguo imperio (aproximadamente 2650-2200 a. C.), en aquella época en que surgieron ya los símbolos más impresionantes de Egipto, las pirámides de Gizeh. Pero no hay que infravalorar las realizaciones histórico-culturales que tuvieron lugar por ambas partes. En ambos dominios aparecieron casi simultáneamente unos primeros sistemas completos de escritura, aunque de diversa naturaleza [27], por no mencionar aquí otros logros, en especial en el campo de las artes plásticas, pero también en la solución técnico-matemática de numerosos problemas de la vida [28].

[26] El rey Menes, a juicio de los egipcios posteriores, se encuentra al comienzo de su historia. Con él se iniciaron las listas de reyes egipcios, que están confirmadas por la tradición griega, especialmente por extractos tomados de la historia egipcia de Manetho. En este último se basa también nuestra clasificación de los reyes egipcios en «dinastías». Sobre los problemas históricos del comienzo de la historia egipcia W. Helck, *Geschichte,* 24-39; sobre problemas de la tradición S. Morenz, *Traditionen um Menes*: ZÄS 99 (1972) X-XVI.

[27] En Egipto los jeroglíficos, en Mesopotamia la escritura cuneiforme. Como una primera introducción véanse los dos tomos de Göschen, todavía instructivos, y A. Erman, *Die Hieroglyphen,* ²1923; B. Meissner, *Die Keilschrift,* ³1967. Recientemente S. Schott, *Hieroglyphen*, 1950; G. R. Driver, *Semitic writing from pictograph to alphabet,* 1944 (²1954); *Handbuch der Orientalistik,* I/1, Leiden 1959; II/1 y 2; *Das Sumerische,* Leiden 1964, 1-13.

[28] Cf. A. Scharff, *Die Frühkulturen Ägyptens und Mesopotamiens,* en *Der Alte Orient* (AO) XLI, 1941; Id., *Wesensunterschiede ägyptischer und vorderasiatischer Kunst,* en AO XLII, 1943; a las producciones científicas de Mesopotamia, en especial a los catálogos allí transmitidos, alude W. von

Hacia el año 2000 surgen diversas crisis, cuyas causas no están directamente relacionadas. Mientras que Egipto desemboca en un período de graves trastornos en su política interior (el llamado primer interregno, hacia el 2200-2050 a. C.), una nueva oleada semítica de extraordinaria complejidad avanza sobre Mesopotamia, pero también sobre Siria y Palestina. Su designación como «amoritas» o «amorreos» se halla muy difundida en las obras científicas, pero por desgracia con significado ambiguo [29]. Por eso merece ser preferida, a pesar de las reservas que aún suscita, la designación igualmente convencional de «semitas occidentales» [30]. Extraordinariamente complicadas se presentan primeramente las luchas que sostienen los dinastas mesopotámicos en los primeros siglos del segundo milenio y que están relacionadas por una parte con el empuje de los semitas occidentales y por otra parte con las incursiones de las tribus elamitas. Las dinastías de Isin y de Larsa adquieren una especial potencia. Pero todas las fuerzas rivales quedan finalmente eclipsadas por el semitismo de la llamada primera dinastía de Babilonia, cuyo sexto rey Hammurabi (1728-1686 a. C.), famoso por su colección de leyes, venció a Rimsin de Larsa y acabó con los soberanos de Mari (*tell harīri*) junto al Eufrates cen-

Soden en *Die Welt als Geschichte* II, 1936, 417 ss. y en *Sitzungsber. d. Österr. Akad. d. Wiss., Phil. hist. Kl.* 235/I, 1966, 3-33.

[29] *Amurru(m)* significa en acádico «la tierra de occidente», de tal forma que el nombre pudo aplicarse libremente ya a Mesopotamia occidental, ya a Siria y al desierto sirio, e incluso para designar a grupos nómadas de esas regiones. La conexión interna del llamado «movimiento amorreo» después del año 2000 se ha descubierto principalmente por ciertas notas comunes en la formación de nombres, que todavía siguen constituyendo la base principal para la demostración de todo el movimiento. La bibliografía más importante: S. Moscati, *I predecessori d'Israele. Studi sulle più antiche genti semitiche in Siria e Palestina,* Roma 1956; D. O. Edzard, *Die «Zweite Zwischenzeit» Babyloniens,* Wiesbaden 1957; J.-R. Kupper, *Les nomades en Mésopotamie au temps des rois de Mari,* Liège-Paris 1957; fundamental, aunque discutido en cuanto al enjuiciamiento del material, Th. Bauer, *Die Ostkanaanäer. Eine philologisch-historische Untersuchung über die Wanderschicht der sogenannten «Amoriter» in Babylonien,* 1926. Sobre la base del material arqueológico estudian la situación de Palestina y Siria K. M. Kenyon, *Syria and Palestine c. 2160-1780 B. C.*: CAH I/21 (1965) 38-61; cf. también C. H. J. de Geus: UF 3 (1971) 41-60. El antiguo testamento designa con el nombre de «amorreos» a ciertas partes de la población de Palestina. Pero esto está relacionado con un estado amorreo en Siria, de cuya existencia hay pruebas por lo que se refiere a los siglos XIV y XIII a. C. y cuyos habitantes se consideraban incluidos en el ámbito de la población preisraelítica de Canaán; cf. R. de Vaux, *Histoire ancienne d'Israël,* 1971, 68 s.

[30] Cf. S. Moscati, *The semites in ancient history,* Cardiff 1959, 57.

tral [31]. Pero no hay que olvidar que con esta misma época coinciden los comienzos de un nuevo centro político mesopotámico, que se formó junto al Tigris y amenazaba incluso a Babilonia: el asirismo. Pero su gran momento en orden a la historia universal no llegaría hasta más tarde [32].

Entre tanto, poco después del año 2000 a. C. Egipto ya había alcanzado una situación de relativa estabilidad, que se mantuvo a lo largo del llamado imperio medio (1991-1786 a. C.), sin que los acontecimientos mesopotámicos tuvieran de momento repercusiones sobre el país del Nilo; pero ya iban fermentando [33]. Egipto creó y desarrolló un gran aparato administrativo y obtuvo éxitos militares, principalmente contra los nubios meridionales. Sin embargo, el fin del imperio medio fue provocado por elementos procedentes del ámbito semítico, que según una designación egipcia se llaman «dominadores de tierras extrañas» (*ḥḳ', .w ch', św. t*) y que en la forma helenizada de tal expresión se conocen como «hyksos». La procedencia de los hyksos es todavía una cuestión debatida. No hay duda de que la solución que más se acercará a la verdad será aquella que tenga más en cuenta las diversas condiciones políticas y demográficas imperantes en la primera mitad del segundo milenio. Según esto, es muy verosímil que el llamado movimiento de los hyksos estuviera integrado por grupos de población semítico-occidentales, que partiendo del territorio sirio-palestinense, ya durante el imperio medio, se irían infiltrando sucesivamente en el delta oriental del Nilo. Pero se puede demostrar que entre ellos también se encontraban elementos hurríticos, que

[31] En el palacio real de Mari, que fue descubierto en las excavaciones dirigidas por A. Parrot entre 1933 y 1939, fueron halladas más de 20.000 losas con inscripciones cuneiformes, todavía no publicadas íntegramente y muy instructivas para la historia de toda la época; también son de gran importancia para enjuiciar incluso ciertos temas veterotestamentarios (movimiento de grupos nómadas, profecía, derecho). Bajo la dirección de A. Parrot se realizaron en total trece campañas de excavaciones entre 1933 y 1963. Textos: A. Parrot-G. Dossin, *Archives royales de Mari,* Paris 1946-1960. Cf. en especial W. von Soden: WO I/3 (1948) 187-204; I/5 (1950) 397-403; J. R. Kupper, *Les nomades,* 1957; *XV*[e] *Rencontre assyriologique internationale, Liège 1966*: *La civilisation de Mari,* Liège-Paris, 1967.

[32] W. von Soden, *Der Aufstieg des Assyrerreiches als geschichtliches Problem*: AO 37/1-2 (1937).

[33] Sobre toda la época G. Posener-J. Bottéro-K. M. Kenyon, *Syria and Palestine c. 2160-1780 B. C.*: CAH I, Cambridge 1965; W. C. Hayes, *The middle kingdom in Egypt*: CAH I, Cambridge 1961; especialmente H. E. Winlock, *The rise and fall of the middle kingdom in Thebes,* New York 1947; el período de transición entre el imperio antiguo y medio produjo una bibliografía ya clásica para Egipto: G. Posener, *Littérature et politique dans l'Égypte de la XII*[e] *dynastie,* Paris 1956.

llegaron a Siria desde el norte. Este agrupamiento de semitas occidentales y hurritas pudo facilitar a una clase dominadora evidentemente reducida establecer un dominio independiente primeramente en el bajo Egipto septentrional y después extenderse hacia el alto Egipto. Esto significa que la penetración de los llamados hyksos en Egipto no se debió a una única agresión, sino que fue consecuencia de un largo proceso [34]. Con esto se explica y comprende por una parte la presencia de elementos semíticos en Egipto ya durante el imperio medio [35], y por otra parte la dominación local y cronológicamente limitada de los hyksos que se fueron haciendo paulatinamente con el poder. A la larga no pudieron sostenerse y no ejercieron por lo demás un apreciable influjo sobre las costumbres y el ser de Egipto en su conjunto. La pérdida del poder por parte de los hyksos en Egipto, que suele calificarse de «expulsión» [36], dio fin allí al llamado segundo interregno, que se calcula a partir de la decadencia del imperio medio durante la dinastía XIII (desde 1785 a. C.) hasta el final de la dinastía XVII.

Con la dinastía XVIII (1580-1314 a. C.) consiguen los egipcios elevarse a la época de esplendor de su nuevo imperio (1580-1085 a. C.), la época de sus grandes expansiones, durante la cual lograron someter a su dominio para siglos aun a Palestina y extensas comarcas de Siria. Casi todos los importantes faraones del nuevo imperio, entre los cuales destacan los nombres de Thutmosis III, Amenophis II, Thutmosis IV, Sethos I y Ramsés II, lucharon en suelo palestino-sirio y defendieron esas posesiones septentrionales egipcias. Pero esto sólo les fue posible mientras no se encontraron con fuerzas que se opusieron a su avance. Estas nuevas fuerzas, que empezaron a surgir hacia la mitad del segundo milenio, fueron los llamados pueblos de la montaña, cuyos centros se hallaban en las

[34] Frente a anteriores opiniones sobre un (no demostrable) gran imperio de los hyksos, que se quería situar mucho más allá de Siria hacia el norte, ha sido defendida con firmeza por A. Alt la tesis «del pequeño espacio», que hace de Siria y Palestina la principal zona de reclutamiento de los hyksos: *Die Herkunft der Hyksos in neuer Sicht* (1954), en *Kl. Schr.* III, 72-98. W. Helck explica los hyksos en relación con una gran expansión hurrítica; razona y defiende su criterio en *Die Beziehungen Ägyptens zu Vorderasien,* [2]1971, 89-106; cf. también W. Helck, *Geschichte,* 131-140. R. de Vaux, *Histoire,* 78-84, sostiene también, en el sentido de Alt, que Palestina es el punto de partida de los hyksos.

[35] G. Posener, *Les asiatiques en Égypte sous les XIIe et XIIIe dynasties*: Syria 34 (1957) 145-163.

[36] Cf. las discretas formulaciones de T. G. H. James, *Egypt. From the expulsion of the Hyksos to Amenophis I*: CAH II (1965) 9 s.

cordilleras que se extienden desde Elam hasta Asia menor [37]. Contra Babilonia avanzaron los kassitas, cuyo origen sigue siendo dudoso, mientras que como segundo gran grupo los hurritas irrumpieron en el norte de Mesopotamia y establecieron su principal agrupación política en el reino de Mitanni [38], que a su vez fue el punto de partida de amplias expansiones, que llegaron al menos hasta Siria. Por ellos experimentaron los asirios uno de los períodos de decadencia de su historia, pues llegaron a ser dependientes incluso de Mitanni. Fueron los hititas quienes, como tercer gran grupo de población [39], fueron capaces de abatir el reino de Mitanni hacia el año 1365 a. C., facilitando así el que los asirios se elevaran nuevamente al poder, pero al mismo tiempo se infiltraron tanto hacia el sur, que se produjo el choque con los egipcios. En el mismo centro de Siria entraron en colisión las esferas de interés de ambos. En Kadesch junto al Orontes (*tell nebi mend*) se trabó por fin una célebre batalla entre el faraón Ramsés II (aproximadamente 1290-1223 a. C. [40]) y el rey hitita Muwatalli. Amplios documentos egipcios y fuentes hititas dan diversas noticias sobre el resultado de la confrontación. Ambas potencias midieron sus fuerzas y no se aventuraron a ulteriores acciones. Poco después, y bajo la forma, hasta entonces única, de un auténtico tratado de paz, los egipcios bajo Ramsés II y los hititas bajo Chattuschili III, llegaron a un entendimiento y se garantizaron sus futuras relaciones amistosas [41]. Parecía llegado el momento de un equilibrio entre el norte

[37] Entre ellos penetran en el próximo oriente elementos indogermánicos. Esto es cierto sobre todo con respecto a los hititas. Pero ya entre los hurritas nos encontramos con el fenómeno de una auténtica caballería (*marjannu*) como componente de una clase señorial indo-irania que allí se va destacando. De ella nacería la propagación del caballo como animal de guerra, empleado primeramente sobre todo en las batallas de carros, hacia la mitad del segundo milenio. R. Hauschild, *Über die frühesten Arier im alten Orient*: BVSAW 6 (1962).

[38] Probablemente por iniciativa de la clase señorial indo-irania (aria) en el interior de los hurritas. Cf. Hauschild, *l. c.*, 10 s.

[39] A. Goetze, *Hethiter, Churriter und Assyrer,* 1936; Id., *Kulturgeschichte des Alten Orients, Kleinasien,* ²1957; R. Hauschild, *Die indogermanischen Völker und Sprachen Kleinasiens*: SSAW 1 (1964).

[40] La cronología de esta época es hasta hoy objeto de investigación. E. Hornung, *Untersuchungen zur Chronologie und Geschichte des Neuen Reiches*: Ägyptologische Abhandlungen 11 (1964).

[41] El texto original estaba grabado en una placa de plata en escritura cuneiforme; son conocidas dos copias egipcias monumentales (en Karnak y en el templo de los muertos de Ramsés II, el *Ramesseum*) y una copia sobre una plancha de arcilla procedente de Boghazköi-Chattuscha, capital del imperio hitita. Un cotejo de ambos textos en S. Langdon-A. H. Gardiner: JEA 6 (1920) 179-205; cf. también ANET 199-201.

y el sur y las perspectivas de una política mundial que abarcara todo el antiguo oriente estaban a punto de realizarse. Con el equilibrio de fuerzas parecía posible un orden pacífico.

Pero las cosas no iban a quedar así. Los últimos siglos del segundo milenio vieron la aparición e irrupción de potencias totalmente nuevas, de las que muy pronto fue víctima el imperio hitita [42]. Desde el Mediterráneo occidental, posiblemente desde diversas direcciones del mundo greco-itálico, los llamados «pueblos del mar» avanzaron sobre el Mediterráneo oriental [43]. Es muy probable que a su agresión por tierra y por mar sucumbiera la muy desarrollada cultura cretense minoica; avanzaron a través de Asia menor hasta Siria y amenazaron a Egipto desde el oeste por el hecho de que grupos de población libia se pusieron en movimiento hacia el bajo Egipto. Pero, casi al mismo tiempo que esta conquista oeste-este de los pueblos del mar, una nueva oleada semítica procedente del desierto arábigo-sirio empezó a apoderarse de las tierras cultivables desde el interior. Se trataba de tribus arameas, que en amplia dispersión abarcaron casi toda la fértil media luna y entre Siria y Babilonia manifestaron pretensiones de dominio. Una nueva crisis para Babilonia y Asiria, un cuadro completamente distinto de las relaciones de fuerza en Siria-Palestina. Si allí hasta entonces algunas ciudades soberanas y ciudades-estado se habían podido mantener relativamente bien y por largo tiempo bajo soberanía egipcia, de lo cual ofrecen testimonio elocuente las cartas del archivo de Amenophis III y de Amenophis IV (Echnaton), halladas en el medio Egipto en *tell el-'amārna* [44] y las excavaciones llevadas a cabo en Ugarit (*rās schamra*) [45] al norte de Siria,

[42] H. Otten, *Neue Quellen zum Ausklang des Hethitischen Reiches*: MDO 94 (1963) 1 ss.

[43] P. Mertens, *Les peuples de la mer*: Chronique d'Égypte 35 (1960) 65-88; G. A. Wainwright, *Some sea peoples*: JEA 47 (1961) 71-90; W. Helck, *Beziehungen*, ²1971, 224-234; W. F. Albright, *Syria, the Philistines, and Phoenicia*: CAH II/33 (1966) 24-33; R. D. Barnett, *The sea peoples*: CAH II/28 (1969).

[44] La importancia de las cartas de Amarna para la historia del territorio palestinense-sirio en el siglo XIV a. C. ha sido puesta de relieve en numerosos estudios. Cf. la bibliografía consignada en ANET 483 y los trabajos allí mencionados de A. Alt en *Kl. Schr.* I, 89-175; III, 57-71; 99-140; 158-175. Un resumen en W. F. Albright, *The Amarna letters from Palestine*: CAH II/20 (1966).

[45] En Ugarit desde luego apenas han aparecido textos realmente históricos, sino, junto a textos de carácter administrativo, textos de contenido religioso y mítico. Con respecto al primer decenio de investigaciones cf. la compilación de O. Eissfeldt, *Ras Schamra und Sanchunjaton*, 1939. Los textos tienen gran importancia para la interpretación de la religión cananea; sigue siendo discutido hasta qué punto tales textos pueden también contri-

ahora ya elementos de los pueblos del mar iban ganando terreno a ojos vistas, especialmente en la zona costera; a ellos pertenecían los filisteos, que, sin apreciable resistencia egipcia, se establecieron en la llanura costera palestinense; pero el montañoso *hinterland* quedaba en gran parte a merced de los arameos, quienes no tardaron en fundar en Siria ciudades-estado. Al sur, en Palestina, la situación evolucionó de forma peculiar. Aquí paulatinamente fueron ganando para sí, en forma progresiva y no sin resistencia, la Transjordania y la Cisjordania aquellas tribus y grupos de tribus, que acabarían por constituir una magnitud unitaria bajo el nombre de «Israel». El rey David, surgido de su seno, fundador y acrecentador del reino en una misma persona, es, por muy complejo que haya podido ser su aparato estatal, la primera figura del joven Israel que merece ser tomada en serio en el plano de la política mundial; él fue quien, tras su victoria sobre los filisteos, estructuró un complejo político palestinense unitario y lo pudo extender con éxito incluso hasta Siria. De este modo se hizo realmente perceptible Israel a escala de la política mundial, y están bien claras las relaciones de fuerza que ahí entraron en juego. Por el sur se encontraba un Egipto debilitado por las luchas con los pueblos marítimos y por las reclamaciones de soberanía por parte de los libios, y que además estaba dividido en dos mitades con gobierno separado [46]; en el norte los pueblos marítimos habían quebrantado el poderío de los hititas. Siria estaba escindida en manos de los pueblos marítimos y de los arameos, los asirios sufrían la opresión de las formaciones estatales aramaicas y los babilonios eran demasiado débiles para una iniciativa autónoma político-militar. Bajo el signo de este trastorno de fuerzas y en parte partícipe del mismo, comenzó Israel tras múltiples vicisitudes de sus diversas tribus a convertirse en una nación, que a través de diversas crisis supo mantener su existencia como pueblo, aunque no por tiempo ilimitado. Muy pronto se le disputó al joven estado la iniciativa que un David pudo desarrollar, y en un peculiar movimien-

buir a entender los textos veterotestamentarios. J. Gray, *The legacy of Canaan. The Ras Shamra Texts and their relevance to the old testament*: SVT 5 (1957); el material ugarítico lo ha estudiado ahora dentro de un más amplio contexto H. Gese, *Die Religionen Altsyriens, Altarabiens und der Mandäer*, en *Die Religionen der Menschheit* X/2, 1970.

46 En la XXI dinastía, desde aproximadamente el 1085, fue Tebas el centro del Egipto superior meridional, y Tanis la capital del bajo Egipto septentrional. Las difíciles circunstancias al final del nuevo imperio egipcio y durante la transición a la época tardía egipcia son estudiadas por J. Cerný, *Egypt from the death of Ramesses III to the end of the twenty-first dynasty*: CAH II/35 (1965).

to norte-este se desplazó primeramente a los sirios, después a los asirios y por fin a los babilonios, quienes precipitaron a Israel en su mayor crisis, de tal modo que el total hundimiento de éste sólo fue detenido gracias a la magnánima política imperial de los persas. Todas estas potencias, que por su parte tuvieron que conquistar y defender duramente su respectiva hegemonía, conquistaron parcial o totalmente a Israel en el período de sus más felices operaciones expansivas. El angosto puente geográfico entre las grandes potencias, la franja sirio-palestinense de tierra cultivable a lo largo de la costa oriental del Mediterráneo, siguió siendo una zona de tránsito y por ello era objeto de la ambición de los grandes, a quienes nunca podían resistir a la larga los pequeños potentados nativos.

Con esto queda ya enmarcada la historia del antiguo Israel. Su escenario y su potencial dentro de la política mundial eran limitados. Los destinos de Israel permanecieron vinculados a un entramado de inevitables dependencias. Casi en un rincón del mundo y de su historia iba a realizarse lo que en sus repercusiones habría de influir más en el plano de la historia mundial de lo que jamás se había sospechado. Este Israel se convirtió en el fenómeno que se proyectaba sobre sí mismo y que de un modo paradigmático plantea el problema fundamental sobre la naturaleza de la existencia histórica. La respuesta a este problema parece quedar más allá de la razón que analiza los contextos causales.

3. *Testigos y testimonios*

La visión de conjunto que acabamos de ofrecer sobre la historia del antiguo oriente y sobre el papel que en esa historia desempeñó el antiguo Israel, sólo ha sido posible elaborarla de este modo global desde que la orientalística internacional, en el decurso de las últimas generaciones, ha descubierto, descifrado e interpretado una múltiple documentación. Esta documentación comprende también, además de una gran cantidad de textos, los testigos de la cultura material, que en gran parte sólo han podido ser descubiertos mediante excavaciones. Comencemos por estos últimos.

El trabajo arqueológico en Siria y Palestina, dondequiera que se emprenda, habrá de manejar los más diversos vestigios dejados por todas las épocas de la larga historia de esos territorios. Lo que primeramente atrae la atención de quienes visitan Palestina son los testigos de su historia más reciente; son, junto a las generalmente grandiosas edificaciones del Islam y a algunos testigos monumentales del tiempo de las cruzadas, sobre todo las ruinas de la época greco-romana, como por ejemplo los teatros romanos de Ammán, Gerasa y Bosra; son los trazados, reconocibles todavía o incluso reconstruidos, de ciudades romanas; son los múltiples restos de antiguos sistemas de riego y en el mejor de los casos, algunas piedras miliarias a lo largo de viejas calzadas romanas [47]. De tiempos anteriores apenas subsisten construcciones dignas de mención. Lo normal es que los restos prehelenísticos haya que descubrirlos tan sólo a base de excavaciones sistemáticas, con una excepción: los restos de cerámica antigua, que a menudo se encuentran con sorprendente abundancia en las ruinas antiguas junto a la superficie del suelo o al menos se podían encontrar hasta la mitad de nuestro siglo, cuando aún no se habían introducido los métodos del moderno cultivo del suelo. En algunas ocasiones felices se han hallado ahí incluso trozos de cerámica pertenecientes al período del bronce.

Con respecto a Palestina, que junto con Siria ha recorrido un desarrollo cultural casi igual, se fijan cronológicamente sus principales épocas aproximadamente del siguiente modo [48]:

Períodos prehistóricos:

Antigua edad de piedra (paleolítico)	hasta 9000 a. C.
Media edad de piedra (mesolítico)	9000-7000
Nueva edad de piedra (neolítico)	7000-3600
Edad de piedra-cobre (calcolítico)	3600-3100

47 Lo mismo puede decirse de Siria. Cf. la escueta, pero aún instructiva, síntesis de E. Littmann, *Ruinenstätten und Schriftdenkmäler Syriens*: *Länder der Türkei* II, 1917. Sobre la por entonces parte jordana de Palestina y sus lugares arqueológicamente más importantes informa G. Lankester Harding, *Auf biblischem Boden. Die Altertümer in Jordanien*, 1961; un libro detallado sobre las fuentes de la arqueología extrapalestinense es el de K.-H. Bernhardt, *Die Umwelt des Alten Testaments* I. *Die Quellen und ihre Erforschung,* 1967; una introducción a la arqueología de Palestina (aun para sectores más amplios) en H. Bardtke, *Bibel, Spaten und Geschichte,* 1969.

48 Una visión de conjunto muy detallada en G. E. Wright, *The archaeology of Palestine,* en *The Bible and the ancient near east,* London 1961, 73-112; síntesis breves en Harding, *o. c.,* 25-56; de Vaux, *Histoire ancienne,* 621. Un «período intermedio» después del período temprano del bronce lo postulan especialmente Kenyon y Lapp; K. M. Kenyon, *Syria and Palestine*: CAH I/21 (1965) 38-61; cf. también C. H. J. de Geus, *The amorites in the archaeology of Palestine*: UF 3 (1971) 41-60.

Períodos históricos:

Temprana edad del bronce	3100-2000
Media edad del bronce	2000-1500
Tardía edad del bronce	1550-1200
Edad del hierro «Hierro I»	1200-900
«Hierro II»	900-600
«Hierro III»	600-300
Epoca helenística	300-63 a. C.
Epoca romano-bizantina	63 a. C. - 636 d. C.
Epoca islámica	desde 636 d. C.

La cerámica nos es conocida al menos a partir del neolítico. Su estudio desempeña un papel excepcional en la arqueología de Palestina en orden a la fijación cronológica de lugares antiguos. La topografía histórica contribuye en parte sustancial a la reconstrucción de procesos históricos, ya que puede esclarecer las épocas de colonización y sus puntos de gravedad, y facilitar además conclusiones sobre las circunstancias demográficas en particular. La movida y multiforme historia del país aconseja esclarecer arqueológicamente aun los más apartados lugares por la importancia que tuvieron en otros tiempos. Desde luego no todos los emplazamientos bíblicos se han conservado hasta el día de hoy o poseen una agrupación urbana que haya heredado el mismo nombre. Algunas localidades fueron destruidas o abandonadas, hay nombres bíblicos que desaparecieron o han sido aplicados a una neofundación separada de las antiguas ruinas. Los hoy día usuales toponímicos árabes se basan tan sólo en parte en los modelos bíblicos. Muchas nuevas localidades han contribuido a desconcertar el cuadro de la topografía histórica. Estas dificultades hace falta vivirlas. Se necesitan muchas reflexiones y recursos para reconstruir a satisfacción la red de las antiguas localidades [49]. Observaciones sobre el texto bíblico o, si es posible, sobre otros documentos contemporáneos ofrecen unos primeros puntos de apoyo para determinar la situación de algún lugar que hoy ya no es conocido, nombres formulados posteriormente, itinerarios y relatos aportan algo más, pero no una seguridad definitiva. De ahí que, en caso de duda, es indispensable investigar sobre el terreno. Si el lugar que se busca posee una sucesión urbana, que lleva tal vez un nombre similar al bíblico, disponemos ya de un primer punto de apoyo. Cuando en ese lugar no es posible realizar excavaciones por las condiciones de la población, al menos los restos de cerámica de esa zona son indicios de la edad de la localidad. Pero lo que para la investigación tiene

[49] Estas dificultades las explica mediante un ejemplo M. Noth, *Jabes-Gilead. Ein Beitrag zur Methode alttestamentlicher Topographie*: ZDPV 69 (1953) 28-41.

mucha importancia son los montones de escombros, claramente reconocibles como tales y que contienen residuos de localidades abandonadas, sin que guarden relación con una población moderna. Ese montón de escombros se llama en árabe *tell* (pl. *tulūl*) o también *chirbe* en caso de que aún se perciban en él claramente restos de muros. Ambas palabras aparecen frecuentemente unidas a nombres propios, que no raras veces permiten hacer deducciones sobre emplazamientos bíblicos [50]. Cuando por esa razón y sobre la base de ulteriores consideraciones históricas y topográficas se concentra el interés sobre un *tell* determinado, en tal caso la cerámica de los alrededores es a menudo de una importancia decisiva para una primera fijación de la edad y extensión de la antigua localidad. Si los trozos de cerámica que se encuentren a flor de tierra se remontan a los primeros períodos de la historia de la civilización en la región, se puede deducir con un grado de relativa certeza que la fundación de la localidad tuvo lugar en aquella antigua época y, llegado el caso, se puede contar con un emplazamiento bíblico. Pero en ciertas ocasiones varios montículos de ruinas pueden también dificultar la decisión en favor de una determinada localidad o, lo que es más frecuente, la deficiente obtención de cerámica impide sacar conclusiones de largo alcance. De esto se sigue que la diseminación de cerámica puede ser un indicio extraordinariamente importante en orden a determinar la edad e importancia de un lugar, y para la historia territorial es con frecuencia de una fuerza demostrativa excepcional. Desde luego, la cerámica no puede constituir una fuente histórica independiente. Sin embargo, una suma de observaciones puede al menos contribuir a la reconstrucción de procesos más amplios. Junto con las fuentes escritas la investigación de las superficies basada en la interpretación de los hallazgos de cerámica tiene la categoría de una disciplina auxiliar generalmente indispensable y comprobatoria [51].

Por difíciles que estos problemas de topografía histórica puedan presentarse en muchos casos particulares todavía sin esclarecer, sin embargo tenemos por otra parte una visión suficientemente sólida sobre la antigua colonización del territorio, de tal modo que pueden ser localizados con suficiente seguridad los principales mo-

[50] *Chirbe* adoptó después la forma *chirbet,* por ejemplo *chirbet teḳūʾ* = Thekoa; *chirbet sēlūn* = Silo. En cuanto a los nombres propios compuestos con *tell,* a menudo no se perciben las conexiones directas con modelos bíblicos, por ejemplo *tell balāṭa* = Siquem; *tell el-mutesellim* = Megiddo; sin embargo *tell taʿannek* = Tanac.

[51] La exploración de superficies la han practicado casi exclusivamente los cursos del Instituto Evangélico Alemán para Arqueología de Tierra Santa; cf. los correspondientes informes y estudios en el *Palästinajahrbuch* (PJB); desde la segunda guerra mundial en ZDPV; un ejemplo de amplia exploración de superficies en N. Glueck, *Explorations in eastern Palestine* I-IV: AASOR 14 (1934); 15 (1935); 18/19 (1939); 25/28 (1951).

vimientos históricos. Pero no está mal conocer al menos las condiciones que en casos particulares, como se ha dicho, pueden dificultar notablemente la decisión sobre la situación de un pequeño lugar [52].

Por desgracia, el número de lugares palestinenses, que al correr del tiempo han sido aclarados arqueológicamente mediante excavaciones sistemáticas, es todavía limitado. La moderna arqueología palestinense se ha puesto en marcha sólo hacia el final del pasado siglo mediante la fundación de sociedades arqueológico-históricas en muchos países europeos y en América. Pero aun entonces siguió dependiendo de los recursos disponibles y de las autoridades locales la ejecución y el alcance de una excavación [53]. En estas circunstancias, mediante excavaciones, a veces interrumpidas, de entre los conocidos lugares bíblicos se ha conseguido conocer con mayor exactitud hasta los años sesenta los siguientes [54]: Jerusalén (sondeos en el emplazamiento del templo 1867-1870; colina suroriental 1881.1894-1897.1923-1925.1961-1965); Geser 1902-1905. 1907-1909.1934; Tanac 1902-1903.1904.1963-1964; Megiddo 1903-1905.1907-1909.1934; Jericó 1907-1909.1913-1914.1930-1934.1952-1958; Samaria 1908-1910.1931-1933.1935; Siquem 1913 ss. 1926 ss. 1956 ss.; Beth-Sean 1921; Guibeá 1922-1923; Mispá (?) (*tell en-naṣbe*) 1926; Silo 1926.1929; Laquis 1932 ss.; Hai 1933-1935.

52 La pauta para la fijación cronológica de los pequeños hallazgos, especialmente de la cerámica, la dan los hallazgos similares en las grandes áreas de excavaciones. Allí los pequeños hallazgos y la cerámica suelen aparecer sucesivamente en los distintos estratos del montículo de ruinas y por eso, dentro de un «contexto» arqueológico suficientemente seguro, pueden brindar puntos de apoyo para la datación.

53 Cf., además de los informes sobre excavaciones, los resúmenes de Noth, WAT 113-132 y de Thomsen, *Palästina und seine Kultur in fünf Jahrtausenden*: AO 30 (1932) 5-19; K. M. Kenyon, *Archäologie im Heiligen Land,* 1967, 290-317 (con bastantes datos bibliográficos).

54 Obras sumarias sobre la arqueología de Palestina son principalmente: P. Thomsen, *Palästina und seine Kultur;* C. Watzinger, *Dênkmäler Palästinas* I/II, 1933-1935; W. F. Albright, *The archaeology of Palestine,* Harmondsworth ⁴1960; A. G. Barrois, *Manuel d'archéologie biblique* I/II, Paris 1939-1953; K. M. Kenyon, *Archaeology in the holy land,* London ²1965. Al amplio contexto de historia, religión e historia de la cultura incorporan los resultados arqueológicos W. F. Albright, *Archaeology and the religion of Israel,* Baltimore ²1946; Id., *From the stono age to christianity,* Baltimore ²1946; en forma de léxico expone excavaciones y hallazgos K. Galling, *Biblisches Reallexikon* (BRL), 1937; profusamente ilustrado B. Reicke-L. Rost, *Biblisch-historisches Handwörterbuch* (BHH) I-III, 1962-1966; material gráfico también en Gressmann, AOB, y Pritchard, ANEP, además en L. H. Grollenberg, *Bildatlas zur Bibel,* 1957.

En tiempos recientes y muy recientes algunas excavaciones han suscitado una atención especial. Entre ellas están las excavaciones desencadenadas por los hallazgos de manuscritos en la parte noroccidental del mar Muerto y las exploraciones del emplazamiento de Qumrán (*chirbet kumrān*) y de sus contornos durante los años 1951-1956 y 1958 [55], la amplia excavación en Jericó 1951-1958, donde a gran profundidad pudieron detectarse vestigios de una concentrada colonización neolítica del séptimo milenio precristiano [56], y las excavaciones efectuadas en Guibeón (*ed-dschīb*), que, junto a una amplia instalación para el aprovisionamiento de agua, pusieron al descubierto una especie de «bodega para el vino», un «área industrial» con posibilidades para conservar cántaras de vino en artificiales cavidades rocosas con forma de campana, probablemente de la época israelítica de los reyes [57]. Las excavaciones de Guibeón tuvieron lugar entre 1956 y 1962. Casi al mismo tiempo (1955-1958) despertaron interés las excavaciones emprendidas en suelo israelí y proseguidas en 1965 y 1968 en el *tell el-kedaḥ* (conocido anteriormente por *tell wakkās*) en Galilea, donde se busca el antiguo Hazor. Con tal ocasión se volvieron a agitar problemas fundamentales sobre las tradiciones veterotestamentarias en torno a la conquista del país [58]. A los importantes períodos de la media y tardía edad del bronce así como al comienzo de la edad del hierro condujeron las excavaciones efectuadas en el *tell el-fār'a* (1946.1950-1951.1954.1958) [59], cuya identidad con la antigua ciudad regia de Tirsa es muy probable, pero todavía no es totalmente cierta [60]. Casi sensacionales son los resultados de las excavaciones realizadas en la colina suroriental de Jerusalén, que se iniciaron en 1961 y que, contra lo que anteriormente se pensaba, de-

[55] Cf. sobre este tema R. de Vaux: RB 60 (1953) y RB 66 (1959); un resumen también en Harding, *o. c.,* 209-224.

[56] K. M. Kenyon, *Excavations of Jericho* I/II, London 1960-1965; Harding, *o. c.,* 183-195.

[57] Cf. el breve resumen del excavador J. B. Pritchard: VTS 7 (1960) 1-12, y *Where the sun stood still. The discovery of the biblical city,* Princeton 1962; cf. también ZDPV 79 (1963) 173 s.; 80 (1964) 160. Desde luego la identificación de *ed-dschīb* con Guibeón no es admitida sin más por todos los investigadores.

[58] Y. Yadin y otros, *Hazor* I, Jerusalén 1958; II, 1960; III-IV, 1961; Id., *Hazor,* en *Archaeology and old testament study,* Oxford 1967, 245-263; estudios más recientes: Y. Yadin: IEJ 19 (1969) 1-19; en forma de resumen Y. Yadin, *Hazor. The head of those kingdoms,* London 1972; sobre el Hazor bíblico: F. Maass, *Hazor und das Problem der Landnahme*: BZAW 77 (1958) 105-117; J. Gray, *Hazor*: VT 16 (1966) 26, 52.

[59] R. de Vaux informó en RB sobre sus excavaciones a partir de 1947.

[60] Cf. el resumen (con abundante bibliografía) de U. Jochims: ZDPV 76 (1960) 73-96.

muestran casi con seguridad que la Jerusalén de la época de los reyes no se reducía a la cumbre de la colina, sino que se desplegaba por la pendiente hacia el valle Cedrón, análogamente al actual emplazamiento en pendiente de la población de *silwān,* exactamente frente a la colina suroriental [61].

Entre las excavaciones israelíes de los últimos tiempos despertaron el más vivo interés arqueológico [62] las efectuadas en la región del Negueb, en especial el descubrimiento del antiguo Arad, mientras que el descubrimiento y análisis arqueológico de la fortaleza de Masada en la orilla suroccidental del mar Muerto en los años 1963-1965 suscitó también la más amplia atención pública, en gran parte debida a que allí se siente especialmente atraído el sentimiento nacional israelí, al considerar retrospectivamente la enconada resistencia del pueblo judío contra los romanos en el año 73 d. C. [63].

Lo que desde luego hace más valiosa una excavación es el hallazgo de documentos escritos. Pero en este aspecto los resultados de las excavaciones de Palestina no han sido muy favorables. Si prescindimos de algunos pequeños hallazgos sin importancia, de los tiempos antiguos los más conocidos e importantes testigos textuales que se han encontrado en la región palestinense, son el llamado calendario agrícola de Geser [64], las láminas de *tell ta'annek* [65] y de Siquem [66], los tejuelos de Samaria [67], la estela del rey Mesa

[61] Cf. los breves resúmenes de ZDPV 79 (1963) 174-176 y ZDPV 80 (1964) 166-168 con indicación de otros informes; en forma amplia K. M. Kenyon, *Jerusalem. Excavating 3000 years of history,* London 1967.

[62] Duración total de la excavación 1962-1967; informe provisional de la excavación Y. Aharoni y R. Amiran, *Excavations at Tel Arad. Preliminary report on the first season,* 1962: IEJ 14 (1964) 131-147; cf. también los breves informes de M. Weippert: ZDPV 80 (1964) 180-185 y ZDPV 82 (1966) 286 s.; además V. Fritz, *Arad in der biblischen Überlieferung und in der Liste Schoschenks* I: ZDPV 82 (1966) 331-342.

[63] Y. Yadin, *Masada, Herod's Fortress and the Zealots' last stand,* New York 1966 (con excelentes fotografías y bibliografía). Indicaciones concisas, pero a veces más detalladas, sobre recientes empresas arqueológicas en Palestina se encuentran en los *Archäologischen Jahresberichte* de M. Weippert: ZDPV 79 (1963) 164-179; 80 (1964) 150-193; 82 (1966) 274-330.

[64] H. Gressmann, *Altorientalische Texte zum Alten Testament* (AOT), [2]1926, 444; J. B. Pritchard, *Ancient near eastern texts relating to the old testament* (ANET), Princeton [2]1955, 330 a; H. Donner-W. Röllig, *Kanaanäische und aramäische Inschriften* (KAI), I (Texte) [3]1971, II (Kommentar) [3]1973; III (Glossare, Indizes, Tafeln) [2]1969.

[65] Muestras de traducción en AOT, 371; ANET, 490b.

[66] F. M. Th. Böhl: ZDPV 49 (1926) 321-327, Taf. 44-46.

[67] K. Galling, *Textbuch zur Geschichte Israels* (TGI), 1950, 50; ANET 231; KAI 183-188; además M. Noth: PJB 28 (1932) 54-67; K. Galling: ZDPV 77 (1961) 173-185.

de Moab [68], la inscripción en el túnel de Siloé de Jerusalén [69] y los tejuelos de Laquis [70]. El hallazgo de manuscritos de la comarca de Qumrán pertenece ya a una época muy posterior y, por lo que respecta a la tradición veterotestamentaria, no ha hecho sino confirmar las escrituras canónicas ya conocidas. Su verdadera importancia se debe a los escritos, que están relacionados con aquella comunidad religiosa que entre el siglo II a. C. y el año 69 d. C. residió en Qumrán y con sus formas de vida. Los documentos y fragmentos conservados en el colindante desierto de Judá, especialmente el *wādi murabba'āt*, proceden en su mayor parte de la época de la última lucha desesperada del pueblo judío contra los romanos en los años 132-135 d. C. y sólo con respecto a esa época son de un valor inestimable.

Queda todavía por saber a qué puede deberse el que los restos materiales directos de la historia israelítico-judía sean tan relativamente escasos, que por lo general es necesario arrancárselos al suelo penosamente y por otra parte tienen un valor poco representativo. No admiten parangón ninguno con las gigantescas construcciones halladas junto al Nilo, Eufrates y Tigris; en ningún sitio de Palestina se han hallado escritos originales tan extensos como los que nos ofrecen los grandes papiros e inscripciones de Egipto y los archivos de placas arcillosas de Mesopotamia [71]. Esto está relacionado con los condicionamientos históricos y naturales del país. Muy pocos centros urbanos se prestaban al gran tráfico.

68 AOT, 440; ANET, 320 ss.; TGI, ²1968, 51-53; KAI 181.

69 AOT, 445; ANET, 321 b; TGI, ²1968, 66 s; KAI 189; además H. J. Stoebe ZDPV 71 (1955) 124-140; también merecen atención las dos inscripciones de Silwan, KAI 191 A.B.

70 ANET 321 s.; TGI, ²1968, 75-78; KAI 192-199.

71 He aquí una de las principales razones —en orden a la historia de Israel y a su investigación— que prueban los límites de la demostración histórica a base de material arqueológico. La arqueología de Palestina es en gran parte «arqueología muda», que puede apoyarse principalmente en restos culturales, pero no igualmente en documentos contemporáneos, inscripciones, cartas u otras noticias, si prescindimos de muy pocas excepciones. En consecuencia, lo que los informes de excavaciones pueden aportar para la demostración de procesos o acontecimientos históricos, es sumamente relativo y precisa en cada caso ser analizado mediante documentos fechables, encontrados muchas veces fuera de Palestina, y a base de los relatos históricos del antiguo testamento. Especialmente los arqueólogos americanos han atribuido al testimonio externo (*external evidence*) una fuerza probativa a menudo inconsistente en orden a la verificabilidad de hechos históricos. Sobre este particular y muy a fondo M. Noth, *Der Beitrag der Archäologie zur Geschichte Israels*: VTS 7 (1960) 262-282; *Aufsätze* 1, 34-51; Id., *Hat die Bibel doch recht?*, en *Festschrift für Günther Dehn*, 1957, 7-22; *Aufsätze* 1, 17-33; R. de Vaux, *On right and wrong uses of archaeology*, en *Near eastern archaeology in the twentieth century*, New York 1970, 64-80.

La mayor parte de ellos se encontraban apartados de las grandes vías de tránsito. Jerusalén, Siquem, Samaria, pese a su favorable situación, eran ciudades de montaña. Cuantas edificaciones sobresalientes surgían en esas ciudades durante un corto período de apogeo, sucumbían reiteradamente a extraños conquistadores. Incluso la construcción más importante del país, el templo de Jerusalén, no resistió a las catástrofes. Tanto el templo salomónico como el herodiano cayeron por tierra; los suntuosos edificios de la época asiria en Samaria fueron aniquilados. Pedazos de muralla que aún quedan en diversos lugares y que proceden del final de la edad del bronce y de los primeros períodos de la edad del hierro, precisamente las épocas principales de la historia antigua de Israel, dejan entrever [72] una antigua grandeza, pero son hoy día insignificantes al lado de los más imponentes restos de la época helenística y romana. Con las metrópolis se hundieron también sus archivos, los documentos públicos de los reyes de Israel y de Judá, la correspondencia oficial de esos soberanos en cuestiones de política exterior e interior. Nos faltan también papiros palestinenses, que allí se redactaron en los tiempos del antiguo testamento. La piedra y la arcilla son los únicos portadores de escritos que se nos han conservado, aunque existían rollos o volúmenes escritos, como nos consta por el antiguo testamento [73]. Una conservación inadecuada o acontecimientos turbulentos han motivado su desaparición. Como dones sepulcrales o funerarios no han aparecido escritos ningunos. En consecuencia, antes como ahora y por lo que respecta a la misma Palestina seguimos dependiendo de unas existencias muy reducidas de documentos originales.

Tienen, pues, una importancia tanto mayor todos aquellos numerosos documentos extraisraelíticos, que de algún modo pueden esclarecer o enriquecer el cuadro de la historia de Israel. Entraba dentro de la política expansionista de las grandes potencias y formaba parte de las costumbres de su bien organizada administración el registrar por escrito todas esas acciones y por eso también informaban sobre las situaciones de Palestina y los cambios que allí se iban produciendo. El material al respecto es muy vasto y

[72] Esto ocurre, por mencionar sólo estos ejemplos, con los restos de murallas de Guibeá, pertenecientes a la primera edad del hierro, el estrato salomónico de Megiddo y los muros del palacio real (?) de Samaria. Estos últimos están extraordinariamente bien ensamblados y construidos a base de piedras cuidadosamente preparadas. El famoso «muro de las lamentaciones» de Jerusalén es de fecha posterior y era parte del muro que cercaba el recinto del templo herodiano. Cf. WAT, 132-145; BRL, 371-374; BHH II, 1174-1176.

[73] El ejemplo más conocido se encuentra en Jer 36.

heterogéneo. Procede principalmente de Egipto y Mesopotamia, pero también de Siria y del mismo Canán. Su aprovechamiento se ha visto favorecido durante las últimas generaciones no sólo por las crecientes excavaciones efectuadas en esos países, sino también por la mayor perfección con que se ha conseguido leer los textos jeroglíficos y cuneiformes. El material abarca todos los períodos de la historia palestinense y puede, por lo tanto, proporcionar valiosos datos sobre la Palestina preisraelítica. Pero, naturalmente, también acontecimientos de la misma historia de Israel son confirmados directa e indirectamente por esas fuentes y son más exactamente captados en sus contextos.

Consignemos aquí tan sólo las más importantes de estas fuentes y colecciones de fuentes [74]. Como la descripción más antigua de las circunstancias sirio-palestinenses se consideran ciertos fragmentos de la historia del cortesano egipcio Sinuhé, que al morir Amenemhet I (1991-1962 a. C.) huyó de Egipto, con peligro de su vida atravesó en dirección al desierto de Sinaí la llamada «muralla de los príncipes», el sistema egipcio de fortificaciones fronterizas junto al delta oriental, y después fue lanzado a Palestina y Siria durante largos años de su vida. El rey Sesostris I le indultó y le permitió regresar a Egipto [75]. El documento más próximo es incomparablemente más frágil. Se trata de los llamados textos de proscripción, enumeraciones de príncipes enemigos, tribus, países y objetos, sobre trozos de vasijas egipcias de arcilla. Las mismas vasijas inscritas fueron quebradas tal vez intencionadamente, para, mediante un encantamiento por analogía, operar el aniquilamiento de las personas allí mencionadas. Además de los trozos de va-

[74] El material textual extraisraelítico es en gran parte fácilmente asequible dentro de más extensas obras colectivas en traducciones. Todavía sigue siendo imprescindible H. Gressmann, AOT y AOB; en la misma línea se mueve en tiempos recientes la obra de J. B. Pritchard, ANET y ANEP, Princeton [3]1969; para la primera y la segunda edición existe aparte un volumen complementario: *The ancient near east. Supplementary texts and pictures relating to the old testament,* Princeton 1969; nuevas traducciones alemanas en K. Galling, TGI, [1]1950 y [2]1968 (ambas ediciones notables por la selección de textos en parte distinta). El más importante material en inscripciones con traducción y detallado comentario en H. Donner - W. Röllig, KAI I-III. Colecciones más antiguas de textos históricos en traducciones son J. H. Breasted, *Ancient records of Egypt* I-V, 1906-1907 y D. D. Luckenbill, *Ancient records of Assyria and Babylonia* I/II, 1927.

[75] La mejor traducción alemana (abreviada al final) es la de E. Edel en: TGI[2], 1-12 (con indicación de las ediciones del texto). En el aspecto temático sobre todo A. Alt, *Die älteste Schilderung Palästinas im Lichte neuer Funde*: PJB 37 (1941) 19-49; G. Posener, *Littérature et politique dans l'Égypte de la XIIe dynastie,* Paris 1956, 87-115.

sijas, existen también pequeñas representaciones plásticas de prisioneros, que contienen igualmente los nombres de príncipes y países extranjeros. También se nos han transmitido de este modo nombres palestinenses y nos dan un cuadro aproximado de las sedes de los príncipes y de las localidades de entonces. Estos textos pertenecen ciertamente al imperio medio, aunque se discute si son del principio o del final del mismo [76].

Por la misma época nos hablan también fuentes acádicas. Documentos babilónicos, ante todo la gran estela-código de Hammurabi, brindan material, que posteriormente y en forma parcialmente modificada formaría las bases de la práctica jurídica cananea e israelítica [77]. Sobre las duras y prolongadas batallas contra los hostiles nómadas y contra el gran rival de Hammurabi, Schamschi-Adad I, nos informan las cartas de los archivos de los reyes de Mari en el Eufrates central. De momento este vasto material ha sido interpretado sólo en parte y proporciona también pruebas instructivas en orden a la correcta apreciación del temprano profetismo de Israel [78].

La época de los pueblos de la montaña, que se inicia hacia mediados del segundo milenio precristiano, reduce nuevamente al silencio a las fuentes acádicas. Pero entonces nos ofrece tanto más Egipto desde la época de su nuevo imperio, aproximadamente a partir del 1580 a. C., la época de las grandes expansiones hacia Siria. Prescindiendo de los anales sobre determinadas campañas [79], las llamadas listas de ciudades encierran un valor extraordinario para la topografía histórica de Palestina y de Siria [80]. Se trata de

[76] K. Sethe, *Die Ächtung feindlicher Fürsten, Völker und Dinge auf altägyptischen Tongefässcherben des Mittleren Reiches*: APAW 5 (1926); G. Posener, *Princes et pays d'Asie et de Nubie. Textes hiératiques sur des figurines d'envoûtement du Moyen Empire,* Bruxelles 1940; sobre los textos hallados en Mirgissa (Sudán), G. Posener: Syria 43 (1966) 277-287; W. Helck, *Die Beziehungen,* [2]1971, 44-67; sobre la interpretación de los contextos históricos cf. Alt. *Kl. Schr.* III, 49-56; 62-71; 90-98.

[77] AOT, 380-411; ANET 159-180; Suppl. 526-528; allí se da más bibliografía.

[78] *Archives royales de Mari* I-V, Paris 1941 ss.; sobre los textos «proféticos» ahora especialmente F. Ellermeier, *Prophetie in Mari und Israel,* 1968. Para su primera orientación cf. también el resumen de H. von Soden: WO I/3 (1948) 187-204.

[79] AOT, 80-99; ANET, 234-264; TGI, [1]1950, 12-19; [2]1968, 14-21, 28-34.

[80] J. Simons, *Handbook for the study of egyptian topographical lists relating to western Asia,* Leiden 1937; cf. también el resumen sobre los nombres de lugares y países mencionados en las listas ANET 242 s.; un estudio detallado de algunas listas por M. Noth: ZDPV 60 (1937) 183-239; 61 (1938) 26-65; 277-304; 64 (1941) 39-74.

un tipo de representación del triunfo faraónico sobre ciudades enemigas vencidas. Ordinariamente se muestra al rey egipcio sobre un gran muro del templo en dramática escena, mientras lleva tras de sí en fila y atados con cuerdas a prisioneros, que llevan por delante un escudo, que les cubre como la mitad del cuerpo y donde figura escrito el nombre de su respectiva ciudad. De esta forma el cantero egipcio podía mostrar expresivamente el alcance de las conquistas faraónicas y al mismo tiempo plasmaba alguna característica fisonómica de los tipos extranjeros correspondientes a los nombres de las respectivas ciudades Listas así compuestas de ciudades conquistadas las han transmitido [81] los reyes Thutmosis III, Amenophis II, Thutmosis IV, Amenophis III, Haremheb, Sethos I, Ramsés II y III y Sosaq I. Se puede demostrar desde luego que algunas listas presentan dependencias mutuas, de tal manera que no en todos los casos sirve de base una información históricamente sólida. En todo caso, la más reciente de estas listas, la del faraón Sosaq I, quien tras la muerte de Salomón hostilizó por breve tiempo a Palestina, supera con mucho a cuanto sobre estos sucesos se puede deducir del relato bíblico (1 Re 14, 25 ss; 2 Crón 12, 2 ss) [82].

De distinto carácter es el abundante archivo epistolar de *tell el-'amārna,* lugar de la antigua residencia de Amenophis IV-Echnaton (1364-1347 a. C.), que contiene buena parte de la correspondencia diplomática de Amenophis III y IV. Se trata en su mayor parte de escritos de príncipes y gobernadores palestinenses y sirios, que comunican sus quejas al gobierno central egipcio. Por desgracia faltan las cartas de contestación del faraón. Las cartas están redactadas en la lengua diplomática de la época, esto es, en acádico, y presentan una imagen extraordinariamente viva de la situación política de Palestina durante el siglo XIV a. C. [83].

La terminación del poderío egipcio en Siria al final del nuevo imperio está insuperablemente descrita en el relato de viajes de

[81] Existe además una serie de listas más pequeñas y fragmentos dispersos, en parte de carácter ornamental sobre basas de columna. Estudio detallado del material en W. Helck, *Beziehungen,* 167 ss.

[82] B. Mazar: VTS 4 (1957) 57-66; S. Herrmann: ZDPV 80 (1964) 55-79.

[83] Una selección de traducciones en: AOT, 371-379; ANET 483-490; TGI, [1]1950, 19-29; [2]1968, 24-28; edición del texto por J. A. Knudtzon, *Die El-Amarna-Tafeln,* 1907-1915, citado ordinariamente como «Am. 1-538» (las ediciones inglesas utilizan la abreviatura EA); otras cartas publicadas por Fr. Thureau-Dangin: Revue d'Assyriologie 19 (1922) 91-108, citadas según los números de museo AO 7093-98.

Wenamún (hacia 1076 a. C.), un funcionario egipcio, que, al intentar comprar madera de construcción para templos egipcios en la costa fenicia, choca con el orgullo de las autoridades de aquella región y finalmente es hostilizado por miembros de los pueblos del mar, que se aproximan por barco. Es de lamentar que el relato esté incompleto [84].

La ulterior evolución histórica de este territorio se halla descrita en numerosas inscripciones fenicias y sirias, en parte redactadas en arameo. Esas inscripciones dan una idea de las relaciones de fuerza existentes en Siria antes de la irrupción de los asirios [85]. Desde el siglo IX a. C. son principalmente fuentes asirias y babilonias, anales y relatos de campaña, las que reflejan claramente la actividad operacional de esas grandes potencias y hacen posible formarse una idea de las tribulaciones extrapolíticas de Israel en esa época. Tiene importancia el hecho de que esas fuentes van más allá del exilio babilónico y esclarecen los contextos históricos, que provocaron el fin del imperio babilónico y con ello el final del exilio [86].

El más importante grupo extraisraelítico de textos de la época postexílica, que es instructivo para la historia de Israel, está constituido por los papiros arameos de la colonia militar judía de Elefantina, del siglo VI y V a. C. En ellos se nos ofrece un testimonio del judaísmo de la diáspora durante la soberanía persa —documentos jurídicos, escritos oficiales, listas—, que son de especial importancia no sólo en el aspecto político, sino también en el plano histórico-religioso [87].

[84] Traducciones en: AOT, 71-77; ANET 25-29; TGI, ²1968, 41-48.

[85] Merecen atención principalmente las inscripciones de Zincirli (que antes se escribía de ordinario Sendschirli), Afis (inscripción de ZKR de Jamat) y las estelas de Sfire; cf. los textos en: KAI, sec. A. I-II. F. I.; AOT, 440-444; ANET, 499-505.

[86] Traducciones con abundantes indicaciones bibliográficas: AOT, 339-370; ANET, 274-317; Suppl. 558-564; TGI, ¹1950, 45-72; ²1968, 49-84; hagamos todavía especialmente referencia a la *Chronik Wiseman*: D. J. Wiseman, *Chronicles of chaldaean kings* (626-556 B. C.) *in the British Museum*, London 1956; las partes más importantes del texto en: Biblica 37 (1956) 389-397.

[87] La mayor parte publicada por E. Sachau, *Aramäische Papyrus und Ostraka aus einer jüdischen Militärkolonie zu Elephantine*, 1911; cf. también la edición del texto por A. Cowley, *Aramic papyri of the fifth century B. C.*, Oxford 1923; otra parte más del hallazgo de Elefantina está publicada por E. G. Kraeling, *The Brooklyn Museum aramaic papyri*, 1953; traducciones selectas: AOT, 450-462; ANET 222-223.427-430.491-492, Suppl. 633; TGI, ¹1950, 73; ²1968, 84-88; sobre los problemas históricos E. Meyer, *Der Papyrusfund von Elephantine*, 1912. De la misma época es notable otro hallazgo de Egipto (se desconoce exactamente el lugar del hallazgo): documentos

Sobre el final del siglo V, hasta la aparición de la crisis en el siglo II precristiano, originada por la amenaza helenística del judaísmo palestinense, apenas poseemos documentos originales extracanónicos, que pudieran esclarecernos el curso de los acontecimientos. La existencia de documentos históricamente importantes puede, en el mejor de los casos, deducirse o reconstruirse partiendo del contexto de más extensas exposiciones históricas [88]. Esto tiene validez en principio hasta la misma época de la conquista romana y de la ocupación del territorio, cuyos principales acontecimientos están consignados sustancialmente en las obras históricas de Josefo, en las que se nos ofrecen ordenadamente.

Con el término «extracanónico» aludimos desde luego a la fuente principal para la historia de Israel y del naciente judaísmo, que hasta ahora hemos dejado intencionadamente fuera de nuestras reflexiones, el antiguo testamento, en el que se deben incluir, por lo que respecta a la época tardía, los llamados apócrifos. El que por fin aparezca aquí esta fuente no se debe tan sólo a su alto valor, sino también a profundas razones objetivas. Se distingue esencialmente de todos los documentos mencionados hasta aquí. En el antiguo testamento se trata de una colección de fuentes de todas las épocas de la historia de Israel, pero no con el propósito de presentar una historia completa, sino para rememorar constantemente las intervenciones de Yahvé, el Dios de Israel, que en todos los tiempos se ha manifestado como el viviente, el presente y el único poderoso. Estos documentos de los testimonios de Yahvé de aproximadamente un milenio de historia israelítico-judía fueron contribuyendo gradualmente a trazar el cuadro de esa historia y a hacerlo intuitivo. El proceso de recopilación y asimilación de cada una de las fuentes requirió una prolongada evolución, como es natural. Su resultado se nos presenta en primer lugar bajo la forma del Pentateuco [89], después en dos exposiciones,

sobre cuero, alguno de los cuales procede del archivo de un sátrapa persa de la época de Darío II.; G. R. Driver, *Aramaic documents of the fifth century B. C.*, 1954, ²1957.

[88] Cf. TGI, ¹1950, 74-80, donde se reúnen extractos de las *Antiquitates judaicae* de Josefo, del libro segundo de los Macabeos y de Polibio.

[89] La amplia investigación sobre el Pentateuco todavía no ha cesado y los problemas literarios no están aún del todo aclarados. Ha logrado y mantiene un rango destacado la *Überlieferungsgeschichte des Pentateuch* de M. Noth (1948, ²1960); cf. los grandes problemas literarios en O. Eissfeldt, *Einleitung in das Alte Testament*, ³1964, 205-320; además Sellin-Fohrer, *Einleitung in das Alte Testament*, ¹¹1969, 112-209 como también el gran artículo de H. Cazelles, *Pentateuque*, en *Supplément au Dictionnaire de la Bible* VII, 1964, 687-858.

que muestran a veces mutuas dependencias pero que son de distinta tendencia, en la obra histórica llamada deuteronomística y en la obra histórica cronística [90]. Bajo múltiples formas esas obras son confirmadas y completadas a base de noticias tomadas de los libros proféticos. Por el contrario, los libros poéticos del antiguo testamento sólo pueden aportar criterios relativos para la datación de las fuentes y para el esclarecimiento de la evolución histórica de Israel. De entre los apócrifos, los libros de los Macabeos sobre todo tienen la categoría de exposición histórica independiente.

Es importante, dentro del antiguo testamento, observar y tener en cuenta esa tendencia, que se manifiesta al analizar cada uno de los documentos en relación con su valor histórico. Es una tendencia, que de un modo análogo y muy natural aparece igualmente entre otros pueblos y en otras culturas. Al principio aparecen tan sólo piezas poéticas sumamente metafóricas, que proceden de tiempos muy antiguos. Esas piezas, en una fase inmediata, aparecen recubiertas de la leyenda histórica, cuya unidad se puede abarcar en toda su extensión y cuyo razonamiento rectilíneo se centra generalmente en una única persona, un determinado héroe y su familia, o bien en un determinado objeto, una única ciudad o un santuario. Sólo relativamente tarde empiezan a combinarse escenas particulares para formar contextos más amplios a impulsos de alguna idea dominante. Surgen entonces ciclos de leyendas; el estrecho marco de la historia del héroe y de su familia se ensancha y se hace representativo de la historia de comunidades más amplias. La tradición legendaria desemboca en las tradiciones, que algún día todo el pueblo habría de convertir con orgullo en sus tradiciones nacionales. Sólo la nación que se va formando puede, en el umbral entre la leyenda y la exposición histórica, poseer ese grado de penetración crítica de los hechos que descubra problemas hasta en la misma historia. Ahí es donde comienza la historiografía en su genuino sentido, cuando la exposición registra no sólo las personas y sus acciones, sino también los motivos del acontecer y determinadas situaciones forzosas que de ahí se derivan. Israel como primera nación civilizada ha producido en la época davídico-salomónica una historiografía digna de este nombre y que incluso pue-

90 A la obra histórica deuteronomística (Dt) se le asignan al menos los libros de Jos - 2 Re del canon hebraico. La obra cronística (Crón) comprende 1 y 2 Crón como también los libros de Esd y Neh. Fundamental sobre las dos obras M. Noth, *Überlieferungsgeschichtliche Studien,* 1943, [2]1957. Recientemente se ponen cada vez más en tela de juicio la unidad y la independencia de Dt; al menos hay que contar con una muy difícil asimilación de diversos patrimonios de tradiciones.

de atribuirse un alto rango [91]. Esto no significa desde luego que al mismo tiempo tuvieran que enmudecer inevitablemente la saga y la leyenda. Pero éstas se diferencian entonces más netamente a los ojos del historiador. Pues la época de los reinos organizados proporciona al mismo tiempo material oficial, noticias de diario y anales, listas de funcionarios e instituciones, observaciones sobre batallas y victorias, sobre adquisiciones y pérdidas territoriales. Visiblemente se aclara el cuadro, al menos en sus grandes líneas; los detalles es posible que todavía permanezcan en la penumbra de una exposición casual o tendenciosa.

Hay que tener presente que esta diferenciación del material documental en el antiguo testamento se debe tener muy en cuenta, pero no se descubre a primera vista, sino que se precisan para ello cuidadosos análisis y distinciones histórico-formales [92]. Pues todo este material, no obstante su peculiaridad específica y no rara vez sin tener en cuenta su exacta situación cronológica, fue insertado en las grandes obras colectivas del Pentateuco y de los libros históricos, los cuales por su parte supieron acomodar su exposición a sus propios puntos de vista concretos y teológicos. Y así, por ejemplo, el enjuiciamiento de los patriarcas en su relación con Moisés o de la gran obra legislativa del Sinaí en su relación con el origen de una administración de la justicia en Israel depende en suma del mayor o menor valor documental histórico que se deba adjudicar a cada una de esas tradiciones. Ahora bien, la evaluación de este valor histórico no se puede realizar sin atender a las presumibles circunstancias en las que se formaron esas tradiciones, y a los intereses a los que estaban supeditadas. En consecuencia, a la valoración histórica de cada fuente debe preceder su enjuiciamiento literario. No significa esto manifiesto escepticismo o complicación pseudocientífica, sino el adecuado modo de proceder a la vista de la situación documental del antiguo testamento. Su finalidad es la de asegurar al máximo el contenido de verdad histórica de los testimonios documentales, pero también la de determinar su sustancia teológico-espiritual.

[91] Fundamental G. von Rad, *Der Anfang der Geschichtsschreibung im alten Israel,* 1944, reimpresión en *Ges. Studien,* 148-188, especialmente L. Rost, *Die Überlieferung von der Thronnachfolge Davids,* 1926, reimpresión en *Das kleine Credo und andere Studien zum Alten Testament,* 1965, 119-253. De otro modo están las cosas en Egipto, pero sumamente instructivas para el cotejo metódico; sobre esto E. Otto, *Geschichtsbild und Geschichtsschreibung in Ägypten*: WdO 3 (1964-1966) 161-176.

[92] Los problemas metodológicos los trata fundamental y ejemplarmente K. Koch, *Was ist Formgeschichte? Neue Wege der Bibelexegese,* [3]1974.

Está justificado preguntar por qué razón precisamente en el antiguo testamento es tan necesario un estudio de las fuentes tan diferenciado. Ello se debe al carácter de la exposición veterotestamentaria, que exige proceder de este modo. Israel empezó ya muy pronto y con sorprendente seguridad a ver y juzgar su existencia en conexión con su conducción divina. En el decurso de su evolución, consideró su salida de Egipto, más aún que la legislación recibida en el monte de Dios, como el dato inicial de su historia. Ha reflexionado sobre ese acontecimiento, acentuando unas veces más la opresión por parte de poderes extraños, y otras veces los propios desfallecimientos. Pero, en todo caso, ha visto ahí la intervención liberadora e incluso redentora de su Dios. Ha considerado la toma de posesión de la tierra cultivable palestinense como el cumplimiento de promesas, ya que la reclamación de esa tierra no la quiso derivar del derecho de conquista o fundamentarla en acuerdos contraactuales. Reclamó con recta conciencia esa tierra como propiedad suya, porque le había sido «dada» por su Dios Yahvé, y por lo tanto llegó a ser suya propia, por así decirlo, sobre la base contraactual de una ordenación superior. A la vista de tales convencimientos, sería erróneo hablar de ficciones históricas o de prejuicios dogmáticos. Para Israel esas consideraciones fundamentaban su existencia, por más que en sus comienzos hayan nacido en gran parte del sentimiento de una amenaza existencial. Pero en todo esto Israel no buscaba en definitiva su propio derecho, sino que basaba ese derecho en la indisoluble vinculación a su Dios, a quien, a diferencia de sus pueblos vecinos, de ningún modo podía poner a su disposición mediante cultos rituales, sino que era él mismo quien en un encuentro crucial y decisivo se le había mostrado como el ineluctable.

Cierto es que estas reflexiones no se hacían ya al principio de la historia de Israel, cierto es que estas normas de autoapreciación histórica surgieron como resultado de prolijos procesos o se alcanzaron laboriosamente en virtud de los acontecimientos históricos. Pero ellas se han convertido en las normas de la visión histórica de Israel; con ellas hemos de contar en nuestras fuentes. Así pues, el concienzudo historiador sabrá distinguir o al menos tratará de distinguir entre lo que realmente ocurrió y lo que hay que atribuir a una concepción sumamente pragmática de la historia. Al hacer esto, no adopta una actitud escéptica ante sus fuentes documentales, sino que en esas mismas fuentes descubre una historia propia, la historia de una manipulación mental independiente de lo acontecido, y de este modo, casi en contra de su intención al principio históricamente limitada, allana el camino no sólo para una historia «política» de Israel, sino al mismo tiempo para una historia de la evolución espiritual de ese pueblo fuera de serie, lo que en él equivale a un despliegue de su evolución teológica. El criterio usual de considerar tan sólo los «puros hechos» como lo históricamente exacto y obligatorio, proviene desde luego de la ilusión de que existen «puros hechos» o de que es posible captar tales hechos en el decurso de los procesos históricos. Escribir historia significa también enjuiciar inmediatamente a la historia. Pues ¿quién puede garantizar que el motivo real del «puro hecho» coincide con el percibido por el historiador? A este propósito, el ocuparnos de la historia de Israel puede situarnos, de una forma totalmente típica, ante problemas fundamentales de la investigación histórica y de la exposición histórica en general [93].

En tales condiciones, queda descartado el que una historia moderna de Israel pueda seguir el mismo procedimiento que el primer historiador de Israel, Flavio Josefo (muerto hacia el 100 d. C.), quien utilizó el antiguo testamento como su fuente documental. Este historiador en la primera mitad de sus ἱστορίαι της 'Ιουδαικῆς 'Αρχαιολογίας [94] se limitó sustancialmente a exponer los tiempos que van desde Adán, el «primer» hombre, hasta Nehemías, el organizador de la comunidad postexílica, repitiendo fielmente la exposición del antiguo testamento con insignificantes amplificaciones y añadiduras. A nosotros, por el contrario, el estado actual de nuestros conocimientos históricos, especialmente promovidos por los numerosos documentos extraisraelíticos que han ido apareciendo y publicándose, nos obliga a una concepción más amplia y en muchos aspectos modificada de eso que se llama historia de Israel. El historiador moderno tendrá que aducir los testigos y testimonios de esa historia en toda su amplitud y, teniendo muy en cuenta su respectiva procedencia, sabrá prestar atención a las últimas posibilidades reales y metodológicas de la

93 Sobre el problema de la facticidad de la tradición histórica sobre una amplia base, pero no del todo convincente J. Hempel, *Geschichten und Geschichte im Alten Testament bis zur persischen Zeit,* 1964.

94 Llamada ordinariamente «Antigüedades judaicas», *Antiquitates judaicae* (en el sentido de «historia judía»), en total 20 libros, que abarcan desde el primer hombre hasta el estallido de la rebelión judía en el año 66 d. C. Como fuente histórica es más valiosa, por ser más independiente, la otra obra histórica de Josefo, la «Guerra judaica», *De bello judaico,* que en siete libros describe la época que va desde Antíoco IV y la insurrección de los Macabeos hasta la destrucción de Jerusalén en el año 70 d. C. y la represión de la rebelión judía por Vespasiano. Los períodos de esta obra que coinciden con los de las *Antiquitates* están tratados aquí, en las *Antiquitates,* con ciertas variaciones y con menos cuidado.

moderna investigación, pero en este afán se sentirá en definitiva vinculado también a la Escritura, que no le facilitará su labor, sino que le obligará a hacer justicia al πολυμερῶς καὶ πολυτρόπως, bajo el que se realizó la revelación a los padres, antes de que, según el testimonio del nuevo testamento, se consumara en el Hijo (Heb 1, 1.2).

I

Formación del pueblo de Israel

1

LOS PATRIARCAS

Qué se haya de entender por «Israel», alianza tribal, pueblo, estado, nación o idea, se ha convertido, dentro de la moderna controversia científica sobre los problemas de la antigua historia de Israel, en un interrogante inicial, al parecer ineludible [1]. Sin embargo, al comienzo de una exposición histórica de hechos veterotestamentarios, con la que aquí empezamos, esa cuestión es prematura. En efecto, de Israel cabe decir lo mismo que de los demás «pueblos». Sus comienzos no se encuentran allí donde la designación o nombre de todo el pueblo aparece documentalmente por primera vez, sino donde aparecen por primera vez aquellos grupos, que más tarde se habían de ensamblar para constituir todo un pueblo, que se consideró como «Israel». Lo que al correr de los tiempos y en virtud de comunes vicisitudes y experiencias se convirtió en «Israel», es el resultado de un proceso histórico aproximadamente igual al que se observa en la formación de los estados nacionales europeos. También en sus comienzos hubo movimientos de población, que hicieron posible el que se fundieran en agrupaciones políticamente efectivas; pensemos en la época inicial de los anglos y de los sajones, de los francos y de los alamanes o de las tribus centro-alemanas. La historia de Israel ha de mostrar primeramente de qué modo y de dónde surgió Israel, de qué forma de la complejidad del comienzo pudo formarse un conjunto, que alcanzó rango histórico-mundial.

El mismo antiguo testamento en sus comienzos nos brinda un documento, que no menciona precisamente a «Israel», pero que sin embargo inscribe adecuada y controlablemente su situación inicial en el marco de la historia universal de entonces. Presenta aquel juego de fuerzas en el que se encuentran los gérmenes del posterior Israel y que le posibilitó la entrada en la historia universal. Se trata del llamado catálogo de los pueblos en Gén 10.

1 Expresamente desde M. Noth, *Geschichte Israels,* 1950, Einleitung § 1; cf. ahora también las consideraciones introductorias en R. de Vaux, *Histoire ancienne d'Israël*, 1971, 7-10.

De un modo característico de la mentalidad semítica, el de concebir genealógicamente tiempos y concausas, fijando a la sucesión de generaciones el comienzo, desarrollo y resultado de un acontecimiento, Gén 10, inmediatamente después del relato del diluvio, llega a una desconcertante consecuencia. Noé, el único que sobrevivió al diluvio, se convierte en padre de la nueva humanidad, una humanidad que se diferencia de modo natural por el hecho de proceder de los tres hijos de Noé, Sem, Cam y Jafet. Así, la nueva humanidad no es una masa homogénea, sino que está ya clasificada por su origen de tres distintos padres. La genealogía se convierte en medio de expresión de hechos históricos observados.

Prescindiendo de ciertos aspectos sorprendentes bajo el punto de vista de la historia de la tradición, en Gén 10[2] figuran a la cabeza de la tabla como hijos de Jafet personas que llevan nombres de pueblos del norte y del oeste del mundo antiguo. El arco se extiende desde los medos hasta los jonios (Javán) en la costa occidental del Asia menor y llega probablemente incluso a España[3]. Como hijos de Cam aparecen Cus, por el que se ha de entender el territorio sudanés al sur de Egipto, Misraím, Egipto mismo, Put, un país vecino de Egipto, al este o al oeste[4], y por fin Canán. Aquí de un modo sucesivo se avanza desde el más lejano sur entonces conocido hacia el norte, y sólo extraña el que Canaán constituya el pilar septentrional de ese grupo. Las poblaciones designadas como hijos de Sem comprenden el amplio territorio que va desde Elam al este, pasa por Assur y llega hasta los

[2] El texto de Gén 10 presenta dos formas estilísticas, la simple enumeración en estilo de catálogo y la frase verbal, que expresa los nombres mencionados en acusativo después de una forma del verbo *jld,* por lo general con el sentido de «engendró». El cambio de estilo no es algo casual. En puro estilo de lista se enumeran grandes grupos; las subdivisiones, que siempre aducen más hijos, prefieren la frase verbal. Ordinariamente las puras listas se atribuyen a P, esto es, a la tradición más reciente, y las construcciones con verbo a J; de aquí resulta el siguiente esquema: P: v. 1a.2-7.20. 22.23.31.32; J: v. 1b.8-12.13.14.15-19.21.24-30.

[3] Un hijo de Javán fue Tarsis (Tharschisch), la colonia griega Tartessos al sur de España. Es sorprendente la coincidencia con Herodoto I, 162, 163. En general no hay duda de que estamos ante un sucesivo ensanchamiento de la tradición de Gén 10, aunque es difícil de determinarlo cronológicamente. Cf. el intento de una interpretación cartográfica de la lista de los pueblos en H. Guthe, *Bibelatlas,* ²1926, lám. 6.

[4] Probablemente (si tenemos presente Jer 46, 9; Ez 27, 10; 30, 5; 38, 5 según LXX) se trata de Libia y no del «Punt» de los textos egipcios (costa africana del mar Rojo con Somalia); cf. J. Simons, *The geographical und topographical texts of the old testament,* Leiden 1959, 149.198.1.313.1.601.

arameos como magnitud más occidental dentro de ese grupo, del que quizá forman parte también los lidios del Asia menor [5].

Sobre la base de este cuadro recapitulativo está justificado hablar de pueblos «jaféticos», «camíticos» y «semíticos». Hasta cierto punto estas designaciones han llegado a ser también elemento constitutivo de la moderna nomenclatura científica, especialmente en la filología, donde se ha hecho corriente hablar de lenguas camíticas y semíticas [6]. Pero es indudable que la clasificación bíblica no se basó en aspectos comunes ni etnográficos ni lingüísticos. Los factores decisivos serían más bien de carácter histórico-político. En los tres grupos aparecen claramente bloques políticos, que al correr de la historia desempeñaron su propio papel y al menos a partir de la segunda mitad del segundo milenio precristiano fueron adquiriendo influjo y se mantuvieron además operantes. Donde más claro se ve esto es en el grupo más meridional, que incluye también a Canán entre los pueblos de Africa y de este modo señala la esfera de influencia que adquirieron los faraones egipcios durante el nuevo imperio. Si bien no es posible querer deducir en particular de esa tradición procesos y situaciones, al menos con sus datos concomitantes se encuentran reconocidas y delineadas en sus dimensiones sustanciales ciertas zonas históricas de acción.

Esta opinión queda corroborada por el hecho de que se presenta primeramente a los jafetitas como potencias del norte y a continuación a los camitas como potencia del sur, esto es, aquellos dos bloques políticos opuestos de mediados del segundo milenio, que nunca llegaron a un verdadero equilibrio, por más cercano que pareciera estar en el tratado de paz hitítico-egipcio en tiempos de Ramsés II [7]. Pero es aún más importante el hecho de que como últimos de la lista de pueblos se insertaran los «semitas», que se presentan, por así decirlo, como una «potencia de centro» que realmente había de señalar la pauta histórica. Responde esto ante todo a la nueva situación histórica de finales del segundo milenio precristiano. Las estructuraciones estatales de los arameos constituyen la más patente expresión de la nueva época. Con ellos tienen que habérselas los potentados de Mesopotamia, mientras

[5] Según esto es acertada la identificación del «Lud» que figura en Gén 10, 22 inmediatamente antes de Aram con los lidios; cf. J. Simons, *Texts,* 150.151.1.601.

[6] El término «semítico» se remonta a A. L. Schlözer; en consecuencia, a los portadores del tipo lingüístico semítico se les llamó «semitas»; cf. J. G. Eichhorn, *Repertorium für biblische und morgenländische Literatur* VIII, Leipzig 1781, 161; cf. también R. Meyer, *Hebräische Grammatik* I, [3]1966, 12-17.

[7] Sobre este particular cf. *supra,* los datos consignados en p. 36 s.

que el influjo de Egipto decrece sensiblemente al final de su nuevo imperio. Ha llegado el momento en que el puente geográfico siriopalestinense empieza a disponer de un potencial político propio. El catálogo de los pueblos acaba en los semitas. Es «un documento de la autoconciencia juvenil» (A. Alt) de estos grupos de población.

No es preciso decir que Gén 10 no es en todas sus partes ningún producto primitivo y difícilmente se trata de un documento «contemporáneo». Presupone aquel grado de reflexión que era capaz de formular una estimación de potencias históricas y delimitarlas entre sí. Cuándo se compuso este texto es cuestión secundaria al lado de la atinada valoración de las agrupaciones en él comprendidas.

Puntualicemos una vez más expresamente que Gén 10 no describe exactamente una determinada situación histórica o se ha derivado de ella. Las listas ahí reunidas con todas sus adiciones reflejan un creciente desarrollo de observaciones y experiencias geográfico-políticas, que probablemente no se concluyeron hasta la época postexílica. Esto estaría también en consonancia con la época de redacción de P, que ha recogido las tradiciones más antiguas y geográficamente más delimitadas (probablemente J). A pesar de todo, las apreciaciones ahí formuladas conservan su plena validez, pues Gén 10 es un autotestimonio del antiguo testamento sobre la distribución geográfico-política de fuerzas en el antiguo oriente, tal como, con cambiantes centros de gravedad, se le grabó en la memoria a través de los siglos al pueblo del antiguo testamento.

Con toda razón, en el catálogo de los pueblos falta el nombre de «Israel». Pues los antepasados de Israel no pertenecían en primera generación a los descendientes de los hijos de Noé, Sem, Cam y Jafet. Había necesidad de eslabones históricos, que exigieran consideración en el plano genealógico. Se tenía el convencimiento de que «Israel» entró en una ya existente y ordenada comunidad de pueblos, de que Israel surgió de uno de los grandes grupos de la humanidad. En Gén 11, 10-32 la genealogía de Sem termina consecuentemente en Abra(ha)m [8], con el que se inicia una evolución especial dentro de la comunidad de pueblos de entonces. El carácter de estas series genealógicas, que el texto veterotestamentario mantiene de forma consecuente y al parecer sim-

[8] Abram es la forma más antigua; tan sólo los estratos más recientes del Génesis conocen ya la forma Abrahán, estructura ampliada por la letra hebraica Hē, tal vez por influencia aramaica (Gressmann); cf. también M. Noth, *Die israelitischen Personennamen*, 1928 (reimpresión 1966), 145, nota 1.

plista, no es puramente ficticio. Otras listas de esta clase se encuentran distribuidas por el Génesis, que siempre arrancan de un padre común y terminan en grupos sólidamente compactos. Además de Gén 11, 10-32, se han de tener presentes las listas de Gén 22, 20-24 y 25, 1-4. Estas listas se complican y afinan por el hecho de que algunos de los padres poseen varias mujeres. Se llega, pues, dentro de los grupos a una gradación, que puede poner de manifiesto situaciones históricamente diferenciadas.

Está de acuerdo con la lógica del libro del Génesis el que todos los parientes consignados en las listas sean submiembros del grupo-Sem, que sólo empieza a desarrollarse en Gén 11, 10 ss. Como inmediatos antepasados de Abrahán aparecen a partir del v. 20 Serug, Najor y Teraj; los hijos de este último son Abram, Najor y Aram; hijo de Aram es Lot. Con esta lista y con sus nombres se hace también referencia a una determinada zona. Se trata de nombres, cuyos modelos pertenecen al noroeste de Mesopotamia [9]. Se añade que Teraj, Abram y Lot partieron de Ur Casdim, llegaron a Jarán y se dirigían a la tierra de Canán.

Ur Casdim, que se puede traducir por «Ur de los caldeos», se suele identificar con el antiguo Ur (*el mukajjar*) en la Mesopotamia más meridional, centro del antiguo Sumer [10]. Por consiguiente, sería necesario emprender un largo viaje a través de toda Mesopotamia, para llegar al noroccidental Jarán. Una tal trayectoria es concebible, pero no convincente [11]. Un «Ur de los caldeos» no vuelve a desempeñar papel ninguno en ningún otro lugar del antiguo testamento. Por el contrario, el texto griego de los Setenta

[9] Se trata de la zona colindante con la ciudad de Jarán (Ḫarrân) en la región del Balich superior. Toda la comarca se llama en el antiguo testamento «Padán Aram» («la llanura de Aram») o «Aram Naharaim», el territorio situado entre el curso superior del Eufrates y el del Tigris, regado por el Balich y por el Jabor. La ciudad de Jarán se relaciona con los patriarcas en Gén 11, 31.32; 12, 4.5; 27, 43; 28, 10 y 29, 4. En esta zona los nombres personales aparecen muchas veces como nombres de lugares; por ejemplo Serug en el Serudsch situado al oeste de Jarán (*serūdsch*); Najor aparece en los textos de Mari como Nahur, posteriormente en los textos asirios como Til-Naḫiri y está situado en la comarca de Jarán. El nombre de Teraj aparece en Til-Turaḫi al sur de Jarán en el valle del Balich. Cf. R. de Vaux, *Die hebräischen Patriarchen,* 30.31; Id., *Histoire,* 187-190.

[10] Que el Ur sumerio es la «patria de Abrahán» es un slogan popular, que ha adoptado, sin análisis alguno, la literatura secundaria de carácter periodístico y orientada al gran público; así ocurre en Marek-Ceram, W. Keller y P. Bamm.

[11] La verosimilitud histórica de contactos entre Ur y la comarca de Jarán trata de demostrarla R. de Vaux, *Histoire,* 182-187 sobre el amplio fondo de la «época de Abrahán».

en Gén 11, 28 en vez del hebraico «en Ur» ofrece la versión «en el país», que fácilmente puede explicarse por el hecho de que en el texto hebraico faltara una única letra: en vez de *'r* se hubiera tenido que llamar *'rṣ*. Esto significaría que los antepasados de Abram partieron «del país de los caldeos», por consiguiente, de la comarca babilónica. De este modo se encontrarían ya más cerca de Jarán. Jarán se encuentra en la región del gran arco del Eufrates, exactamente allí donde se constituyó el estado arameo de Bît Adini. No es que con esto se haya dicho ya la última palabra sobre la cuestión de «Ur Casdim». Pero tampoco puede afirmarse en modo alguno que sólo puede tratarse del Ur sumerio.

A la región de Jarán alude también la lista de los doce hijos de Najor (Gén 22, 20-24), que están distribuidos entre dos mujeres, Melka (cf. Gén 11, 29) y Re'uma. Entre ellos está Batuel, padre de Rebeca, y un hombre que lleva el apelativo de «padre de Aram». En el caso de Najor y su familia se trata todavía de la más próxima parentela de Abrahán dentro de un espacio limitado. En cambio las listas de Gén 25, 1-4 y 25, 13-16 van en dirección de Palestina meridional y Arabia septentrional. Entre los seis hijos engendrados por Abrahán con una mujer por nombre Ketura (Gén 25, 1-4) se encuentra también Madián, nombre de una población, cuyos habitantes, por tratarse de nómadas camelleros, se movían en un gran radio de acción en la comarca del golfo de Akaba. Entre los demás descendientes de los hijos de Ketura se cuentan también los sabeos a lo largo de la costa del mar Rojo [12] y los dedanitas [13] que habitaban al norte de los anteriores. También pertenecen al sur los doce hijos de Ismael, hijo de Abrahán (Gén 25, 13-16), de los que se dice que habitaban «frente a Egipto» [14]. Que con esto se alude a la costa occidental de la península arábiga, queda confirmado por otros detalles [15].

Por lo que demuestra esta división genealógica, los descendientes de Abrahán debieron ocupar un amplio territorio, cuyos puntos extremos se han de situar en la Mesopotamia superior y en la Arabia meridional. Aunque la derivación de estos grupos etnográficos de Abrahán y su estructuración interna de seis o doce miembros cada uno pueda considerarse como un artificio esque-

[12] Pueblo comercial que disponía de abundantes caravanas; cf. 1 Re 10; Jer 6, 20; Ez 27, 22 ss.

[13] Cf. Is 21, 13; Ez 27, 20. El *'aschūrīm* de Gén 25, 3 no se refiere a los asirios, sino a una tribu vecina de los ismaelitas; cf. Gén 25, 18.

[14] Sobre la yuxtaposición de Nebayot y Quedar (v. 13) cf. Is 60, 7.

[15] Es notable la mención del Chawila conocido por Gén 2, 11.12, que allí es celebrado como país del oro y de otras riquezas subterráneas. Esto también apunta a Arabia.

mático, predominaba el convencimiento de que estos grupos debían situarse en una relación más o menos cercana con el factor común, Abrahán. Este hecho y los nombres históricamente verificables en las diversas zonas geográficas permiten deducir que aquí, sin que podamos precisar desde qué época exactamente, se nos ofrece dentro de la limitación de un sistema genealógico un estado de cosas digno de tomarse en serio en el aspecto histórico. Se trata de la complejidad de un contexto etnográfico, del que no en último lugar forman parte también aquellos elementos, de los que algún día había de surgir «Israel». De otro modo, ¿cómo podría explicarse aquel interés que el antiguo testamento demostró hacia esos grupos de población? Con precisión se completa, pues, ese sistema mediante un grupo intermedio, que llega ahora directamente a Palestina. Gén 36, 10-14 menciona la federación duodena de los hijos de Esaú, con la cual se da una lista de las tribus edomíticas, que se establecieron principalmente al sur y sureste de Palestina [16]. Pero inmediatamente y por extenso se despliega en Gén 29, 13-30, 24 la familia del nieto de Abrahán, Jacob. Distribuidos en dos mujeres principales y dos secundarias aparecen los doce hijos de Jacob, que llevan los nombres de las doce tribus del Israel de entonces; se añade también una muchacha por nombre Dina. No aparece el nombre de «Israel». Son los hijos de Jacob, cuyos doce hijos se enumeran y por principio no se clasifican de otra manera que los hijos de Abrahán o los de Najor. Lo que algún día se llamaría «Israel» se considera primeramente como un componente especial del armazón genealógico del Génesis, como grupo de doce miembros, y se yuxtapone a los descendientes de Abrahán. La diferencia consiste tan sólo en escoger otro tronco paterno, esto es, Jacob. Esto se ha de tener presente. Pero en su forma definitiva todo el sistema queda redondeado genealógica y geográficamente como sigue: Teraj, de la Mesopotamia superior, tiene los tres hijos Abrahán, Najor y Aram. Najor recibe doce hijos, que cubren el espacio de la Mesopotamia superior y norte de Siria. Abrahán, de su unión con Agar, tiene a Ismael, cuyos doce hijos van al sur y suroeste de la península arábiga, mientras que los seis hijos de Abrahán con Ketura ocupan la parte noroccidental de la región limítrofe. Complicado aparece el centro geográfico: de la unión de Isaac con Rebeca vienen Esaú y Jacob, que por su parte engendran cada uno los doce hijos de los edomitas y de los israelitas como epónimos suyos. El sobrino de

[16] Cf. la exposición, ya clásica, de F. Buhl, *Geschichte der Edomiter*, 1893.

Abrahán, Lot, se convierte en padre de los moabitas y de los amonitas (Gén 19, 30-38).

De este sistema hay que decir casi lo mismo que del catálogo de los pueblos. Se presupone que se tiene a la vista un amplio panorama, es el conocimiento de esas ramificadas interrelaciones etnográficas. La transferencia del sistema genealógico a un contexto histórico no es posible con absoluta exactitud, pero el sistema en sí mismo difícilmente es un producto arbitrario. Está claro que los «semitas», clasificados de ese modo por sus troncos paternos y maternos, vivían con la convicción de una comunidad de destino y tal vez incluso étnica en un sentido amplio; está claro que se consideraban portadores de una virtualidad histórica independiente. Es inevitable preguntarse a qué otro sistema de amplias proporciones históricamente verificable se puede asimilar ese sistema genealógico. La mejor solución que se nos ofrece es la propagación muy dispersa, pero de una característica fuerza de choque de las tribus «aramaicas» hacia el final del segundo milenio precristiano. Esta solución tiene la ventaja de abarcar convincentemente las genealogías del Génesis y reducirlas, como unidad de tradición, a un período relativamente limitado. La «época de los patriarcas» (*The patriarchal age*) no es una época de prolija duración en una vasta región, cuyo inicio y fin se pierdan [17] en la oscuridad o que debiera explicarse [18] sobre la base de hipotéticos viajes de caravanas. Se trata de un período que se puede abarcar perfectamente en toda su extensión dentro de un marco étnicamente limitado, cuyas dimensiones geográficas son sin duda de cierta amplitud, pero limitadas en definitiva al flanco occidental del «fértil creciente».

Con todo, no se debe exagerar esta visión de conjunto. Tras

[17] R. de Vaux, *Histoire,* 250-253, se inclina a creer que los primeros contactos de los grupos patriarcales con Palestina tuvieron lugar en el más amplio contexto de los movimientos amorreos, en el período que media entre la primera y la media edad del bronce en el siglo XIX-XVIII; por otra parte, a la vista de la historia de algunas tribus israelíticas, se ve precisado a conceder a los patriarcas un período que llega hasta el siglo XIII. De ahí que sólo en *termes généraux* se pueda hablar de una *époque des Patriarches, «dont il n'est pas possible de dater exactement ni le début ni la fin».*

[18] W. F. Albright sostuvo la tesis de que los patriarcas al principio del segundo milenio precristiano viajaron con caravanas de asnos por conocidas rutas internacionales en plan de comerciantes; *Abram the hebrew: A new archaeological interpretation*: BASOR 163 (1961) 36-54; Id., *Yahweh and the gods of Canaan,* London 1968, 47-49. Por el contrario R. de Vaux, *Histoire,* 217-220; Id., *Die Patriarchenerzählungen und die Geschichte*: SBS 3 (1968) 23-25; un estudio detallado con abundantes datos bibliográficos en M. Weippert: Biblica 52/3 (1971) 407-432.

cada uno de los grupos del Génesis genealógicamente registrados se ha de suponer un fragmento de historia autónoma. Los contactos entre los grupos siguen siendo problemáticos. Es muy poco verosímil que existieran contactos entre las gentes de Jarán en torno a Teraj y Abram y los grupos meridionales, las gentes de Ketura e Ismael. El sistema genealógico tiene su limitación por lo que respecta a la hipótesis de ciertos movimientos y cambios históricos. Se han de suponer también procesos de crecimiento dentro de los grupos. Su estructuración en agrupaciones de seis y de doce puede ser la fase final del respectivo proceso de crecimiento de cada grupo. Tan sólo en un único caso estamos en condiciones de asomarnos un poco más a las circunstancias internas de un grupo tribal, a saber, el grupo de los hijos de Jacob. No sólo la tradición, sino el desarrollo posterior de la historia de Israel demuestra claramente que las tribus de Israel, que llevan los nombres de los hijos de Jacob, no formaban desde un principio una unidad de acción, sino que por caminos claramente distintos acabaron por encontrar una residencia común.

La complejidad de los comienzos está reflejada de un modo lacónico pero atinado en el llamado «pequeño credo histórico» (Dt 26, 5b-9), muy citado en la Escritura [19], que en tiempos posteriores hace decir al labrador israelita: «Un arameo condenado al fracaso fue mi padre, cuando bajó a Egipto...». Se declara aquí expresamente el arameísmo de los patriarcas, pero al mismo tiempo se insinúa también el problema de los seminómadas al avanzar desde la estepa [20], que inicialmente sólo pudieron vivir con diversa fortuna en las cercanías de las tierras de cultivo. El hecho de que el «padre», a quien no se especifica concretamente, marchara a Egipto, pero que allí también fracasara manifiestamente, antes de adquirir la tierra de Palestina, puede considerarse ante todo como una alusión a los muy complicados hechos acontecidos en el marco del avance aramaico.

Así como no es posible identificar [21] al «padre» aramaico de

[19] G. von Rad, *Das formgeschichtliche Problem des Hexateuch,* 1938, reimpresión en *Ges. Stud.,* 1958, 9-86; en forma crítica L. Rost en *Das kleine Credo und andere Studien zum Alten Testament,* 1965, 11-25.

[20] J. Henninger, *Zum frühsemitischen Nomadentum,* en L. Földes (ed.), *Viehwirtschaft und Hirtenkultur,* Budapest 1969, 33-68; Id., *Über Lebensraum und Lebensformen der Frühsemiten*: AFLNW/G 151 (1968).

[21] Cf. el estudio crítico, en muchos aspectos conscientemente hipotético, de H. Seebass, *Der Erzvater Israel und die Einführung der Jahweverehrung in Kanaan*: BZAW 98 (1966). Que el «padre» arameo es Jacob, como a veces puede interpretarse, no consta en el texto y se basa en una libre combinación con la tradición del Génesis, que hace marchar a Jacob a Egipto.

Dt 26 «condenado al fracaso», así también hay que preguntarse por qué razón los grupos del Génesis genealógicamente independientes han sido colocados en una clara relación de dependencia hacia un patriarca-jefe y quiénes fueron esos patriarcas. Los tres grandes, engarzados por la sucesión padre-hijo, Abrahán, Isaac y Jacob, difícilmente son invenciones literarias, que constituirían un gran paréntesis en cuanto a las relaciones de parentesco. Al menos con respecto a Abrahán se declara su origen dentro del grupo septentrional de la Mesopotamia superior, mientras que Isaac y Jacob se encuentran fuera de los grandes grupos. Para el lector del Génesis, estos patriarcas han adquirido su elevado rango, mucho más que como eslabones intermedios en el entramado genealógico de los pueblos, en virtud de su papel excepcional en los impresionantes relatos sobre extraordinarios contactos con Dios, generalmente en renombrados lugares sagrados de Palestina. Estos relatos anecdóticamente concisos, que H. Gunkel puso de relieve como «pequeñas unidades» y a los que con cierta razón llamó las «sagas del Génesis» [22], en su forma primitiva son, casi sin excepción, contactos de un patriarca con una divinidad; tan sólo en una fase avanzada de redacción esos relatos han sido agrupados en «rosarios o ciclos de leyendas» [23] ensamblándolos además en la temática de la gran posteridad en el país [24]. De este modo adquirieron esos textos un matiz de promesa intensamente orientado hacia el futuro [25]. Pero este motivo predominante no debe enturbiar la mirada para no ver las formas primitivas, todavía claramente reconocibles, de las relaciones de los patriarcas con las divinidades locales del ámbito cananeo-palestinense. Precisa-

[22] Por «saga» entiende Gunkel ante todo una antigua tradición oral. Es fundamental la introducción de su *Genesis-Kommentar* ([6]1963) con el subtítulo de *Die Sagen der Genesis.*

[23] La fusión de narraciones aisladas en conjuntos más amplios, a veces de matiz novelístico, se puede observar a propósito de Abrahán (la tradición sobre Abrahán-Lot) y de Jacob (Jacob y Esaú; Jacob y Labán), prescindiendo aquí totalmente de la amplificación del relato sobre José al final del Génesis. Cf., siguiendo a H. Gunkel, el trabajo de O. Eissfeldt, *Stammessage und Novelle in den Geschichten von Jakob und von seinen Söhnen,* 1923, ahora en *Kl. Schr.* I, 84-104; el estadio inicial y la composición de los relatos sobre Abrahán los ha estudiado R. Kilian, *Die vorpriesterlichen Abrahamsüberlieferungen*: BBB 24 (1966).

[24] Formulaciones programáticas en Gén 12, 1-3 (sobre esto G. von Rad, *Ges. Stud.*, 71-75; H. W. Wolff, *Ges. Stud.*, 351-361; O. H. Steck en *Probleme biblischer Theologie,* 1971, 525-554), y en Gén 15 y 17; cf. también J. Hoftijzer, *Die Verheissungen an die drei Erzväter,* Leiden 1956.

[25] S. Herrmann, *Die prophetischen Heilserwartungen im Alten Testament*: BWANT 85 (1965) 64-78.

mente estas relaciones dan la clave para la interpretación histórica del carácter de cada una de las figuras patriarcales. Es necesario enjuiciarlas sobre un fondo más amplio.

Uno de los rasgos característicos de las narraciones patriarcales es la vida nómada de los patriarcas y de sus familias. Prescindiendo del hecho de que el motivo nomádico sirve muchas veces para engarzar relatos aislados, que se dessarrollan en lugares diversos, predomina la impresión de que no se trataba de propietarios de tierra, sino, a lo sumo, de buscadores de tierra. A propósito de la vida itinerante de los patriarcas se formulan múltiples comparaciones con las formas de vida de los nómadas. Se hace observar la trashumancia, la alternancia anual entre pastos de invierno y pastos de verano, las grandes posesiones de ganado por parte de los patriarcas y su amplia economía ganadera, que evidentemente siguieron practicando en la misma Palestina [26]. No cabe la menor duda de que esas formas de vida características de las tierras intermedias entre la estepa y la tierra de cultivo tuvieron su importancia en la existencia de los patriarcas, pero con respecto a ellas es preciso afinar y diferenciar todo este enfoque. Todas las tradiciones que sobre ellos poseemos no se desarrollan precisamente en el desierto y en la estepa, y ni siquiera en las zonas colindantes con las montañas de Palestina, sino en medio de los sectores de posterior colonización. Así pues, si las formas de vida nomádicas son características de los patriarcas, parecen hallarse ya en una última fase, antes de la definitiva fijación de residencia [27]. Muchas de las tradiciones se las debemos no en último término al hecho de que dan a entender claramente el propósito de una posterior fijación de residencia. En Gén 13 deliberan Abrahán y Lot sobre la forma de repartirse la tierra; Lot se dirige a la evidentemente más fértil zona del Jordán, Abrahán se interna en Judá. Abrahán adquiere propiedades en Hebrón (Gén 23) y desde su residencia manda pretender a Rebeca para su hijo; ella vive en la lejana Mesopotamia superior, donde los parientes pudieron esta-

[26] Además de los ya mencionados estudios de J. Henninger, que han sido escritos bajo el punto de vista de los modernos conocimientos etnográficos, véase, por lo que respecta a las circunstancias israelíticas, especialmente A. Alt, *Erwägungen über die Landnahme der Israeliten in Palästina,* 1939, en *Kl. Schr.* I, esp. 139-153; en forma de resumen M. Weippert, *Die Landnahme der israelitischen Stämme in der neueren wissenschaftlichen Diskussion*: FRLANT 92 (1967) esp. 14-51.

[27] De forma bastante convincente de Vaux, *Histoire,* 220-223, cuenta con una *société dimorphe,* que se mueve entre cultura tribal y cultura ciudadana y que se encuentra en un *état transitionnel*: «Cet état transitionnel entre la vie nomade et la vie sédentaire est celui des patriarches» (222).

blecerse en condiciones más favorables. Isaac parece encontrarse realmente todavía al margen de las formas fijas de vida. Todo el contenido de su vida es una contienda motivada por la posesión de unos pozos en los desiertos meridionales en torno a Berseba (Gén 26). Característicamente su hijo Jacob sirve en casa de Labán en la Mesopotamia superior y allí se sitúa en condiciones para su futura prosperidad. Por fin penetra en Transjordania, donde se ve precisado a separarse de su hermano Esaú, el epónimo de los edomitas; pero llega también hasta Palestina central, pues sus hijos apacientan el ganado en la comarca de Siquem, y José fue vendido junto a Dothan (Gén 37, 17).

Lo que los relatos describen y presuponen es un gradual afincamiento en el país, desde luego no en la llanura costera ya de siempre más intensamente poblada, sino en el montañoso *hinterland,* en los fértiles centros de la cordillera cisjordánica y en parte también de la transjordánica. Los más notables relatos van vinculados a los principales lugares sagrados de estas comarcas. El lugar sagrado central de Siquem influye tanto en los relatos sobre Abrahán como en los relatos sobre Jacob (Gén 12, 6; 35, 4); sin embargo, la tradición sobre Abrahán parece estar concentrada en torno a Hebrón y al santuario de Mambré (Gén 18.23), mientras que Jacob aparece [28] en Bethel (Gén 28) y en la Transjordania, junto al Jaboc (Gén 32, 23-33) y junto a Majanaim (Gén 32, 2.3). Cada uno de estos relatos en que figuran lugares sagrados se distingue por el hecho de que el respectivo patriarca tiene una aparición de Dios, o dicho con más precisión, por el hecho de que se le hace perceptible la fuerza fulminante de un Dios, que en el mismo lugar domina a otros seres de carácter numinoso, evidentemente más primitivos. El Dios de los patriarcas triunfa.

De estas observaciones se puede deducir algo decisivo en orden a la historia de los patriarcas. Durante el proceso de su fijación de residencia se realiza al mismo tiempo la dominación de los dioses locales del país por parte de los dioses de los patriarcas. Estos toman posesión de los lugares venerables y establecen allí su propio culto, legitimado por una aparición de «su» Dios. En realidad esto es ya una fase final de la «fe de los patriarcas». La forma de religión de los patriarcas ha sido ya interpretada hace varios decenios por A. Alt de un modo que nadie hasta el presente

[28] Las tradiciones locales las pone especialmente de relieve A. Jepsen: *Zur Überlieferungsgeschichte der Vätergestalten*: *Wiss. Ztschr. d. Karl-Marx-Univ. Leipzig, Ges. u. sprachwiss.* 3-2/3 (1953-1954) 267-281.

ha refutado [29]. Partiendo de la observación lingüística de que la designación de Dios y el nombre de patriarca se encuentran muchas veces estrechamente unidos en relación de genitivo, como por ejemplo «el Dios de Abrahán», «el Dios de mi padre», «el Dios de su padre Isaac», pero también «el Dios de Najor» [30] y de una manera todavía más recia «el Terror de Isaac» [31] y «la Fortaleza de Jacob» [32], y teniendo en cuenta el posterior material comparativo [33], se puede demostrar que cada uno de los patriarcas es portador de unas experiencias de Dios independientes otorgadas a ellos en cada caso, por no decir revelaciones de Dios, a las cuales apelan sus descendientes. Se trata aquí de un tipo de religión explicable entre grupos no sedentarios. La divinidad no se revela en el lugar sacro de un santuario autóctono, sino que se manifiesta a una personalidad, que como garante de una auténtica experiencia de Dios determina también la fe de los miembros del grupo y de sus descendientes. Se impone la conclusión de que con la fórmula «el Dios de NN» no sólo se transmite la fe en una divinidad, sino que al mismo tiempo el respectivo receptor de la revelación no es ninguna ficción y que tiene que haber sido una personalidad histórica.

Lo que el Génesis narra acerca de los patriarcas cuadra con estas observaciones. También allí los patriarcas son receptores de la revelación, pero no solamente para fundamentar la fe de su clan, sino también para experimentar en los lugares sagrados la superioridad de su Dios frente a los númenes locales allí establecidos [34]. De este modo se inicia un estadio decisivamente nuevo

[29] A. Alt, *Der Gott der Väter,* 1929, en *Kl. Schr.* I, 1-78; en forma crítica, aunque no del todo convincente, J. Hoftijzer, *Die Verheissungen an die drei Erzväter,* 1956, 83-99; totalmente positivo, teniendo en cuenta los recientes estudios, de Vaux, *Histoire,* 256-261.

[30] Gén 31, 53.

[31] Gén 31, 42.53.

[32] Gén 49, 24.

[33] Se trata principalmente de inscripciones nabateas y griegas del siglo I precristiano hasta el siglo IV postcristiano; se encuentran en las comarcas fronterizas sirio-palestinenses y proceden sobre todo de la región de Haurán, de la zona de Ledscha (*ledscha*), la antigua Traconítide, así como de Palmyra y de Petra. Su recopilación de materiales *Kl. Schr.* I, 68-78 la completó Alt mediante comunicaciones: PJB 36 (1940) 100-103.

[34] Con respecto a los númenes o divinidades locales, se trata ordinariamente de divinidades cuya designación contiene el elemento «El» (*'ēl*), una designación de Dios muy extendida en el ámbito cananeo. Este «El» va asociado o con un nombre propio de matiz especial (por ejemplo, *'ēl 'äljōn,* Gén 14, 22; *'ēl schaddaj,* Gén 17, 1) o con un toponímico. Los ejemplos aquí utilizados demuestran claramente que estas designaciones cananeas de Dios vuelven a encontrarse en las tradiciones patriarcales de un modo ru-

en la fe de los patriarcas. El Dios, que anteriormente, en la fase nomádica, tenía tan sólo vinculaciones personales, se hace autóctono, se vincula localmente a un santuario adoptado. La sedentarización de los patriarcas y de sus gentes va acompañada de la toma de posesión, legitimada por la divinidad, del país y de sus instituciones cúlticas.

A la tan traída y llevada cuestión de si este «dios de los padres» se identifica con Yahvé, como ocurre según la concepción del Génesis, lógicamente hay que empezar por darle una respuesta negativa. Dioses de los patriarcas y fe en Yahvé fueron originariamente fenómenos independientes. En cambio, ya en un estadio posterior, cuando los adoradores de los dioses de los patriarcas entraron en contacto con Yahvé, éste pudo acoger en sí mismo a los dioses patriarcales, de tal manera que pudieron figurar como legítimo elemento constitutivo de la fe en Yahvé. Pero este proceso evolutivo sólo puede ser comprendido en toda su amplitud al tratar de la naturaleza de la fe en Yahvé y de su importancia en orden a la historia de Israel. Y esto sólo es posible en conexión con la tradición sobre Moisés. Pero al no darse la combinación «el Dios de Moisés», esto puede considerarse ya aquí como una primera prueba de que, en el caso de Yahvé, nos encontramos ante algo distinto al tipo de los dioses patriarcales.

Con respecto a la historicidad y datación de los patriarcas, se insiste de ordinario en la similitud existente entre sus nombres y tipos de nombre semítico-occidentales. También el archivo epistolar de Mari ha proporcionado materiales esclarecedores sobre esta cuestión [35]. Se considera como «semítica-occidental» la raíz tri-

dimentario ciertamente, pero inmediatamente se las pone en estrecha relación con el «padre Dios». El subsiguiente problema del conflicto entre las formas nomádicas de religión y las del ámbito cananeo antes de y mientras la conquista israelítica del país ha dado base a una abundante bibliografía científica, especialmente desde que la religión cananea ha sido mejor conocida por medio de los hallazgos de Ugarit-Ras. Sin embargo, sobre este tema no se ha dicho todavía la última palabra. Cf. H. Gese, *Die Religionen Altsyriens, Altarabiens und der Mandäer* (de la serie *Die Religionen der Menschheit* 10/2), 1970, 3-232; L. Rost, *Die Gottesverehrung der Patriarchen im Lichte der Pentateuchquellen*: VTS 7 (1960) 346-359; J. Gray, *The legacy of Canaan*: VTS 5 (1957); W. F. Albright, *Yahweh and the gods of Canaan. A historical analysis of two contrasting faiths,* London 1968; O. Eissfeldt, *Der Gott Bethel,* 1930, en *Kl. Schr.* I, 206-233; Id., *El und Jahwe,* 1956, en *Kl. Schr.* III, 386-397; R. Rendtorff, *Die Entstehung der israelitischen Religion als religionsgeschichtliches und theologisches Problem*: ThLZ 88 (1963) 735-746.

35 M. Noth, *Mari und Israel. Eine Personennamen Studie,* ²1953, 213-233; Id., *Die Ursprünge des alten Israel im Lichte neuer Quellen,* ²1961, 245-272.

radical con «yod» prefijada en los nombres «Jacob» e «Isaac». Mientras que para «Jacob» o para la forma más plena «Jacob-El» se dispone de un amplio material comparativo [36], se carece de un paralelo para «Isaac». De estructura distinta es el nombre «Abrahán», para cuya comparación filológica sólo entra en consideración la forma abreviada «Abram». El principio formativo es *nomen* + *verbum,* pudiendo ser el nombre elemento teóforo [37].

Especulaciones sobre la pertenencia de los nombres a determinados grupos de población del ámbito semítico-occidental inducen con frecuencia a intentos audaces de datación para la «época de los patriarcas». Mientras que Noth trató de utilizar la aparición de los tipos onomásticos en las cartas de Mari para elaborar su tesis de que estamos aquí ante fenómenos «proto-aramaicos» y sobre esta base pretendió iluminar [38] la primitiva historia de Israel, de Vaux rechaza esta teoría y se inclina a ver un «anacronismo» en el supuesto «arameísmo» de los patriarcas; ya que, dice él, la aparición de los patriarcas es anterior a los primeros testimonios sobre los arameos [39]. Sin embargo, debiera quedar bien en claro que las observaciones particulares en relación con la forma de los nombres propios así como en el campo de la historia de la cultura y del derecho no deben ser consideradas y sobrevaloradas de una forma aislada [40]. Como ya se ha indicado, la historia de los pa-

[36] Cf. por ejemplo la forma tan atestiguada entre los semitas occidentales *Ja(ch)ḳub-ila;* y la forma breve igualmente atestiguada *Ja-ḳu-bi;* que hay que traducir probablemente por «que él (Dios) proteja»; M. Noth, *Mari und Israel,* 142-144; R. de Vaux, *Histoire,* 192 s.

[37] Los dos elementos *'b* y *rm,* «padre» y «elevar, ensalzar» están desde luego frecuentemente atestiguados, pero una traducción de todo el nombre sólo es posible hipotéticamente, por ejemplo «el padre (¿una divinidad?) (le) ha ensalzado»; es problemática la posibilidad propuesta por de Vaux «él es grande, por lo que respecta a su padre, él es de buen origen»; R. de Vaux, *Histoire,* 191; M. Noth, *o. c.*

[38] M. Noth, *Die Ursprünge des alten Israel im Lichte neuer Quellen,* 1961; ya anteriormente en *Die israelitischen Personennamen,* 43-47; provisional de modo distinto: ZDPV 65 (1942) 34, n. 2.

[39] R. de Vaux, *Histoire,* 194-201; de todos modos hay que mirar con reservas la nueva utilización —propuesta por de Vaux— del concepto «proto-arameos» como denominación común para los movimientos étnicos del segundo milenio desde los «amoritas» hasta los *aḫlamu* y los arameos, pues eso se presta a malentendidos.

[40] No hay razón para que determinados paralelismos, que les cuadran a los patriarcas, sean también inmediatamente relacionados con su situación cronológica o sociológica. Por lo que respecta a denominaciones, usos y costumbres y ordenación jurídica son concebibles unos condicionamientos pansemíticos, que, a través de muchos eslabones, llegaron hasta los patriarcas. Pensemos en las costumbres de derecho familiar, que se mencionan en los textos de Nuzi y que muchas veces han sido comparadas con las circunstan-

triarcas es para nosotros imposible de esclarecer hasta sus mismos comienzos y tan sólo puede documentarse en sus fases finales limitadas a Palestina. Además, no se observan los más mínimos indicios, que permitan inferir un sustrato de tradición mucho más antiguo y que hubiera que situar varios siglos antes de la conquista del país. No hay noticia ninguna que haga referencia retrospectiva a la libre vida esteparia de los posteriores inmigrantes. Ni siquiera Abrahán, Isaac y Jacob se pueden datar sin reservas. Dentro de la genealogía de Sem están registrados como últimos miembros y aparecen como representantes de los grupos colonizadores. Por consiguiente, pudieron fácilmente también ser insertados en el sistema genealógico del Génesis como miembros de unión. Si bien es cierto que esa subordinación de los diversos grupos étnicos a los grandes patriarcas se efectuó en una fase posterior de reflexión consciente, no es preciso ver ahí un proceso que se haya realizado sin tomar en consideración contextos históricos. La hipótesis de que el contexto más amplio fue el movimiento aramaico en la segunda mitad del segundo milenio precristiano, tiene en su favor la mayor verosimilitud. Que en todo caso esos inmigrantes de la estepa tenían ya en su época o poco después una autodenominación, que a todos ellos o al menos a ciertos grupos se les llamaba *chapiru*, es algo que carece de fundamentos seguros, pero esta hipótesis no se debe descartar por las buenas [41].

Tan sólo un relato del Génesis parece salirse del indicado mar-

cias familiares de los patriarcas. En esto hay que tener presentes las diferencias existentes. Cf. R. de Vaux, *Die hebräischen Patriarchen,* 67-86; Id., *Die Patriarchenerzählungen,* 27-33; Id., *Histoire,* 230-243; R. Martin-Achard, *Actualité d'Abraham,* Neuchâtel 1969, 27-32.

[41] La dificultad consiste en determinar con claridad el concepto de *chapiru.* Frente a anteriores intentos de una definición sociológica del mismo, se propende cada vez más a entender por *chapiru* gentes de una común nacionalidad. Es digno de atención un texto de la época de Amenophis II (*Urk.* IV, 1309, 1), en el que los *chapiru* (allí en la forma egipcia de *'prw*) junto con los *schasu* aparecen al lado de los grupos etnográficos sirios de los hurritas y de las gentes de Nuḫasse. Ahí los *chapiru* se distinguen claramente de otros grupos. Cf. W. Helck: VT 18 (1968) 479; R. de Vaux, *Histoire,* 111. Hasta ahora se ha tenido demasiado poco en cuenta que el concepto de *chapiru* experimentó transformaciones a lo largo del tiempo y se aceptó y utilizó diversamente según los diversos lugares. En esto hizo mucho hincapié K. Koch, *Die Hebräer vom Auszug aus Ägypten bis zum Grossreich Davids*: VT 19 (1969) 37-81; análogamente ahora R. de Vaux, *Histoire,* 111 s. Koch querría ir todavía más lejos y relacionar todo el contexto genealógico, que ofrece el Génesis, con los *chapiru* como común denominación étnica, y así habla él de «pueblos hebraicos». Pero esto supondría una generalización que nivela lo que los mismos textos presentan como algo diferenciado.

co geográfico-cronológico, pero al mismo tiempo pertenece a las primitivas rocas del antiguo testamento más difíciles de dominar. Se trata de las tradiciones agrupadas en Gén 14. En ellas Abrahán aparece como guerrero y parece que, lo mismo que Lot, sólo posteriormente fue revestido con un material legendario mucho más antiguo. Cuatro reyes, evidentemente los jefes de grandes reinos y pueblos [42], llevan a cabo una campaña de castigo contra cinco vasallos desleales, que deben situarse en las proximidades del mar Muerto. Los grandes reyes consiguen la victoria y se llevan gran botín; entre los prisioneros se encuentra también Lot, que residía en el extremo meridional del mar Muerto. Esto da pie para la intervención de Abrahán, que arrebata a los reyes el botín y pone en libertad a Lot. Está totalmente claro que el episodio Lot-Abrahán está secundariamente asociado a la heterogénea tradición legendaria de la campaña de los reyes. Cabe conjeturar que el punto de partida fue una saga local originaria de la comarca del mar Muerto, que fue relacionada con Lot y completada mediante la intervención de Abrahán.

Confirma esta interpretación otra escena singular incorporada a este relato. El rey de Sodoma y el rey de Salem, por nombre Melquisedec, sacerdote del dios El-Älion, sale al encuentro de Abrahán después de su victoria. Melquisedec le bendice; Abrahán en humilde reconocimiento le cede el diezmo de todo, mientras que con altanera superioridad da satisfacción a las codiciosas exigencias del rey de Sodoma.

Los hipotéticos sucesos de estos relatos permanecen en la penumbra; su databilidad queda descartada. Pero en principio explican hasta qué punto los patriarcas fueron capaces de absorber las tradiciones nativas, refundiéndolas de tal manera que al final quedaban ellos como vencedores. El relato primitivo de la derrota de los vasallos nativos junto al mar Muerto se convierte para

[42] Los mencionados reyes no son verificables como personalidades históricas y sobre todo en una acción común. Tan sólo los elementos de sus nombres son aproximativamente comparables con los de otras zonas del oriente, pero no con seguridad. El nombre de Arioc de Elasar es probablemente hurrítico, pero su identificación con Arriwuk, hijo del Zimrilim de Mari, ha sido controvertida. El nombre Tadal no se ha de separar del nombre regio hitita Tudḫalija, que allí llevaron cuatro reyes. Codorlaomor de Elam se compone realmente de dos elementos nominales elamíticos (¿Kudurlagamar?); pero la aparición de grupos elamíticos en Palestina es improbable. Amrafel, el rey de Senaar (Babilonia), es el más problemático, desde que se le ha querido identificar con Hammurabi; su identificación con Amatpiel de Katna (Böhl, von Soden) es discutible. Cf. W. von Soden: WO I/3 (1948) 198; K. Jaritz: ZAW 70 (1958) 225 s.; F. Cornelius: ZAW 72 (1960) 1-7; R. de Vaux, *Histoire,* 210.

Abrahán en triunfo. Incluso el rey de la ciudad de Jerusalén, que tal vez se oculta bajo la figura de Melquisedec, no puede ignorar la nueva situación que los patriarcas han traído al país. Ante él Abrahán se mantiene francamente en estricta sumisión [43]. Pero en esto precisamente se refleja la nueva situación del país. Los patriarcas no son capaces de enfrentarse con los potentados de los nativos estados-ciudad. Perseveran ante las puertas de las grandes ciudades y representan un nuevo sentido de la vida y de la cultura.

Por fin es superfluo decir que las condiciones de la tradición en torno a los patriarcas no permiten ni de lejos una exposición histórica seguida, señalando por ejemplo una trayectoria, en la que se pudiera ensamblar una «biografía» de los patriarcas lo más redondeada posible. Su especial función dentro del Génesis se la deben a una amplia evolución. Como compensación a la tradición-Yahvé, que dominó más tarde y que iba vinculada muy esencialmente a la mediación de Moisés, los patriarcas desempeñaron el papel de los grandes precursores, de «proto-padres» del futuro pueblo, con los cuales significativamente no se vinculó una revelación especial del Dios-Yahvé, pero sí el conocimiento de una futura alianza con las divinidades-El de Canán. En efecto, incluso la forma de la promesa de tierra y descendientes adoptó en ellos un matiz específico, tal como prototípicamente y concisamente aparece en Gén 12, 1-3. La forma posterior de la promesa de una tierra, «que mana leche y miel», no se encuentra en los patriarcas, sino tan sólo a partir de Moisés [44]. A pesar de todo, queda pendiente la cuestión de si los mismos patriarcas vivieron o actuaron ya con la mirada puesta en una futura comunidad, bien de carácter religioso bien de carácter nacional. Los textos-promesa hablan ciertamente de una gran posteridad y al mismo tiempo de bendiciones; pero se evitan todas aquellas ideas, que vayan más allá de la garantía física de la existencia y apunten a determinadas formas de organización o de gobierno.

[43] A la escena de Melquisedec se le han dado muy diversas interpretaciones. La historia religiosa se ha interesado por la relación entre sacerdote y rey, la historia de Israel por un reino preisraelítico en Jerusalén, relacionándolo con Sal 110 y con la transmisión del reino a David; recientemente se ha planteado también la cuestión de Melquisedec como posible contraste. Cf. H. H. Rowley, *Melchizedek and Zadok* (*Gén 14 y Sal 110*), 1950, 461-472; H. E. Del Médico, *Melchisédech*: ZAW 69 (1957) 160-170; W. F. Albright, *Abram the hebrew*: BASOR 163 (1961) 36-54, esp. 52; L. R. Fisher, *Abraham and his priest-king*: JBL 81 (1962) 264-270; R. H. Smith, *Abram and Melchizedek* (*Gén 14, 18-20*): ZAW 77 (1965) 129-153.

[44] Ex 3, 8. Sobre ambos tipos de promesa S. Herrmann, *Die prophetischen Heilserwartungen*, 64-78.

Así, pues, bajo un punto de vista histórico las tradiciones patriarcales no permiten descubrir otra cosa sino los pequeños, pero harto complejos, estadios iniciales de una ocupación de terreno, gravada con numerosos problemas, por parte de aislados y desconocidos grupos aramaicos. Pero no deja de ser notable el hecho de que el nombre «Israel» esté ya ligado a la época de los patriarcas. Jacob recibe el nombre tras su fatídica lucha junto al Jaboc (Gén 32, 23-33). En principio esto significa que originariamente ese nombre les era extraño a los patriarcas, que tuvo que ser impuesto por vez primera a uno de ellos, natural y significativamente al padre de los doce hijos, que llevaron los nombres de las posteriores doce tribus de «Israel». Y esto supondría desde luego el conocimiento experimental de la posterior unidad «Israel». Pero por otra parte no hay que descartar la posibilidad de que el nombre «Israel» sirviera para designar a un amplio contexto tribal, que existiera en Palestina central, precisamente allí donde se concentraron las tradiciones sobre Jacob, en torno a Bethel y Siquem. Pero esto debe quedar en un plano meramente hipotético [45]. De todos modos, la única aparición extraisraelítica de este nombre en época muy antigua sobre la estela del faraón Merenptah (Merneptah) apunta precisamente hacia esa zona y parece querer designar a un determinado grupo humano como «Israel» [46]. Desde luego todo el alcance de este documento egipcio en orden a las primitivas estirpes o grupos patriarcales sólo puede calibrarse plenamente si se le enjuicia en relación cronológica y objetiva con aquellos acontecimientos, que guardan conexión con la aparición de tribus desde la zona meridional. En consecuencia, esta exposición conduce forzosamente a la valoración de los textos, que constituyen el final del Génesis y el resto del Pentateuco.

45 Cf. también L. Wächter, *Israel und Jeschurun*, en *Schalom*, 1971, 58-64.

46 El nombre de «Israel» se encuentra allí después de mencionar las ciudades de Ascalon, Geser (*tell dschezer*) y Jenoam (*tel en-nā'am* al suroeste del lago de Genesaret) y, a diferencia de estas ciudades, está más especificado mediante el determinativo jeroglífico de «hombre»; quiere referirse, pues, a un grupo étnico, no a una comunidad ciudadana. Texto de la estela: W. Spiegelberg: ZÄS 34 (1896) 1-25; traducciones: AOT, 20-25; ANET, 376-378; sólo el pasaje referente a «Israel» (con pormenores muy concretos): TGI, ²1968, 39 s.

2

ELEMENTOS SEMITICOS EN EGIPTO Y LA TRADICION DEL «EXODO»

Que las tribus israelíticas pusieron pie en la tierra palestinense, no como los patriarcas desde el norte y el este, sino desde el sur en su bloque principal, se ha convertido, al menos a partir del libro del Exodo, en tradición dominante dentro del antiguo testamento. Esto explica el que la fe en Yahvé viniera del sur y sus transmisores pudieran imponerla en Palestina. De ahí que también estas tradiciones meridionales adquirieran posteriormente un sentido «panisraelítico». Este hecho se ha convertido en algo sencillamente fundamental [1] para entender la teología veterotestamentaria, si bien tuvo consecuencias catastróficas en orden a la comprensión de la historia de Israel. Sugirió la idea de que todo Israel estuvo realmente en Egipto y por consiguiente tiene también allí su origen. Pero esto es históricamente inverosímil. Más bien puede haber sido una componente del posterior Israel, que estuvo en contacto con Egipto y cuyas experiencias y recuerdos fueron tan decisivos, porque finalmente incluso revistieron carácter de confesión de fe en la fórmula «Yahvé, el Dios, que nos sacó de Egipto» [2]. Esta convicción es el producto final de un proceso de tradición de suma complejidad, pero cuyos condicionamientos históricos son todavía reconstruibles, incluso a base del mismo antiguo testamento.

Consecuentemente arranca el Génesis de su sistema genealógico y del subsiguiente marco histórico-familiar y pasa al grupo meridional de tradiciones, de tal manera que José, penúltimo hijo de Jacob, es vendido a Egipto. Es significativo que sirvan de interme-

1 Claramente lo ha puesto ahora de relieve W. Zimmerli, *Grundriss der alttestamentlichen Theologie,* 1972; las dificultades las señala G. von Rad, *Teología del antiguo testamento* I, Salamanca ^{3}1975. Sobre toda la siguiente sección cf. también S. Herrmann, *Israels Aufenthalt in Ägypten*: SBS 40 (1970).

2 M. Noth acuñó el concepto de «proto-profesión de fe de Israel». Dice que ella constituye la «célula germinal de toda la posterior tradición pentatéuquica»: *Überlieferungsgeschichte des Pentateuch,* 1948 (^{3}1966), 50-54.

diarios los madianitas o ismaelitas, esto es, unos pueblos identificados ya genealógicamente como grupos del sur [3]. José adquiere méritos en Egipto y procura que también Jacob con sus hijos se encamine hacia Egipto, se establezca allí y pueda al fin convertirse en un pueblo grande y poderoso (Ex 1, 9 J), que la tradición posterior no tarda en transformar en el perfecto sistema israelítico de las doce tribus (Ex 1, 1-7 P). Ahora bien, se pasa por la consiguiente contradicción de que la tierra prometida a los patriarcas en el Génesis y que ellos adquirieron sea nuevamente abandonada por los mismos, se establezcan en Egipto, desde allí se haga necesaria una nueva «conquista del país», que lleva otra vez a Palestina y la promesa de la tierra se cumpla por segunda vez. El escrito sacerdotal (P) excogita la teoría de que para los patriarcas Palestina fue al principio una «tierra de extranjeros» (Ex 6, 4). Queda patente la inverosimilitud histórica de tal desarrollo de los hechos. Ciertos detalles del relato apuntan otro rumbo.

El cuadro real de la historia toma más forma y se hace aceptable si desarrollamos el razonamiento partiendo de los condicionamientos del movimiento migratorio aramaico y de su recuerdo genealógico en el Génesis. Mientras que aquellos grupos que llegaron a Siria y Palestina se fueron estableciendo allí en zonas montañosas menos pobladas a través de un largo proceso y allí mismo realizaron su conquista y colonización, los grupos que penetraron en la península del Sinaí encontraron mayores dificultades. Estos grupos hallaron allí pocos lugares con agua y en el mejor de los casos una comarca de oasis como Kadesch, que les permitió a algunos de ellos una residencia temporal. Otros elementos avanzaron más hacia el oeste, pero no encontraron, como en Siria y Palestina, tierras acogedoras y sin problemas, sino que en el delta oriental alcanzaron la frontera del gran imperio egipcio y tuvieron que habérselas con su aparato político. Es cierto que también allí, con autorización del faraón, era posible una breve permanencia para tribus buscadoras de pastos, pero una larga sedentarización quedaba descartada, ya que precisamente en aquel tiempo Ramsés II estaba construyendo una residencia de grandes proporciones en el delta oriental. En su construcción se emplearon muy probablemente también semitas, sobre cuyo origen existen desde luego diversas opiniones. Circunstancias, que se pueden conjeturar por el antiguo

[3] Madián como hijo de Ketura y Abrahán, Gén 25, 2; los hijos de Ismael, Gén 25, 12-18. La venta de José a unos ismaelitas, Gén 37, 25-27. 28a β; a unos madianitas, Gén 37, 28a α; ambas tradiciones se interpretan ordinariamente como partes integrantes de dos corrientes de relatos y se distribuyen entre J y E.

testamento pero que no están atestiguadas por documentos ajenos al antiguo testamento, motivaron la retirada o la huida de tales semitas establecidos en el delta oriental. Llegaron al desierto del Sinaí, donde probablemente encontraron, tal vez en Kadesch, grupos vinculados a ellos étnicamente. Solos o junto con los mencionados grupos emprendieron posteriormente el camino que les llevó a Palestina. Hay que suponer que allí se encontraron con los grupos demográficos ya afincados en el país, que se deben identificar con los portadores de las tradiciones patriarcales.

De este modo queda ya de momento trazado —aunque en varios aspectos hipotéticamente— el marco en el que de forma históricamente comprensible y documentable se encuadra la estancia en Egipto de grupos posteriormente israelíticos. Quedan esbozadas las circunstancias, que motivaron el «éxodo» y crearon al mismo tiempo las condiciones para la «travesía del desierto», cuyo punto central se cifró en el contacto con Dios en el monte de Dios. Quedan también apuntadas las bases de partida para la conquista del país «desde el sur» y para su tal vez mayor potencia, que contribuyó a lograr más tarde la preponderancia en el mismo país y a imponer la religión de Yahvé.

La verosimilitud del cuadro aquí esbozado quedará corroborada por documentos concretos.

Con la persona de José, que fue vendido a Egipto, se le plantea a la ciencia veterotestamentaria el problema de si él como hijo de Jacob representa tan sólo un tronco paterno, o si como alto funcionario egipcio representa una personalidad históricamente destacada, o si como héroe principal del relato en torno a José amplificado novelísticamente en Gén 37.39-50 viene a ser una figura ideal de la literatura veterotestamentaria. Cada una de estas características se apoya en observaciones razonables y ha sido objeto de su correspondiente estudio [4]. El problema es múltiple y su so-

[4] O. Kaiser, *Stammesgeschichtliche Hintergründe der Josephsgechichte*: VT 10 (1960) 1-15; H. H. Rowley, *From Joseph to Joshua*, London 1950, 109-123 presenta abundante material documental, pero su conclusión histórica de trasladar a José a la época de Echnaton es problemática; G. von Rad, *Josephsgeschichte und ältere Chokma*, 1953, en *Ges. Stud.* 272-280; desde el punto de vista egiptológico J. Vergote, *Joseph en Égypte. Genèse 37-50 à la lumière des études égyptologiques récentes*, Louvain 1959; observaciones críticas sobre el libro de Vergote, entre otros, S. Herrmann: ThLZ 85 (1960) 827-830; recientes estudios crítico-literarios: L. Ruppert, *Die Josephserzählung der Genesis. Ein Beitrag zur Theologie der Pentateuchquellen*, 1965; D. B. A. Redford, *A study of the biblical story of Joseph (Genesis 37-50)*: VTS 20 (1970).

lución sólo puede plantearse en forma diferenciada. El núcleo del problema se centra en las posibilidades y condicionamientos, en cuya virtud elementos semíticos pudieron irrumpir en Egipto y permanecer allí.

Con razón se insiste reiteradamente en que en tiempos históricos grupos semíticos penetraron en el delta oriental muy pronto, documentablemente lo más tarde a partir del final del tercer milenio precristiano y no tardaron en constituir una amenaza, que exigía medidas defensivas. Esto se encuentra clásicamente expuesto [5] en la llamada «sección histórica» de la doctrina para el rey Merikare (hacia el 2070-2040). A comienzos del imperio medio, Amenemhet I, como protección contra las incursiones de los nómadas, levantó la «muralla del príncipe», un sistema de fortificaciones fronterizas en los límites del delta oriental. El funcionario real Sinuhé cuenta en forma impresionante cómo él, sabedor de la muerte de Amenemhet I, huyó hacia Palestina-Siria y con peligro de su vida atravesó individualmente el cinturón defensivo de la «muralla del príncipe» [6]. Sin embargo, desde el imperio medio tuvo que incrementarse el tráfico e intercambio de personas entre Siria y Egipto, de tal modo que incluso se llegó en Egipto a una amplia acogida de los llamados «asiáticos» y bajo diversas circunstancias se les utilizó en distintos servicios [7]. Radican aquí importantes condicionamientos

[5] A. Scharff, *Der historische Abschnitt der Lehre für König Merikare*: SAM, Phil.-hist. Abt. 1936, cuaderno 8. Dentro de todo el texto de la «doctrina» se trata de las líneas 69-110; importantes aquí las líneas 91-100, traducidas por S. Herrmann, *Israels Aufenthalt,* 21; cf. también AOT, 34-36; ANET, 414-418.

[6] TGI, ²1968, 2 s. La frecuentemente empleada expresión «muralla del príncipe» en su sentido literal suena «las murallas del dominador». Como precursores de las «murallas del dominador» pueden considerarse los «lagos amargos» (*km-wr*), que se mencionan ya en los textos de las pirámides del antiguo imperio y que en el texto jeroglífico se determinan mediante un muro (amable observación de G. Fecht).

[7] Es impresionante la escena de una caravana al llegar a Egipto, encontrada en una tumba de Beni Hasan, de la época de la XII dinastía; el conductor por nombre Ibscha (*Ibsch'*) lleva el título de un *ḥḳ' ch'śt,* «dominador de un país extranjero», viene a ser, pues, un «hykso»; cf. también W. Helck, *Beziehungen,* 41 s.; por lo que se refiere a los trabajos en el imperio medio es instructivo el material catalogal, que ha publicado W. C. Hayes, *A papyrus of the late middle kingdom in the Brooklyn Museum* (*Papyrus Brooklyn 35.1446*), 1955; cf. también ANET Suppl. 553 s. y W. Helck, *Beziehungen,* 78-81; a fondo y con más documentación, J. M. A. Janssen, *Fonctionnaires sémites au service de l'Égypte*: Chronique d'Égypte 26/51 (1951) 50 ss.

para el posterior establecimiento del dominio de los hyksos [8], que supuso para Egipto un «segundo interregno» [9].

En el imperio nuevo el delta oriental vino a ser la puerta de ataque para las grandes operaciones militares de los reyes egipcios hacia Palestina-Siria. Además del sistema de fortificaciones fronterizas había una auténtica «calzada militar», que estaba fortificada y protegida sobre todo en las proximidades de los lugares provistos de agua; esta calzada discurría a cierta distancia de la costa desde la zona del delta oriental hacia la comarca esteparia de la Palestina meridional [10]. Por aquel entonces se capturaron también numerosos prisioneros de guerra, a quienes se establecía en Egipto, si era posible. Esto produjo un notable aumento de la población semítica en Egipto [11]. El tráfico con los vasallos sirios era intenso y bien organizado. Esto lo atestiguan claramente no sólo las cartas-Amarna de la época de Amenophis III y Amenophis IV (Echnaton), sino también ocasionales documentos particulares [12]. Entre ellos ha suscitado siempre gran interés la carta de un empleado fronterizo estacionado en la frontera del delta oriental dirigida a su superior (hacia 1190 a. C.), porque permite asomarnos rápidamente a la situación de esas regiones, y esto aproximadamente desde la época en que cae el «éxodo» de elementos posteriormente israelíticos. La carta dice así [13]:

> ...Otra comunicación para mi señor: hemos terminado por dejar pasar a las tribus schasu de Edom [14] a través de la fortaleza de Merenptah, que está en *Ṯkw* [15], hasta los estanques del templo de Atum (*pr-Itm* = «Pithom») de Merenptah, que están en *Ṯkw* [16], para man-

[8] Cf. especialmente A. Alt, *Die Herkunft der Hyksos in neuer Sicht,* 1954, en *Kl. Schr.* III, 72-98; G. Posener: Syria 34 (1957) 145-163; sobre la controversia con otras opiniones W. Helck, *Beziehungen,* ²1971, 89-106.

[9] H. E. Winlock, *The rise and fall of the middle kingdom in Thebes,* New York 1947; J. von Beckerath, *Untersuchungen zur politischen Geschichte der Zweiten Zwischenzeit in Ägypten*: Ägyptologische Forschungen 23 (1964).

[10] A. H. Gardiner, *The ancient military road between Egypt and Palestine*: JEA 6 (1920) 99-116.

[11] W. Helck, *Beziehungen,* 342-369; cf. también las menciones de gentes *'pr* en textos egipcios en TGI, ²1968, 34-36.

[12] Cf. el registro postal de un funcionario fronterizo: TGI, ²1968, 37-39.

[13] TGI, 40 s.; AOT, 97; ANET, 259; ampliamente comentado por R. A. Caminos, *Late-Egyptian miscellanies,* London 1954, 293-296.

[14] Probablemente el territorio edomítico al sur de Palestina; Edom se encuentra probablemente también en la lista del faraón Sosaq; a este respecto M. Noth: ZDPV 61 (1938) 295.

[15] Se trata ahí de instalaciones fortificadas fronterizas en la ciudad *Ṯkw*.

[16] En el centro de la ciudad *Ṯkw* se encontraba un templo de Atum, a cuyos anejos pertenecían también los estanques, de tal modo que todo ese terreno pudo recibir el nombre de *pr-Itm* (Pithom). Los restos de *Ṯkw*

tenerlos vivos a ellos y a su ganado en la gran propiedad del faraón, el buen sol de todo país. en el año 8 [17] (en el día) del nacimiento de Seth, durante el período de los 5 epagómenos [18]. Los he consignado en un escrito [19] en el lugar donde se encuentra mi señor, junto con los demás nombres de los días, en que se pasó la fortaleza de Merenptah en *Ṯkw*...

La carta nos da idea del tráfico fronterizo rutinariamente registrado, que evidentemente estaba relacionado con el cambio de pastos de grupos nómadas. Estos grupos se consignan ahí más detalladamente, pero al mismo tiempo se mencionan las localidades, para las que se les otorga autorización de pastos. Se trata de tribus *schasu* de Edom, miembros por lo tanto de aquellos grupos nómadas, que desde la zona [20] meridional palestinense y después de atravesar el norte de la península del Sinaí llegan a la zona del delta oriental y allí, o bien de paso o bien durante un cierto tiempo, van en busca de pastizales, aunque sólo pueden utilizarlos con autorización faraónica. Todo esto tiene lugar en el mismo territorio en el que residió «Israel» según testimonio del antiguo testamento.

Esta brevísima vista de conjunto a los contactos de elementos demográficos procedentes de zonas vecinas oriental-sirias con Egipto descubre ciertamente algunas perspectivas, pero también manifiesta que no es absolutamente seguro que haya que relacionar el material documental egipcio con una «permanencia de Israel» en

pueden localizarse en el *tell el-masḫūta* en el *wādi eṭ-ṭumēlāt* al este de la moderna Ismailía. W. Helck, *Ṯkw und die Ramsesstadt*: VT 15 (1965) 35-40 en polémica con D. B. Redford: VT 13 (1963) 403-408. Cf. también H. Cazelles-J. Leclant, *Pithom*, en *Suppl. au Dict. de la Bible* VIII/42, Paris 1967, col. 1-6.

17 El año octavo del reinado de Sethos II (hacia 1203-1194).

18 Los cinco epagómenos son los días que se añadían a los doce meses de treinta días para la sincronización con el año solar. El día del nacimiento de Seth es el tercer día de los epagómenos.

19 Se refiere al registro oficial de los recién venidos.

20 Merece tenerse en cuenta la importante observación de W. Helck de que se designan como *sch'św* (*schasu*) «nómadas» aquellos, que al sur de Palestina, al sur de una línea que va desde Raphia hasta el extremo meridional del mar Muerto y en la orilla oriental del mismo, caminan de un lado para otro y siembran la inquietud en la vía militar que une a Egipto con el norte. La población sedentaria instalada al norte de esa línea aparece en los documentos egipcios con el nombre de *'prw* (equivalente a *chapiru*). Esta regulación lingüística está en vigor desde la mitad de la XVIII dinastía hasta aproximadamente la época de Ramsés II. W. Helck, *Die Bedrohung Palästinas durch einwandernde Gruppen am Ende der XVIII und am Anfang der XIX Dynastie*: VT 18 (1968) 472-480. Sobre los *schasu* en general cf. la extensa obra de R. Giveon, *Les bédouins Shosou des documents égyptiens*, Leiden 1971.

Egipto. De cualquier forma la aparentemente amplia escala de perspectivas se reduce a una zona geográfica harto pequeña y a una adecuada y convincente situación. La referencia geográfica más importante se encuentra en Ex 1, 11 y al mismo tiempo va unida con una no inventable posibilidad de fijación cronológica. Se dice allí que los israelitas, bajo la supervisión de «capataces», construyeron ciudades-almacenes para el faraón, a saber, Pithom y Ra'amses, Pithom puede identificarse con el *pr-Itm* en *Ṯkw* mencionado en la carta del funcionario fronterizo y pertenece a la fértil comarca del *wādi eṭ-ṭumēlāt* [21]. Tras el nombre Ra'amses se oculta naturalmente el famoso nombre faraónico Ramsés, pero aquí como designación de un lugar. De hecho los soberanos de la XIX dinastía levantaron y arreglaron en el delta oriental una residencia y entre otros nombres le dieron el nombre global de «casa de Ramsés (*Pr-R'msśw*), amado de Amún, grande en fuerza victoriosa». La forma abreviada «casa de Ramsés» hubiera quedado limitada después en el antiguo testamento a reproducir el simple nombre propio «Ramsés» [22]. Ahora bien, esa residencia de ningún modo puede haberse limitado a la zona del *wādi eṭ-ṭumēlāt*. Tanto en las ruinas del Tanis (*ṣān el-ḥagar*) situado al norte del delta oriental como también en el *ḳantīr* situado 20 kilómetros más al sur y en sus edificaciones allí desenterradas se cree haber descubierto [23] la ciudad de Ramsés o al menos partes de la misma. Es atractiva la tesis de que esa residencia déltica de los ramésidas fue una residencia de amplios espacios, que estaba distribuida sobre un extenso terreno, como sabemos ocurría con la residencia de Amenophis IV Echnaton junto al moderno *tell el-'amārna* [24]. En tal caso, los restos dispersos junto con los de Pithom se ensamblarían [25] en un

21 Una visión del aspecto actual de las comarcas de que aquí se trata en H. Bardtke, *Vom Nildelta zum Sinai*, 1968; las fotografías datan del año 1966.

22 Sobre la abreviación del nombre y su transcripción al hebreo W. Helck: VT 15 (1965) 40-47 en controversia con Redford: VT 13 (1963) 408-413.

23 Tanis: P. Montet, *Tanis*: *douze années de fouilles dans une capitale oubliée au delta égyptien*, Paris 1942; Id., *Les énigmes de Tanis*, Paris 1952; J. Yoyotte, *Les fouilles de Tanis* (*XXIII*^e^ *campagne, 1966*), en *Comptes rendus de l'Acad. d. Inscr. et Belles - Lettres*, Paris 1967, 590-601; Kantir: Labib Habachi, *Khatā' na-Quantīr*: *Importance*: ASAE 52 (1954) 443-562; R. North, *Archeo-Biblical Egypt*, Roma 1967, 95-99.

24 Según indican las estelas fronterizas conservadas, la extensión de la residencia de Amenophis IV de norte a sur era aproximadamente de 15 kilómetros y de oeste a este de unos 20 kilómetros.

25 En Tanis se encontraron los restos de un templo, pero ningún palacio; en Kantir se descubrió un palacio, pero ningún templo. En esto, entre

explicable cuadro de conjunto, que por fin da a entender lo que son «ciudades-almacenes». Se trataría además de distritos administrativos y de almacenamiento, que irían anejos a la residencia. Es difícilmente concebible que esa yuxtaposición de los nombres Pithom y Ra'amses en tan correcta sucesión se apoye en una tradición secundaria y no refleje un estado de cosas histórico digno de ser tomado en serio [26]. Por consiguiente, el recuerdo veterotestamentario de la «esclavitud» en Egipto difícilmente se puede separar de la utilización de grupos semíticos en la construcción de esa nueva residencia faraónica. En tal sentido el relato bíblico, en especial Ex 1, 11, aporta material concreto, históricamente aceptable.

Pero por lo que se refiere a todos los demás detalles nos movemos por desgracia en un terreno totalmente hipotético, por mucho que el relato relativamente largo de Ex 1, 15 parezca saber sobre la permanencia en Egipto de los posteriores israelitas [27]. El simple status jurídico de los operarios extranjeros de la construcción es discutible. Surgen dificultades desde el punto de vista de la praxis administrativa egipcia. Parece lógicamente aceptable la tesis de que se trataría simplemente de un destacamento de trabajadores, compuesto probablemente de elementos heterogéneos, que finalmente huyó de Egipto y, a pesar de su verosímil complejidad étnica, se sumó a los grupos del desierto sinaítico, que más tarde continuaron su marcha hacia Palestina [28]. Esta tesis del «huido destacamento de trabajadores» podría también apoyarse con cierta razón en el antiguo testamento. Pues resulta sorprendente que precisamente en el relato del Exodo a las gentes allí oprimidas se les dé el nombre de «hebreos» [29]. Dando por supuesto que estamos aquí

otras razones, apoyó A. Alt su tesis de la «residencia de grandes espacios»: *Die Deltaresidenz der Ramessiden,* 1954, en *Kl. Schr.* III, 176-185. E. P. Uphill se inclina a creer que Kantir fue el lugar auténtico de la residencia déltica, *Pithom and Raamses. Their location and significance*: JNES 27 (1968) 291-316; 28 (1969) 15-39.

[26] La datación tardía de Ex 1, 11, defendida por Redford: VT 13 (1963) 414-418, no es totalmente convincente y no se puede demostrar tan sólo a base de los argumentos allí aducidos. Cf. sobre esto S. Herrmann, *Israels Aufenthalt,* 47.

[27] Cf. el estudio, primariamente literario y reservado en el aspecto histórico, de Fohrer, *Überlieferung und Geschichte des Exodus. Eine Analyse von Ex. 1, 15*: BZAW 91 (1964); cf. ahora también G. W. Coats, *A structural transition in Exodus*: VT 22 (1972) 129-142.

[28] W. Helck, *Beziehungen,* 581; Id.: VT 18 (1968) 480 y ThLZ 97 (1972) 180.

[29] Ex 1, 15.16.19; 2, 6.7.11.13; 3, 18; 5, 3; 7, 16; 9, 1.13; 10, 3; cf. K. Koch, *Die Hebräer vom Auszug aus Ägypten bis zum Grossreich Davids*: VT 19 (1969) 37-81.

ante una alusión a los *chapiru* (egipc. *'prw*) y con ello se expresaría un status sociológico de inferior categoría jurídica según la opinión común, esa designación aplicada a un grupo de trabajadores compuesto de diversos elementos populares podría ser la correcta. Si por otra parte contamos con el hecho de que esas gentes tenían una vinculación étnica y la consiguiente cohesión interna y también que la designación de hebreos se ha de entender en un sentido menos sociológico que étnico, en tal caso no se podría excluir de antemano la identificación de esos «hebreos» con los *schasu* nómadas, a la manera de los *schasu* de Edom de que se habla en la carta del funcionario fronterizo. Pero entonces surge el problema de si un grupo de *schasu*, que busca pastos de forma ocasional, pudo ser forzado a construir una residencia faraónica [30].

Sin embargo éstas son reflexiones que parten de la base de que en todo caso se hacen necesarias o se deberían aportar análogas circunstancias o hechos para la correcta explicación de esa permanencia en Egipto. Parece en cambio aconsejable no descuidar por completo al antiguo testamento y sus manifestaciones al respecto. Según él es indudable que esa utilización de los hebreos para construir «ciudades-almacenes» se consideró como una grave opresión, que no se puede armonizar con la mentalidad de nómadas voluntarios, cuyo espacio vital era la estepa. Tal mentalidad se encuentra vivamente atestiguada por ciertas observaciones que se leen en la historia de José del Génesis [31]. Las relaciones de este grupo con el «desierto» quedan subrayadas por el hecho de que Moisés hace saber sinceramente al faraón que ellos desearían ir tres días de camino por el desierto para sacrificar a su Dios (Ex 3, 18). No deja de ser digno de atención este estado de cosas, aun cuando se le considere ideado sobre la base de una situación más tardía.

En tal hipótesis debiera considerarse como la mejor explicación de los acontecimientos en Egipto aquella que pueda compaginar adecuadamente los heterogéneos datos de la tradición veterotestamentaria y extra-veterotestamentaria. Podemos suponer que una

30 W. Helck: ThLZ 97 (1972) 180 considera improbable la idea de nómadas «encajados» y supone que se trata de un «destacamento de prisioneros de heterogénea composición étnica», sobre todo de individuos *schasu*. Prescindiendo de que se trata de una hipótesis, habría que preguntar si eso es demostrable: gentes *schasu* prisioneras en Egipto y allí al servicio de soberanos egipcios. Un testimonio de captura de prisioneros nos lo ofrece tal vez (¡corrupción textual!) el fragmento de una estela de Tanis, de la época de Ramsés II; R. Giveon, *Les bédouins Shosou*, 1971, 108 s. (Document 30).

31 Cf. Gén 46, 31-34.

agrupación de individuos *schasu,* considerada como perteneciente a los elementos de los arameos, se aproximó al delta oriental, allí atravesó la frontera egipcia en forma legal y con su ganado consiguió por cierto tiempo buenas zonas de pastos, que, no hay por qué descartarlo, ya habían sido visitadas reiteradamente por ellos y por esta razón fueron puestas a su disposición privilegiadamente [32]. Queda por saber hasta qué punto tales individuos entraron en contacto con los egipcios. No disponemos de ningún punto de comparación para pensar que de entre esos nómadas, que vivían en las tierras cultivables del ámbito fronterizo, se utilizaran individuos para la construcción de la cercana residencia de los ramésidas. Tampoco se puede probar por documentos auténticos la huida de un sector descontento de trabajadores. Pero lo que sí parece cierto es que nómadas libres tuvieron que considerar como ignominia y opresión el trabajar en la construcción en Egipto y procuraron esquivarlo. Así pues, si en las tradiciones veterotestamentarias relativas a opresiones y éxodo se trata de un recuerdo histórico, debe entenderse sobre la base de la situación conflictiva entre los grupos nomádicos y la administración encargada de la construcción de la residencia de los ramésidas. Estos hechos se pueden explicar además mejor, si el grupo de los que se retiran estaba caracterizado no sólo por un destino común sino también por un determinado espíritu nacional, al que se le hacía penoso aclimatarse a la nueva situación de una gran potencia extranjera.

En medio de este conflicto se encuentra el destacado guía del éxodo, el personaje Moisés, sobre el cual a pesar de su nombre egipcio [33] no hay ningún documento egipcio que diga na-

[32] En esto se podría ver el núcleo de la tradición del «país de Gosen», que el faraón asignó a Jacob y a sus hijos; cf. Gén 45, 10; 47, 4.6, etc.; también Ex 8, 18; 9, 26. Significativamente se le da también el nombre de «país de Ramsés» (Gén 47, 11). Así pues, al hablar de Gosen se debe tratar también de una parte de la residencia de Ramsés, muy probablemente del *wādi eṭ-ṭumēlāt;* así lo asegura R. de Vaux, *Histoire,* 287. Cf. también el resumen de la más moderna investigación con una sugerencia personal muy concreta para la localización de Gosen dentro del delta nororiental en R. North, *Archeo-Biblical Egypt,* 1967, 80-86.

[33] La explicación del nombre que se da en Ex 2, 10 es una «etimología popular» hebraica. En realidad «Moisés» es el mismo elemento nominal que se encuentra en muchos nombres egipcios a partir del nuevo imperio, como por ejemplo en Thutmosis, Ramose, también en Ramsés. En tales casos el nombre de un dios va asociado a la raíz egipcia *mśj* «alumbrar, producir», si bien en diversas combinaciones gramaticales. Así Ramose «(el dios) Re ha nacido», pero Ramsés «(el dios) Re le ha producido». En el nombre «Moisés» ha desaparecido el elemento teóforo y ha surgido un nombre abreviado, de que hay testimonios también en egipcio. J. W. Grif-

da [34]. Se presenta como mediador entre ambas partes, entre la potencia estatal egipcia y los oprimidos extranjeros. Está claro que le unen fuertes lazos en ambas direcciones. Vinculado desde muy temprana niñez a la nacionalidad egipcia [35], se supone que por adopción, toma partido en favor de sus «hermanos» privados de derechos, perpetra para ello incluso un asesinato y abandona el país [36] por temor a los egipcios. Lo mismo que en otros tiempos lo hizo el cortesano Sinuhé, huye hacia el oriente a la comarca de los nomadeantes madianitas; allí se casa, pero regresa de nuevo a Egipto, a fin de cumplir un encargo divino que se le encomendó [37] en un lugar sagrado del desierto. El debe liberar a sus compatriotas de la esclavitud faraónica.

El polifacetismo y amplitud de funciones de este personaje —portador de un nombre egipcio, intercesor en favor de «hermanos» oprimidos, yerno de un sacerdote madianita, receptor de revelaciones, tenaz intermediario ante la corte y venturoso «libertador»— hace tiempo que han llevado a la conclusión de que aquí la tradición ha forjado un personaje, que no es posible que haya podido ser todo eso en una sola persona [38]. Aun en este caso, tan sólo el estudio combinatorio y a base de conjeturas, en una especie de cálculo histórico de probabilidades, es capaz de avanzar un poco más. Pero habría que intentarlo.

Que algunas personas de los vecinos territorios sirios tenían nombres egipcios que se les había impuesto por haber estado trabajando allí o sobre todo como extranjeros allí nacidos, se encuen-

fiths, *The egyptian derivation of the name Moses*: JNES 12 (1953) 225-231; sobre diversas cuestiones particulares filológicas véase también W. Helck: VT 15 (1965) 43-47, espec. 46 s.; E. Edel, *Neue keilschriftliche Umschreibungen ägyptischer Namen aus den Bogazköytexten*: JNES 7 (1948) 11-24; sumariamente también S. Herrmann, *Israels Aufenthalt*, 66-69.

[34] La miscelánea de F. Cornelius, *Mose urkundlich*: ZAW 78 (1966) 75-78 se basa en combinaciones faltas de crítica; sobre más detalles véase S. Herrmann, *Israels Aufenthalt*, 18.

[35] Ex 2, 1-10 utiliza el motivo literariamente más frecuente del niño expósito que ha sido elegido para ser algo grande. Cf. a este respecto mis reflexiones en *Israels Aufenthalt*, 66-69, que naturalmente nada significan en orden a la directa historicidad de Ex 2, 1-10, pero tratan de esclarecer el trasfondo egipcio.

[36] Ex 2, 11-22.

[37] Ex 3.

[38] Cf. las obras de historia de la ciencia de R. Smend, *Das Mosebild von Heinrich Ewald bis Martin Noth*, 1959, y E. Osswald, *Das Bild des Mose in der kritischen alttestamentlichen Wissenschaft seit Julius Wellhausen*, 1962.

tra atestiguado lo más tarde a partir del imperio medio [39]. De cualquier modo Moisés pudo elevarse a una posición privilegiada. Esto parece cierto, ya se aprovechara posteriormente de tal posición, ya actuara sin tenerla en cuenta. Lo que ya es más difícil es explicar las circunstancias de su huida y de su casamiento, sus contactos con los madianitas. El radio de acción de esos nómadas camelleros era amplio y pudo llegar hasta las inmediaciones del delta. Ciertos contactos entre madianitas y los oprimidos en Egipto no hay por qué descartarlos totalmente. Los *schasu* de Edom, de que se habla en la carta del funcionario fronterizo, hacen pensar en una comunicación de cierta intensidad entre la amplia zona del sur de Palestina y el delta. En consecuencia, pese a todas las incertidumbres de detalle, para el Moisés histórico habría que tomar en consideración un círculo de actividades, que ni le sujete unilateralmente a Egipto ni le vincule genuinamente a los madianitas. Moisés llevaba un nombre egipcio, cosa que difícilmente es pura invención; en virtud de su casamiento se le consideraba como emparentado con los madianitas, y esto puede tener su fundamento. Como quiera se pretenda explicar en concreto tales contactos entre desierto y Egipto en el caso de Moisés, este personaje sólo tuvo perspectivas de éxito cuando estuvo suficientemente familiarizado con las dificultades existentes en las fronteras del gran imperio egipcio y pudo solidarizarse adecuadamente con los que partían. Precisamente esta posición mediadora de Moisés entre ambas esferas de desierto y tierra cultivable la hace creíble también el relato bíblico, y cuadra exactamente con las circunstancias históricas del extremo del delta oriental en tiempos de Ramsés II. Contemos, pues, con un semita que se desligó de sus servicios en Egipto y con los emigrantes emprendió el camino del desierto, tanto si su contacto con los madianitas se produjo entonces como si ya se había producido anteriormente.

Estas consideraciones nos dan pie para preguntarnos sobre la posible duración de la residencia de esos semitas en Egipto. Sobre este particular el mismo antiguo testamento sostiene diversas opiniones, que oscilan entre la indudablemente artificiosa cifra de 430 años y la suposición de que entre los patriarcas y la época de Moi-

[39] G. Posener, *Les asistiques en Égypte sous les XIIe et XIIIe dynasties*: Syria 34 (1957) 145-163; Posener trata también aquí extensamente sobre el papiro Brooklyn, editado por Hayes (cf. ANET Suppl. 553 s.). Sobre los detalles y consecuencias para el antiguo testamento cf. S. Herrmann, *Mose*: EvTh 28 (1968) 301-328, espec. 306-308; Id., *Israels Aufenthalt*, 67-69.

sés se han de calcular tan sólo cuatro generaciones [40]. Nada dice en contra el que calculemos un período breve o en todo caso más breve para la conocida «opresión», que se inició durante el reinado de Ramsés II y no se extendió más allá de él o no mucho más. La fórmula usual de que Ramsés II fue el «faraón de la opresión» y su sucesor Merenptah el «faraón del éxodo» se basa en una combinación de pasajes en el libro del Exodo, que no es convincente [41]. A vista de la incertidumbre de la cronología absoluta durante la XIX dinastía, tampoco es oportuno ofrecer cifras absolutas [42]. Pero se puede suponer como punto de partida que el éxodo cayó hacia el final del siglo XIII a. C.

El acontecimiento en sí mismo ha sido revestido en el libro del Exodo de un amplio colorido, que propende al dramatismo. El rey egipcio, cuyo título de «faraón» se utiliza en el texto veterotestamentario, pero que en ningún sitio aparece con su nombre propio [43], se niega a permitir la retirada que se solicitaba. Las negociaciones de Moisés y Aarón se ven favorecidas por toda una cadena de repentinas y terribles plagas, que afligen al país; finalmente mueren los primogénitos de los egipcios. Con razón se ha señalado que el rito de la pascua, con el que termina la descripción de las plagas, es el núcleo del complejo de las plagas. Se perdona a los primogénitos de los israelitas; el ángel exterminador pasa de largo por las casas de los «israelitas» (Ex 12). El terrible acontecimiento entre los egipcios y el sacrificio de los israelitas crean las condicio-

[40] Cf. en particular Ex 12, 40 s. (430 años); Gén 15, 13 (400 años); Gén 15, 16 (la cuarta generación después de Abrahán puede regresar a Palestina); Ex 6, 13 ss (cuatro generaciones desde los hijos de Jacob hasta Moisés); R. de Vaux, *Histoire*, 365-368; S. Herrmann, *Israels Aufenthalt*, 71-75.

[41] Ex 2, 23 informa de la muerte del rey opresor. De ahí podía deducirse que el éxodo tuvo lugar durante el reinado del sucesor de Ramsés II, el rey Merenptah. Esto no queda descartado, si bien no se sigue necesariamente de Ex 2, 23 (P). Un éxodo todavía durante el reinado de Ramsés II, lo toma en consideración A. Alt, *Kl. Schr.* I, 162-168; así también R. de Vaux, *Histoire*, 366.

[42] Cf. ante todo E. Hornung, *Untersuchungen zur Chronologie und Geschichte des Neuen Reichs*, 1964; ampliando este estudio en ZDMG 117 (1967) 11-16 y sintéticamente en su libro *Einführung in die Ägyptologie*, 1967.

[43] La situación es extraña, pero explicable. El título «faraón» (de *pr-'*, propiamente «casa grande», análogo a «alta puerta» en osmánico) era corriente en el Israel posterior; nombres propios de reyes egipcios no aparecen hasta la época de los reyes en el antiguo testamento, cuando ya se escribían anales de la corte. En tiempos anteriores tal vez no se conocieron los nombres propios de los reyes egipcios, dada la complejidad de su quíntuple título, y, dado el caso, no se hubieran comprendido.

nes que hacen posible el éxodo. Este complejo de tradiciones tiene su finalidad en sí mismo. Se basa en un proceso cúltico, que tuvo lugar tan sólo en época posterior y que recibió una explicación histórica mediante los acontecimientos del éxodo. Cordero pascual y comer panes ácimos eran en su raíz partes integrantes de un rito nomádico y de un rito rústico-agrario, que en Israel fueron asociadas al agradecido recuerdo del éxodo. De ahí que una parte de la tradición del éxodo pudo ser amplificada y dramatizada mediante la leyenda de la fiesta de pascua [44]. El éxodo tuvo lugar a través de una serie de lugares, que sólo es posible localizar de forma aproximada [45]. Pero culminó en una última situación dramática, que parece como una resonancia de las dificultades y tribulaciones experimentadas en Egipto. El faraón se arrepiente de haber permitido la salida [46]. Ordena salir con un ejército de carros de combate en persecución de los israelitas; junto al mar de las Cañas se llega a una última peligrosa amenaza de los al parecer despedidos con autorización soberana, pero en realidad huidos [47]. En dos unidades de tradición, que al correr de los tiempos han sido entreveradas cada vez más de rasgos maravillosos [48], se describe la catástrofe del

44 Sobre todos los problemas de la pascua J. Pedersen, *Passahfest und Passahlegende*: ZAW 52 (1934) 161-175, cuya tesis hizo suya Noth en forma restringida: *Überlieferungsgeschichte des Pentateuch*, 70-77; cf. además L. Rost, *Weidewechsel und altisraelitischer Festkalender,* 1943, reimpresión en *Das kleine Credo,* 1965, 101-112; de Vaux, *Histoire,* 339-348; también S. Herrmann, *Israels Aufenthalt,* 80-83; Art. *Plagues,* en *Suppl. au Dict. de la Bible.*

45 Ex 12, 37: desde Ra'amses hacia Sucot; Ex 13, 17-18a: no caminan directamente hacia Palestina, sino que a través del desierto van hacia el mar de las Cañas; Ex 13, 20: desde Sucot hacia Etam; Ex 14, 2: campamento junto al mar de las Cañas (exactas indicaciones de lugar: frente a Piajirot entre Migdol y el mar, enfrente de Baalsefón); Núm 33, 5-8: probablemente posterior aceptación sistemática de todos los toponímicos conocidos por el libro del Exodo. Cf. principalmente H. Cazelles, *Les localisations de l'Exode et la critique littéraire*: RB 62 (1955) 321-364; R. de Vaux, *Histoire,* 354-358.

46 Dicho más exactamente: Yahvé endureció el corazón del faraón. Sobre el análisis de la harto compleja tradición en torno a los acontecimientos junto al mar de las Cañas, Ex 14. 15, cf. ahora la bibliografía que trae R. de Vaux, *Histoire,* 358-364; señalemos especialmente M. Noth, *Das zweite Buch Mose. Exodus*: ATD 5, 80-100. Sobre la base de las reflexiones de Noth, y en el plano de la historia de la tradición, se indaga últimamente sobre la relación entre la tradición referente al mar de las Cañas y la tradición sobre la permanencia en Egipto; G. W. Coats: VT 17 (1967) 253-265; B. S. Childs: VT 20 (1970) 406-418; cf. también G. W. Coats: VT 22 (1972) 129-142.

47 Esto se dice expresamente en Ex 14, 5.

48 A la tradición en prosa de Ex 14 le sigue el gran complejo de configuración poética de Ex 15, 1-21.

ejército faraónico desencadenada por un milagro de la naturaleza. Mientras que la tradición más antigua habla de una desecación del mar, que súbitamente retornó a su lugar tragándose a la unidad que allí maniobraba, la tradición más reciente dice que el mar formó una muralla a derecha e izquierda, mientras Israel atravesaba, pero después aniquiló a los egipcios. Después de esto hay un breve cántico que se pone en labios de María [49]: «Cantad a Yahvé, que ha hecho resplandecer su gloria/precipitando en el mar al caballo y al caballero».

Este cántico de María está considerado como uno de los más antiguos fragmentos de tradición del antiguo testamento. Celebra un triunfo de Yahvé sobre sus enemigos y los de Israel. No deja de ser sorprendente el vivo interés que la tradición veterotestamentaria ha dedicado a ese acontecimiento; la ciencia histórica ha insistido en el problema del «lugar del milagro marino» y teniendo en cuenta las circunstancias locales ha intentado también plantear la verosimilitud de un acontecimiento histórico.

O. Eissfeldt, apoyado en testimonios de documentos antiguos en conexión con la relativamente exacta indicación geográfica de Ex 14, 2, ha señalado como lugar del milagro marino las estribaciones orientales del lago Sirbónico, lengua de tierra a unos 10 kilómetros al oeste de Pelusium junto a la costa del Mediterráneo entre Egipto y Palestina [50]. El falso suelo de la costa, en parte pantanoso y en parte anegado por inundaciones periódicas, se habría tragado muchas veces ejércitos enteros en esta región, según los relatos de escritores antiguos [51]; de ahí que esta zona presente las condiciones naturales aptas para situar precisamente ahí también el milagro del mar de las Cañas del antiguo testamento.

Contraria a la opinión de Eissfeldt es la de M. Noth [52], quien ha insistido en la incertidumbre del concepto «mar de las Cañas» y en el dato geográfico sorprendentemente exacto de Ex 14, 2 vio la obra de una tradición posterior, que estaba interesada en la situación exacta del acontecimiento y desplazó secundariamente el milagro a las proximidades del lago Sirbónico.

Sin prestar una atención comparable a la de Eissfeldt y Noth al carácter singular de la tradición veterotestamentaria, W. Helck querría ver en uno

[49] Ex 15, 21.
[50] O. Eissfeldt, *Baal Zaphon, Zeus Kasios und der Durchzung der Israeliten durchs Meer,* 1932.
[51] Diodoro, Estrabón, Polibio.
[52] M. Noth, *Der Schauplatz des Meerwunders,* en *Festschrift Otto Eissfeldt zum 60 Geburtstag,* 1947, 181-190.

de los lagos Amargos, en la actual zona del canal de Suez, el lugar del milagro del mar de las Cañas [53].

Muchos son los problemas que quedan sin resolver con respecto al milagro del mar de las Cañas, al que, sobre la base de los diversos elementos de la tradición, no se le debiera llamar simplemente «el paso de los israelitas a través del mar». Lo que en todo caso es cierto es que un imprudente avance hasta más allá del delta oriental para penetrar en la zona de la antigua calzada militar egipcia, bien custodiada y fortificada, tal como la describen los monumentos egipcios [54], era arriesgado. Es probable que el perseguidor ejército egipcio de carros de combate no se pusiera en marcha en el mismo Egipto; puede haber estado estacionado en uno de los fuertes de esa calzada militar y haber partido desde ahí. Cabe suponer que se trataba tan sólo de un reducido contingente. El fracaso de los técnicamente superiores egipcios quedó estilizado en el recuerdo de los huidos y salvados como la gran derrota y probablemente fue explicado posteriormente asociándolo a la catástrofe acuática. Así, pues, el factor desencadenante de la compleja estructura de la tradición puede haber sido el recuerdo totalmente genuino de experiencias guerreras de semitas huidos de Egipto o de nomadeantes *schasu,* por poco que todavía podamos saber sobre los detalles de todo esto. Pero el hecho de que el camino directo hacia Palestina, a partir del delta oriental y paralelamente al mar, era peligroso y vigilado, no le es extraño ni siquiera al antiguo testamento (Ex 13, 17 s). Justifica así el viraje hacia el sureste, que realizan los emigrados de Egipto, que desde el mar de las Cañas llegan al interior de la península del Sinaí.

[53] W. Helck: ThLZ 97 (1972) 182. Una tradición beduínica cuenta con el milagro del mar de las Cañas junto al mar Rojo en la comarca del *dschebel hammām;* cf. la impresionante panorámica en: E. Lessing (ed.), *Vérité et poésie de la Bible,* Fribourg 1969, 114-115; es indudable que esa tradición se basa en falsos supuestos. Por lo demás, allí no existen cañas.

[54] A. H. Gardiner, *Military road*: JEA 6 (1920) 99-116.

3

OPERACIONES TRIBALES EN LA PENINSULA DEL SINAI. MONTE DE DIOS Y KADESCH

El texto veterotestamentario del libro del Exodo da la impresión de que los salvados en el mar de las Cañas avanzaron en un único itinerario en dirección suroriental hacia el interior de la península del Sinaí, después de toda clase de dificultades alcanzaron el monte de Dios, el Sinaí, y allí permanecieron durante bastante tiempo. En el libro de los Números a partir del capítulo 10 este grupo se pone de nuevo en marcha y se mueve en dirección norte hacia la tierra cultivable palestinense. Una estancia en la comarca de oasis de Kadesch, a mitad de camino entre el monte de Dios y la tierra prometida, se perfila con cierta claridad. A todos esos acontecimientos que tuvieron lugar entre Egipto y Palestina se les llama ordinariamente la «travesía del desierto» o la «permanencia de Israel en el desierto», que habría durado cuarenta años. El pueblo peregrinante murmuró reiteradamente contra su Dios, deseó volverse a las «ollas de carne de Egipto» [1], criticó a su guía Moisés y junto al Sinaí se dejó arrastrar incluso a abjurar del Dios de Moisés en la figura de un «becerro de oro» fundido allí a la ligera y a rendir culto a un simulacro de Dios de fabricación propia.

Estas harto conocidas particularidades, cuya enumeración se podría aumentar todavía mediante otras muchas anécdotas que se nos narran, parten evidentemente de la hipótesis de que Israel estuvo en Egipto como unidad compacta, como tal abandonó Egipto y, teniendo a la vista la clara meta de la tierra prometida, se fue aproximando gradualmente a Palestina. Pero está claro que esa redondeada concepción es producto de una posterior unificación de las tradiciones tribales procedentes de los desiertos meridionales. Se sabe desde hace tiempo que la «travesía del desierto» junto con su serie de lugares, que se supone poder fijar geográficamente con exactitud como itinerario seguido, se contiene precisamente en aque-

[1] Ex 16, 3.

llos pasajes del Pentateuco, que deben atribuirse al más reciente estrato literario, al escrito sacerdotal (P). Sorprende además el hecho de que el número y demostrabilidad de los lugares mencionados vaya siendo mayor a medida que «Israel» se va aproximando más a la tierra cultivable palestinense. Como es natural, adquirieron mayor importancia y se grabaron también más firmemente en el recuerdo aquellas tradiciones, que estaban más vinculadas al territorio de las residencias más tardías. Las mayores incertidumbres se sitúan entre Egipto y el monte de Dios, por tratarse de la etapa más dificultosa y «más antigua» del itinerario postulado. Y, por el contrario, el autor del capítulo introductorio del Deuteronomio compuso con el mayor rigor e integridad que pudo las tradiciones locales que él conocía y que se encuadraban entre Kadesch y Palestina, presentando un itinerario compacto y contribuyendo así no poco a profundizar y perfeccionar la idea de un Israel que actúa unificadamente [2]. Los fragmentos ordinariamente atribuidos al Yahvista (J) y al Elohísta (E) demuestran a su manera el procedimiento de las más recientes redacciones. Esos pasajes generalmente ofrecen muy breves y concisas anécdotas de diversos temas y no dejan entrever nada o muy poco que revele un plan finalístico. En tales fragmentos se refleja exactamente una parte de la fase primitiva de la tradición, que, independientemente de una estricta «organización de la travesía del desierto», conservó recuerdos de distintas regiones y atestigua de vez en cuando episodios de diversas tribus por separado.

Con el fin de concretar de alguna manera estas fundamentales consideraciones, enumeremos al menos las principales tradiciones teniendo en cuenta la crítica documental de las mismas. Después de Piajirot junto a Baalsefón, en las cercanías del mar de las Cañas (Ex 14.15, 1-22, JEP), J menciona el desierto Sur (Ex 15, 22) y el paraje de Mara (Ex 15, 23); P menciona e Elim (Ex 15, 27) y el desierto Sin (Ex 16, 1); Ex 17, 1 prosigue hacia Raphidim (¿en el *wādi refājid?*) y al desierto del Sinaí apunta Ex 19, 1.2. J menciona en Ex 17, 7 el lugar de Masá y Meribá. Después de terminar la extensa interpolación de la ley (Ex 20 - Núm 10) menciona P el desierto de Farán (Núm 10, 12), Jaserot (Núm 11, 35) y el desierto de Farán una vez más en Núm 12, 16. Se intercalan los breves relatos etio-

[2] Sobre la valoración literaria y objetiva de Dt 1-3, M. Noth, *Überlieferungsgeschichtliche Studien,* [2]1957, 27-40; J. G. Plöger, *Literarkritische, formgeschichtliche und stilkritische Untersuchungen zum Deuteronomium*: BBB 26 (1967) 1-59.

lógicos de Tabera (Núm 11, 3, JE) y los «golosos» (Núm 11, 34, JE). El desierto de Farán aparece de nuevo en Núm 13, 3 JE, siguen Kadesch (Núm 13, 36 JE), Jorma (Núm 14, 45 JE); a partir de ahí predomina una cadena de tradiciones atribuida principalmente a P, y que sucesivamente toma en consideración los siguientes lugares y comarcas: desierto Zin (Núm 20, 1), monte Or (Núm 20, 22), los alrededores de la región edomítica (Núm 21, 4), Obot, Iye-Abarim, torrente Zared, región del otro lado del Arnon, Beer (¿en el *wādi eṯ-ṯemed?*), Matana (¿al sureste de *mādebā?*), Najaliel, Bamot, a través de la comarca moabítica hacia la cumbre del Pisga (Núm 21, 10-23)[3]. La ya mencionada hipótesis de que la llamada travesía del desierto duró 40 años se basa posiblemente en una tradición de cierta antigüedad, pero no se atestigua con seguridad hasta el Deuteronomio y dentro de la literatura deuteronómica: Dt 2, 7; 8, 2.4; 29, 4; Jos 5, 6, etc.; aceptada posteriormente en Neh 9, 21; Sal 95, 10; se discute que Am 2, 10 contenga palabras genuinamente proféticas.

Para la reconstrucción de los hechos históricos lo mejor es partir de aquellas consideraciones fundamentales, que ya se han formulado aquí reiteradamente. La penetración de los grupos aramaicos hacia el final del segundo milenio precristiano en las tierras de la «fértil media luna» estuvo acompañada de diversas vicisitudes, de acuerdo con las circunstancias geográficas con las que se enfrentaban. La capacidad de absorción de las zonas esteparias y desérticas en la región del Sinaí era limitada y tuvo que motivar forzosamente una dispersión de los grupos etnográficos que iban llegando. Ya se ha dicho que esos grupos penetraron hasta Egipto y vivieron los acontecimientos allí descritos. Pero esto no excluye que al menos transitoriamente se establecieran al mismo tiempo otros grupos en el territorio de la península del Sinaí, donde para ello existían suficientes oportunidades, como eran los parajes dotados de agua, atestiguados del modo más claro en el caso del oasis de Kadesch. Complementariamente a estos lugares de residencia es probable que también existieran lugares sagrados, en los que ya se encontraban divinidades o fueron nuevamente instaladas. Para tal fin las zonas montañosas brindaban destacados puntos de apoyo.

De todo esto debe deducirse que los recuerdos, que aparecen dentro de la composición pentatéuquica como tradiciones de todo el pueblo unido en su marcha por el desierto a partir de Egipto,

[3] Sobre localizaciones particulares cf. J. Simons, *The geographical and topographical texts*, Leiden 1959, 416-459; cf. también H. Cazelles: RB 62 (1955) 321-364; Y. Aharoni, *The land of the Bible*, London 1967, 178-184; O. Eissfeldt, *Palestine in the time of the nineteenth dynasty. The Exodus and Wanderings*: CAH II, 26 (a), 19-26.

tienen su origen histórico en distintos puntos de la región sinaítica, pero no porque se caminara sucesivamente de un lugar a otro, sino porque cada uno de los grupos aramaicos tuvo separadamente sus especiales experiencias en aquellas comarcas, y en tiempos posteriores las recogieron en una global tradición «del desierto». Lo que acaeció en Kadesch, en el monte de Dios o en los montes de Seir tuvo su importancia independiente para los interesados, que procedían de las estepas de la zona desértica arábigo-siria. Pero no es preciso que las mismas personas hayan estado primeramente en Egipto.

En tales supuestos, en orden a la reconstrucción histórica parece indispensable no ir en busca de «itinerarios del desierto» [4] o mencionar a éste o aquel grupo como exclusivo portador de la tradición, sino analizar por separado los puntos de apoyo geográficos con sus tradiciones. De la peculiaridad del material se deducirán datos típicos, que armonicen con la idea de conjunto y justifiquen la señalada reconstrucción histórica. Para ello es aconsejable basarse en los puntos de referencia mejor atestiguados. Estos puntos de referencia son indudablemente la región oásica de Kadesch y el llamado «monte de Dios».

En el aspecto geográfico desde luego tan sólo Kadesch (o bien Kades o también Kades Barnea) se puede identificar con certeza. El nombre se conserva todavía en el manantial *'ēn ḳdēs,* en una comarca de oasis que se encuentra a unos 85 kilómetros al sur de Berseba y cerca del punto de arranque de dos series de valles que se extienden hacia el norte. Hacia el noroeste está el *wādi el-'arīsch* (el llamado «arroyo de Egipto»), hacia el nordeste en dirección al mar Muerto se encuentra el *wādi fiḳre.* Así pues, Kadesch se encuentra relativamente cerca de Palestina, ya que Berseba ha sido hasta los tiempos modernos el lugar fronterizo más meridional entre estepa y tierra de cultivo en esa zona. Kadesch

[4] R. de Vaux, *Histoire,* 358-364 traza un cuadro muy esquemático de dos tradiciones sobre el éxodo, aunque él mismo lo considera como mera hipótesis. Se basa en el hecho de que según J, Israel fue «expulsado» de Egipto, en cambio según E el éxodo fue una «huida». A esta doble forma de la tradición conecta él dos cadenas de tradiciones, que en su resultado final se corresponden con las dos «tradiciones de entrada» (en Palestina, se entiende): Según J, las tribus de Lía habrían entrado en el sur de Palestina a través de Kadesch; según E, las tribus de Raquel habrían marchado bajo Moisés desde el mar de las Cañas hasta el Sinaí y posteriormente desde el este habrían llegado a la tierra cultivable. Redaccionalmente estas dos tradiciones habrían sido superpuestas. Sobre la división de las tribus basada en Gén 29, 31-30, 24, que las considera como hijos de las dos mujeres de Jacob, Lía y Raquel, así como de dos concubinas, se volverá a hablar algo más cuando se trate de las residencias de las tribus en Palestina.

presenta realmente una serie de condiciones favorables para una residencia de cierta duración y es muy concebible como punto de partida o de transición para una conquista territorial orientada hacia Palestina [5].

Más difícil es determinar la situación del monte de Dios, aquel lugar donde, según la opinión tradicional, se concertó la alianza entre Yahvé y su pueblo y fue promulgada la ley, y donde también se produciría la primera aparición de Yahvé a Moisés en la zarza ardiente (Ex 3). Ninguno de los nombres de este monte —«monte de Dios», «la montaña» o «el monte Sinaí» (*hr syny*), «Horeb», «el monte de Dios Horeb»— permite deducir con seguridad su situación geográfica. Los dos nombres propios «Sinaí» y «Horeb» se utilizan ordinariamente como criterios de la separación de fuentes: «Horeb» aparece con más frecuencia en los estratos más recientes. La opinión corriente de que esos nombres se refieren a ciertas cumbres existentes en los macizos montañosos de la parte meridional de la península del «Sinaí» carece de importancia para la interpretación de los hechos veterotestamentarios, porque, sobre la base de la tradición bíblica, el nombre «Sinaí» en relación con esta región se utilizó tan sólo con carácter secundario. Se trata de tradiciones de monjes cristianos, de que hay testimonios a partir del siglo IV, pero probablemente datan de algunos siglos antes [6]. Los monjes, que se retiraron a la soledad de la península, encontraron al llegar en las altas montañas reminiscencias sagradas, que a su juicio eran una sólida prueba de que tenían que ver con el bíblico monte de Dios.

En los valles rocosos del macizo sinaítico meridional se han hallado numerosas inscripciones nabateas, que, redactadas generalmente bajo la forma estereotipada de breve inscripción de saludo, expresan el nombre de algún visitante [7]. Los nabateos desde la segunda mitad del primer milenio precristiano se fueron infiltrando en la Transjordania oriental y en sus comarcas limítrofes meridionales. Sin embargo, no adquirieron territorio ninguno dentro de la misma Palestina. Asmoneos, herodianos y romanos guerrearon con-

[5] Sobre la historia de Kadesch y algunos otros manantiales de sus contornos R. de Vaux, *Histoire,* 396 s.; de entre la bibliografía algo más antigua sigue siendo notable H. C. Trumbull, *Kadesch-Barnea,* London 1884.

[6] H. Gressmann, *Der Sinaikult in heidnischer Zeit*: ThLZ 42 (1917) 153 s.; S. Mowinckel, *Kadesj, Sinai og Jahwe*: Norsk Geografisk Tidsskrif 9 (1942) 1 s.

[7] La interpretación de las inscripciones presentaba no pocas dificultades sobre el terreno. Tal interpretación ha sido mérito casi exclusivo de Julius Euting, quien ofreció una edición que para su época se puede considerar ejemplar: J. Euting, *Sinaitische Inschriften,* 1891.

tra ellos con diversos resultados. El poder nabateo alcanzó su punto culminante en el siglo I antes de Cristo, su centro estaba en Petra, en los extremos de la península sinaítica, en una encrucijada de importantes vías comerciales. En tiempos de Trajano, 105-106 d. C., los romanos sometieron al estado nabateo y lo incorporaron al imperio romano con el nombre de Provincia Arábia. Las inscripciones encontradas al sur de la península del Sinaí proceden sobre todo del siglo II y III d. C., esto es, después de la destrucción del poder nabateo. Es, pues, sumamente verosímil que se trate de inscripciones de visitantes peregrinos, que ya no tenían a su disposición los grandes santuarios de Petra. Si además se pudo establecer contacto con ya preexistentes tradiciones locales anejas a algún lugar sacro de esas zonas montañosas, no se puede demostrar, pero tampoco hay que descartarlo. Pero tal vez los monjes cristianos pudieron integrarse en un orden sacral sucesorio de los sagrados lugares nabateos y, en conexión con la tradición veterotestamentaria, se imaginaron como sucedidas allí las escenas del monte de Dios.

Ciertas cumbres aisladas del macizo han sido consideradas como el monte de Dios. La actual tradición local de origen bizantino-cristiano se inclina por el llamado *dschebel mūsa*: «monte de Moisés» (2.244 m.), en cuya falda está enclavado el monasterio de santa Catalina, y por el no lejano *dschebel ḳāterīn*: «monte de santa Catalina» (2.602 m.). Las inscripciones nabateas se han encontrado especialmente en los valles que dan acceso al *dschebel serbāl* situado más hacia el oeste (2.052 m.).

Cabe preguntar naturalmente si para localizar el monte de Dios pueden también tomarse en consideración otros macizos distintos de los ya mencionados. Si se piensa en las tradiciones relativas a lugares sagrados posiblemente aceptadas y transmitidas por los nabateos, se podría presumir muy bien una tradición sacral que se remontaría a época muy remota.

De todos modos, en el aspecto geográfico es verosímil buscar el monte de Dios en la parte meridional de la península sinaítica, partiendo del supuesto de que desde luego debe tratarse de una elevada cumbre montañosa. Pero ni siquiera esto es totalmente convincente, por lo que también pueden tomarse en consideración otros emplazamientos, que se encuentren más cerca de la tierra cultivable palestinense.

En cambio son menos verosímiles aquellas hipótesis que suponen situado el monte de Dios no en la península del Sinaí, sino al este del golfo de Akaba, al noroeste de la península arábiga. Ante todo H. Gressmann [8] in-

[8] H. Gressmann, *Mose und seine Zeit,* 1913, 409-419; los criterios establecidos por él conservan su importancia hasta las más recientes publicaciones sobre el tema, por ejemplo en O. Eissfeldt: CAH II, 26a (1965) 20-22. H. Gese ha hecho nuevas reflexiones en la misma dirección, *Das ferne und nahe Wort*: BZAW 105 (1967) 81-94; al contrario G. I. Davies: VT 22 (1972) 152-160.

tentó apoyar esta teoría haciendo referencia al parentesco madianítico de Moisés y al carácter volcánico de aquel terreno. Pero la región donde estaban establecidos los madianitas era tan extensa, que llegaba hasta la misma península sinaítica; además, las manifestaciones de humo y fuego no tienen que estar forzosamente relacionadas con procesos volcánicos, sino que pueden igualmente considerarse como fenómenos concomitantes de la manifestación de la divinidad o teofanía [9].

Un punto de partida totalmente distinto impulsó a M. Noth a examinar una vez más la cuestión de la localización del monte de Dios en el noroeste de Arabia. La lista de campamentos de Núm 33, 1-49, que pretende describir las etapas recorridas entre Egipto y Palestina, la consideró él como parte de una tradición especial sobre los lugares de descanso de posteriores peregrinos al monte de Dios. Por eso recorrió hacia atrás la lista de lugares que allí se menciona, esto es, partiendo de Palestina, y, analizando cada uno de los toponímicos, llegó a la misma región volcánica, al sur de *tebūk,* en la que también Gressmann quiso localizar el monte de Dios [10]. Sin embargo, el mismo Noth ha dado después por insuficientes sus argumentos para situar con certeza el monte de Dios en el noroeste de Arabia. Las preferencias se inclinan por la península sinaítica [11].

Pero también son dignos de atención otros lugares de antigua tradición en el antiguo testamento, que presuponen la morada de Yahvé no en el tradicional monte de Dios, sino en montañas situadas al sur de la tierra cultivable palestinense. El antiguo cántico de Débora de Jue 5, 4 habla de Yahvé, «que sale de Seir», que «avanza por los campos de Edom», mientras que una composición más reciente en Dt 33, 2 dice en paralelismo que Yahvé viene del Sinaí, que ilumina desde Seir. Seir es sustancialmente idéntico con el límite oriental del Arabá, el *wādi el-'araba,* entre el mar Muerto y el golfo de Akaba. Este espacio sería ya el anteriormente postulado, más próximo a la tierra cultivable y a Kadesch. Cuadra con esto el monte Farán mencionado en el mismo contexto (Dt 33, 2; Hab 3, 3), y cuyo nombre se aplica hoy todavía

[9] Mencionemos la presencia de Yahvé en una columna de humo y en una columna de fuego mientras la época del desierto, la subida de Elías en un carro de fuego y los envolventes efectos fumosos, vinculados a la presencia de Yahvé en la vocación de Isaías; también debe tenerse en cuenta la zarza ardiente así como fenómenos ígneos al practicar acciones rituales, como Gén 15, 12.17.

[10] M. Noth, *Der Wallfahrtsweg zum Sinai* (*Nu 33*), 1940, 55-74.

[11] M. Noth, *Geschichte Israels,* 124. Que el *dschebel sin bischer* al noroeste de la península del Sinaí podría ser el monte de Dios, lo supuso M. Harel, *Masa'ey Sinai,* Tel Aviv 1968, 274 s.

al *dschebel fārān,* situado en la parte occidental del Arabá. También se conserva su recuerdo en el oasis-palmar *fīrān.*

La tradición veterotestamentaria está de acuerdo en que la morada de Yahvé hay que buscarla en lugares del sur de Palestina; los recuerdos fidedignos sobre la exacta situación del monte de Dios deben haberse perdido. No hay que excluir la posibilidad de que, en interés de los peregrinos, se señalara el monte de Dios en lugar distinto o en varios lugares. El itinerario de peregrinación que nos revela Núm 33 es tal vez una versión entre muchas. Entre los posteriores visitantes del monte de Dios, es indudable que el más conspicuo fue Elías, que procedente del reino septentrional de Israel se detuvo primeramente en Berseba, después en un día de camino se internó en el desierto y por fin después de 40 días y 40 noches llegó al monte de Dios [12]. Sobre particularidades geográficas nada se nos dice, pero sí algo sobre los diversos modos de manifestarse Yahvé, que no siempre exigen su vinculación a un volcán [13].

Más importante que su localización es el acontecimiento relacionado con el monte de Dios. De esto se nos habla principalmente en Ex 19.20.24 así como en 32-34. Hasta muy recientemente estos textos han sido analizados bajo los puntos de vista de la crítica literaria y a menudo con desiguales resultados [14]. Pero son muy pocos los pasajes que permitan sacar la conclusión de que estamos ante celebraciones muy antiguas, primitivas. Se informa sin duda de la realización de un magno acto sagrado con todas sus circunstancias concomitantes, de su preparación entre el pueblo, de la apartada conversación de Moisés con Dios en lo alto de la montaña, de la lectura de la ley, de la estipulación de la alianza y

[12] 1 Re 19, 1-8. Los 40 días y 40 noches parecen estar en el v. 8 en estrecha relación con el milagroso alimento, que capacitó al profeta para emprender el largo camino sin más sustento; cf. también Mt 4, 2. Sobre tales datos tampoco pueden hacerse reflexiones topográficas. Un estudio de esta tradición ahora en K. Seybold, *Elia am Gottesberg*: EvTheol 33 (1973) 3-18.

[13] 1 Re 19, 11.12. Huracán, temblor de tierra y fuego son fenómenos concomitantes de Yahvé, no descripciones de las características locales del lugar de la aparición.

[14] M. Noth, *Das zweite Buch Mose, Exodus,* 1959; W. Beyerlin, *Herkunft und Geschichte der ältesten Sinaitraditionen,* 1961; O. Eissfeldt, *Die älteste Erzählung vom Sinaibund*: ZAW 73 (1961) 137-146 (*Kl. Schr.* IV, 12-20); Id., *Das Gesetz ist zwischeneingekommen*: ThLZ 91 (1966) 1-6; Id., *Die Komposition der Sinai-Erzählung Exodus 19-34*: Sitzungsberichte Sächs. Ak. d. Wiss., Phil.-hist. Kl. Bd. 113/1 (1966); H. Schmid, *Mose. Überlieferung und Geschichte*: BZAW 110 (1968) 55-73; R. E. Clements, *Exodus,* en *The Cambridge Bible commentary,* Cambridge 1972.

del banquete sacro en lugar santo. Pero la complicada composición del material no da base para reconstruir claramente partiendo de ahí un hecho único o incluso repetible dentro del marco cúltico. Con esto no queda descartado que elementos de esta tradición hayan podido convertirse posteriormente en partes integrantes de actos sagrados o celebraciones; pero tampoco de esto existen pruebas expresas [15].

Hay dos cosas, sin embargo, que merecen ser puestas de relieve como especialmente dignas de atención. Tenemos en primer lugar el singular pasaje de Ex 24, 9-11. Moisés sube al monte con tres acompañantes y setenta ancianos. Ellos pueden ver a Dios cara a cara, sin que Dios extienda su mano contra ellos. Finalmente comen y beben allí en el lugar santo. Esta exposición da la impresión de ser algo más despreocupado e imparcial que todo lo demás. Es evidente que no sabe nada del exclusivo rigor de la posterior tradición, según la cual tan sólo Moisés podía contemplar a Dios, tan sólo él podía ser mediador ante el pueblo. Se habla de una comida, pero no de una vinculante comunicación de mensaje divino o de ley divina, como tampoco de una «estipulación de alianza». Posiblemente en Ex 24, 9-11 tenemos a la vista el germen, conservado más bien casualmente, de una más antigua tradición sacra, que sabía ciertamente de celebración sagrada y de fiesta junto al monte, pero no ya como acontecimiento único, sino como costumbre periódica. Esa tradición pudo convertirse en punto de partida y en marco de cuanto aconteció entre Moisés y el pueblo.

El otro hecho importante es que las tradiciones jurídicas asociadas a partir del libro del Exodo con el acontecimiento del monte de Dios, aunque muy diversas entre sí, sin embargo son de fecha más tardía, y tan sólo esporádica e hipotéticamente se han de atribuir a un primitivo derecho nomádico. Su configuración final presupone que se reside ya en la tierra cultivable. Esto puede observarse por el riguroso aislamiento con que aparecen las compilaciones del decálogo (Ex 20, 1-17) y el llamado «libro de la alianza», que es tal vez la más antigua compilación legal israelítica (Ex 20,

[15] Así S. Mowinckel, *Le décalogue,* 1927, pretendió encontrar reunidos en la exposición de los acontecimientos sinaíticos los elementos cúlticos de la fiesta israelítica del año nuevo. Las ideas de Mowinckel sobre una celebración conmemorativa del compromiso de la alianza las ha desarrollado von Rad, quien ha querido reconocer en la tradición sinaítica la leyenda festiva de una fiesta de renovación de la alianza, celebrada en Siquem. G. von Rad, *Das formgeschichtliche Problem des Hexateuch,* 1938, en *Ges. Stud.,* 9-86, espec. 28-48. Cf. también H. J. Kraus, *Gottesdienst in Israel,* ²1962, 160-172.

23-23, 19); pero se prueba aún con mayor certeza por las demás tradiciones jurídicas. Sin embargo, queda aún por ver bajo qué condiciones pudo producirse ese anclaje del derecho en el acto sagrado realizado en el monte de Dios. Algo indica el singular pasaje de Ex 15, 25b, que conoce una notificación de leyes en otro lugar del desierto o de la estepa [16]. Se conocía, pues, el hecho de una anterior legislación en conexión con la vida nómada, dondequiera que tal legislación hubiera tenido lugar. El acontecimiento del monte de Dios sirvió de pretexto para amplificar monumentalmente ese elemento tradicional de una promulgación legal radicada en la vida nomádica y también para atribuir las posteriores leyes de Israel a la autoridad del Dios del monte sagrado.

De lo dicho se pueden sacar con toda cautela algunas consecuencias en orden a enjuiciar los acontecimientos históricos del monte de Dios, primeramente en el aspecto negativo. Las tribus interesadas no encontraron ninguna nueva patria en el monte de Dios. Se trató de una estancia provisional, aunque la consideraron como un especial punto culminante. Se trataba allí de la realización de un acto sacro en lugar santo. No se puede comprobar que se produjera un cambio en los hábitos de vida de los interesados con motivo de su estancia junto al monte de Dios o después. Que se tratara allí de crear una comunidad cúltica, por ejemplo con los madianitas, no se encuentra desde luego en el texto.

La tradición de que Moisés huyó a los madianitas, allí se casó, en esa región tuvo su primera aparición de Yahvé (Ex 3) y después (Ex 18) su suegro Jetró pudiera intervenir incluso en decisiones jurídicas, ha dado motivo para indagar continuamente las relaciones entre Israel y Madián. Ante todo se ha intentado buscar los orígenes de la fe en Yahvé entre los madianitas, pero aún más (en atención al importante pasaje de Jue 4, 11) entre los kenitas, que más tarde se establecieron al sur de Hebrón (1 Sam 27, 10; 30, 29; Jos 15, 56 s). Probablemente estuvieron también relacionados con los rekabitas y los calebitas, como parece desprenderse de la relación consignada en 1 Crón 2, 50-55. Significativamente los grupos de los kenitas y de los rekabitas fueron muy fervientes adoradores de Yahvé, teniendo también en alta estima los ideales nomádicos (cf. Jer 35). Desde luego todos los intentos para descubrir en alguna de las tribus la raíz más remota de la

[16] Las pasadas investigaciones atribuyeron ya una gran importancia a ese lugar y le relacionaron con Kadesch. Cf. J. Wellhausen, *Prolegomena*, [5]1899, 347-349; E. Meyer, *Die Israeliten*, 1906, 61-63; en el mismo contexto se enjuicia también a la «fuente de la sentencia», Gén 14, 7, que ya en el texto hebraico se identifica con Kadesch.

adoración de Yahvé terminan en hipótesis [17]. Como es natural, esas tradiciones especiales, por ejemplo entre los kenitas y rekabitas, no pueden carecer de fundamento; es totalmente verosímil que también ellos en sus primeros tiempos en las estepas meridionales establecieron con Yahvé un estrecho y duradero contacto, que tenía su propia forma y dio pie a tradiciones independientes.

Positivamente se puede comprobar a través del acontecimiento del monte de Dios, que especialmente la más antigua tradición contenida en Ex 24 permite deducir la existencia de solemnidades periódicas celebradas en algún santuario de montaña, que incluían banquete sagrado y tal vez también sacrificios. No hay que descartar que allí se rememorara el derecho vigente, que ya no conocemos en concreto.

Por lo demás, difícilmente puede negarse que el Dios, que se manifestó en el monte era alguien cuya proximidad podía experimentarse en un determinado y limitado lugar. Esta convicción se ha mantenido viva hasta épocas posteriores en las tradiciones que nos hablan de la «subida» de Yahvé desde la campiña meridional, pero también en la certeza de poder visitar allí a Yahvé, como lo hizo Elías. Con esto está también en consonancia el hecho de que este Dios se mostró y manifestó a Moisés en la zarza ardiente tan sólo después de alcanzar un determinado lugar (Ex 3). Podemos inferir que Yahvé era Dios de un monte santo [18]. El hecho de que nunca se hable de un «Dios de Moisés» excluye la directa analogía con los «dioses de los patriarcas». Lo que predomina en Yahvé no es la vinculación personal, sino la vinculación local. Aun en el momento de su expresa relación con los dioses de los padres (Ex 3, 13-15) no se menciona lo más mínimo un «Dios de Moisés». En fuentes egipcias tenemos tal vez ante nosotros una alusión a la protohistoria de Yahvé, que puede corroborar su vinculación local.

[17] Cf. H. H. Rowley, *From Joseph to Joshua,* 149-155; Id., *Mose und der Monotheismus*: ZAW 69 (1957) 1-21; H. Heyde, *Kain, der erste Jahwe-Verehrer,* 1965; A. H. J. Gunneweg, *Mose in Midian*: ZThK 61 (1964) 1-9.

[18] Existen numerosos testimonios de culto a dioses vinculados a ciertas montañas y de su identidad de nombres; basta recordar los casos de Baalsefón, Baal Hermon, Baal Libanon, pero también el dios del monte Carmelo, sobre el cual dice Tácito con claridad clásica en *Hist.* II, 78, 3: «est Iudaeam inter Syriamque Carmelus: ita vocant montem deumque». Cf. O. Eissfeldt, *Baal Zaphon, Zeus Kasios und der Durchzug der Israeliten durchs Meer,* 1932; Id., *Der Gott des Tabor und seine Verbreitung,* 1934, en *Kl. Schr.* II, 29-54; Id., *Der Gott Karmel*: Sitzungsber. d. Dt. Ak. d. Wiss., Kl. f. Spra-

En el Soleb núbico, 220 kilómetros al sur de Wadi Halfa, en el marco de exposiciones a la manera de las conocidas listas faraónicas de pueblos y ciudades extranjeras, se han encontrado menciones de un «país de los *sch'św jhw'*» [19]. De ahí probablemente dependen las hace tiempo conocidas listas de Ramsés II procedentes de Amara-oeste (y Aksha). Los documentos núbicos son los más antiguos y pertenecen a la época de Amenophis III (aproximadamente 1402-1364). Las menciones de tribus *schasu* conducen forzosamente a su zona de operaciones al sur de Palestina. Ahora bien, es muy significativa la concreta designación de un territorio de *schasu* con el nombre propio *jhw'*, que presenta las consonantes del nombre veterotestamentario de Dios (JHWH). Queda aún por saber si ese nombre propio designa una comarca, un lugar, una persona o incluso un dios. Por lo pronto es digno de atención que en esta región y en esa época aparezca esta serie de consonantes en un documento extraisraelítico neutral; este hecho acrecienta la probabilidad de que el nombre JHWH apareciera ya antes de los acontecimientos del éxodo en la península del Sinaí o al menos en las regiones periféricas, desempeñando allí un papel importante. Las circunstancias concretas conocibles son suficientemente favorables para sacar ulteriores conclusiones. Si en la comarca de tal nombre, según opinión egipcia, los *schasu* estuvieron de camino o llegaron a estacionarse, esos *schasu* pueden relacionarse con aquellos grupos, en los que habría que incluir a los componentes del movimiento migratorio aramaico y entre ellos a los israelitas posteriores. Viene a completar estas consideraciones el hecho de que en la lista de Amara se encuentra también el país de los *schasu S'rr*», que es equiparado a los montes de Seir. Así pues, el país de los *schasu* de *jhw'* se encontraría en un amplio espacio o incluso en una comarca, que estaba situada cerca de Seir. Estas legítimas combinaciones hacen pensar directamente en los contextos bíblicos, en los que en relación con el Yahvé que viene desde el sur se mencionaban también los montes de Seir o la «campiña de Edom», donde también vivie-

chen, Lit. und Kunst, Jg. 1953/1 (1953); K. Galling, *Der Gott Karmel und die Ächtung der fremden Götter*, en *Geschichte und Altes Testament*, 1953, 105-125.

[19] Este material está ahora al alcance de cualquiera y lo ha comentado ampliamente R. Giveon, *Les bédouins Shosou des documents égyptiens*, Leiden 1971, Document 6a y 16a con referencias cruzadas. Por lo demás, Giveon traduce la composición *t' schśw yhw* (así transcribe él) por «Yahwe en terre de Shosou» entiende, pues, «Yahwe» como un toponímico en la zona de los *schasu*. Se sujeta más estrictamente al texto egipcio Helck, *Beziehungen*, 266: «Land schá-śu ja-h-wa», donde él emplea la escritura aglutinante del nuevo imperio. Reproducciones y transcripciones de textos nos las ofrece Jean Leclant, a quien se encargó de fotografiar las inscripciones de Soleb, *Les fouilles de Soleb* (*Nubie soudanaise*). *Quelques remarques sur les écussons des peuples envoûtés de la salle hypostyle du secteur IV*: Nachr. d. Ak. d. Wiss. in Göttingen. I. Phil.-hist. Kl. (1965) 13, 214 s.

ron los *schasu,* como lo sabemos por la carta del funcionario fronterizo. Con esto se va condensando el cuadro, que nos da derecho a suponer, en el ámbito situado al sur del mar Muerto en las regiones limítrofes del Arabá, movimientos *schasu,* que abarcaban al menos desde la época de Amenophis III hasta Sethos II. Y ésta es precisamente la época en que allí operaban las tribus posteriormente israelíticas, y entre ellas se encuentran los *schasu* con la designación concreta de *jhw'*. Por más que se trate de una hipótesis al situar este «país de los *schasu jhw'*» en una zona montañosa, reconociendo en ese *jhw'* el nombre de un monte y de un dios, lo cierto es que en los *schasu* de *jhw'* tenemos un elemento, que, atendiendo al tiempo y al lugar, cuadra sorprendentemente con la tradición veterotestamentaria [20].

No debe quedar sin mencionar una confirmación, que no es ningún documento primitivo, sino que pertenece al otro extremo de la evolución cronológica. Entre los nombres propios de las inscripciones nabateas de la región del Sinaí se encuentra repetidas veces un *'bd' hyw* [21]. El segundo elemento de este nombre da la impresión de algo independiente y designa al portador del nombre como un «servidor de *'hjw*». La raíz se compone de las consonantes del nombre de Dios y recuerda iscluso sorprendentemente el *'hyw* de Ex 3, 14. Si en los *schasu* de *jhw'* podemos ver según las circunstancias a los componentes de un estrato aramaico muy temprano, entonces los nabateos son los representantes de un estrato muy tardío. Tanto en los tiempos posteriores como en los anteriores el nombre «Yahvé» habría sido conocido con variaciones tal vez insignificantes dentro de los grupos aramaicos. En la época del éxodo o en todo caso de la formación en la región sinaítica de las posteriores tribus israelíticas, el Dios de nombre JHWH puede haber sido un fenómeno relativamente reciente, pero cargado de futuro; a él se adhirieron tribus o grupos étnicamente emparentados, que penetraron en ese ámbito y tal vez por eso establecieron entre sí un contacto más estrecho [22]. Este sería, a pesar de cuanto tiene de hipotético, el histórico terreno original donde radican aquellas tradiciones veterotestamentarias del «mon-

[20] De una extraordinaria solidez son las reflexiones sintetizadoras de Giveon, *o. c.*, 267-271; algo más reservado S. Herrmann, *Der alttestamentliche Gottesname*: EvTheol 26 (1966) 281-293; Id., *Der Name JHW', in den Inschriften von Soleb.* Consideraciones fundamentales, en *Fourth world congress of jewish studies,* Papers I, 1967, 213-216; R. de Vaux, *Histoire,* 316 s.; 325. Crítico, pero en principio positivo ahora M. Weippert: ZAW 84 (1972) 491, A. 144.

[21] J. Euting, *Sinaitische Inschriften* 472, 156 (¿80?).

[22] No es posible solucionar aquí el interesante problema de si al adoptar a un dios local en unión de otros grupos de adoradores, se conocía ya en los tiempos primitivos el concepto ambivalente, pero sin duda también variable de *b^{e}rīt*. Responde negativamente E. Kutsch, por lo que se refiere a Ex 19-34, basándose en investigaciones literario-terminológicas y en su escepticismo contra la traducción de «alianza»: *Verheissung und Gesetz*: BZAW 131 (1973) 75-92.

te de Dios» y del «Yahvé» que allí se manifiesta. De este modo puede explicarse el hecho y la razón de que Yahvé, como Dios de una región determinada o de un monte, penetrara realmente como algo nuevo en la vida de ciertos grupos tribales, que anteriormente no le conocían. La «autopresentación de Yahvé» (Ex 3) se hizo necesaria para aquellos que sólo durante sus correrías, que según opinión egipcia fueron movimientos de *schasu,* entraron en contacto con él y con su santa morada. Entre ellos se encontraba también desde luego Moisés con sus gentes.

Con estas reflexiones no es incompatible lo que enseñan las tradiciones en torno a Kadesch. Existen buenas razones para desgajar las tradiciones en torno al monte de Dios de las altas montañas de la península sinaítica meridional y transferirlas a la región del Arabá en las cercanías de Seir. De este modo nos encontramos en la extensa área de Kadesch. Allí precisamente era posible residir durante largo tiempo, desde allí el acudir al monte de Dios, bien por una sola vez o bien periódicamente, no constituía ninguna dificultad insuperable, desde allí finalmente se pudo producir la primera toma de contacto con la tierra cultivable situada al norte. De esto tratan precisamente las tradiciones en torno a Kadesch, que desde luego no guardan entre sí la misma unidad que las tradiciones referentes al monte de Dios, pero las encuadran dentro de los capítulos Ex 17 y Núm 10-20 [23]. De este modo el «monte de Dios», si atendemos a la técnica de la tradición, se encuentra también directamente «englobado» en el acontecer de Kadesch. Todo esto es muy explicable. La prolongada permanencia en Kadesch dio base a variadas e independientes tradiciones, que sólo en el marco de una amplia estructura adquirieron su puesto his-

[23] Ya la antigua ciencia veterotestamentaria, además de las menciones del nombre «Kadesch», ha tomado en consideración los pasajes que hablan de «las aguas del motín», o dicho más concretamente, de los toponímicos Meribá y Masá, también «Me Meribá» («aguas del motín») y también expresamente Meribat-Kadesch. Se trata de Ex 17, 1-7 (Núm 20, 1-13; 27, 14 = Dt 32, 51; Núm 33, 36; Dt 33, 8; Ez 47, 19 = 48, 28; Sal 95, 8). La conexión de todos estos pasajes con las fuentes de Kadesch es muy verosímil; cf. también la «fuente de la sentencia» localizada en la misma área Gén 14, 7. Después de Wellhausen, ha recalcado la importancia de Kadesch especialmente E. Meyer, *Die Israeliten und ihre Nachbarstämme,* 1906 (reimpresión 1967), 51-82; M. Noth, en su *Geschichte,* 123, escribe que la hipótesis de una prolongada permanencia en Kadesch por parte de «las tribus israelíticas», no tiene fundamento ninguno en los materiales primarios de la tradición pentatéuquica; en contra de Noth, von Rad considera muy antiguos algunos documentos referentes a la permanencia en Kadesch, *Teología del antiguo testamento* I, Salamanca [3]1975; cf. también R. de Vaux, *Histoire,* 392-398.

tórico y su función. Las tradiciones locales de Kadesch confirman que allí tiene que haber existido un centro y una zona de irradiación, que llegó a tener una importancia fundamental para una parte de las tribus que allí nomadeaban, pero que por desgracia, debido al papel predominante que en el Pentateuco adquirió el monte de Dios, fue relegado a un puesto aparentemente secundario.

Ahora bien, suponiendo que Kadesch sirvió de factor asociativo y aglutinante para ciertos grupos del posterior Israel, se pone realmente más a nuestro alcance el antiguo problema de cómo Yahvé pudo convertirse en el Dios predominante para todas las tribus procedentes del sur. Kadesch era para tales tribus la etapa decisiva antes de la ocupación del país. Esto no quiere decir que el subsiguiente Israel se constituyera ya en Kadesch con todos sus miembros... Kadesch vio a cada uno de los grupos todavía en su autonomía, con su separación inicial, y no todos se pusieron en marcha al mismo tiempo desde Kadesch y en la misma dirección. Pero las comunes vicisitudes vividas dentro de la gran área del Arabá pudieron establecer o reforzar entre ellos una más estrecha vinculación a Yahvé, aunque desconozcamos cómo sucedió tal cosa en concreto.

Al llegar aquí podemos nuevamente abordar la cuestión de los avatares del grupo salido de Egipto, y con ello también el problema de la situación histórica y definitiva valoración de Moisés. Aquella tradición que se conserva y domina en el Pentateuco y que nos presenta a Moisés saliendo de Egipto, le convierte en caudillo a través del desierto, le presenta como mediador en el monte de Dios y finalmente le describe muriendo a las puertas de Palestina sobre la cima del transjordánico Nebo, es perfectamente compatible con los destinos de un grupo salido de Egipto. Ese grupo se incorporó a los *schasu* estacionados en los contornos del Arabá y del monte de Dios, o mejor dicho, a inmigrantes arameos con los que le unían lazos étnicos. Pudo perfectamente establecer contactos con Kadesch. Pero sobre todo ese grupo se vinculó al Dios del monte, bien renovando una vinculación anterior o bien iniciándola. El que en esto desempeñara un papel especial Moisés como reconocido adalid del éxodo, no se debe descartar, e incluso es verosímil. Aunque existieran contactos con Kadesch, esos contactos por otra parte no fueron tan estrechos como para que ese grupo salido de Egipto realizara la ocupación de la tierra palestinense en unión con las tribus allí establecidas. En la tradición de Núm 13.14 sobresale en Kadesch especialmente el personaje Caleb, que posteriormente se dirige con sus gentes al Negueb y pone pie en el territorio judaico [24]. Moisés no se unió a él. Se encaminaba hacia la Transjordania meridional. Su muerte en esta comarca es creíble. El cuadro que aquí se ha esbozado tiene la ventaja de dar a Kadesch y al monte de Dios la importancia que les corresponde, deja actuar independientemente al grupo salido de Egipto, explica su vinculación al monte de Dios y no sitúa a Moisés en un injusto aislamiento, como si él solo hubiera podido ser o el guía del éxodo o el mediador en el monte de Dios. Aparece con su grupo en una convincente continuidad histórica, que, aun como continuidad entendida según la historia de la tradición, hace comprensible su puesto extraordinario. Si bien la tradición referente a Moisés y sus gentes preponderó en el Pentateuco, a su sombra surgieron por fuerza otros complejos, que sin embargo no desaparecieron por completo. Además del monte de Dios, también Kadesch se ha mantenido en la tradición pentatéuquica como miembro independiente.

La exposición de contextos históricos aquí ensayada encontrará contradicción en especial dentro de la ciencia veterotestamentaria alemana y suscitará sospechas de irrazonable armonización. La fascinación que irradió la ya clásica obra de Martin Noth sobre la historia de la tradición pentatéuquica sigue influyendo todavía. Las reflexiones de Noth mantienen su propio valor, pero de ellas debieran sacarse otras consecuencias. La complejidad en la transmisión de noticias, señalada por Noth, demuestra las tradiciones que estaban vigentes en la península sinaítica entre diversos grupos del movimiento arameico, pero no fuerza al mismo tiempo a suponer que Moisés fue incorporado a ellas con el único objeto de fijarlas literariamente. Más bien habría que pensar en una tradición-Moisés continuada acerca de un grupo que actúa a su lado desde Egipto hasta Palestina; en virtud de su potencia predominante esa tradición atrajo a sí también a otras tradiciones. Así como en el libro de Josué la tradición benjaminítica sobre la entrada partiendo del Jordán y a través de Jericó, Guibeón y un poco más allá, pudo formar el núcleo de una exposición de la conquista del país, así también una tradición-Moisés suficientemente compacta e independiente en sí misma constituyó el núcleo de las tradiciones pentatéuquicas. Enjuiciando así la tradición, surge una visión panorámica del proceso tradicional, que se realizó a través de un tiempo algo prolongado, pero no demasiado largo. Así como las tradiciones

24 Caleb, junto con los kenicitas, kenitas y otonielitas, pertenece a aquellos grupos tribales que más tarde se adhirieron a Judá y de tal modo se asimilaron en su territorio, que ya no desempeñaron ningún papel histórico independiente. Los principales pasajes de las llamadas tradiciones-Caleb son Núm 13, 6; 32, 12; Jos 14, 6-15; 15, 13-19; Jue 1, 12-20; cf. también 1 Sam 25, 1-3; 30, 14; el mismo Caleb como kenicita Núm 32, 12.

patriarcales no se debieran repartir a través de extensas áreas geográficas y largos períodos, convendría no diluir la «época del desierto» en innumerables destinos independientes de una duración imponderablemente larga. Los tradicionales «40 años» no constituyen ciertamente un seguro punto de apoyo, pero sugieren un lapso de tiempo relativamente corto. Noth se privó a sí mismo de la posibilidad de admitir una continuidad histórico-tradicional e histórica por el hecho de haber propuesto hipotéticamente cinco temas para ordenar literariamente el Pentateuco. Al mismo tiempo ha desarrollado de tal manera esa hipótesis literaria, que atribuyó a cada uno de esos temas una validez histórica independiente. Su pregunta de a cuál de esos temas está integrado originariamente Moisés, no carece de lógica crítico-tradicional, pero no es suficiente para una argumentación histórica. Parece metodológicamente legítimo examinar la composición literariamente compleja atendiendo a sus condicionamientos históricos y a la autenticidad de su virtualidad enunciativa. Como ya se ha indicado, nada se opone a hacer participar a Moisés en todos los temas propuestos por Noth en relación con la tradición del éxodo y del desierto. Bajo estos puntos de vista, vuelven a adquirir importancia también algunas teorías pretéritas como, por ejemplo, las que presentaron Eduard Meyer y otros sobre la relación entre Kadesch y el monte de Dios [25].

La tribu de Leví parece tener una vinculación especialmente estrecha con Kadesch. En el temáticamente denso pasaje tradicional de la sentencia dirigida a Leví, dentro de las llamadas bendiciones de Moisés (Dt 33, 8-11), se alude a los acontecimientos de Masá y a las aguas de Meribá. En se mismo pasaje se pone en relación con la tribu de Leví el manejo de los instrumentos oraculares *urim* y *tummim*. Moisés no desempeña papel ninguno en esa sentencia. No queda descartado el encontrar aquí una prueba documental del destino especial de una tribu, que ya en Kadesch

[25] Esto no quiere decir que las tesis suscitadas por Wellhausen en sus *Prolegomena zur Geschichte Israels* y ampliadas por E. Meyer en su libro sobre los israelitas puedan aceptarse sin reservas. Tales tesis en los últimos decenios han quedado arrinconadas por el simple hecho del predominio de otros puntos de vista y por eso han perdido importancia. Como seguidor de Wellhausen y de Meyer se consideró a sí mismo C. A. Simpson, *The early traditions of Israel,* Oxford 1948; un informe crítico al respecto nos lo frece O. Eissfeldt, *Die ältesten Traditionen Israels*: BZAW 71 (1950); las tradiciones-Kadesch las ha recalcado nuevamente E. Auerbach, *Moses,* 1953; sobre este punto críticamente O. Eissfeldt, *Mose*: OLZ 48 (1953) 490-505, en *Kl. Schr.* III, 240-255. No son las menores las dificultades existentes en el campo metodológico, donde no impera uniformidad de procedimientos; una impresión de este problema nos la ofrece el libro de H. Schmid, *Mose. Überlieferung und Geschichte*: BZAW 110 (1968), aunque también esta obra está sobrecargada de hipótesis.

ejerció funciones arbitrales y también posiblemente sacerdotales. En el antiguo testamento el problema de los levitas es complicado e interesante. Al mismo Moisés se le debió incluir tal vez a posteriori en una genealogía levítica [26]. Ahora bien, esto no haría sino demostrar que él originariamente nada tenía que ver con los levitas. No raras veces se muestran como enérgicos defensores de las propias opiniones [27]. Una de las raíces de tales procesos podría verse en la función autónoma que esta tribu adquirió y consolidó en Kadesch; en contraposición a la asimilación operada en el territorio cultivable, los miembros de esa tribu, cualquiera que sea la idea concreta que tengamos de su «sacerdocio», propugnaron la originalidad de la tradición nomádica y un culto a Dios conforme al ideal de la época primitiva. No hay que descartar, como en este caso concreto de la tribu de Leví, el ver también en Kadesch la situación inicial de otros procesos, que acompañaron conflictivamente a la historia de Israel y en el antiguo testamento desencadenaron a veces confrontaciones de difícil explicación. Observemos tan sólo de paso que los diversos utensilios sagrados, que se relacionan con la época del desierto y a los que también pertenecen el arca y la «tienda del encuentro», tuvieron su origen precisamente en distintos grupos nómadas e incluso más tarde, pese a su aparente perfectibilidad, conservaron una función relativamente autónoma [28]. Entre tales utensilios habría que contar también los *urim* y los *tummim*, cuya vinculación a la tribu de Leví está casualmente atestiguada.

Está claro que a partir de Kadesch o tocando en Kadesch se tiene que haber producido un directo movimiento migratorio hacia el norte, que tuvo por meta una ocupación de terrenos dentro de la gran área judaica, especialmente en los alrededores de Hebrón.

[26] Cf. en particular K. Möhlenbrink, *Die levitischen Überlieferungen des Alten testaments*: ZAW 52 (1934) 184-231. Ex 2, 1 difícilmente se puede entender de otro modo que como una anotación posterior; en el frecuentemente citado pasaje Jue 18, 30 se conjetura que el «Manasés» del texto hebraico se refiere a «Moisés», donde se trata de la genealogía del sacerdocio de Dan; pero tal conjetura no es decisiva; cf. Möhlenbrink, *o. c.,* 223. De otro modo opina E. Meyer, *Die Israeliten,* 72-82.

[27] Cf. principalmente Gén 49, 5-7; Ex 32, 25-29.

[28] Con diversas tendencias tratan de estos temas J. Maier, *Das altisraelitische Ladeheiligtum*: BZAW 93 (1965); M. Görg, *Das Zelt der Begegnung. Untersuchung zur Gestalt der sakralen Zelttraditionem Altisraels*: BBB 27 (1967); W. Zimmerli, *Das Bilderverbot in der Geschichte des alten Israel* (*Goldenes Kalb, Eherne Schlange, Mazzeben und Lade*), en *Schalom,* 1971, 86-96.

Hasta allí precisamente, o mejor dicho, hasta el valle de Escol [29], penetraron aquellos famosos exploradores, que recibieron una abrumadora impresión de la feracidad del país y como prueba de ello se llevaron un único racimo de uva, transportándolo a hombros colgado de una pértiga. Desde luego el relato de los exploradores acerca de los terribles hijos de Enac, que describieron como gigantes, causó consternación y desaliento. Pero se mantuvo firme Caleb, quien posteriormente se estableció con sus gentes en la comarca de Hebrón.

Este dramático escenario cuadra con una serie de ulteriores tradiciones, que se desarrollan en la región transicional comprendida entre Kadesch y la tierra cultivable meridional, posteriormente judaica. Esas tradiciones afectan a tribus o grupos de tribus, que tuvieron diversos destinos en esa región. Ahí están comprendidos los kenitas y otonielitas, ya mencionados en relación con Caleb, finalmente los yerajmelitas y no en último lugar la tribu de Simeón. Todos ellos operaron en aquella región fronteriza meridional y se nos hacen accesibles tan sólo a través de muy pocas tradiciones dispersas [30]. Se habla de batallas sobre todo contra el rey de Arad, y el nombre de la ciudad de Jorma desempeña un importante papel [31]. Queda descartado el escribir una historia independiente de esas tribus meridionales. Pero sus dificultades en la zona fronteriza del país con los habitantes autóctonos y con otras tribus reflejan claramente lo que de otro modo sólo habría que deducir, a saber, una penetración tan sólo paulatina en la tierra cultivable, con resistencia y lucha. En consecuencia disponemos de escasas noticias sobre las tribus del Judá meridional, como tampoco las tenemos acerca de Simeón y Leví, que participarían en tales operaciones [32].

[29] Núm 13, 23 s; 32, 9; Dt 1, 24 s; H. Guthe da un informe instructivo sobre las tradiciones locales en *Mittu. Nachr. des DPV,* 1912. 65-71.

[30] «Ciudades de los yerajmelitas» junto a «ciudades de los kenitas»: 1 Sam 30, 29; cf. también 1 Sam 27, 10; Yerajmeel como hermano de Caleb en la tardía lista de 1 Crón 2, 9.42. Junto a Judá aparece Simeón, Jue 1, 1 s en el marco de los episodios de la conquista del país; su zona tribal al sur de Judá aparece, según posterior convicción, como una región parcial dentro de Judá (Jos 19, 1-8); sobre Jue 1, 17, cf. la próxima nota.

[31] Núm 14, 40-45; 21, 1-3; la única noticia concreta sobre Simeón se encuentra en Jue 1, 17, según la cual contribuyó a la toma de la ciudad de Jorma, que anteriormente se habría llamado Zephat y probablemente se identifica con el actual *tell el-muschāsch* al este de Berseba; cf. Y. Aharoni, *The land of the Bible,* 28, 148 s., etcétera

[32] A este propósito se recuerda ordinariamente el inútil intento de Simeón y Leví de establecerse en el área de Siquem (Gén 34). En consecuencia esas tribus posiblemente habrían sido relegadas al sur, donde tal vez tu-

Este duro proceso de ocupación de territorio en dirección a la Palestina occidental se encontró probablemente con dificultades análogas a las que tuvieron aquellas tribus, que se movían hacia la Transjordania meridional. Directamente al sur del mar Muerto se llegó a trabar batalla con los amalecitas, lo que debió dar ocasión a una renuncia a la venganza entre Amalec e Israel [33]. Pero después hubo que rodear el territorio que seguía por el nordeste. Los edomitas y moabitas no permitieron el paso [34]. Estos dos grupos emparentados entre sí, que establecieron sus propias organizaciones estatales [35], es indudable que, a la llegada de las tribus posteriormente israelíticas, se habían consolidado ya de tal manera, que no quisieron autorizar una penetración descontrolada en sus dominios. Desde luego no se llegó a la lucha. ¿Acaso los recién llegados se percataron de que en fin de cuentas los edomitas y los moabitas constituían con ellos una remota comunidad étnica? Pero por otra parte la tradición nos dice que Jacob y Esaú, el antepasado de los edomitas, se habían separado. El marco histórico-familiar del Génesis señala inequívocamente la situación tensional. En todo caso la creciente autonomía e interna consolidación de los edomitas y moabitas explica históricamente el que nuevos grupos buscadores de territorio procedentes del sur y del este tuvieran que rodear sus áreas de dominio, y que al menos no tuvieran allí la menor perspectiva de poderse establecer permanentemente. Tan sólo un buen trecho al norte del Arnon se consigue avanzar en dirección al territorio montañoso situado en la parte oriental del mar Muerto (Pisga), en cuyo extremo septentrional descuellan las diversas cumbres del Nebo. Se trata del paraje, donde, según la tradición, murió Moisés [36]. Realmente desde allí

vieron dificultades de vida; cf. también Gén 49, 5-7 sobre el proceder violento de ambas tribus. Las conclusiones históricas que haya que aplicar a tales pasajes no se deducen claramente de los textos. Posiblemente se trata ahí de ataques similares a los que se narran de Judá, Jue 1, 4-11, sin repercusiones históricas cognoscibles. La problemática de las tribus meridionales y de sus tradiciones la estudia, sobre el trasfondo de la tradición-desierto del Yahvista, V. Fritz, *Israel in der Wüste*: Marburger Theologische Studien 7 (1970).

33 Ex 17, 8-16.

34 Núm 20, 14-21; 21, 4; Dt 2; Jue 11, 17 s.

35 Sobre sus reinos autónomos informan Gén 36, 31-39; Núm 20, 14; 22, 4; consideraciones sobre su prehistoria en conexión con la interesante estela de *bālūʿa* (ANEP 488) en A. Alt. *Emiter und Moabiter,* 1940, en *Kl. Schr.* I, 203-215.

36 Dt 34. La solidez histórica de esta tradición sobre la tumba de Moisés, por lo demás bastante apartada de las zonas colonizadas de las tribus, es puesta de relieve también por M. Noth, *Überlieferungsgeschichte,* 186-189;

se disfruta una vista panorámica sobre amplias zonas de Transjordania y Cisjordania. Lo de que Moisés pudo ver la tierra prometida, pero no entrar en ella, es, por consiguiente, una explicación, comprensible por tales condicionamientos geográficos, de su muy temprana muerte [37].

La contextura de la tradición veterotestamentaria da base para deducir con seguridad que la colonización de Palestina por medio de tribus posteriormente israelíticas, procedentes del sur, se efectuó al menos desde dos direcciones principales, por una parte desde el área de Kadesch rumbo a la Cisjordania meridional, por otra parte desde las zonas de la altiplanicie edomítico-moabítica en dirección a la Transjordania y al centro de Cisjordania, especialmente hacia los montes efraimítico-samaritanos. Así pues, el proceso de la llamada ocupación del país se fue preparando ya en sus rasgos esenciales por medio de los movimientos migratorios en las comarcas esteparias de la periferia palestinense; ese proceso se realiza progresivamente, pero desde luego dentro de un período abarcable y en conexión con el movimiento aramaico. Como es natural, la apreciación de los detalles está sujeta a la valoración de las fuentes y de su grado de seguridad. Como cabía esperar, en el relato veterotestamentario de la ocupación de la tierra prometida se entreveran los más antiguos recuerdos con concepciones ideales y con la justificación de pretensiones jurídicas territoriales, en las que estaba interesada la mentalidad tribal. Por eso una exposición histórica de los hechos referentes a la ocupación del país no puede por menos que apoyarse lo más estrictamente posible en los movimientos de los grupos nomádicos en las zonas desérticas y esteparias; aun después de adentrarse en la tierra cultivable las tribus no abandonaron su carácter peculiar ni el sentimiento de sus propios valores.

sus conclusiones en el plano de la historia de la tradición, *ibid.*, 190 s., no son desde luego decisivas; los problemas topográficos de Dt 34 los trata en *Aufsätze* I, 398-401.

37 Que la «visión del monte» de Moisés puede también entenderse sobre una base jurídica, esto es, en el sentido de que Yahvé le hizo a Moisés pleno propietario jurídico del país por el simple hecho de habérselo mostrado en toda su extensión, lo supone, basándose en los pasajes paralelos, D. Daube en *Von Ugarit nach Qumran*: BZAW 77 (1958) 35.

4

LA PENETRACION DE LAS TRIBUS EN CISJORDANIA Y TRANSJORDANIA

Lo que en lenguaje espontáneo suele llamarse simplemente «la inmigración en la tierra prometida» tiene muy poco de inexacto, si atendemos al uso lingüístico y al mundo conceptual del antiguo testamento. En realidad se trata de —una vez terminada su residencia en el desierto y en la estepa— una inmigración de las distintas tribus en aquellas comarcas, que habían de convertirse en el escenario de su futura historia. Pero el proceso fue complejo, tan multiforme como también hay que concebir la prehistoria de las tribus y de los grupos interesados dentro de las regiones esteparias, de las que procedían. Y avanzaron hacia un terreno que de ningún modo era una *tabula rasa,* sino un país que desde hacía largo tiempo había sufrido las duras pruebas de numerosos movimientos históricos. Desde luego no todas las partes de ese país habían sido igualmente focos de los acontecimientos. Las escarpadas montañas, cortadas por el foso del Jordán, con sus valles y altiplanicies se mantuvieron naturalmente más al margen de acontecimientos trascendentales. Más bien se brindaba como zona de colonización la llanura costera, que ya de siempre había sido una región de paso. De acuerdo con la configuración geográfica del territorio y con la distribución demográfica tuvieron también que producirse los primeros contactos de los posteriores israelitas con sus futuras residencias. Las condiciones de vida fueron frecuentemente duras y difíciles y el entendimiento con los ya residentes guardaba relación en cada caso con las circunstancias. Aunque esporádicamente se originaran conflictos guerreros, las más de las veces se entraba sin resistencia en regiones escasamente pobladas; desde luego se mantuvo inaccesible principalmente la llanura costera junto con algunas vías de comunicación.

Ha sido y sigue siendo un error querer hacer creer que el proceso de la sedentarización de las tribus se realizó en gran parte bajo las mismas condiciones. Especialmente la investigación pasada se dejó llevar por la idea de que en líneas generales las tribus israelíticas llegaron al país colectivamente y al mismo tiempo. Su terminología delata una cierta diversidad de enfoque en aquellos autores. Wellhausen utilizó ya la expresión neutral: «establecimiento en Palestina» y Strack dijo «inmigración en Cisjordania»; para H. Guthe se trataba de la «ocupación de Canán», mientras que E. Meyer y R. Kittel hablaron más cautamente de la «penetración» en Palestina. Con A. Alt y con ocasión de su famoso estudio *Die Landnahme* (= conquista y colonización) *der Israeliten in Palästina* se puso en circulación un nuevo término, que sigue teniendo vigencia hasta el día de hoy, aunque no sin excepciones. M. A. Beek vuelve a hablar de «conquista del país» y Gunneweg, con lenguaje neutral, de «sedentarización en Canán». En el ámbito lingüístico inglés se ha mantenido muy tenazmente, junto con *Israelite settlement,* el concepto de *conquest of Palestine* (Bright, Kaufmann, Yeivin), mientras que en el ámbito de lengua francesa parece haber mayor tendencia a la expresión neutral como *l'établissement* (J. Pirenne) o bien *L'installation en Canaan* (de Vaux). Estos son tan sólo unos ejemplos. La terminología señala una tendencia, pero no abarca necesariamente la totalidad.

Según testimonio del antiguo testamento, cada una de las tribus se fueron posesionando de la tierra cultivable palestinense partiendo del sur y del este. Es sin duda propio de la naturaleza de tales acontecimientos el que sobre los mismos no dispongamos de ningún material documental directo. Las tribus y los grupos de tribus, que viven en constante movimiento, no suelen dedicarse a componer y archivar meticulosos anales. Sucede con la conquista y colonización lo mismo que con la estancia en las regiones esteparias. Todo cuanto sabemos se compone principalmente de episodios aislados y de breves relatos; por lo común se desarrollan en lugares determinados, a los que iban llegando las tribus mientras se adentraban en el país. Tan sólo esas noticias más o menos dispersas pueden permitirnos sacar conclusiones sobre el desarrollo real de la conquista. Desde luego existe todavía una fuente indirecta, que permite hacer deducciones. Nos referimos a la manera como se distribuyeron las tribus en el país y a los sitios donde permanecieron, una vez que la ocupación había llegado a su término.

El enjuiciar tales hechos se hace más difícil por la circunstancia de que acerca de los acontecimientos de la ocupación del país encontramos, dentro del mismo antiguo testamento, dos concepciones bastante distintas. En opinión del libro de Josué la toma de posesión del país se llevó a cabo como una única operación compacta, que se podría calificar de militar. Bajo la dirección de Josué, que sucedió oficialmente en el cargo a Moisés, las tribus avanzaron. Cruzaron primeramente el Jordán a la altura de Guilgal y de

Jericó. La misma ciudad de Jericó pudo ser sometida, pero no mediante recursos militares, sino muy probablemente por medio de un ardid. Es famosa la versión de que el mismo Yahvé hizo que se desplomaran las murallas de la ciudad. Después las tribus, en formación compacta, avanzaron hacia las montañas judaico-samaritanas, durante su marcha y valiéndose de una estratagema destruyeron la ciudad de Hai y finalmente tuvieron un encuentro con los habitantes de Guibeón, que se rindieron a los israelitas y en unión de algunas ciudades vecinas pudieron estipular un arreglo contraactual con las tribus inmigrantes.

En esta sucesión de Jordán-Jericó-Hai-Guibeón se puede reconstruir en el libro de Josué un itinerario hasta cierto punto obvio hacia las altiplanicies situadas entre los montes de Judá y los montes efraimíticos meridionales. Pero después llega a su fin el compacto y observable movimiento migratorio. Vienen a continuación algunos relatos aislados sobre acontecimientos, que tienen lugar en diversos sitios del país y sin aparente relación directa. Uno de estos acontecimientos es la gran batalla de Guibeón y en el vecino valle de Ayalón (Jos 10, 1-15), que se hizo famosa por la invocación dirigida al sol y a la luna, para que se mantuvieran inmóviles hasta el fin de la batalla. Los adversarios de los israelitas huyeron hacia la ruta de Beth-Horon, el «sendero de Beth-Horon», una especie de puerto de carretera. Llegaron a Azeca (*tell ez-zakarīje*) y Maceda, moviéndose por lo tanto en dirección suroeste y sur a lo largo del margen occidental de la zona montañosa de Judá. Los israelitas, que les seguían, trabaron batalla contra cinco reyes nativos, que estaban escondidos en la cueva de Maceda (Jos 10, 16-27). Mientras da la impresión de que estas operaciones de largo alcance se realizaron de tal modo, que Josué mantuvo al mismo tiempo una especie de acantonamiento en Guilgal, parece ser que esto no ocurrió ya durante sus ulteriores avances. Jos 10, 28-43 nos habla de un avance hasta el sur de Judá, hasta la comarca de Libna, Laquis y Eglón, pero también hasta el mismo núcleo judaico de Hebrón y sus contornos.

A esta desviación hacia el sur le siguió una segunda, incoherente e inmotivada. Se orientó hacia el norte del país. Se habla en Jos 11 de una expedición militar hacia Galilea, donde quedó destruida la ciudad de Hazor, después de haberse entablado una batalla junto a las «aguas de Merom» [1] contra una coalición de príncipes nativos.

[1] Zona de fuentes junto a la localidad de *mērōn* en la Galilea superior al noroeste de *ṣafed*.

Es evidente que el libro de Josué, con esa serie de episodios de tanto colorido drástico-legendario, pretende exponer en ágil relato una «ocupación» o incluso «conquista» del territorio cisjordánico. Se sirvió para ello principalmente de una cadena de tradiciones locales originarias de lo que después fue la comarca tribal benjaminítica, que desde el área de Jericó y Guilgal se extendía hacia el oeste en dirección a las tierras altas, pasando por Hai y Guibeón hasta llegar casi a la zona ondulada que corre a lo largo de la llanura costera. Ahora bien, desde el momento en que el libro de Josué va más allá de esas tradiciones benjaminíticas, sus tradiciones locales pierden continuidad, y tan sólo por una especie de efecto de luces, mediante la llegada, globalmente expuesta, al sur de Judá y mediante la operación en torno a Hazor en Galilea, se insinúa más bien que se describe la ocupación de toda la posterior área israelítica. Los capítulos Jos 10 y 11 abarcan representativamente para toda Palestina lo que en los capítulos 1-9 estaba concebido en forma continuada para una zona parcial.

La ficción del todo Israel como ejecutor de la conquista se prosigue y redondea en el libro de Josué por el hecho de que a partir del capítulo 13 se nos habla de regiones tribales y de límites tribales y ello como resultado de una distribución planificada o de un sorteo del territorio realizado bajo la autoridad de Josué [2]. La conclusión orgánica de esa exposición la constituye, junto con la colonización de Transjordania (Jos 22), la muerte de Josué, que también señala el final de la toma de posesión de todo el país (Jos 23), todo esto completado por el literariamente caprichoso capítulo 24, la asamblea de Siquem, que, una vez satisfechas las necesidades territoriales de las tribus, tiene como contenido su compromiso por Yahvé como Dios de todas las tribus.

Es manifiesta la finalidad de la exposición del libro de Josué, a saber, la de fusionar en una unidad composicional los episodios de la ocupación por una parte y las consecuencias jurídico-religiosas de la posesión del país por otra, la delimitación de los territorios tribales y la donación territorial garantizada por Yahvé como cumplimiento de la promesa territorial para todo Israel. De este modo se toman en consideración las necesidades de una época ya alejada de la ocupación. Yahvé ha regalado realmente a todo su pueblo esa tierra prometida, él ha posibilitado su posesión y ha asignado las porciones de las distintas tribus por medio de la autoridad de Josué. De aquí se puede deducir en el plano histórico que tuvo

[2] Reparto de las tierras: Jos 13, 7; 14, 5, etcétera; asignación por suertes: 14, 2; 15, 1; 16, 1, etcétera; ambas concepciones yuxtapuestas: 18, 10.

que existir un momento en que se consideró necesario un tan redondeado afianzamiento jurídico del país y que para ello se pudo echar mano de información, de relatos y de tradiciones en forma de listas o catálogos, que probaban y garantizaban el marco religioso-jurídico de la ocupación del territorio. Los legendarios relatos particulares pueden realmente tener su raíz en los mismos acontecimientos de la época de la ocupación, mientras que las listas surgirían de la praxis administrativa, que al correr del tiempo se hizo actual para cada uno de los territorios y requería ideas claras sobre el trazado de fronteras. Hay muchas razones para pensar que ese interés por la distribución nítida y la perfecta unidad de la posesión territorial israelítica se hizo posible lo más pronto a partir de la época de David, pero no adoptó una forma fijada con precisión hasta el final de la época de los reyes [3].

Frente a la pormenorizada exposición de la ocupación del país contenida en el libro de Josué está el fragmento de una exposición más breve en Jue 1, que no sabe nada de la figura de Josué. Las tribus actúan en parte de forma separada y en parte colectivamente. Jue 1, 1-15 expone datos procedentes del sur sobre el proceder de Judá junto con Simeón y sobre los pequeños grupos, vecinos de los judíos, unidos en torno a Caleb y Otoniel. Jue 1, 16-21 menciona además a los kenitas, a la tribu de Simeón y a la comarca benjaminítica. Pero en Jue 1, 22-26 se narra un breve episodio de la historia de la «casa de José», la toma de la ciudad de Bethel a traición [4]. El resto de Jue 1, después de esos relatos y anécdotas sobre la ocupación, presenta una tradición en forma de lista, ciudades con sus localidades vecinas, de las que se dice expresamente que los israelitas no pudieron ocuparlas porque allí habitaban los cananeos. A esta singular tradición de Jue 1, 27-36 la calificó A. Alt gráficamente como «lista posesoria negativa».

Esta lista o enumeración presupone naturalmente que la ocupación había llegado ya en cierto modo a su término. Pero por otra parte no puede proceder de una época que se encontrara muy distante de la ocupación, pues entonces ya estaría desvanecido el interés por la «posesión negativa». Procede, pues, tomar en consideración la primera época de los reyes hasta David, toda vez que David con su victoria sobre los filisteos privó por fin de validez a esa lista. A este fortalecimiento de Israel se alude

[3] Esta tesis se confirmará en el decurso de toda la exposición. No se puede probar en pocas palabras.

[4] Alguien señala una brecha; este hecho es comparable a la probablemente originaria misión de Rahab en Jericó (fijación de un hilo rojo Jos 2, 18).

también muchas veces diciendo que en diversos sectores de la comarca se hizo tributarios a los cananeos [5]. La importancia de esa enumeración es de tan extraordinario alcance en orden a apreciar la estructura territorial en la época de la ocupación y la distribución de las tribus en cada una de las zonas, que es preciso analizarla aquí detalladamente. Jue 1, con sus noticias histórico-territoriales de alto valor histórico, tiene una auténtica función clave para todo el ulterior decurso de la historia de Israel en Palestina.

Jue 1, 27 comienza diciendo que la tribu de Manasés no pudo tomar las ciudades de Beth-Sean, Tanac, Dor, Jibleam y Megiddo junto con sus aldeas, sino que en esas regiones continuaron residiendo los cananeos. Todos estos lugares constituían una única cadena, que desde Dor junto al Mediterráneo recorría en dirección este el margen meridional de la llanura de Megiddo y descendía hasta la llanura de Beth-Sean junto al Jordán. Era un cinturón de ciudades, que se extendía a través del país. Se trataba realmente de antiguas ciudades, que ya hacia la mitad del segundo milenio precristiano fueron fortalezas en manos de los egipcios.

En la lista-Palestina de Thutmosis III grabada en los pilonos del templo de Amón en Karnak se hace mención de: n. 2 Megiddo (*Mkt*), n. 42 Tanac (*T'nk*), n. 43 Jibleam (*Jbr'm*), n. 110 Beth-Sean (*Bt Šr*); pero además también n. 38 Sunem (*Šnm*) y n. 113 Jokneam (*'nḳn'm*) [6]. Los puntos extremos, Dor [7] y Beth-Sean [8], aparecen todavía incluso posteriormente como centros

[5] Jue 1, 28.30.33.35. Sobre Jue 1 en su conjunto G. Schmitt, *Du sollst keinen Frieden schliessen mit den Bewohnern des Landes*: BWANT 91 (1970) 46-80.

[6] A. Alt, *Kl. Schr.* I, 103-107; los números de las ciudades se han tomado de la edición textual de K. Sethe, *Urk.* IV, 781-786. Los nombres mencionados aquí de la lista de Thutmosis III tienen un significado ejemplar; de otras listas habría también que añadir otros nombres, y en general se deberían proseguir las menciones de estas localidades durante la época del nuevo imperio egipcio hasta la aparición de los israelitas; cf. M. Noth, *Aufsätze* 2/I; W. Helck, *Beziehungen*, ²1971, 107-327; cf. también la sinopsis sobre las localidades mencionadas por los egipcios ANET, 242-243; los textos jeroglíficos recopilados en J. Simons, *Handbook for the study of egyptian topographical lists relating to western Asia*, Leiden 1937. Las localidades de los alrededores de Megiddo, que se mencionan en las listas, están señaladas en el mapa de Helck, *Beziehungen*, 135, pero llega muy hacia el sur y tiene también en cuenta el «pasador meridional».

[7] Dor (*el-burdsch* junto a *eṭ-ṭanṭūra*) aparece por vez primera en Wenamún 1, 8 s. (cf. Galling, TGI², 42), donde se le supone posesión de la tribu de los pueblos del mar de los *Ṯkr;* cf. las reflexiones de A. Alt. *Kl. Schr.* I, 227, nota 3.

[8] A. Alt, *Zur Geschichte von Beth-Sean 1500-1000 a. C.*, 1926, en *Kl. Schr.* I, 246-255.

administrativos egipcios. Esto quiere decir que allí en el margen septentrional de la montaña efraimítica existía un antiguo y desarrollado sistema de ciudades, que se tendía a través del país a manera de pasador. Beth-Sean y Sunem aparecen en las cartas de Amarna [9].

En correspondencia con la cadena de ciudades del norte existía también otra cadena semejante en el sur, también una especie de «pasador meridional», que estaba situado aproximadamente a la altura de Jerusalén y Bethel: Geser (Jue 1, 29), Ayalón y Selebim (Jue 1, 35).

El Geser que se supone aludido en la lista-Palestina de Thutmosis III bajo el número 104 (*ḳḏr*) se debe interpretar tal vez de otra manera [10]. Sin embargo en las cartas de Amarna hay testimonios sobre Geser y Ayalón [11]. Con respecto a la misma región tenemos noticia desde tiempos antiguos de un número mayor de ciudades, que continuaron existiendo y no están íntegramente registradas en Jue 1 [12]. Por la lista-Palestina de Thutmosis III sabemos de las siguientes localidades de este área: n. 62 *Jp* (*jāfa*), a 11 kilómetros de Ono; n. 64 *Rṯn* (*lidd*). a 8 kilómetros de Ono; n. 65 *In* = Ono (*kufr'āna*), a 11 kilómetros de Afec; n. 66 *Ipḳn* = Afec (*tell rās el-'ēn*), a 22 kilómetros de Socho; n. 67 *Šk* = Socho (*rās esch-schuwēke*), a 4 kilómetros de *Jḥm;* n. 68 *Jḥm* (*jemma*). Finalmente a esa serie meridional de ciudades pertenece también la misma Jerusalén, que en todo caso en la época de la inmigración israelítica se mantuvo también inexpugnable, como se aprecia por Jue 1, 21.

Las restantes ciudades de la enumeración de Jue 1 no se pueden localizar todas con la misma seguridad, pero sin embargo permiten hacerse una suficiente idea general sobre la situación de conjunto. A la región galilaica meridional de la tribu de Zabulón pertenecen las no muy conocidas ciudades de Quetrom y Nalol (Jue 1, 30). A la región de la tribu de Aser pertenecen como no conquistables una serie de ciudades costeras, de las cuales las principales son Acó, Sidón, Ahlab y Acib [13]. Con respecto a las demás ciu-

[9] Cf. Knudtzon 289, AOT 377 (Beth-Sean); AO 7098; AOT 378 y TGI², 28 (Sunem); para más detalles cf. *infra* a propósito de las explicaciones sobre la tribu de Isacar.

[10] Cf. Helck, *Beziehungen,* 128.

[11] Ambas ciudades Knudtzon 287 (AOT, 375 s.; TGI¹, 24-26; ANET, 488); el príncipe de la ciudad de Geser desempeña un papel importante en una serie de cartas (Knudtzon 249 s., 254, 267-273, 286-300); cf. Galling, TGI², 24 s.

[12] Cf. A. Alt, *Kl. Schr.* I, 102 s.

[13] Sobre la autonomía de las ciudades costeras con mención de Acó (Akka) cf. la carta-Amarna AO 7096, TGI², 27; ANET, 487; a este propósito las explicaciones de A. Alt, *Kl. Schr.* III, 161-165.

dades de la lista desconocemos por completo su exacta situación. Esto ocurre también por desgracia con las localidades mencionadas en el v. 33 en la región de la tribu de Neftalí en Galilea; de entre ellas probablemente Beth Semes y Beth Anat hay que buscarlas en la llanura del Jordán.

Hay que añadir aquí que este cuadro de la colonización de Palestina, obtenido especialmente a base de antiguas fuentes documentales extraisraelíticas de la mitad del segundo milenio precristiano, no experimentó hasta el final del milenio modificaciones radicales, sobre todo mientras los egipcios ejercieron la soberanía. Esto ocurrió lo más tarde hasta la época de Ramsés III (aproximadamente 1184-1153), bajo el cual se produjo en Palestina una última y tardía renovación del poder egipcio. Huellas de su actividad edificatoria pueden observarse en Beth-Sean, también se han encontrado en Geser y Megiddo objetos que llevan su nombre [14]. Como último signo de la influencia egipcia a finales de su secular dominación puede considerarse la basa de una estatua de Ramsés VI de mediados del siglo XII y que fue hallada en Megiddo [15].

Los sucesores de su soberanía en la llanura costera palestinense, después de los egipcios, no fueron en todo caso los israelitas, sino los elementos pertenecientes a los pueblos del mar, que avanzaron desde el área del Asia menor y de Siria antes de la aparición de los arameos. En la llanura costera sirio-palestinense se trataba sobre todo de dos pueblos especialmente conocidos, los zecos [16] y los filisteos. Mientras que los primeros, según todos los indicios, permanecieron en el área sirio-palestinense, los filisteos avanzaron hasta mucho más al sur, de tal modo que terminaron por convertir en residencias regias a las ciudades conocidas como «las cinco ciudades filisteas» [17], Gaza, Ascalón, Asdod (*esdūd*), Ecrón (*'ākir*) y Gat. Pero esto se hizo posible, al parecer, tan sólo después de la paulatina decadencia del poder egipcio; desde luego es muy probable que los filisteos incluso obtuvieran el consentimiento de los egipcios para establecerse al menos en el territorio llano fuera de

14 A. Rowe, *The four canaanite temples of Beth-Sean* I, Philadelphia 1930; F. W. James, *The iron age of Beth-shean,* Philadelphia 1966; sobre los pequeños hallazgos cf. A. Rowe, *Catalogue of egyptian scarabs in the Palestine archaeological Museum,* Cairo 1936; sobre los documentos de Megiddo, G. Loud, *The Megiddo Ivories,* Chicago 1939, especialmente pl. 62; un resumen con ulteriores datos en A. Malamat, *The world history of the jewish people* III, Tel-Aviv 1971, 32-36; cf. también ANET, 260-263.

15 G. Loud, *Megiddo* II, Chicago 1948, 135 s.; A. Malamat, *o. c.,* 36.

16 Egipc. *Ṯkw,* transcrito también recientemente como *Ṯkl.*

17 Jos 13, 3; Jue 6, 16-18; M. Noth, WAT, 71.

las grandes ciudades. A juzgar por los datos que poseemos, el ámbito de influjo filisteo hacia el norte apenas se extendería más allá de Joppe y del *nahr el-'ōdscha*. Es muy poco probable que esta llegada de los filisteos provocara una sustancial alteración de las condiciones demográficas en la llanura costera palestinense, sobre todo si suponemos que el cambio de la soberanía egipcia a la filistea fue gradual y sustancialmente pacífico [18].

El cuadro geográfico de la colonización, que ofrece Jue 1, se puede confirmar paso a paso mediante los datos de la topografía histórica a partir de la mitad del segundo milenio precristiano y nos muestra la situación inicial en orden a una reconstrucción histórica de la ocupación israelítica. El antiguo testamento como su única fuente se adapta sin suturas al cuadro histórico de conjunto, que puede deducirse de los documentos extraisraelíticos. Según Jue 1 permanecieron inaccesibles para las tribus inmigrantes sobre todo las llanuras, tanto las llanuras próximas al mar como también la llanura de Megiddo, la comarca de Acó hacia el norte y probablemente también sectores del valle del Jordán superior y de sus próximos contornos. Fueron accesibles las montañas, que se elevaban junto a las llanuras y detrás de ellas, pero estaban cortadas por los dos pasadores de ciudades en lugares estratégicos de la Cisjordania favorecidos además por la misma estructura geográfica [19]. Por consiguiente, de ningún modo se pudo llegar a constituir una posesión territorial coherente inmediatamente después de la conquista y colonización.

En la medida en que nos es posible contemplar las cosas, la ocupación de la Cisjordania tuvo que desarrollarse así: procedente del sur Judá penetró en su zona tribal en torno a Hebrón y Belén [20]; casi por la misma ruta llegaron los grupos más reducidos

[18] A. Alt, *Ägyptische Tempel in Palästina und die Landnahme der Philister*, 1944, en *Kl. Schr.* I, 216-230; B. Mazar, *The philistines and the rise of Israel and Tyre*, en *The Israel Academy of Sciences and Humanities, Proceedings* I/7, Jerusalem 1964; W. F. Albright, *Syria, the philistines and Phoenicia*: CAH II, 33 (1966); A. Malamat, *The egyptian decline in Canaan and the Sea-Peoples*, en *The world history of the jewish people* I/III, 23-38 (allí en la pág. 347 se ofrece más bibliografía).

[19] Esto es cierto no sólo con respecto a la llanura de Megiddo, sino también con respecto al pasador meridional. Allí se hace relativamente fácil el paso por las montañas de Guibeón hacia el oeste en dirección a Geser por la calzada de Beth-Horon (cf. Th. Oelgarte: PJB 14 [1918] 73-89 con las láminas 6 y 7); una vez salvada la montaña, a la altura de *'amwās* y *latrūn* ya no es problema ninguno el camino hacia el área de Geser y hasta la llanura costera.

[20] Belén está situado a 8 kilómetros al sur de Jerusalén, Hebrón a unos 23 kilómetros al sur de Belén; la comunicación entre estos dos lugares es

como los de Caleb y Otoniel [21]. De este modo estaba ya ocupada la montaña judaica: hacia el este el desierto de Judá constituía el límite natural a la colonización, y hacia el norte el pasador meridional obligaba a detenerse. De este pasador formaba parte el sector jebuseo en torno a la ciudad de Jerusalén y el territorio colindante por el norte y por el oeste.

Existieron dificultades para la ocupación en el área comprendida entre los dos pasadores. Ya Simeón y Leví habían encontrado resistencia allí en el sector de Siquem (Gén 34), no en último término porque Siquem ya desde mediados del segundo milenio era el centro de un estado-ciudad independiente y expansivo, como nos consta por las cartas de Amarna [22], y parece haber conservado una especial constitución aristocrática hasta la misma época israelítica [23]. La tribu de Dan intentó establecerse al oeste de Jerusalén; pero se dice significativamente en Jue 1, 34: «Los amorreos rechazaron hacia la montaña (sin duda una designación genérica de la población preisraelítica del país) a los hijos de Dan, sin dejarles bajar a la llanura». La tribu no pudo por fin permanecer en este sector. Emigró sin duda ya en la época anterior a los reyes hacia el norte, donde fijó su residencia en el extremo más apartado del territorio al pie del Hermón (Jue 17, 18) [24].

cómoda. Gén 13 parece sugerir un movimiento opuesto de la conquista israelítica. Abrahán después de su avenencia con Lot avanza allí desde el norte, desde la región de Bethel, hacia Judá. Sin embargo, tanto desde el punto de vista de la historia de la tradición como de la historia, los movimientos de los patriarcas en el país deben valorarse de un modo distinto a los datos de la geografía de la colonización que nos brindan el libro de Josué y el de los Jueces. Una inmigración en Judá a través del valle inferior del Jordán puede sospecharse, pero no se puede demostrar.

[21] Según Jue 1, 11-15 (Jos 15, 15-19) las residencias de los otonielitas están relacionadas con la ciudad de Debir (antiguamente Quiriat Sefer, Jue 1, 11, o Quiriat Sana, Jos 15, 49). No se conoce con seguridad la situación de la ciudad. Se busca al suroeste de Hebrón; se han propuesto *tell bēt-mirsim* (Albright), *tell ṭarrāme* (Noth), *chirbet er-rabūḍ,* también *eḍ-ḍabarīje;* cf. W. F. Albright, *The archaeology of Palestine and the Bible,* 1932, 77 s.; M. Noth, *Aufsätze* I, 204-209.

[22] Se piensa sobre todo en la política expansiva de un tal Labaja, que éste parece haber promovido a partir de Siquem; para una primera orientación cf. A. Alt, *Kl. Schr.* I, 107-113.

[23] Jue 9, 2 menciona «todos los vecinos de Siquem».

[24] Dan es el ejemplo más interesante de cómo una tribu, una vez que ha logrado ocupar un territorio, se ve obligada a proseguir camino antes de establecerse definitivamente (en una zona marginal). En el tramo superior del valle del Jordán conquistó la ciudad de Lais (*tell el-ḳāḍī*) y después le cambió el nombre (Jue 18, 27-29). La expresión «desde Dan hasta Berseba» se refería posteriormente a toda la extensión norte-sur de la zona de la colonización israelítica. De Dan descendía Sansón, que realizó sus vigorosas

Pero incluso la «casa de José», que estaba compuesta al menos por las tribus de Efraím y de Manasés y que fue el definitivo ocupante entre los dos pasadores de ciudades, tuvo también sus dificultades. De estas dificultades se habla gráficamente en Jos 17, 14-18. Acuden con quejas a Josué diciendo que son muchos y disponen de muy poco terreno. Josué aconseja subir más hacia la montaña y allí talar el bosque. Los josefitas contestan: «La montaña no nos basta, y todos los cananeos que habitan en el llano tienen carros de hierro, lo mismo los de Beth-Sean y sus filiales que los de la llanura de Jezrael» [25]. Con esto se alude con suficiente claridad a los límites constituidos por el pasador septentrional y por la llanura costera. Lo que queda es la montaña todavía sin cultivar, que hay que roturar según las normas corrientes de la colonización.

Entre los problemas especiales de la conquista y colonización está el de la colonización de la región situada en el margen meridional de la cordillera efraimítica. Se trata aquí de una comarca céntricamente situada, pero relativamente aislada. Se encuentra dominada por aquella altiplanicie accidentada, que se extiende más allá del horizonte observable al norte de Jerusalén y llega por lo menos hasta aquella alargada cadena de elevaciones, en cuyo margen se encuentran las actuales localidades de *rāmallāh* y *el-bīre* (¿Beeroth?); por el este esa llanura limita la zona montuosa que se extiende hasta el valle del Jordán, por el oeste limita con la barrera de la cordillera antes de convertirse en la zona ondulada, donde se encuentra el puerto de Beth-Horon y al sur comienza el valle de Ayalón. Esta relativamente angosta franja de terreno, que geográficamente no se debe incluir ni en el Judá meridional ni en el norte efraimítico, se convirtió en la zona de colonización de la tribu de Benjamín. Precisamente a esta zona llevaba la dramática descripción de los primeros capítulos del libro de Josué con sus bases de Jericó - Hai - Guibeón. Digamos por anticipado que Benjamín, en esa peculiar situación central e intermedia, aun históricamente debía y pudo desempeñar un papel especial. El primer rey de Israel, Saúl, era benjaminita, y los benjaminitas fueron ex-

proezas contra los filisteos (Jue 13-16). Después Dan residió sin duda en su antigua comarca tribal. Sobre la forma y juicio de la tradición sobre la emigración de Dan y la fundación de su santuario cf. M. Noth, *Der Hintergrund von Richter 17-18,* 1962, en *Aufsätze* I, 133-147.

[25] Las concretas referencias a Beth-Sean y a la llanura de Jezrael se consideran como aditamentos explicativos (cf. BHK; M. Noth, *Josua,* HAT 1/7², 102), sin embargo el texto, aun sin esos datos, es bastante revelador. Sobre Jos 17, 14-18 ahora también G. Schmitt: BWANT 91 (1970) 89-97.

presamente informados cuando se trató de unir el norte efraimítico con el sur judaico en tiempos de David (2 Sam 3, 19); después de la división del reino, Benjamín se mantuvo sustancialmente judaico [26]. Estas constelaciones históricas difícilmente se pueden disociar de los condicionamientos geográficos de la colonización.

El mismo juicio de principio queda confirmado en el caso de las tribus de los contornos del pasador septentrional, junto a la llanura de Megiddo y sobre todo en Galilea. Este territorio, debido a su situación de conjunto, nunca ha desempeñado un papel destacado para la historia de Israel. Se encontraba fuera de los centros de la historia israelítica [27]. Pero se hace muy comprensible que allí una ciudad como Hazor, por oportuna iniciativa político-militar, pudiera adquirir una supremacía que supo someter a las localidades más pequeñas de sus alrededores. Si Hazor es llamada en Jos 11 la «capital de aquellos reinos», es precisamente porque sus contornos reunían las condiciones para una situación política privilegiada dentro del área galilaica, aunque tal posición tenía que ser limitada. Por el sur el cinturón de fortificaciones de la llanura de Megiddo constituía una barrera insuperable, en la llanura costera habitaban los fenicios, por el norte se elevaba el Líbano. En todo caso el área siria sigue siendo zona de expansión por el este y el nordeste.

Pero en concreto nada sabemos sobre los acontecimientos de la conquista en Galilea, si prescindimos del supuesto avance de Josué sobre Hazor. La protohistoria de las tribus de Aser (en el territorio montañoso y ondulado occidental cerca de Fenicia), de Zabulón (sobre todo en el margen meridional de la cordillera galilaica) y de Neftalí (en el este galilaico) se mantiene obscura para nosotros. Tan sólo los destinos de la tribu de Isacar, en una crítica zona fronteriza junto al paso de la llanura de Megiddo al valle del Jordán junto a Beth-Sean, se puede tal vez esclarecer de modo sorprendente, si se nos permite cotejar noticias tomadas de la correspondencia de Amarna con la protohistoria de esa tribu israelítica.

26 Cf. principalmente 1 Re 11, 30-32.36; 12, 20 (LXX). 21; sobre la polémica en relación con esos pasajes y sobre toda la serie de problemas extensamente, K.-D. Schunck, *Benjamin, Untersuchungen zur Entstehung und Geschichte eines israelitischen Stammes*: BZAW 86 (1963), espec. 139-153; cf. allí también, 169, el instructivo mapa con los límites del área benjaminítica durante la época de los reyes.

27 A. Alt, *Galiläische Probleme,* 1937-1940, en *Kl. Schr.* II, 363-435 bajo los criterios de la historia territorial trata significativamente sobre todo de las épocas posteriores del país, especialmente en tiempos postexílicos y helenísticos.

Sumamente singular es la descripción que se nos ha transmitido en el actual contexto de la llamada «bendición de Jacob» sobre Isacar (Gén 49, 14.15). Se dice de él que es un borrico huesudo, que se tiende en medio de los corrales, que le gustaba el suelo y ofrecía su lomo a la carga; por eso se convirtió en un «esclavo servicial» (*ms-'bd*). Con esta característica parece también guardar buena relación el nombre de la tribu, que se ha querido traducir como «trabajador asalariado» [28]. ¿Pero se puede haber aludido de ese modo a las vicisitudes que experimentó Isacar como miembro del consorcio tribal israelítico? ¿Se iba a «rebajar» tan extrañamente a una tribu en Israel? Lo que se puede decir en general de todos los pasajes relativos a las tribus, a saber, que describen principalmente las vicisitudes especiales de la primitiva época, cuadra también con Isacar, que tuvo que encontrarse en una situación especial. Si se parte del hecho de que sus lugares de residencia se extendían desde la Galilea meridional, incluyendo al Tabor, hacia las llanuras meridionales e incluso tal vez tenían al Jordán como límite oriental, se trataría realmente de un «suelo agradable», que ofrecía poca resistencia incluso a la explotación agraria. Pero por otra parte, y precisamente por eso, era un terreno ya ocupado y explotado en la proximidad directa al cinturón septentrional de ciudades.

Exactamente con esa situación histórico-territorial cuadra la carta de Amarna Louvre AO 7098 [29], que en su época (probablemente en el siglo XIV a. C.) notifica al rey egipcio que sólo el remitente, a saber, el príncipe ciudadano (Biridija) de Megiddo, permite arar en la zona de la ciudad de Šunama (Sunem) y capitanea hombres-mazza, y ningún otro príncipe de su distrito. Sunem está situado en dirección este, exactamente enfrente de Megiddo al otro lado de la llanura, precisamente allí donde más tarde se presentará Isacar. El envío de hombres-mazza, esto es de vasallos, precisamente a Sunem se esclarece por el testimonio de otra carta de Amarna [30], según la cual el príncipe ciudadano centro-palestinense Labaja destruyó y despobló la ciudad de Sunem. Los planes expansionistas de Labaja fracasaron; Sunem retornó al ámbito de soberanía de Megiddo, y pre-

[28] Se supone que el nombre está compuesto de *śk̲r* y *'yš*, a lo que puede apuntar la característica grafía *yśśk̲r* (cf. por ejemplo Gén 30, 18 y el apéndice sobre este tema en BHK[3]). M. Noth, *Geschichte*, 65, supone incluso que Gén 49, 14.15 tiene el carácter de un verso satírico y que «Isacar» en consecuencia es un nombre satírico aplicado primeramente a esa tribu por los israelitas. Esto significaría que se ha perdido el nombre originario de esa tribu o de los miembros en ella incluidos. Pero en realidad la traducción correspondiente a la etimología hebraica «hombre del salario» no debe ser la exacta; el nombre también puede provenir de elementos más antiguos, que ya no es posible descubrir en su forma actual.

[29] Cf. Galling, TGI[2], 28; ANET, 485; los contextos aquí explicados también los reconoció y describió A. Alt, *Kl. Schr.* III, 169-175.

[30] Am. 250, 41 s. (edición Knudtzon).

cisamente desde allí se procuró hacer nuevamente productivas las tierras de Sunem. Biridija de Megiddo trajo gentes esclavas del Japu galilaico-meridional [31], quienes realizaron lo que, tras la destrucción de Sunem y la pérdida de sus moradores, no podía ser realizado por elementos nativos.

Sería precipitado, si, sobre la base de estas noticias del siglo XIV, se quisiera sacar conclusiones directamente sobre Isacar. Pero no hay que desechar la hipótesis [32] de que la tribu de Isacar en una fase posterior sucediera jurídicamente a los antiguos hombres-mazza y adquiriera el derecho a residir [33], ante todo porque estaba dispuesta a prestar servicios en el área de Sunem y de Jezrael. Permaneció en el «terreno agradable», pero al precio de convertirse en un «esclavo servicial». Gén 49 describiría las vicisitudes de su primera época; apenas cabe dudar de que posteriormente pudo liberarse de esa situación de dependencia, cuando cesó la hegemonía ajena en su zona de colonización.

Si bien es cierto que las reflexiones aquí formuladas estriban en la combinación de muy diversas fuentes, reflejan con todo la situación de un área concreta y netamente delimitada y dentro de una época que está al alcance de nuestra mirada. Permiten calibrar paradigmáticamente en un punto crítico las dificultades con las que tenía que luchar una tribu que quisiera establecerse en Palestina, especialmente si había de enfrentarse con la estructura administrativa preisraelítica. Aunque el destino concreto de Isacar sea un caso extremo, como los dichos sobre él que andaban en boga, es lícito sacar conclusiones sobre análogos problemas, desconocidos para nosotros, de otras tribus.

El caso de la tribu de Isacar demuestra especialmente que no se puede pensar en una descripción continuada de la conquista israelítica. De ahí que la presente exposición ha tenido que reducirse a jalonar territorios, que eran particularmente apropiados para acoger en el área palestinense a los elementos demográficos que se fueran agregando. Pero de qué forma realmente las distintas tribus se fueron aproximando a las tierras cultivables, con qué pertrechos y posesiones, en qué número de personas y en qué época exacta, es algo que no se puede dictaminar en absoluto de acuerdo con el estado actual de nuestros conocimientos. La convincente tesis de

[31] El moderno *jāfa* cerca de Nazaret. El poblado, allí mencionado, Nuribda, ya no se puede localizar con certeza.

[32] Los testimonios mencionados esclarecen una situación histórico-territorial; su relación con factores determinados, nominalmente conocidos, como la tribu de Isacar, se basa desde luego en combinaciones; a este propósito, demasiado seguro, H.-J. Zobel, *Stammesspruch und Geschichte*: BZAW 95 (1965) 87.

[33] Sunem y Jezrael como residencias de Isacar están mencionados en Jos 19, 18; cf. 2 Sam 2, 9; 1 Re 4, 17.

A. Alt de que tuvo que ser un proceso relacionado con la mudanza anual entre pastos de invierno y pastos de verano, se debe tener tan en cuenta para ciertas tribus como la otra posibilidad, a saber, la de que algunas tribus, dentro de un ámbito limitado, intentaron procurarse terreno por la fuerza entrando en conflicto armado con la anterior población [34]. Pero un importante criterio debiera ser la observación de que las tribus inmigrantes en la primera fase de su ocupación no estaban en condiciones de tomar ciudades fortificadas. Esto se ve claramente por el hecho de haber respetado las localidades que se encontraban dentro de los dos pasadores transversales, pero también en relación con las ciudades de la montaña y del valle del Jordán. Cuando en estas zonas se sojuzgaba alguna ciudad no era por medio de una clara victoria militar, sino debido a especiales circunstancias, como narra la tradición en casos especiales, por ejemplo empleando un ardid o aprovechándose de una traición. No raras veces tales casos se describían con caracteres milagrosos y se celebraban como una victoria de la divinidad.

Es característico el ejemplo de la toma de Jericó. Ya conocemos la narración del derrumbamiento de las murallas mientras se desfilaba en torno a la ciudad y se tocaban sagrados instrumentos. Pero esta tradición se puede reemplazar claramente por un relato más antiguo, en el que una mujer, a la que se presenta como prostituta, por nombre Rahab, estipula con dos espías atar un hilo rojo a su ventana junto a la muralla de la ciudad (Jos 2, 21), evidentemente con el fin de señalar el sitio por el que sería posible escalar la ciudad. No entremos aquí en la cuestión de hasta qué punto ha influido ahí el tópico de la «historia de prostitutas» [35], e incluso es secundario el querer conocer el dictamen arqueológico sobre murallas derrumbadas [36].

[34] A. Alt, *Die Landnahme der Israeliten in Palästina,* 1925, en *Kl. Schr.* I, 89-125; Id., *Erwägungen über die Landnahme der Israeliten in Palästina,* 1939, en *Kl. Schr.* I, 126-175; significativamente Alt subdivide el último estudio en «Los hechos bélicos» y «El desarrollo pacífico». Acerca de otros enfoques de la ocupación israelítica, para los cuales son representativos los nombres de Albright y Mendenhall, informa extensamente M. Weippert, *Die Landnahme der israelitischen Stämme in der neueren wissenschaftlichen Diskussion*: FRLANT 92 (1967); es preciso remitirse a este libro, ya que una exposición detallada de las teorías relativas al proceso de la ocupación se saldría de los límites del presente estudio. Weippert está de acuerdo en principio con las soluciones de Alt y de Noth.

[35] Al material documental procedente del ámbito griego y romano han hecho referencias Windisch: ZAW 37 (1917-1918) 188-198; G. Hölscher: ZAW 38 (1919-1920) 54-57; F.-M. Abel: RB 57 (1950) 327 s.

[36] J. Garstang, en PEFQS 1931, 187.192-194 creyó haber descubierto las murallas, destruidas por un seísmo y fuego, del Jericó del período tardío del bronce. Las excavaciones de Miss Kenyon demostraron que esos muros

El simple hecho de que no se narra una clara victoria militar, sino una tradición diversamente desarrollada sobre la toma de la ciudad, sin que la narración excluya las favorables circunstancias ni el milagro, es suficiente prueba histórica de las dificultades que los elementos invasores no podían superar de modo normal.

La toma de Bethel por parte de la casa de José viene a ser un paralelo de la toma de Jericó (Jue 1, 22-26). Se utiliza a alguien, que habrá de indicar la entrada a la ciudad, o mejor dicho, el punto débil, por el que se podía irrumpir.

A propósito de la destrucción de Hai (Jos 7.8) se nos habla de emboscada y estratagema. Pero tiene también carácter milagroso la gran batalla de Guibeón (Jos 10), que concluye victoriosamente, porque Yahvé toma parte en ella; ya que, hasta que se vengó de sus enemigos, se detuvieron el sol y la luna [37].

Bajo estos puntos de vista, es sumamente sospechosa la toma y destrucción de la galilaica Hazor por parte de Josué (Jos 11). No sólo es sospechosa la situación de la ciudad en el lejano norte, una región de cuya conquista no tenemos otras noticias, sino también el supuesto potencial militar para hacer caer una fortaleza tan sólidamente construida. Las excavaciones allí realizadas durante los últimos decenios hacen todavía más inverosímil el suponer ahí una clara victoria israelítica. Más bien hay que suponer que con Hazor las cosas suceden de un modo excepcionalmente distinto. Era centro del más importante estado-ciudad dentro del área galilaica. Esto se desprende de los mismos textos de Mari y de las cartas de Amarna; en realidad era «antiguamente la capital de todos aquellos reinos», como se dice en Jos 11, 10. Hazor poseía el prestigio del gran centro predominante del norte. Salomón

pertenecen al primer período del bronce; del período tardío del bronce se han conservado tan sólo fragmentos de algunas casas. Con relativa seguridad se puede decir que la ciudad fue nuevamente poblada hacia el 1400 a. C., pero que hacia el 1325 a. C. debió quedar otra vez abandonada. La fuerte erosión ha hecho desaparecer precisamente los vestigios de importancia en relación con la probable época de la ocupación de los israelitas. Por eso queda descartado el deducir de los hallazgos arqueológicos conclusiones ciertas sobre la toma israelítica de la ciudad. Cf. la resumida exposición de K. M. Kenyon, *Archäologie im Heiligen Land,* 1967, 202-204. El estado de cosas lo confirma a su modo la exposición arriba ofrecida. Así, pues, posiblemente los israelitas no se enfrentaron con una fortaleza, sino tan sólo con un insignificante poblado. El relato probablemente más antiguo, que supone la relativamente aislada residencia de la parentela de Rahab junto a las ruinas de la ciudad (Jos 6, 22-25), podría basarse en antiguos recuerdos.

[37] El texto veterotestamentario, en el mismo Jos 10, 13, se remite a una tradición más antigua, en la que se pueden encontrar esas palabras, esto es, al «libro del Justo». De ahí se puede deducir una muy antigua tradición de la época de la conquista, que utilizó fenómenos cósmicos; su asociación con los sucesos de Guibeón no debe ser única, pero tan sólo ella nos ha sido aquí transmitida.

construyó allí fortificaciones (1 Re 9, 15). En consecuencia, Hazor era una de las ciudades tardíamente adquiridas y agregadas a los territorios de Israel. Aunque la ciudad hubiera perdido autonomía a consecuencia de la decadencia del influjo egipcio y mientras avanzaban los pueblos del mar o también por otras circunstancias locales, bajo el punto de vista israelítico era obvio vincular retrospectivamente la adquisición de Hazor con la batalla sostenida junto a las aguas de Merom y coronar el relato con la caída de la famosa fortaleza. Aunque arqueológicamente se pueda demostrar una destrucción parcial de la ciudad en el siglo XIII a. C. en todo caso eso no se debe retrotraer de ningún modo a las tribus israelíticas. De todos modos queda pendiente la cuestión del contenido real de la batalla junto a las aguas de Merom. Es obvio ver ahí una tradición local de aquellas tribus, que se establecieron en Palestina, y desde luego con total independencia de los acontecimientos de la conquista en el resto de Palestina. En tal caso también podrían esos grupos haber participado en la destrucción de Hazor [38]. Pero hay que confesar rotundamente que todo esto no pasa de ser meras combinaciones, que, a pesar de las exactas relaciones cronológicas y de los sedimentos calcinados descubiertos en las capas de la última colonización en la época del bronce, carecen de estricta fuerza probatoria [39]. Si bien es cierto que podemos contemplar hasta cierto punto el marco general de la conquista y colonización israelítica, quedan todavía, especialmente en la periferia de la

[38] R. de Vaux, *Histoire,* 602-605.608-610; piensa ante todo en una participación de miembros de la tribu de Neftalí.

[39] En la controversia entre Y. Yadin y Y. Aharoni, el problema se centra principalmente en la interpretación de los estratos XIV y XIII del período tardío del bronce, los cuales indican una amplia destrucción de la ciudad y a los que les sigue el estrato XII con cerámica de la época del hierro; esta última se asemeja a la encontrada en la Galilea superior, que Aharoni considera israelítica y que en su opinión pertenece al siglo XII a. C. Hasta aquí está de acuerdo también Yadin. Pero Aharoni deduce que la colonización israelítica de Galilea precedió a la caída de Hazor y que por lo tanto no pudo tener lugar antes del siglo XII. A esto, y sobre la base de sus observaciones arqueológicas, se opone Yadin, para quien, ateniéndose a las pruebas del estrato XIII, sólo entra en consideración el siglo XIII; sólo después fue colonizado el resto de Galilea. Este complejo de problemas se complica totalmente y se hace hipotético por el hecho de que Aharoni, en el marco de su razonamiento, considera la decadencia de Hazor como consecuencia de la batalla de Débora, Jue 5/4, a continuación de la cual coloca la batalla junto a las aguas de Merom como última defensa del *hinterland* de Hazor y por fin entrega a Hazor, como fruto maduro, en manos de los israelitas. Para Yadin, tanto la colonización de Galilea como la batalla de Débora tuvieron lugar después de la caída de Hazor. Cf. las sumarias manifestaciones de Y. Yadin, *Hazor,* 1972, 129-132; de Y. Aharoni, *The land of the Bible,* 1967, 205-208. El enfrentamiento de ambos investigadores tiene una de sus causas principales en su premisa indemostrada de querer ver la caída de Hazor en una relación cronológica con la ocupación centropalestinense.

región palestinense, lagunas en nuestros conocimientos, que sólo podemos rellenar a base de hipótesis.

Es significativo que el libro de Josué no diga nada sobre la toma de Jerusalén. Esta ciudad fue fortaleza jebusea, muy próxima a la zona judaica y benjaminítica de colonización y, como tal, se mantuvo primeramente en situación totalmente autónoma. Sólo David fue el primero que estuvo en condiciones de domeñar la ciudad ayudado por su tropa de mercenarios. Pero aun entonces parece ser que anduvo de por medio un ardid. Probablemente se utilizó un pozo relacionado con el aprovisionamiento de agua a la ciudad, el cual tenía un acceso desde fuera de los muros [40]. Esto supone también un indicio de ciertos condicionamientos táctico-técnicos, que entonces podían resultar muy provechosos para la toma de una ciudad.

Aunque en ciertos estadios de la conquista se produjeran combates, sustancialmente se trató de un lento y pacífico proceso, cuyo resultado lo formuló atinadamente A. Alt con estas palabras [41]: «Israel no se incorporó directamente a la cultura ciudadana de Palestina mediante la ocupación, sino que al principio siguió habitando, por así decirlo, a las puertas de las ciudades».

Hasta ahora no se ha prestado atención a la cuestión del papel histórico de Josué, que dentro del libro de Josué es el personaje predominante del período de la conquista y colonización y la cabeza directora de casi todas las empresas. Se considera a Josué como sucesor oficial de Moisés, fue él quien prosiguió y llevó a término lo que figuraba en el programa de la toma de la tierra prometida y estaba prometido a Moisés. El antiguo testamento ve a Josué dentro de estos amplios contextos; éstos surgieron de algunas tradiciones tribales y de su nacionalización, que las convirtió en patrimonio común de todas las tribus. A esto responden perfectamente los capítulos básicos deuteronomísticos 1 y 23 del libro de Josué, que consciente y lógicamente incluyen todas las tradiciones aisladas en el programa panisraelítico encomendado a Josué. Dando por supuesto que las tribus actuaron realmente cada una por su cuenta y que el libro de Josué representa simplemente un resumen redaccional y una unificación de la tradición, queda por saber si y dónde podría haber tenido Josué su radicación original. A. Alt considera como no fingida la noticia de Jos 24, 30 sobre la heredad y la tumba de Josué en Timna sobre la montaña de Efraím [42] y manifiesta

40 2 Sam 5, 6-8; cf. también 1 Crón 11, 4-6 y la posterior exposición de la toma de Jerusalén por parte de David.

41 A. Alt, *Kl. Schr.* I, 125.

42 El actual *chirbet tibne,* junto a una antigua calzada romana al este de *'abūd* en el sector suroccidental de la cordillera de Efraím (Thamna en

que esa noticia no es tendenciosa [43]. Por eso considera a Josué como miembro de la tribu de Efraím, y ve una confirmación de esto en la tradición sobre la expansión de la casa de José, Jos 17, 14 ss, y en el papel directivo de Josué en la asamblea de Siquem, Jos 24. Sólo posteriormente Josué, por su meritoria colaboración en la batalla de Guibeón, Jos 10, habría entrado también en las tradiciones benjaminíticas y de este modo habría adquirido su importancia panisraelítica. Según esto, Josué habría sido un héroe bélico efraimítico, cuyas especiales actuaciones personales en la conquista del país por parte de las tribus centropalestinenses habrían justificado su excepcional categoría [44].

En principio poco se puede modificar en este resultado de Alt. Sin embargo, su conclusión de que la tradición sepulcral efraimítica sobre Josué demuestra su absoluta y exclusiva pertenencia a la tribu de Efraím, es exageradamente aguda y le obliga a buscar un *missing link* (eslabón desaparecido) que explique por qué Josué adquirió un puesto tan relevante dentro de las tradiciones benjaminíticas. La batalla de Guibeón habrá de cumplir esta función de puente dentro de la historia de la tradición. Pero no hay que descartar la posibilidad inversa, la de relacionar a Josué igualmente con las tradiciones que se suponen exclusivamente benjaminíticas, pero que sólo se tienen por «benjaminíticas» por el hecho de que los lugares mencionados, desde Jericó hasta Guibeón, pertenecieron posteriormente a Benjamín. Por lo demás la tumba de Josué está en Timna, en el Efraím suroccidental, tan sólo a unos 12 kilómetros del territorio demostrablemente benjaminítico. Queda además por saber si ya a la muerte de Josué ese Timna era efraimítico. Se puede, pues, admitir que Josué desempeñó un papel decisivo entre los grupos ocupadores en la región posteriormente benjaminítica y en el Efraím meridional. La referencia a la tradición sepulcral puede revestir una importancia orientadora, pero no históricamente exclusiva [45].

la época helenístico-romana). La tradición veterotestamentaria habla más bien de Timnat-Serah y de Timnat-Heres (Jue 2, 8 s).

43 A. Alt. *Kl. Schr.* I, 186.

44 A. Alt, *Josua,* 1936, en *Kl. Schr.* I, 176-192.

45 Digamos aquí de paso que Alt con su tradición sepulcral efraimítica de Josué y de la incorporación tradicional de la figura de Josué a tradiciones supuestamente benjaminíticas dentro del reducido marco del libro de Josué ha anticipado lo que posteriormente Noth ha intentado demostrar, bajo el punto de vista de la historia de la tradición, con la tradición de Moisés respecto al Pentateuco. Moisés, cuyo sepulcro se debe situar junto al Nebo, habría entrado sólo posteriormente en el grupo principal de las tradiciones pentatéuquicas. Desde luego Noth no ha llegado a declarar como rubenítica

Los problemas aquí señalados están relacionados, tanto en Alt como en Noth, con su apreciación fundamental de las tradiciones protoisraelíticas, que aquí es preciso comentar brevemente por sus consecuencias para la historia de la investigación. El punto de partida de sus reflexiones es el concepto de «saga o leyenda etiológica»[46]. En realidad este concepto histórico-formal ha sido ensayado fundamentalmente y definido[47] por vez primera por Alt a base de las sagas del libro de Josué. Dice él que la saga etiológica deriva causalmente de acontecimientos del pasado, algunos hechos que se hacían sorprendentes en la época en que se producían. Las doce piedras sagradas del santuario de Guilgal (Jos 3 s), el collado de los prepucios (Jos 5, 2 ss), la despoblada colina urbana de Jericó y la vivienda aislada de la familia de Rahab (Jos 6), el montón de escombros de Hai (Jos 8, 1-29), el tratado con Guibeón y con otras tres ciudades y la utilización de guibeonitas como personal afecto al culto (Jos 9), finalmente los cinco árboles sobre la inaccesible entrada de la cueva de Maceda (Jos 10, 16 ss), constituían tales hechos sorprendentes, de que se aprovechó la leyenda y los presentó como consecuencias de hechos históricos de la época de la conquista. Con ellos se encendía el entusiasmo narrativo, cuyo objetivo era el de descubrir causas históricas («etiologías»), y esto de una manera dramática y gráfica. Opina Alt que cada una de esas leyendas tuvo en su origen vida propia, era perfecta en sí misma y no dependió inicialmente de contextos más amplios. Incluso Josué pudo haber sido innecesario en la primera redacción de tales relatos.

En este criterio estimativo se asientan las raíces para una amplia literario-tradicional-histórica desmembración de las tradiciones, cuya supuesta vida propia estimuló muy pronto a suponer que el tema narrado permitía deducir hechos históricamente independientes y aislados. Está claro que en principio no se puede poner en duda el fundamento de ese procedimiento metodológicamente consecuente. Pero por otra parte ese procedimiento no es con-

la tradición sobre la tumba de Moisés, aunque probablemente la comarca del Nebo estuvo habitada posteriormente por partes de la tribu de Rubén. El deducir de la localización de la tumba una determinada filiación tribal es problemático, al menos en relación con la época de la conquista y colonización; posteriormente es cierto que el israelita deseaba ordinariamente ser enterrado en su ciudad natal.

[46] Una exposición detallada, en parte polémica, de este complejo de problemas nos lo ofrece J. Bright, *Early Israel in recent history writing. A study in method,* London ²1960; sobre la exposición crítica, especialmente también de los paralelos con la historia americana, aducidos por Bright, cf. especialmente M. Noth, *Aufsätze* I, 48-51; M. Weippert, *Die Landnahme der israelitischen Stämme,* 132-139; a los mismos problemas se refiere también en su polémica con Y. Kaufmann, *The biblical account of the conquest of Palestine,* Jerusalem 1953, el breve artículo de A. Alt, *Utopien*: ThLZ 81 (1956) 521-528 (preparado para la imprenta por O. Eissfeldt, tras la muerte de Alt).

[47] A. Alt, *Kl. Schr.* I, 182-192.

vincente bajo todos los aspectos. La observación de indicios etiológicos, que se suelen introducir o aclarar en el relato con la fórmula «hasta el día de hoy» [48], no puede haber puesto en circulación una saga con un automatismo ineluctable. Más bien hay que tener presentes en ese procedimiento dos polos que en él intervienen: un conocido curso del relato, en principio independiente de los «hechos actuales» que hay que explicar etiológicamente y un rasgo sorprendente en la región de esos hechos, que pudo concebirse como «recordatorio» de lo que había pasado en otros tiempos allí mismo. Según esto, la saga etiológica se ocupa indudablemente de unos hechos «hasta el día de hoy», pero recibe su auténtica sustancia del recuerdo histórico, que desde luego no sólo conservó aislados acontecimientos vinculados a determinados lugares, sino que también estaba en condiciones de abarcar contextos más amplios. Con relación al libro de Josué, eso significaría que los acontecimientos junto al Jordán, Jericó, Hai y Guibeón en este orden pertenecen enteramente a un proceso gradual de conquista en un área determinada y precisamente el recuerdo de ese proceso proporcionó la sustancia fundamental para la explicación etiológica de hechos sorprendentes de una época posterior. En la medida en que Josué desempeñó un importante papel dentro de ese proceso total, quedó también incorporado a la configuración de las leyendas particulares. Por eso se puede deducir que Josué estuvo relacionado con las tribus centropalestinenses, sin que podamos determinar con seguridad todavía un radio de acción originariamente más limitado. En todo caso no figura en las tribus meridionales y en Jue 1, aquí incluso en conexión con la casa de José (Jue 1, 22-26); se sigue discutiendo la intervención que pudo tener en la destrucción de la septentrional Hazor.

Los serios problemas aquí comentados en torno a la protohistoria de Palestina alcanzan su punto crítico en la cuestión relativa a la naturaleza y función del llamado «sistema de las doce tribus». Esto, aun con respecto a los relatos de Israel de la época más reciente, queda reflejado en el hecho de que, en directa conexión con la conquista, se ofrecen cuadros de conjunto sobre los asentamientos definitivos de las tribus en la tierra cultivable, debido también a que el libro de Josué en su parte central consigna límites tribales y listas de ciudades [49]. Los mapas sobre la topografía histó-

[48] B. S. Childs, *A study of the formula «Until this day»*: JBL 82 (1963) 279-292, trata de probar que la fórmula es en gran parte una aclaración redaccional sobre tradiciones ya existentes.

[49] M. Noth inicia su *Historia de Israel* (de esta obra existe versión española) con un estudio amplio sobre los asentamientos de las tribus israelíticas en la tierra cultivable; R. de Vaux dedica la tercera parte de su *Histoire* a las «Traditions sur l'installation en Canaan», pero redacta esta

rica de Israel parecen dar la razón a tales descripciones, al subdividir perfectamente en doce tribus el territorio palestinense, distinguiendo muchas veces cada zona con diversos colores.

En la presente exposición, los territorios, en los que se establecieron diversas tribus, han quedado mencionados en sus contornos principales. Esto estuvo estrechamente relacionado con las situaciones históricas, que encontraron las tribus, particularmente allí donde ciudades fortificadas impedían un avance sin resistencia. Tampoco sobre este punto hay que añadir nada a cuanto se ha dicho anteriormente. Pues el aparentemente perfecto sistema tribal con sus asentamientos se basa, como se ha demostrado claramente de varias maneras [50], en el desarrollo de medidas jurídico-posesorias y administrativas, tal como muy bien pueden haber empezado ya en los tiempos preestatales, pero que sólo se perfeccionaron y delinearon a lo largo de la época de los reyes. Esto es cierto por lo que se refiere a las listas de los puntos fijos fronterizos y a las listas de ciudades en el libro de Josué, cap. 13-19. Ahí se pone de manifiesto que los mismos autores de tales listas encontraron gran dificultad para tomar en consideración doce tribus de un modo regular y con datos exactos, ya sea porque para algunas tribus no disponían de suficiente documentación, ya sea porque fue preciso prolongar por su cuenta y con cierta arbitrariedad series de puntos fronterizos sobre los cuales no existían documentos ningunos fidedignos [51]. Esto es especialmente chocante allí donde las tribus al oeste del país habrían extendido su territorio hasta el litoral marino, cosa que nunca fue exacta. En esto influyó sin duda la concepción ideal de que todo Israel debería posesionarse también de todo el país.

parte en el aspecto geográfico, estudiando una tras otra las tradiciones tribales relacionadas con cada una de las zonas palestinenses.

50 A. Alt, *Das System der Stammesgrenzen im Buche Josua,* 1927, en *Kl. Schr.* I, 193-202; cf. además la serie de artículos de *Kl. Schr.* II, 276-315; M. Noth, *Studien zu den historisch-geographischen Dokumenten des Josua-Buches,* 1935, en *Aufsätze* I, 229-280; Id., *Das Buch Josua*: HAT I/7 (²1953) espec. 13-15. Los estudios de Alt y de Noth sirvieron de estímulo y de punto de arranque para más recientes trabajos, de los que cabe mencionar: F. M. Cross-G. E. Wright: JBL 75 (1956) 202-226; Z. Kallai-Kleinmann: VT 8 (1958) 134-160; Id.: VT 11 (1961) 223 s.; Y. Aharoni: VT 9 (1959) 225-246; K. D. Schunck: ZDPV 78 (1962) 143-158; cf. además las exposiciones-comentario o sinópticas de la época reciente: Y. Aharoni, *The land of the Bible,* London 1967; J. A. Soggin, *Le livre du Josué,* Neuchâtel 1970; S. Yeivin, *The israelite conquest of Canaan,* Estambul 1971; R. de Vaux, *Histoire,* 443-620.

51 Cf. A. Alt, *Kl. Schr.* I, 195-197.

El trasfondo de estas teorías referentes a la distribución del país está constituido por la idea de que el «Israel íntegro» consta de doce tribus, ciertamente de distinta magnitud, pero numéricamente permanentes y por consiguiente dignas de tenerse en cuenta incluso en el aspecto territorial. A esta concepción se la considera superior a la misma realidad histórica. Como magnitudes dadas, que daban a entender la perfección numérica de una asociación tribal, quedaron estereotipados los números «6» y «12». Esto lo demuestran las asociaciones de seis y de doce tribus en el sistema genealógico del Génesis. Pero el relleno del número doce se tambalea para el sistema israelítico del modo más sorprendente con respecto a la tribu de Leví, que inicialmente [52] aparece junto con Simeón como tribu independiente, pero posteriormente se separa como «tribu sacerdotal» sin posesiones territoriales [53]. La división de la «casa de José» en Efraím y Manasés salvó el número doce. Prescindiendo aquí por completo de otras variaciones insignificantes, como por ejemplo con respecto al orden de la enumeración de las tribus [54], está claro que la sujeción al doce no obedece directamente a un hecho histórico, sino que debe considerarse como intento de registro sistemático del conjunto nacional y como expresión de su perfección numérica. La aparición de nuevas magnitudes tras el redondeo del sistema o durante el proceso de su formación demuestra las dificultades internas de la teoría. No se quería, por ejemplo, suprimir a la tribu de Simeón históricamente ineficaz y sustituirla acaso por Caleb, no fue admitida una magnitud como «Maquir» [55], no hubo sitio para los habitantes de Ga-

[52] Leví después de Simeón como hijo de Lía, Gén 29, 34; Simeón y Leví se consideran como hermanos, Gén 49, 5.

[53] Así en la lista de las generaciones israelíticas, Núm 26, 5-51 y en la lista de los jefes de las tribus israelíticas, Núm 1, 5-15; sobre la tradición de las doce tribus de Israel cf. M. Noth, *Das System der zwölf Stämme Israels*: BWANT 52 (1930) 3-38. No podemos entrar aquí en el importante problema de si la llamada «tribu sacerdotal» de los levitas era idéntica o emparentada con la tribu «secular» de Leví de los primeros tiempos israelíticos, o si cabe suponer que la designación de «levita» condujo a una identificación objetivamente con los miembros de la tribu de Leví, que posteriormente se tuvo por histórica; para una rápida orientación sobre la correspondiente bibliografía remitimos a M. Weippert, *Die Landnahme der israelitischen Stämme,* 48, nota 8.

[54] Curiosamente en Núm 1 y 26 Gad ocupa el lugar de Leví, en Gén 49, 19 sigue a Dan y precede a Aser; en Gén 30, 9-13 Gad y Aser figuran como hijos de Zelfa, esclava de Lía; ulteriores diferenciaciones han sido observadas y valoradas ahora por H. Weippert, *Das geographische System der Stämme Israels*: VT 23 (1973) 76-89.

[55] Maquir, en el cántico de Débora, Jue 5, 14, una magnitud autónoma entre las tribus centropalestinenses, emigró posteriormente a la Transjorda-

lad» junto a Gad [56]. Queda un discutido problema, que habrá de ser todavía aquí objeto de reflexión, a saber, cuándo surgió esa teoría de las doce tribus y qué repercusión histórica estuvo vinculada a esa idea. Se supone sin duda la conclusión de la ocupación y colonización y la firme inclusión de las tribus meridionales y septentrionales en una única agrupación. Ahora bien, tal cosa no sucedió de un modo perfecto antes de la formación del estado.

Una consecuencia todavía más amplia por parte de la investigación antigua y moderna es la de utilizar la asignación genealógica de los doce troncos paternos de Israel, como hijos de Jacob. en Gén 29, 31-30, 24 a las dos mujeres principales Lía y Raquel y a las dos concubinas Zelfa y Bala con el propósito de construir contextos de parentesco o histórico-territoriales. Y así es corriente hablar de las tribus de Lía y de Raquel y entender por tales a las tribus meridionales de Rubén, Simeón, Leví y Judá por una parte y a los dos grupos centropalestinenses de José y de Benjamín por otra. En cambio, la asignación de los demás padres tribales a las diversas mujeres no comporta tales contextos sinópticos [57]. Ahora bien, en el fondo es muy posible que las asignaciones de los cuatro a Lía y de los dos a Raquel no sean casuales y en principio pueden representar ese dualismo panisraelítico, que había de repercutir posteriormente en las estructuras de «Judá» e «Israel». Por otra parte, la asignación esquemática de las otras seis tribus a las distintas mujeres demuestra la tendencia impulsiva a rellenar el sistema, de tal manera que para ello se recurre a incluir tribus de las regiones limítrofes.

A lo largo de nuestro estudio se podrá observar que, efectivamente, algunas tribus cooperan más estrechamente y ya en la época de los jueces se

nia septentrional. Manasés parece haberse extendido en sus residencias originarias al norte de Efraím, pero nunca es mencionado en el cántico de Débora. Una valoración sintética del material documental sobre Maquir puede verse en A. Elliger, *Die Frühgeschichte der Stämme Ephraim und Manasse, bisher ungedruckte Diss. Rostock,* 1972, 113-136.

[56] Los «galaditas» se fusionaron con Gad. Estamos aquí ante el interesante proceso de que un originario toponímico (Galad) se convirtió en una especie de *éthnikon* y revistió el carácter de una designación tribal; originariamente toponímicos son también sin duda Efraím y Judá; cf. sobre este proceso y su relación con el sistema tribal israelítico las consideraciones de M. Noth, *Aufsätze* I, 361-363.

[57] Como hijos de Zelfa, la esclava de Lía, aparecen el transjordánico Gad y el galilaico occidental Aser; a Bala, la esclava de Raquel, se le asignan el galilaico septentrional Dan y el galilaico occidental Neftalí. Desde luego Dan vivió al principio en Palestina central, de modo que en tal caso se explicaría una anexión más estrecha a los hijos de Raquel, José y Benjamín. Hijos tardíos de Lía son Isacar, Zabulón y la muchacha Dina. Son, pues, sustancialmente las tribus galilaicas las que son consideradas como hijos de las esclavas o como hijos tardíos.

lanzaron a acciones comunes. Además, en casos especiales no queda descartada la vinculación a un santuario común, que tal vez una agrupación de tres tribus reclamaba para sí. Pero esto no se debe a la opinión preconcebida de que se pertenece a un mismo «sistema tribal», sino que tenía su raíz histórica en el hecho de asentamientos colindantes y de peligros comunes. Esto explica la relativamente correcta hipótesis, desarrollada especialmente por M. Noth sobre la base de pretéritas iniciativas, de la existencia de una «anfictionía paleoisraelítica» [58]. Noth intentó explicar el «sistema de las doce tribus» según el modelo de las uniones tribales sacras, que constaban también muchas veces de doce miembros en territorio griego e itálico y que consideraban como su misión común el cuidar de algún santuario. Veía él en el santuario, en que se encontraba el arca, ese santuario central israelítico, que había que considerar como el auténtico centro de las tribus israelíticas y que al mismo tiempo actuaba como una especie de punto aglutinante de las tradiciones históricas y jurídicas paleoisraelíticas. Noth pensaba que esta anfictionía estaba vigente en la época de los jueces. Sus profundas investigaciones histórico-territoriales, siempre en contacto con los acontecimientos y procesos históricos, no le han impedido, por encima de fronteras, cordilleras y vacíos demográficos, considerar como posible un tal sistema funcionando ya al poco tiempo de la conquista, sistema en el que pretendía incluir a las doce tribus.

En realidad Noth no ha revisado o retirado parcialmente su tesis, formulada ya en 1930, en atención a sus posteriores ideas histórico-territoriales. Si tal hubiera ocurrido, es indudable que habría trazado un cuadro incomparablemente más diferenciado de la protohistoria israelítica, como de todos modos es el cuadro que nos ofrece en su historia de Israel y en sus posterio-

[58] M. Noth, *Das System der zwölf Stämme Israels,* 1930; Id., *Geschichte Israels,* [6]1966, 83-104; adoptó esta idea, aunque con una ulterior matización, J. Bright en su *History of Israel;* entretanto la aplicación de la tesis de la anfictionía a Israel ha sido diversamente criticada, cf. sobre esto R. Smend, *Jahwekrieg und Stämmebund. Erwägungen zur ältesten Geschichte Israels*: FRLANT 84 (1963); S. Herrmann, *Das Werden Israels*: ThLZ 87 (1962) 561-574, así como el resumen crítico de G. Fohrer, *Altes Testament. «Amphiktyonie» und «Bund»?*: ThLZ 91 (1966) 801-816; 893-904; R. Smend hizo una positiva valoración del pensamiento de la anfictionía en el sentido de Noth: EvTh 31 (1971) 623-63; de Vaux no se ocupa expresamente de la anfictionía en su *Histoire;* cf., sin embargo, su trabajo *La thèse de l'amphictyonie israélite,* en *Studies in memory of Paul Lapp*: Harvard Theological Review 64/2-3 (1971) 415-436; extraordinariamente crítico ya anteriormente H. M. Orlinsky, *The tribal system of Israel and related groups in the period of the judges,* en *Studies and essays in honor of A. A. Neuman,* Leiden 1962, 375-387; impreso también en Oriens Antiquus 1 (1962) 11-20. Cf. ahora el detallado y crítico estudio de C. H. J. de Geus, *De Stammen van Israel. Een onderzoek naar enige vooronderstellingen van Martin Noths amfictyonie-hypothese,* Proefschrift Groningen, 1972.

res comentarios sobre algunos libros bíblicos. En atención a las repercusiones que tuvo la tesis de Noth sobre la investigación veterotestamentaria, la tendremos presente repetidas veces en las próximas secciones.

La problemática de la distribución de las tribus sobre toda la tierra cultivable palestinense se manifiesta de modo especial al reflexionar sobre la colonización de la Transjordania, sobre cuya historia territorial Noth ha realizado estudios sólidos y muy bien fundamentados [59]. Según la tradición veterotestamentaria, esa colonización se realizó de forma sencilla, a saber, cuando las tribus procedentes del área oriental del mar Muerto, avanzando en dirección norte, vencieron sin dificultades a los dos reyes de los territorios transjordánicos considerados como principales, a los dos reyes Seón de Hesebón y Og de Basán [60]. Esto no es solamente una exposición simplificadora de los datos históricos, sino también una esquematización irresponsablemente abreviada de las tierras transjordánicas y de su división. Los nombres preferidos en otros pasajes del antiguo testamento son de sur a norte «la llanura» (hebreo, *hammīschōr*), «el (país de) Galad», «el (país de) Basán», presuponen, pues, sustancialmente una tripartición de la Transjordania situada enfrente de la Cisjordania [61]. «La llanura» se refiere a la altiplanicie que se extiende al este del mar Muerto, al otro lado de la cordillera ascendente, en la medida en que tal altiplanicie entraba en consideración para Israel a lo largo de su historia, a saber, hasta el Arnon como frontera meridional; por «Galad» se designa al país montañoso, poblado de bosques, a través del cual discurre el Jaboc, primeramente su parte meridional, pero después también el territorio que sigue por el norte; análogamente «Basán» es el terreno que acompaña al Jarmuk, la parte para Israel más septentrional de la Transjordania, que incluye la fértil llanura de la

59 M. Noth, *Aufsätze* 1/IV, *Beiträge zur Geschichte des Ostjordanlandes;* la Transjordania meridional ha sido estudiada especialmente por las exploraciones en superficie llevadas a cabo por N. Glueck, *Explorations in eastern Palestine* I-IV: AASOR 14 (1934) 1-114; 15, 1935, 1-202; 18/19, 1939, 1-288 y lám. 1-22; 25-28, 1951, 1-711; cf. además R. de Vaux, *Nouvelles recherches dans la région de Cadès*: RB 47 (1938) 89-97; Id., *Exploration de la région de Salt*: RB 47 (1938) 398-425.

60 Seón de Hesebón: antiguo canto de victoria, Núm 21, 27-30 dentro del relato, Núm 21, 21-31; mención dentro del discurso de Moisés, Dt 2, 26-37; sobre esto M. Noth, *Aufsätze* I, 414-417. Og de Basán: Dt 3, 1-3 (= casi a la letra Núm 21, 33-35); otras menciones junto con Seón de Hesebón: Dt 1, 4; 4, 47; 29, 6; 31, 4; Jos 2, 10; 9, 10; 12, 4; 13, 12.31; cf. también Sal 135, 11; 136, 20; Neh 9, 22; sobre esto M. Noth, *Aufsätze* I, 441-449.

61 Dt 3, 10.12.13; 4, 43; Jos 20, 8; 2 Re 10, 33

región llamada actualmente *en-nuḳra.* Los mencionados cauces fluviales del Jaboc y del Jarmuk contribuyen ciertamente a la delimitación de la relativamente angosta franja de tierra cultivable en la Transjordania, pero no son necesariamente fronteras estrictas, que hayan determinado la estructura demográfica.

Contra la más reciente y dominante convicción veterotestamentaria en el sentido de una conquista israelítica de estas zonas realizada exclusivamente desde el sur y el sureste, existen razones para sostener que la Transjordania fue colonizada paulatinamente desde la Cisjordania [62]. El complicado proceso, que puede reconstruirse a base de noticias y observaciones en parte dispersas, es difícil de exponer aquí en todos sus detalles [63]. Sin embargo, sus rasgos esenciales se pueden comprender fácilmente. En la época de la conquista israelítica y hasta bien entrada la época de los reyes, en la periferia del área transjordánica, en los territorios orientados hacia el desierto sirio se habían establecido sólidamente otros grupos de población y probablemente habían fundado estados aun antes que los israelitas y habían reunido un potencial militar. Ya se ha hecho mención de los edomitas y moabitas tan molestos para los movimientos tribales del sur; por el este eran los amonitas los que representarían una dura amenaza para Israel, por el norte los arameos, que empezaban a consolidarse. La «tierra prometida» era principalmente la Cisjordania. Moisés murió antes del paso del Jordán, por lo tanto todavía fuera de la futura posesión prometida. De lo que se disponía en la Transjordania era de hecho una estrecha y limitada área en su parte occidental, comenzando por «la llanura» al este del mar Muerto y prolongándose más allá del boscoso Galab hasta la esfera de intereses aramaica en Basán. Pero en ningún caso parece haberse extendido esta zona libre hacia el este, hasta el final de la tierra cultivable, dado que las comarcas limítrofes con la estepa ya estaban ocupadas [64]. En consecuencia, el acceso a aquella parte occidental de la Transjordania estaba verdaderamente bloqueado desde el este; pero incluso en ese limitado espacio debían existir ya reinos-ciudad, que era preciso elimi-

[62] No sin razón a la región situada al este del Jordán se la llama ordinariamente «Trans-jordania», designación que evidentemente demuestra que se contempla a esa tierra desde la parte occidental del Jordán.

[63] Hagamos aquí referencia a los ya citados trabajos de Noth, de Vaux y N. Glueck, quienes desde luego dedican menos atención a los posibles procesos y generalmente se reducen a describir el material documental existente. Cf. también A. Alt, *Kl. Schr.* I, 193-215.

[64] Cf. M. Noth, *Die Nachbarn der israelitischen Stämme im Ostjordanlande,* 1946-1951, en *Aufsätze* I, 434-475.

nar, si había que garantizar a la larga una colonización israelítica. Se trataba precisamente del rey Seón de Hesebón (*ḥesbān*) junto al límite septentrional de la «llanura» y exactamente al sur del «país de Jaser» posteriormente poblado por tribus israelíticas, y el rey Og de Basán, que fue derrotado por los israelitas casi junto al límite oriental de la tierra cultivable cerca de Edraí (*der'a*) (Dt 3, 1-3). Es totalmente verosímil que estas empresas partieran de la Cisjordania, una vez que allí las tribus israelíticas se habían fortalecido tanto que se encontraron ante la necesidad de desplegarse también hacia la Transjordania. Desde luego esto no fue un movimiento único, sino un proceso diferente según los lugares, que perduró al menos hasta la primera época de los reyes [65].

Importante punto de partida de una primera colonización israelítica parece haber sido aquí el llamado «monte Galad», donde según Gén 31 ya Jacob estipuló un tratado con el «arameo» Labán, y donde el nombre «Galad» en general habrá tenido su más antiguo punto de apoyo [66]. Se trata de la zona montuosa situada al sur del Jaboc, que por el este se encuentra limitada por el *wādi rumēmīn* y por el sur por el *wādi abu ḳuṭṭēn* [67]. Probablemente desde allí clanes israelíticos avanzaron hasta la comarca montañosa situada al norte del Jaboc y allí se establecieron. Así pues, a primera vista parece obvio un movimiento procedente del este; pero los habitantes de Galad eran efraimitas (cf. Jue 12, 1-6), y precisamente esto da a entender que el centropalestinense Jacob se internó en la cuenca del Jaboc.

Ahora bien, «Galad» no es una tribu autónoma [68]. El área que se acaba de señalar aparece más bien, en la distribución de los territorios tribales, como posesión de Gad, en cuya más próxima vecindad se nombra casi siempre a Rubén. En la medida en que pueden hacerse afirmaciones sobre los lugares de residencia de estas tribus [69], encontraron espacio al sur del Jaboc a conti-

[65] Cf. las reflexiones de Noth, *Aufsätze* I, 445 s.

[66] Cf. aquí los croquis cartográficos instructivos en M. Noth, *Aufsätze* I, 348 y 425.

[67] Para completar se puede añadir que la conocida lucha de Jacob con un ser desconocido (Gén 32, 23-33) se sitúa junto al curso inferior del Jaboc, por lo tanto tan sólo un poco al este de la región genuinamente israelítica designada aquí con el nombre de «monte Galad». «Penuel» se equipara generalmente con el paraje llamado *tulūl eḏ-ḏahab,* donde el valle del Jaboc se estrecha una vez más de modo sorprendente poco antes de su salida a la llanura del Jordán.

[68] Cf. la reflexión de M. Noth, *Aufsätze* I, 361-363, así como su trabajo sobre Galad y Gad, *Ibid.,* 489-543.

[69] M. Noth, *Israelitische Stämme zwischen Ammon und Moab,* 1944, en *Aufsätze* I, 391-433.

nuación de la comarca ocupada por Galad, pero tuvieron que entrar en contacto con la esfera de intereses de los moabitas, al menos a la altura del extremo septentrional del mar Muerto. Esto significa que tanto el Nebo como el lugar denominado «Peor», desde el que Balaam maldijo a los israelitas [70], quedaban fuera de ese lugar de residencia israelítico. Acerca de la tribu de Rubén, que generalmente, como tribu transjordánica, es nombrada en unión de Gad, apenas poseemos noticias seguras [71]. Sin embargo, la tribu de Gad sigue desempeñando posteriormente un papel importante, cuando Mesa, rey de Moab, hizo retroceder a los israelitas, después de haber intentado éstos evidentemente consolidar su influjo hasta la región del Arnon. Mesa menciona a Gad en su famosa lápida conmemorativa del siglo IX precristiano [72].

En todo caso no es probable que los grupos israelíticos designados como tribus de Rubén y de Gad hayan avanzado desde el oeste hasta estas zonas de su residencia, sino que en un momento determinado pueden haber pasado desde la Cisjordania, cuando de una y otra parte del Jaboc había ya otros elementos establecidos y realmente tan sólo se les brindaba la parte septentrional de la «llanura».

De modo distinto parece haber evolucionado la situación por el norte en la zona del Jarmuk, donde buscaron acogida, al otro lado del Jordán, algunos sectores de las tribus centropalestinenses, tal vez a causa de su volumen demográfico. Uno de ellos era sobre todo aquel grupo tribal manasítico Maquir, mencionado todavía como autónomo en los tiempos del cántico de Débora, que se desvió hacia la región situada al norte del Jaboc [73]. Pero aquí se debe

70 Núm 22-24; tiene su importancia el motivo de que Balaam tiene que abarcar con la mirada todo el campamento de los israelitas desde un lugar destacado, a fin de que su maldición obtenga el más amplio efecto; cf. Núm 22, 41; 23, 9.13; 24, 2. El relato presupone desde luego que el territorio que rodea al Peor fue algún día frontera entre israelitas y moabitas; M. Noth, *Aufsätze* I, 402-408.

71 Según Núm 32, 1, las tribus de Rubén y de Gad, altamente ganaderas, se posesionaron «del país de Jaser y del país de Galad». La fijación del país de Jaser plantea un especial problema topográfico; se busca al norte del *wādi ḥesbān,* en una zona situada a la altura del actual Amman. M. Noth, *Aufsätze* I, 408-414; R. Rendtorff, *Zur Lage von Jaser*: ZDPV 76 (1960) 124-135; Y. Aharoni, *The land of the Bible,* 189; R. de Vaux, *Histoire,* 527-529.

72 Línea 10 s.; Galling, TGI^1, 47-49 (hebr.); TGI^2, 51-53; Donner-Röllig, KAI 181; sobre los problemas topográficos relativos al área situada al norte del Arnon cf. también A. Kuschke, *Verbannung und Heimkehr,* 1961, 181-196; W. Schottroff: ZDPV 82 (1966) 163-208; K.-H. Bernhardt: ZDPV 76 (1960) 136-158.

73 M. Noth, *Aufsätze* I, 368-370.

hacer mención de las relaciones que existieron entre la tribu de Benjamín y la ciudad de Yabés [74].

Ahora bien, de estos complicados procesos se hizo una exposición simplificadora en el Pentateuco y en otros libros en la medida en que lo que realmente se realizó como movimiento oeste-este de algunos grupos tribales, a través de un período relativamente largo y en diversos pasos, en el libro de los Números quedó incorporado al movimiento rectilíneo sur-norte, atribuido todavía a Moisés, aun antes de la ocupación de la Cisjordania. De este modo en el Pentateuco la colonización de la Transjordania aparece como primer éxito parcial de los esfuerzos panisraelíticos de conquista. Finalmente la literatura deuteronómica ha esquematizado en sumo grado este proceso, desarrollando la teoría de que los varones aptos para el servicio militar de las tribus de Rubén, Gad, y «media tribu de Manasés» participaron primeramente en la conquista de la Cisjordania, antes de que pudieran posesionarse definitivamente de sus propios lugares de residencia al otro lado del Jordán [75].

Aquí puede darse por terminada la exposición de la conquista y colonización. Si anteriormente se dijo que los datos contenidos en Jue 1, especialmente la llamada «lista posesoria negativa», revestían una especie de posición clave no sólo para enjuiciar la situación inmediatamente después de la conquista, sino también en orden a toda la futura evolución de Israel, se debe aquí resumir el resultado de la conquista y colonización en atención también al ulterior desarrollo de los acontecimientos.

La Cisjordania, en su parte meridional, fue ocupada por grupos tribales, que procedían directamente del sur, probablemente del área en torno a Kadesch. A ellos pertenecía aquel fuerte contingente, que desde su empresa colonizadora nos es conocido bajo el nombre de «Judá» y con el que tal vez estuvieron en contacto estrecho los más reducidos grupos de los otonielitas, calebitas, yerajmelitas y parte de los kenitas. Ellos se establecieron en la cordillera judaica, en la fértil área en torno al Hebrón y especialmente en el territorio limítrofe por el norte, hasta Belén aproximadamente. En las regiones fronterizas meridionales de este ámbito «magno-judaico» parecen haber tenido sus propios destinos la tribu de Simeón y tal vez también una autónoma tribu de Leví, sin que de tales destinos sepamos nada concreto.

74 Cf. Jue 21, 1-14; 1 Sam 11; 31, 11-13; 2 Sam 21, 12; M. Noth, *Aufsätze* I, 369 s.

75 Jos 1, 12-18; 22, 1-9 (10-34); cf. también Dt 3, 12.13.18-20.

La conquista y colonización en la Palestina central comprendía por el sur el angosto territorio benjaminítico a la altura de Jericó y Guilgal en el valle del Jordán hasta aproximadamente Guibeón y Ayalón en el área septentrional de Jerusalén, pero sin incluir la misma ciudad; el centro de esa ocupación se extendía hacia la zona principal de las montañas efraimítico-samaritanas con Siquem como punto céntrico y la llanura de Megiddo como frontera septentrional. Tomó parte principalmente la «casa de José», que estaba constituida por los grupos dominantes de Efraím y Manasés; de estos últimos formaba parte también la agrupación clánica de Maquir. Desde luego no se puede decir con seguridad si la tribu de Benjamín en el sur estuvo desde el principio estrechamente relacionada con «José», como lo sugiere la madre común Raquel, o si sólo al establecerse en la tierra cultivable se debilitaron tales relaciones. Para la colonización entraban primeramente en consideración las regiones más escasamente pobladas de las montañas y de los valles, pero no la llanura costera ni las zonas del cinturón de ciudades situado junto a la llanura de Megiddo y a la altura de Geser. El empuje principal de esta ocupación centropalestinense, según todas las probabilidades, procedió del sureste, precisamente de aquella zona por la que se inicia el libro de Josué y en la que también se debe incluir la comarca del valle inferior del Jaboc.

Al otro lado de la llanura de Megiddo carecemos de la más mínima orientación acerca de la protohistoria de las tribus de Aser, Zabulón y Neftalí; estas tribus tal vez se establecieron primeramente sobre todo en las zonas colindantes con la cordillera galilaica. Junto al extremo suroriental de la llanura de Megiddo es posible que pudiera haberse mantenido la tribu de Isacar en difíciles condiciones y en estrecha vecindad con la anterior población cananea; algo distinto ocurrió con la tribu de Dan, que no pudo permanecer en las cercanías del cinturón meridional de ciudades a la altura del oeste de Jerusalén y por fin halló dónde instalarse completamente al norte, en la comarca de los manantiales del Jordán.

La colonización de la Transjordania es lo más probable que se produjera desde la Cisjordania; tribus israelíticas pudieron establecerse allí en las montañosas y fronterizas zonas occidentales así como en una parte de las comarcas de acceso a los valles acuíferos, especialmente del Jaboc y del Jarmuk; en la región fronteriza con los moabitas fueron las tribus de Rubén y de Gad, inmediatamente a continuación por el norte había grupos aislados en Galad y en la zona del Jarmuk, entre los cuales estaba también el grupo manasítico Maquir.

Este armazón inicialmente poco trabado de grupos tribales en sí compactos se fue ensamblando cada vez más estrechamente al correr del tiempo, pero sin renunciar a sus respectivas características. En éstas nada pudo cambiar posteriormente la transición a los reinos y la formación de agrupaciones estatales. Al contrario, la formación de las organizaciones estatales parece haber dado impulsos para definir a Israel como asociación tribal y para divisar a la larga en el número duodeno de las tribus la garantía ideal para un Israel integral. Ni siquiera las catástrofes totales, que en el 772 a. C. acarrearon el final del llamado «reino septentrional de Israel» y en el 587 el derrumbamiento del estado meridional de Judá, pudieron borrar la idea del pueblo de las doce tribus.

La división político-estatal de Israel en los dos reinos autónomos de Israel y de Judá es, como se verá después con más exactitud, la consecuencia natural de condicionamientos geográfico-tribales, que se derivaron de la época de la ocupación. El sur judaico era una magnitud por sí mismo, y también lo siguió siendo; la aparente «unificación imperial» bajo David y el estado exteriormente consolidado de Salomón fueron en realidad estructuras complejas, en las que hubo tendencias contrarias y el deseo de autoafirmación independiente. Galilea y Transjordania se mantuvieron al margen de estas vicisitudes, cuyos centros de gravedad estuvieron en la cordillera cisjordánica al sur de la llanura de Jezrael. El cinturón meridional de ciudades siguió siendo de hecho una frontera de separación entre Israel y Judá.

La lista posesoria negativa de Jue 1 no sólo delimita territorios sino que también insinúa futuras transformaciones. Era previsible la lucha con los filisteos en la llanura costera; en tiempos de David esa lucha llegó a un final provisional. Pero la incorporación de sus terrenos a la asociación estatal israelítica promovió una simbiosis con las costumbres cananeas, que, en cuestiones económicas, políticas, religiosas y jurídicas, motivó una confrontación, delimitación y autoformación; pero en muchas zonas terminó en adaptación, amalgama, aceptación y reformas. La lucha contra Baal en Israel es tan sólo uno de los más visibles síntomas. Jue 1 esclarece instantáneamente el agitado panorama de la vida israelítica hasta bien entrada la época de los reyes y explica fundamentalmente todos aquellos conflictos, que, en sus fronteras y en su interior, tuvieron que soportar las tribus israelíticas después de su ocupación, de acuerdo con los condicionamientos geográficos y políticos.

Sería erróneo suponer que inmediatamente después de la conquista existió ya en funciones una compacta asociación tribal. Como pronto veremos, la tesis de la anfictionía sólo tiene en su favor una apariencia de razón. La evolución se debe seguir en concreto, como aquí hemos empezado a hacerlo, como una evolución de magnitudes particulares, cada una con su propia trayectoria. Las tribus, apenas llegaron, cada una en sus fronteras tuvieron que defenderse con sorprendente celeridad contra incursiones extranjeras, y esto precisamente parece haber fomentado y fortalecido la convicción de una comunidad de destinos, sin producir de inmediato una perfecta integración. La época de transición hasta llegar a la estructura estatal se designa con un controvertido concepto como la «época de los jueces».

5

LA VIDA DE LAS TRIBUS EN LA EPOCA PREESTATAL. LOS «JUECES»

Las tribus israelíticas, que desde distintos sitios y en épocas diversas se posesionaron de la tierra cultivable de Palestina, según todo lo que sabemos, no estuvieron unitariamente gobernadas y organizadas bajo una dirección común. Sus relaciones recíprocas eran inconsistentes; tan sólo unas pocas tribus, como por ejemplo las meridionales en torno a Judá o las centrales en las montañas efraimíticas pueden haber tenido contactos más estrechos al menos durante las últimas fases de su conquista y colonización. Sus formas organizatorias siguieron siendo inicialmente las de la ordenación tribal, y fue cuestión de tiempo y de las heterogéneas condiciones de vida el que ciertas tribus, situadas ante una comunidad de destinos, se unieran también para una acción conjunta. La sedentarización en el país estuvo vinculada desde el principio a los condicionamientos, que se habían derivado de la modificación de las relaciones de fuerzas étnico-políticas a partir del avance de los pueblos del mar por una parte y de los arameos por otra. El Israel naciente tuvo que adquirir y defender su territorio contra los intereses de los vecinos, constantemente atento a las incursiones y potentes amenazas procedentes de los países limítrofes. La primera fase de las tribus israelíticas en Palestina fue una fase de autoafirmación; se trataba de organizar fuerzas para la defensa del país, para poder resistir a un adversario mejor pertrechado en muchos aspectos.

La tribu aislada, fuera ya de la originaria cohesión de familias y clanes ambulantes en busca de pastos, estaba en su nuevo territorio repartida en sus respectivos domicilios, forzosamente dispersa y menos preparada que antes a los ataques de fuera, y dependía no raras veces de las incomodidades del multiforme terreno montañoso. La organización interna de las tribus requería nuevas formas, exigía autoridades centrales, exigía nuevas formas de comunicación, necesitaba instituciones, que garantizaran a la larga una existencia sedentaria.

El antiguo testamento manifiesta claramente las dificultades resultantes. De la tradición se desprende menos la interna constitución de las mismas tribus que la necesidad de elementos rectores. Se menciona nominalmente a personajes, que al encontrarse su respectiva tribu en situación crítica se hicieron con el poder, mejor dicho, que se sintieron llamados a iniciar acciones de salvación, a movilizar la propia tribu o varias tribus, a rechazar el peligro y a traer de nuevo a su casa a los combatientes. Una vez restablecida la seguridad, se ha cumplido la misión, el varón decisivo retorna al seno de su familia y es como antes un miembro de su tribu. Ejerció una autoridad temporal, que, al modo de los dictadores romanos, tuvo que utilizar por imperativos de la situación. La tradición no nos habla de que tal ejercicio temporal de la autoridad tuviera un plazo fijo; los límites de ese ejercicio venían señalados funcionalmente por el cumplimiento de la misión.

Esas destacadas personalidades llevan el nombre de *schōfeṭīm* derivado de la raíz hebraica *schfṭ* y que ordinariamente se traduce por «jueces». Pero esto puede dar lugar a interpretaciones erróneas. Espontáneamente nos imaginamos que esos personajes fueron, dentro de sus respectivas tribus, la suprema instancia jurídica. En realidad, el ámbito semántico de *schfṭ* es más amplio y significa nada menos que el ejercicio de plenos poderes otorgados de dirección y gobierno. A ese oficio se le suele comparar con el de los *sufetes* cartagineses; éste era un cargo de gobierno y su nombre procede de la misma raíz semítica *schfṭ* [1]. Pero esto no excluye funciones de arbitraje. Se puede demostrar que los *schōfeṭīm* israelíticos también administraban justicia dentro de su demarcación. Hasta el presente no se ha llegado a dilucidar la cuestión del

[1] La palabra fenicia para *sufetes* se corresponde exactamente con la forma hebraica (cf. J. Friedrich, *Phönizisch-punische Grammatik*: Analecta Orientalia 32 [1951] § 198b); en el aspecto objetivo, a pesar de las diferencias existentes, se dan también interesantes paralelismos con la institución que aparece en Israel de un modo todavía harto rudimentario. En Cartago se trataba de funcionarios temporeros a falta de una realeza hereditaria; la amplitud de sus funciones podía incluir poderes tanto estratégicos como jurídicos; el carácter hereditario del cargo no se puede demostrar bajo todos los conceptos; era administrado por varios titulares a la vez y en el decurso de los siglos experimentó diversas fases evolutivas; cf. art. *Sufeten* en: Pauly-Wissowa, *Realencyclopädie der classischen Altertumswissenschaft* IV/A 2, 1932, 643-651. Recientemente W. Richter, utilizando materiales de Mari, Ugarit y Fenicia-Punia y por lo que se refiere a las designaciones de cargos compuestas de la raíz *schfṭ* ha «puesto de relieve una misma esfera semántica, que puede encerrarse en administración civil y administración de la justicia. La raíz es pues un término semítico-occidental de tipo autoritario, que se asemeja a *mlk* y *scharrum*. Su origen nomádico no es improbable» (W. Richter: ZAW 77 [1965] espec. 58-72).

origen de ese «cargo». La «juez» Débora, que realmente administró justicia (Jue 4, 4.5), intervino decisivamente en la movilización de las fuerzas armadas israelíticas, que en la zona de la línea septentrional de ciudades guerrearon contra los cananeos; Jefté triunfó sobre los amonitas, pero también se le presenta como un personaje que «juzgó» a Israel (Jue 12, 7). Es digno de observar que, en su calidad de salvador de la desgracia, también se le denomina *ḳāṣīn* (Jue 11, 6), apareciendo solamente en él esa antigua expresión. Las oscilaciones terminológicas y la diferenciación de los ámbitos de atribuciones explican el que los personajes rectores durante la consolidación de las tribus fueran vistos y enjuiciados diversamente de conformidad con su respectivo carácter y misión; hay que admitir que varones (y mujeres) que ya habían adquirido gran renombre como administradores de la justicia, en tiempos de crisis se destacaron como elementos rectores capacitados, como que por otra parte tan sólo la presión de fuera suscitó tales personalidades y posiblemente prolongó su prestigio después de la batalla victoriosa, y sólo entonces recibieron dentro de su tribu funciones que obtuvieron un reconocimiento unánime y ocasionalmente incluso funciones arbitrales.

La tradición veterotestamentaria no da facilidades para llegar a ideas claras. Esta tradición ha sido simplificada y generalizada bajo diversos aspectos en el libro de los Jueces. Así por ejemplo en el caso de Gedeón se narra una auténtica escena de vocación, de llamamiento, que escoge a ese personaje para luchar contra los madianitas (Jue 6, 11-24)[2], así el extraño Jefté es llamado al parecer por la gran mayoría de la gente de su tribu (Jue 11, 1-11), así el forzudo héroe Sansón parece llamado desde su nacimiento a realizar grandes cosas por su gente (Jue 13); pero, por fin, hay una serie de personajes, sobre los que una concisa tradición enumerativa dice que en su tiempo ejercieron la función de *schfṭ* en Israel, sin añadir si y dónde tales personajes, aun en medio de graves amenazas, se acreditaron como caudillos militares. Es obvio pensar que estos últimos sólo ejercieron actividades pacíficas

[2] El relato ha sido últimamente utilizado y analizado reiteradamente como paradigma de una especie de relato de vocación; E. Kutsch, *Gideons Berufung und Altarbau Jdc 6, 11-24*: ThLZ 81 (1965) 75-84; cf. además N. Habel: ZAW 77 (1965) 297-323; W. Beyerlin: VT 13 (1963) 1-25; W. Richter, *Traditionsgeschichtliche Untersuchungen zum Richterbuch*: BBB 18 (²1966) 112-155; Id., *Die sogenannten vorprophetischen Berufungsberichte. Eine literaturwissenschaftliche Studie zu 1. Sam 9, 1-10, 16, Ex 3 s. und Ri. 6, 11b-17*: FRLANT 101 (1970); M.-L. Henry, *Prophet und Tradition*: BZAW 116 (1969) 11-41.

de política interior [3]. Distinto es el caso de Abimelec (Jue 9), que asciende como usurpador y fracasa.

Todos estos personajes figuran bajo la designación genérica de «jueces», pero naturalmente hay que enjuiciar a cada uno de ellos según sus circunstancias concretas, tanto por lo que respecta a la consecución de sus funciones como también en atención a las tareas que de ahí se les derivaron. Es natural que al lector del libro de los Jueces le llamen más la atención aquellos que obtuvieron grandes éxitos guerreros y de los cuales se habla con mayor amplitud. Pero como también son ellos los que se sabe que fueron objeto de un llamamiento de Yahvé, se ha generalizado —siguiendo una definición de Max Weber— el llamarlos «guías o jefes carismáticos» [4]. Las personalidades simplemente enumeradas, sin fama militar, tienen que contentarse regularmente con la designación de «pequeños jueces». De este modo la ciencia veterotestamentaria ha encontrado ciertamente, como hipótesis de trabajo, una distinción que toma en consideración nuestros conocimientos actuales en cuanto a la tradición contenida en el libro de los Jueces y a ella se ha debido, pero que, si atendemos a las circunstancias históricas, debe considerarse como un criterio bastante arbitrario [5].

Estas peculiaridades relativas a la historia de la tradición y terminológicas del libro de los Jueces han sido profundizadas más todavía bajo el aspecto histórico en conexión con la designación general de «jueces», desde que M. Noth mediante su estudio *Das Amt des «Richters Israels»* [6] convirtió a los «pequeños jueces» catalogalmente enumerados en funcionarios anfictiónicos, que «juzgaron a Israel» y con rigurosa sucesión contribuyeron a acuñar y mantener tradiciones jurídicas obligatorias para Israel. Habría existido ahí en aquellos tiempos antiguos un cargo de vigencia panisraelítica, aunque sea el único de que tengamos noticia [7]. En consecuencia se supone también que nunca existió más de un juez para toda la comunidad israelítica. A base de consideraciones acerca de la historia de la tradición, Noth reflexionó sobre cómo ese «título» de «juez» originariamente vinculado a

[3] Jue 10, 1-5; 12, 7-15.

[4] M. Weber, *Aufsätze zur Religionssoziologie* III, 1923, 47 s., 93 s.; Id., *Wirtschaft und Gesellschaft*, ²1925, 140 s., 753 s., 662 s.

[5] Sobre el problema de la «judicatura» y sobre los problemas históricos de la «época de los jueces» con numerosos datos bibliográficos A. Malamat, *The world history of the jewish people* I, 3, Ch. 7: *The period of the judges*, Tel-Aviv 1971, 129-163; 314-323.350.

[6] M. Noth, *Das Amt des «Richters Israels»*, 1950, en *Ges. Stud.* II, 71-85.

[7] *Ibid.*, 81 s.

ese «estado de funcionarios» pudo llegar a aplicarse a los guías carismáticos. La figura de Jefté desempeñó en esas reflexiones un papel decisivo, pero significativamente también por simples razones de tradición. Pues Jefté, que evidentemente fue un «gran juez», en Jue 12, 7 entró en la lista esquemática de los «pequeños jueces» y esto precisamente dio ocasión para aplicar también a los carismáticos el oficialmente estereotipado concepto de «juez» [8]. Esta interpretación de *schfṭ* restringida al ámbito jurídico y la simplificación de los *schōfeṭīm* en portadores de un cargo estable de funciones supra-tribales dieron base para suponer ya en la época preestatal una asociación tribal perfectamente organizada y funcionando, que por lo tanto estaría supuestamente confirmada a cada paso por el libro de los Jueces. En realidad de este modo se ha historizado precipitadamente la esquemática exposición de la época de los Jueces contenida en el mismo libro de los Jueces. De hecho la asociación tribal tenía muy poca trabazón y tan sólo especiales acontecimientos contribuyeron a consolidarla en parte y a dar más firmeza a sus formas organizatorias [9].

El libro de los Jueces no sólo ha motivado la clasificación en jueces «grandes» y «pequeños» mediante la admisión de diversas tradiciones, sino que ha seguido otros esquematismos, que hacen difícil escribir una continuada y fidedigna «historia de la época de los Jueces». En una auténtica introducción pragmática el redactor [10], probablemente deuteronomístico, trata de explicar lo que ocurría con los guías carismáticos (Jue 2, 11-3, 6). Dice que Israel abandonó repetidas veces a su Dios y siguió a Baal y las prácticas cultuales de los símbolos de la fecundidad, a las aseras

8 *Ibid.*, 74.

9 La concepción de Noth ha sido analizada críticamente sobre todo por R. Smend, *Jahwekrieg und Stämmebund*: FRLANT 84 (1963) 33-55 y W. Richter, *Zu den «Richtern Israels»*: ZAW 77 (1965) 40-72; este último se inclina a dar de lado a la distinción entre «jueces menores» y «jefes carismáticos» y define a los «jueces de Israel» de este modo: «Son los defensores de un orden, procedentes de la ciudad (*sic*) o de las tribus, instituidos por los más ancianos de la tribu para la administración civil y de la justicia sobre una ciudad y su correspondiente distrito, durante la transición de la constitución tribal a la constitución ciudadana. La ulterior evolución condujo a la constitución monárquica» (*o. c.*, 71). La sucesión la explica Richter como «analogía con los anales reales». Si no se da la sucesión, entonces tampoco es necesario suponer en cada caso tan sólo un juez, un oficio central» (*o. c.*, 56). Frente a esta definición de los «jueces» marcadamente «civil», acentúa su indudable función militar además de la jurídica K.-D. Schunck, *Die Richter Israels und ihr Amt*: VT Suppl. 15 (1966), 252-262.

10 Cf. M. Noth, *Überlieferungsgeschichtliche Studien* I, ³1967, 47-50; W. Richter, *Die Bearbeitungen des «Retterbuches» in der deuteronomischen Epoche*: BBB 21 (1964) 26-49; 87 s., etcétera.

y Astartés. Yahvé tuvo que intervenir. Envió a un pueblo extranjero que oprimiera a Israel. Entonces el pueblo clamó a su Dios, quien les mandó un «libertador», un «salvador», como tradujo Lutero, no sin razón, basándose en la expresión de Jue 3, 9 (*mōschīa'*) [11]. Pero cuando el enemigo estaba derrotado, entonces Israel, dice el redactor, apostataba nuevamente de su Dios, quien por motivos inescrutables se decidía a una nueva intervención salvadora.

Esta introducción pragmática del libro de los Jueces hace pensar que un «juez» siguió a otro, que siempre se cernía alguna amenaza sobre todo Israel, que también todo Israel podía siempre salir de apuros gracias al libertador destinado para todo Israel. Datos exactos sobre la duración del cargo de cada «juez» proporcionaron a la «época de los Jueces» una relativa cronología, apoyando la idea de un desenvolvimiento progresivo [12]. Las razones de esta forma expositiva estriban en el métolo generalizador de la redacción, cuyos criterios normativos tienen que ser coherentes con la idea fundamental del Deuteronomio, que estaba convencido de la actuación unitaria de todo Israel, y que por lo tanto también debía servir a su único Dios [13]. Dentro de este marco del libro de los Jueces quedaron englobadas las más antiguas tradiciones. Queda subrayada la unidad de esa concepción por el hecho no inmediatamente perceptible de que, si prescindimos de Barac, que se ha de agregar a Débora, y del usurpador Abimelec, en el libro de los Jueces aparecen doce jueces, entre los cuales también hay que incluir a los llamados «jueces menores». Es difícil creer que este número duodeno sea simple casualidad; pero por otra parte no es que le corresponda un juez a cada una de las doce tribus que conocemos. Para esto se carecía sin duda de pruebas adecuadas. Pero casi sin excepción los «jueces» proceden de tribus distintas y lógicamente tienen que habérselas siempre con aquellos vecinos hostiles, que tienen más cerca geográficamente.

11 M. Luther, *Die gantze Heilige Schrifft Deudsch Wittenberg 1545*, edit. por H. Volz, 1972, 455. Cf. también en Jue 3, 15.

12 La función de estos datos dentro del armazón cronológico de la obra histórica deuteronómica la analiza M. Noth, *Überlieferungsgeschichtliche Studien*, 18-27; críticamente W. Vollborn, *Die Chronologie des Richterbuches*, en *Festschrift F. Baumgärtel*, 1959, 193-197.

13 Esta concepción fundamental de la teología deuteronómica tampoco puede ser impugnada por aquellos que por lo demás se muestran escépticos hacia el Dt como concepción de conjunto. Cf. los detalles en las «Introducciones al antiguo testamento», empezando por Sellin-Fohrer, *Einleitung in das Alte Testament*, [10]1965, 209-212; O. Kaiser, *Einleitung in das Alte Testament*, 1969, 136-140.

Esa serie duodena nos presenta el siguiente cuadro: 1) Otoniel (tal vez de Judá) combate contra el rey Cusan Risataim, quien se supone venía de Aram Naharaim, por consiguiente de la Mesopotamia superior (Jue 3, 7-11); los hechos son oscuros y carecen de una interpretación fidedigna [14]; 2) Aod de Benjamín lucha contra una coalición de moabitas, amonitas y amalecitas, que tomaron la ciudad de las palmeras, Jericó (Jue 3, 12-30); 3) tan sólo un versículo (3, 31) habla de Samgar, quien derrotó a los filisteos con una aguijada de bueyes, lo que nos recuerda un poco a Sansón; 4) la «juez» Débora procedía de las montañas de Efraím y Barac de Neftalí; formando una gran coalición, en la que ciertamente tomaron parte seis tribus, se opone resistencia a los cananeos (Jue 4.5); 5) Gedeón (Yerubbaal) del manasítico Ofra, en unión de Aser, Zabulón y Neftalí, por lo tanto formando una coalición galilaica, dirige una campaña contra los madianitas, que desde la Transjordania avanzaron hacia occidente (Jue 6, 8); 6) Tola de las montañas de Efraím no es un jefe carismático (Jue 10, 1. 2) y es junto con 7) Jair de Galad un «juez menor»; 8) Jefté dirige su golpe principal contra los amonitas; él mismo procede de Galad (Jue 10, 6-12, 7); el versículo 12, 7 parece haberle integrado en aquella lista, que se conoce por la lista de los «jueces menores»; le siguen 9) Abesán de Belén [15]; 10) Elón de Zabulón y 11) Abdón de Faratón «en la tierra de Efraím, en las montañas de los amalecitas» [16], los tres son «jueces menores»; 12) Sansón de Dan como héroe de cualidades peculiares cierra la serie de relatos independientes sobre los jueces. Estos relatos demuestran que si exceptuamos a Jefté y tal vez a Abdón, todos estos personajes proceden de la Cisjordania y dirigen sus principales acciones contra los fortalecidos habitantes de la llanura costera, pero también contra las amenazas procedentes de la Transjordania. De allí proceden los moabitas, amonitas e incluso madianitas, cada vez más interesados en las expansiones. Sansón tiene que habérselas con los filisteos; parece suponerse que Dan permanecía todavía por entonces en su primera residencia al oeste de Jerusalén.

Esta síntesis demuestra que los «jueces» tenían su radio de acción localmente delimitado y en especial los jefes carismáticos procedían de aquellas comarcas que estaban más expuestas a los peligros. En casos de especiales amenazas se formaban coaliciones

[14] Cf. sobre esto ahora A. Malamat, *The world history* I/3, 1971, 25-27.

[15] No es preciso que se trate del Belén de Judá; se puede referir a un lugar del mismo nombre en la región de la tribu de Zabulón.

[16] La expresión «en las montañas de los amalecitas» es probablemente inexacta (cf. también LXX). Para más detalles sobre la lista de los llamados «jueces menores», que en gran parte tienen que permanecer oscuros, cf. el artículo de Noth, *Ges. Stud.* II, 71-85; además W. Richter: ZAW 77 (1965) 41-45.

tribales. Estas reafirmaban el espíritu de solidaridad, que se prolongaría después de la común victoria, pero que muchas veces daba ocasión a rivalidades y motivaba contiendas mutuas, como ocurrió en aquella extraña guerra de los galaditas contra Efraím en la época de Jefté (Jue 12, 1-7). Pero con la mejor voluntad no se puede hablar de que existiera y actuara un «sistema tribal» como unidad de acción perfectamente organizada. Las tradiciones manifiestan más bien con insistencia fidedigna las dificultades con que se encontraban los grupos inmigrantes y cómo tuvieron que irse organizando paulatinamente ante los peligros que amenazaban directamente su misma existencia. Entre los lugares sagrados del país desempeña un papel especial el Tabor en el margen suroriental de la cordillera galilaica, donde confluían las comarcas tribales de Isacar, Zabulón y Neftalí (cf. Jue 4, 6.14). El que esta destacada cumbre, punto de confluencia de tres países, se haya convertido en el lugar del culto común, se explica fácilmente. En consecuencia podría buscarse ahí un centro «anfictiónico», aunque de limitada vigencia en atención al «todo» Israel. Sólo la muy cuidadosa observación de otros detalles en los diversos relatos, mediante la cual tal vez se podría entrever la hipotética existencia de alguna forma de organización panisraelítica, permite asomarse fugazmente a la agitada y compleja época posterior a la conquista. No fue la sucesión continua de grandes personajes carismáticos lo que caracterizó a la época, sino una gran inseguridad, cuyas malas consecuencias quedaron tan grabadas como aquellas luchas y días de batalla, en los que vencían las tribus israelíticas, muchas veces contra toda esperanza. De sus derrotas no hablan las crónicas, lo mismo que las tradiciones legendarias y heroicas de todo el mundo por regla general tan sólo enaltecen los momentos de esplendor.

Muy al detalle se nos habla del gran jefe carismático Gedeón (Jue 6-8). Su aparición en escena estuvo motivada por una irrupción de nómadas camelleros madianitas, que procedían de Transjordania [17]. Atravesaron el Jordán a la altura de Beth-Sean y desde allí amenazaban directamente a las tierras cisjordánicas. Se dice que acamparon en la llanura de Jezrael (Jue 6, 33). Después de esto, Gedeón envió mensajeros por todo Manasés, como también por Aser, Zabulón y Neftalí (6, 35; 7, 23); posteriormente también envió mensajeros a los habitantes de la montaña de

17 Se trata del primer testimonio literario del nomadismo camellero de carácter bélico. Eran muy probablemente dromedarios; cf. J. Henninger, *Über Lebensraum und Lebensformen der Frühsemiten*, 1968, 18-23.

Efraím (7, 24.25). Se ve por ahí claramente cómo la acción se desarrolló de modo gradual, reclutándose y agregándose cada vez mayores contingentes en atención a la magnitud del peligro; primeramente las tribus situadas al norte de la llanura de Jezrael, después los habitantes de la montaña de Efraím, por lo tanto podemos suponer que todas las tribus centropalestinenses.

Por desgracia no se puede decir con exactitud de dónde procedía el mismo Gedeón; se dice que residía en Ofra, que se ha intentado localizar en *tell fār'a,* a 15 kilómetros al este de Samaria [18]. En tal caso habría sido un manasita. Pero estaría muy en consonancia con la zona de irrupción de los madianitas si se pudiera identificar Ofra con *eṭ-ṭajibe* entre el Tabor y Beth-Sean [19]. Este lugar se encontraría en la comarca de la tribu de Isacar, que allí tuvo que verse fuertemente amenazado por los madianitas. Gedeón atacó por sorpresa al campamento de los madianitas junto a la fuente Harod (*'ēn-dschālūd*) por el lado noroeste del monte Gelboé, por lo tanto en un punto sumamente crítico junto a la entrada a la llanura de Jezrael, tan sólo a 10 kilómetros del supuesto Ofra-*eṭ-ṭajibe*. Los madianitas, después del ataque, se habrían retirado nuevamente al otro lado del Jordán. Gedeón los persiguió en una operación detalladamente narrada [20], en la que era de importancia decisiva el exacto conocimiento de los vados del Jordán. Estos vados fueron ocupados por aquellos moradores de la montaña de Efraím (Jue 7, 24), que naturalmente los utilizaban más frecuentemente. Se trataba al fin de algunos grupos aislados procedentes de las montañas centropalestinenses, que se habían desviado hacia la Transjordania y habían encontrado ahí áreas habitables, en especial el ya mencionado grupo Maquir, probablemente manasítico.

Sólo sobre el trasfondo de esta conexión efraimítico-transjordánica se comprende también ese singular relato, que se nos ofrece a continuación de la victoria de Jefté sobre los amonitas (Jue 12, 1-6). Efraím se sintió postergado por no haber sido invitado por los galaditas para unirse al ejército. Estalló una enconada y sangrienta batalla, durante la cual los fugitivos efraimíticos eran reconocidos junto a los vados del Jordán cuando los galaditas les ordenaban pronunciar la palabra «Schibbolet» (*śblṯ*) (Jue 12, 6).

18 M. Noth, *Aufsätze* I, 167.

19 A. Alt, *Kl. Schr.* I, 160 (Grundfragen, 170).

20 Relato y lámina cartográfica en A. Malamat, *The world history* I/3, 141-147; Id., *The war of Gideon and Midian. A military approach*: PEQ 85 (1953) 61-65.

Si el individuo en cuestión pronunciaba en su dialecto *Sibbolet* (*śblṯ*), se le reconocía como efraimita y era pasado a cuchillo. Demostraba esto no sólo diferencias dialectales de la primera época, sino que aun posteriormente subsistían tales diferencias. Algunos detalles del relato tal vez fueron sugeridos por diferencias corrientes de pronunciación. El problema de la movilización militar común, que llegó a convertirse en conflicto dramático entre Efraím y Galad, desempeña también un importante papel en el marco de uno de los fragmentos de tradición más primitivos del antiguo testamento, el cántico de Débora en Jue 5, un cántico de victoria, que, como en otros tiempos el cántico del mar de las Cañas se puso en boca de María, aquí se pone en labios de la mujer, que «entre Rama y Bethel, sentada bajo la palmera en la montaña de Efraím», administró justicia en Israel en aquellos tiempos y llamó a Barac de Neftalí para que reuniera sobre el Tabor a las tribus vecinas para la batalla. No entremos aquí en el tan debatido problema de si la descripción en prosa de Jue 4 hace referencia a los mismos acontecimientos que el poético cántico de Débora de Jue 5. Posiblemente cada uno de estos pasajes tiene como base una fuente distinta de tradición y estas distintas fuentes han sido aquí yuxtapuestas, al parecer sin ninguna dificultad.

En el centro de ambos capítulos se encuentra un conflicto con reyes cananeos, muy probablemente príncipes de ciudad, aunque sin un motivo manifiesto; también por lo que respecta a las consecuencias de la batalla, tan sólo pueden inferirse. El escenario bélico es la llanura de Megiddo y Jezrael, que aparece frecuentemente como campo de batalla, y esta vez en su parte noroeste al norte del Carmelo, en los terrenos cercanos al «torrente Cisón». Así pues, la batalla tiene lugar ya al norte de la línea fortificada, de la que se mencionan las ciudades de Tanac y Megiddo. Más difícil es determinar la época del conflicto. El cántico de Débora menciona a un cierto Samgar, en cuyos tiempos «los senderos hicieron fiesta». Samgar es un nombre hurrítico; pertenece, pues, sin duda a la parte cananea. El hecho de que vuelva a hablarse de «los días de Samgar» demuestra que debe haber sido un personaje influyente, cuyo recuerdo iba unido a una especie de bloqueo de los caminos y del tráfico (el «hacer fiesta de los senderos»), que debió tener efectos desagradables especialmente en la región del pasador septentrional. No pasa de una simple conjetura el pensar en la época de la inmigración filistea. Si a esto se añade que entre tanto las tribus israelíticas se habían fortalecido de tal manera, que estaban en condiciones de desencadenar una operación armada contra los reyes cananeos, es de creer que la batalla debió tener lugar a cierta distancia de la inmigración de los filisteos, tal vez hacia el final del siglo XII, difícilmente ya en el XIII [21].

La coalición cananea estaba acaudillada por Sísara, individuo probablemente de nombre ilírico. Es problemático que Sísara sea nombrado general en jefe del rey Jabín de Hazor (Jue 4, 2). Pero esta combinación tropieza con múltiples dificultades cronológicas y no se puede defender con toda claridad [22]. Es hasta cierto punto probable que el rey de Hazor sea presentado tan sólo como tipo de príncipe poderoso de esa región, ya que él mismo no tuvo participación en la batalla. De todos modos Barac, a quien Débora invitó a la batalla, procedía de Cades en la tribu de Neftalí y por consiguiente de una comarca muy cercana a Hazor. El había de reclutar en el monte Tabor los hombres de Neftalí y de Zabulón (Jue 4, 6). El cántico de Débora habla además de la movilización de la tribu de Isacar y de la participación de Efraím, Maquir (no Manasés) y Benjamín. Esta coalición de seis tribus israelíticas comprendía evidentemente las tres importantes tribus concentradas en el Tabor así como las tribus de la montaña de Efraím en toda su extensión. Pero lo notable del cántico de Débora consiste en que también se mencionan grupos que no tomaron parte en la batalla. En primer lugar está la maldición sobre la ciudad de Meroz, probablemente un lugar de población predominantemente cananea en la región de Manasés, que no se sumó a la movilización [23]. Como no participantes se menciona además a Rubén, Galad, Dan y Aser. Los dos primeros son indudablemente los moradores de la Transjordania meridional, mientras que Dan y Aser al norte y al oeste de Galilea, posiblemente a causa de sus contactos con las ciudades costeras fenicias, consideraron más acertado no inmiscuirse en el conflicto con los cananeos.

No sin razón se ve en el cántico de Débora, atendiendo a esa interesante suma de tribus participantes y no participantes, algo así como un documento fundamental del ya existente, o mejor, naciente sentimiento de solidaridad de la magnitud «Israel». Sin

[21] Así también, aduciendo argumentos arqueológicos y tomando en consideración las diferentes concepciones de Aharoni y Yadin, A. Malamat, *o. c.*, 135-137; una marcada post-datación hacia finales del siglo XI a. C. la defiende A. D. H. Mayes, *The historical context of the battle against Sisera*: VT 19 (1969) 353-360.

[22] Podría significar un alivio relativo el que el nombre de Jabín apareciera más frecuentemente en la dinastía de Hazor; sobre esto A. Malamat, *o. c.*, 135.315; Id., *Northern Canaan and the Mari texts,* en J. A. Sanders (ed.), *Near eastern archaeology in the twentieth century,* New York 1970, 168.175 A.22.

[23] A. Alt, *Meros,* 1941, en *Kl. Schr.* I, 274-277.

embargo, el documento no debiera sobreestimarse en atención a un «sistema» de tribus. Están interesadas evidentemente las seis tribus situadas en torno a la llanura de Megiddo; todas las demás tribus se encuentran en una posición periférica y desde luego en el momento del peligro no se tomaron probablemente en consideración en orden a la movilización. No se hace la menor mención de los grupos situados al otro lado del pasador meridional, esto es, Judá y Simeón, los cuales evidentemente se encontraban fuera del campo visual. De todos modos el cántico de Débora representa un estadio y nos habla de un motivo, que debió ser de gran importancia en orden a la fusión y a la actuación conjunta de las principales tribus israelíticas. Se dan a sí mismos el nombre de «Israel», pero se renuncia al mismo tiempo a mencionar a los grupos del área de Judá. Esto merece ser tenido en cuenta. Ya anteriormente se ha conjeturado que este nombre de «Israel», atendiendo a las tradiciones sobre Jacob y a los datos geográficos de la estela de Merenptah, tuvo sus primeras raíces en el Efraím meridional o al menos tuvo allí una base de germinación. Es, pues, algo lógico el que el «reino septentrional» posterior, constituido en estado, llevara el nombre de «Israel».

El cántico de Débora dice además que Yahvé, «el Dios de Israel», subió del monte Seir, de los campos de Edom, para participar en la batalla. En consecuencia, todavía no se ha desvanecido la idea de la vinculación local de aquel Dios al sur. Su residencia está todavía fuera del país, pero sus intervenciones van «contra tus enemigos, Yahvé», a quienes él sabe aniquilar allí donde su pueblo le necesita. La concepción de Yahvé como supremo Señor de los ejércitos, que dirige sus guerras y otorga la victoria, dio lugar a la equívoca fórmula de la «guerra santa», que se ha aplicado y se sigue aplicando [24] a los conflictos militares del antiguo testamento. Es más apropiado hablar de «guerra de Yahvé» [25], pero es todavía mejor renunciar a tales conceptos como algo específico de Israel, ya que la participación de los dioses en la batalla es un motivo panoriental, prescindiendo por completo de si se trataba de guerras defensivas u ofensivas [26]. El resultado de la

[24] Ha hecho escuela sobre todo F. Schwally, *Der heilige Krieg im alten Israel, Semitische Kriegsaltertümer* 1, 1901; G. von Rad, *Der heilige Krieg im alten Israel,* ⁴1965.

[25] R. Smend, *Jahwekrieg und Stämmebund. Erwägungen zur ältesten Geschichte Israels*: FRLANT 84 (1963). F. Stolz, *Jahwes und Israels Kriege. Kriegstheorien und Kriegserfahrungen im Glauben des alten Israel*: AThANT 60 (1972).

[26] M. Weippert, «*Heiliger Krieg*» *in Israel und Assyrien*: ZAW 84 (1972) 460-493.

llamada «batalla de Débora», tal como se nos describe en el cántico con marcados colores poéticos, con multitud de imágenes plásticas, incluyendo a las estrellas, que «desde sus órbitas lucharon contra Sísara», superó tal vez las previsiones de muchos. Los cananeos habían movilizado un inmenso contingente de carros de combate; se nos habla del piafar de los corceles, que en aquellos tiempos eran típicos animales de batalla, especializados para la lucha de carros. Pero las aguas del Cisón vinieron en ayuda de los israelitas; tal vez una inundación, que, casi lo mismo que en el mar de las Cañas, obstaculizó el avance de los carros de combate. Sin embargo, se puede decir que esta batalla junto a las aguas del Cisón es uno de aquellos casos de la historia bélica en que chocaron entre sí tropas de diverso armamento y reportaron la victoria a los técnicamente inferiores [27].

En consecuencia, también hay que evaluar relativamente el resultado táctico-político de esta batalla. Si bien los contingentes israelíticos habían vencido en la batalla campal, sin embargo las grandes fortalezas, como Tanac y Megiddo, siguieron siendo cananeas [28]. Parece ciertamente que se llegó a conjurar la grave amenaza que se cernía sobre las tribus, pero la relación de fuerzas en el país no se modificó todavía de modo fundamental. De todos modos ya no «celebrarían fiesta» los senderos, como en los días de Samgar. En la llanura de Megiddo se restablecería un tráfico tan libre e intenso, que el pasador septentrional llegó a perder su función de rígida línea divisoria. Esto facilitó la comunicación entre las tribus galilaicas y las de la montaña de Efraím. Tal vez por entonces obtuvo también su plena autonomía la tribu de Isacar.

[27] Y. Aharoni opina que los «filisteos» se componían de una tropa de mercenarios, que estaba estacionada en Beth-Sean al servicio de Egipto; cf. su trabajo *New aspects of the israelite occupation in the north,* en *Near eastern archaeology in the twentieth century,* 1970, 254-267, espec. 259; pero esta tesis se basa en consideraciones principalmente de tipo arqueológico.

[28] Una laguna demográfica, perteneciente a la primera mitad del siglo XI a. C. y que se puede demostrar arqueológicamente en Megiddo entre los estratos VI y V, ha dado pie para numerosas interpretaciones, que se han utilizado como argumentos para la datación de la batalla de Débora. Como es natural, de tales observaciones no cabe esperar una claridad definitiva en cuanto a las históricas situaciones concomitantes, dado que en tal problemática época hay que suponer que en los cambios político-étnicos intervinieron por lo menos los egipcios, elementos de los pueblos del mar y los israelitas. Esta problemática la trata extensamente A. Alt, *Megiddo im Übergang vom kanaanäischen zum israelitischen Zeitalter,* 1944, en *Kl. Schr.* I, 256-273; ahora con ciertas reservas A. Malamat, *The world history* I/3, 136. 316.

El cántico de Débora es un documento de carácter peculiar [29]. Su lenguaje es de una fuerza original, a menudo de difícil interpretación, ya que en él se resume lo ocurrido con extrema concisión o tan sólo se hacen alusiones. Su plasticidad es de extrema destreza y de extraordinarios vuelos. Monumental al principio el acometedor Yahvé, casi macabra al final la muerte de Sísara a manos de una mujer, reforzado en sus efectos hasta la amarga ironía por la inútil espera de la madre y de sus mujeres. Pero así tienen que acabar los enemigos de Yahvé. En este cántico no sólo ha encontrado un molde singular el triunfo de los vencedores y del vencedor Yahvé, en él halló su expresión la consciencia del propio valer, que surgió o se reforzó intensamente en los participantes en virtud de la lucha y de la victoria. Se siente uno inclinado a ver ahí la hora natal de la autoconciencia étnica de la magnitud «Israel», si pudiéramos estar seguros de que disponemos de todos los documentos del primitivo Israel. Aun el cántico de Débora no pasa de ser una ráfaga luminosa, aunque importante. «Israel» como «pueblo», como suma de sus tribus, que se iban fusionando en comunidad de destinos, tomó forma en esa época de jefes carismáticos, no en virtud de una idea, no por la presión de un «sistema» anfictiónico, sino por el experimentable y experimentado poder director de su Dios que avanza desde lejanos campos y que derrota a «sus» enemigos, que son al mismo tiempo los enemigos de «Israel». El fundamento y los límites de la tesis de la «anfictionía paleoisraelítica» están patentes. La vinculación a Yahvé y la actuación conjunta en momentos de peligro contribuyen a la autoconciencia de la «nación». Aparentemente este proceso es del todo natural, pero su profundidad vivencial es no sólo «nacional», sino que tiene fundamentos religiosos. La época de los llamados «jueces» adquiere sus perfiles no mediante el perfecto funcionamiento de una liga tribal anfictiónica, pero sí por la convicción, cada vez más dominante en las distintas tribus, de ser un «pueblo» que en la certeza de la dirección divina se siente capaz para defender y afirmar sus territorios recién conquistados y su propia existencia. Naturalmente, esto se cumple ante todo con respecto a aquellas tribus que se mencionan en el cántico de Débora, mientras que el sur permanece todavía algo distanciado. El desarrollo de una historia independiente de Judá, iniciada ya por la conquista,

[29] De entre la abundante bibliografía remitamos a los distintos estudios del texto por E. Sellin, *Das Debora-Lied,* en *Procksch-Festschrift,* 1934, 149-166, y O. Grether, *Das Deboralied,* 1941; cf. también A. Weiser, *Das Deboralied*: ZAW 71 (1959) 67-97; R. Smend, *Jahwekrieg und Stämmebund,* 1963, 10-19.

encuentra aquí una ulterior explicación. El acercamiento del sur judaico al norte israelítico es un proceso de cierta duración que sólo se hace comprensible según las fuentes en virtud de la formación del estado. Ninguno de los guías carismáticos es inequívocamente [30] un judío. El peligro procedente de la llanura costera colindante con Judá lo conjura, según el libro de los Jueces, el danita Sansón, quien, dotado de un carisma totalmente personal y de la extraordinaria fuerza de un gran héroe, más que jefe carismático es un manifiesto luchador individual. La legendaria descripción de su figura no permite al historiador formular conclusiones seguras.

No pasemos por alto el relato de Jue 19-21 en el llamado apéndice del libro de los Jueces, relato frecuentemente impugnado por motivos de su credibilidad histórica y que se refiere a una «acción infame» en la benjaminítica Guibeá. Un motivo familiar y de escasa importancia, la estancia pasajera de un efraimita que viaja a través de Guibeá, que venía con su mujer de Belén de Judá y es objeto de la hospitalidad de un efraimita residente en Guibeá, da lugar a una horripilante orgía de hombres de Guibeá, que violan espantosamente a la mujer judaica del efraimita, de tal forma que ésta termina por morir. Los trozos de su cadáver repartidos por «Israel» dan ocasión a una campaña de castigo contra Benjamín, que tras varios infructuosos asaltos reduce a cenizas a Guibeá y hace jurar a los «israelitas» no dar sus hijas a ningún benjaminita. Pero se arrepienten de tal decisión; se teme que pueda llegarse a perder una tribu. Yabés de Galad, que se había mantenido ajena a esta asamblea deliberante, se convierte en meta de una nueva campaña, durante la cual son respetadas las doncellas, para entregarlas a Benjamín. Como no eran suficientes, se recomienda a los benjaminitas que se han quedado sin ninguna, que intenten asaltar y apropiarse a aquellas doncellas, que suelen actuar como danzarinas en una danza cúltica en el efraimítico Silo. Así se hace y parece solventado todo el conflicto. Esto acontecía, se dice expresamente, en una época en que todavía no había rey en Israel y cada cual hacía lo que se le antojaba.

Evidentemente se trata aquí de un conflicto entre las tribus de Efraím y Benjamín, que en el relato de la «acción infame» está personalizado e inten-

30 Es problemática la judicatura de Otoniel (Jue 3, 7-11), pariente de Caleb. Ha sido relacionado con la enigmática figura de Cusan Risataim junto con la cual se substrae a una interpretación segura. La posición de Otoniel al frente de los personajes-jueces en el libro de los Jueces puede obedecer a la intención de la redacción deuteronomística de resaltar en este lugar el puesto preeminente de Judá. La estructuración de los versículos es casi exclusivamente deuteronomística. Pero en principio no hay por qué excluir la existencia de «jueces» en Judá.

sificado hasta un dramático punto culminante. No se mencionan las profundas causas del conflicto y por eso hasta ahora la investigación se ha basado tan sólo en conjeturas [31]. En la movilización de «Israel» encontró M. Noth confirmada la tesis de la anfictionía y en consecuencia dio por descontada una guerra anfictiónica [32]. O. Eissfeldt rechazó esta construcción y supuso que la causa fue una rebelión de Benjamín, iniciada en Guibeá [33], o de algunas ciudades contra el territorio principal efraimítico. Benjamín habría adquirido así su autonomía definitivamente. De otro modo resumió su resultado K.-D. Schunck [34], quien ha querido ver en estos capítulos precisamente la prueba de la pérdida total de la autonomía benjaminítica.

Desde luego no se puede lograr una claridad definitiva. Pero merece atención una serie de observaciones, ya que en la redacción textual ampliada desde luego posteriormente se encuentran elementos que no son inventables y tienen su importancia aun en orden al ulterior desarrollo de la historia tribal de este área. Benjamín desempeñaba un papel peculiar, sus relaciones con los vecinos eran problemáticas. Los antiguos dichos tribales le designan como «lobo rapaz» (Gén 49, 27), Efraím fue acosado por saeteros; los benjaminitas eran, efectivamente, buenos arqueros [35]. Aun los contactos de Benjamín con Yabés en Galad descansan en hechos, que se destacan todavía con más fuerza en la historia de Saúl [36]. Aun la inasistencia de las gentes de Yabés a la asamblea tribal de Mispá (Jue 21, 8) está relacionada a buen seguro con las relaciones más estrechas hacia Benjamín y la actitud defensiva hacia Efraím. Finalmente, no carece de importancia la mención del arca en Bethel (Jue 20, 27 s.) y la tradición sobre la fiesta anual en Silo. De ahí cabe deducir que las tribus centropalestinenses tenían estrechas relaciones con esos santuarios, pero por otra parte se aclara el papel problemático de Benjamín en el extremo meridional de la montaña efraimítica, ya porque tenía dificultades para los debidos contactos con sus vecinos, ya porque intentó desligarse de Efraím para mantener una independencia político-militar. Todo esto revela tensiones en Palestina central, cuyas repercusiones se pueden observar hasta la época de los reyes y precisamente por esto obligan a no deschar como meras ficciones las vivas descripciones de Jue 19-21, sino a considerarlas como residuo muy retocado de situaciones y tendencias locales,

[31] O. Eissfeldt, *Der geschichtliche Hintergrund der Erzählung von Gibeas Schandtat* (Richter, 19-21), 1935, en *Kl. Schr.* II, 64-80 ofrece también un amplio resumen de anteriores concepciones e interpretaciones.

[32] M. Noth en el contexto de un análisis literario de Jue 19-21 dentro de su libro sobre el sistema de las doce tribus de Israel, 1930, 162-170; un miembro de la anfictionía había delinquido «contra el derecho anfictiónico»; esto desencadenó una «guerra de anfictiones».

[33] O. Eissfeldt, *o. c.,* espec. 77-79.

[34] K.-D. Schunck, *Benjamin*: BZAW 86 (1963) 57-70.

[35] Sobre estos detalles, O. Eissfeldt, *o. c.,* 76 s.

[36] 1 Sam 11; 31, 11-13; 2 Sam 2, 4b-7

que tienen lugar realmente en la época preestatal. En todo caso, el tan citado «Israel» no es ciertamente la liga [37] anfictiónica que se levanta como un solo hombre, sino precisamente aquel mismo contingente centropalestinense, o mejor dicho, que comprende a Efraín y a sus más próximos (septentrionales) vecinos y que precisamente como «Israel» participó también en la batalla de Débora.

Pese a las subsistentes incertidumbres concretas, el relato de la acción infame en Guibeá nos depara un instrumento topográfico y político-tribal, que hace más comprensibles aún las complejas vicisitudes de la ya inminente época de los reyes.

Aún más interesante que el conflicto en torno al benjaminítico Guibeá son los intentos por una autónoma y permanente adquisición del poder en el área efraimítico-manasítica, que allí se desarrollaron sobre el trasfondo del conflicto con los reinos locales cananeos. Ya no se puede entender históricamente el encargo de los hombres que rodean a Gedeón, el vencedor de los madianitas, para que éste ejerza un reinado permanente (Jue 8, 22-35). Esto lo rechaza Gedeón para sí y para su hijo Abimelec. Pero dentro del mismo contexto se habla de variados cultos extraños; esto permite deducir estrechos contactos, que debieron desarrollarse entre israelitas y cananeos nativos y que también pueden haber fomentado el pensamiento de pretensiones hegemónicas por ambas partes.

Abimelec, a diferencia de su padre Gedeón, evidentemente no llamado para «juez», pero emparentado por parte de su madre con el sector dirigente de Siquem, aliándose con las aristocráticas autoridades locales intentó hacerse con el poder (Jue 9). En su ciudad natal, Ofra, eliminó totalmente a sus parientes paternos, a fin de excluirlos como potenciales rivales; tan sólo escapó Jotam, el cantor de aquel famoso «apólogo de Jotam» [38] (Jue 9, 8-15), que pone en guardia para que no se elija por rey al más inepto. Pero Abimelec se ganó la confianza de las clases altas de la ciudad y fue proclamado príncipe local. Surgieron, sin embargo adversarios, que no quisieron doblegarse a él. Cierto es que Abimelec consiguió imponerse militarmente, pero a costa de la destrucción de la

[37] La súbita mención de Judá en Jue 20, 18, de quien se dice que había de salir como primera tribu contra Benjamín, demuestra precisamente lo contrario de lo que se pretendía con esa noticia concisa, tal vez secundaria. Precisamente Judá no estaba interesado y había que mencionarlo al menos una vez, y además en primera línea.

[38] Un amplio estudio literario del apólogo en W. Richter, *Traditionsgeschichtliche Untersuchungen zum Richterbuch,* 282-299.

mayor parte de la ciudad. Eso parece ser que le animó a emprender la lucha contra la prepotente ciudad de Tebes (*ṭūbāṣ*), tan sólo a 15 kilómetros al nordeste de Siquem. El triunfo parecía seguro. Pero aún quedaba en medio de la ciudad una torre fortificada, donde se refugiaron los defensores. Abimelec la asaltó, pero he aquí que súbitamente aparece una mujer en lo alto de la muralla, lanza una muela de molino y acierta a dar exactamente en la cabeza de Abimelec. La batalla terminó al momento. Los israelitas se dispersaron inmediatamente y retornaron a sus casas. La muerte de Abimelec marcó el final de una acción individual de política imperialista, sin que conozcamos un segundo caso análogo en la época preestatal [39].

Estos hechos son sintomáticos. Cada una de las tribus israelíticas está a punto de consolidar su existencia en el país. Se encuentran en condiciones de defenderse contra ataques del exterior; en situaciones especialmente críticas se fusionan en coaliciones. Pero en medio de ellas hay ciudades fortificadas, gobernadas predominantemente por las nativas altas clases cananeas. La conciencia de su propio valer no está quebrantada aún, todavía no ha madurado plenamente el deseo de arreglo con los inmigrantes. La tardía herencia de política imperialista siquemítica, tal como la practicó en tiempos de las cartas de Amarna un hombre por nombre Labaja, parece no haber perdido todavía su atractivo. Entregar el poder a un individuo, que en virtud de su origen hubiera podido mediar entre cananeos e israelitas, constituyó un intento inédito, pero en definitiva inútil; y no sabemos de nadie, que a continuación de Abimelec erigiera de nuevo el poder de Siquem o que intentara establecer un poder central sobre el área efraimítica con el propósito de consolidar la interna organización de las tribus. El caso Abimelec quedó restringido a Siquem, se proyectó en definitiva no desde la perspectiva israelítica, sino desde la perspectiva del poder local cananeo. La lucha de ese personaje no suscitó ningún tipo de sentimientos «nacionales». Las aspiraciones y la misión hegemónica de Abimelec se mantuvieron en pie y cayeron con su persona. En el trasfondo latía la oposición a Canán, la oposición a los sectores demográficos nativos, desvinculados de los israelitas. Convivir con ellos parecía posible; luchar contra ellos sobrepujaba la potencia tribal israelítica, por lo me-

[39] Una investigación literaria de Jue 9 en W. Richter, *Traditionsgeschichtliche Untersuchungen*, 246-318; cf. además E. Nielsen, *Schechem*, Copenhague 1955, 142-171; sobre la valoración histórica de los hechos A. Alt, *Kl. Schr.* I, 129; II, 6 s. (*Grundfragen*, 139, 263 s.).

nos a la larga. Dicho en pocas palabras: aún no había llegado la hora de la monarquía, la hora de una fusión tribal bajo la forma de una entidad estatal bien trabada. Hay que partir del hecho de que, en contra de muchas hipótesis de largo alcance, las tribus en la tierra cultivable disponían primeramente de muy pocas instituciones administrativas y cúlticas, pero por lo demás perduraba la ordenación familiar y clánica. Por las noticias de que disponemos, casi todas las tribus disponían de un propio santuario, llegado el caso se interesaban en erigirlo y mantenerlo debidamente, como se atestigua expresamente a propósito de los cambios de residencia de la tribu de Dan [40]. Estos santuarios no estaban sometidos a ninguna autoridad central. Si en un determinado santuario se reunía una serie de tribus, se trataba de un acto extraordinario, que en principio no extendía la vigencia del respectivo lugar sagrado más allá de la tribu allí sedentarizada. Más bien eran el poder y el prestigio de una tribu los factores que elevaban la importancia de sus santuarios.

En la medida en que se puede conceder un núcleo de realidad histórica a la sumaria tradición sobre una asamblea de tribus israelíticas en Siquem, que habría tenido lugar ya en los tiempos de Josué (Jos 24), tal asamblea pudo consistir en que grupos efraimíticos trataban de ganar para la fe en Yahvé a poblaciones nativas e inmigradas no integradas todavía en tales grupos. Precisamente los conflictos con pobladores transjordánicos de Galad, como los que estallaron en tiempos de Jefté, o con la tribu de Benjamín, manifiestan algo de las pretensiones de mando de Efraím, que posiblemente aun en el caso de la batalla de Débora cooperó a la victoria. Pero por lo demás el desarrollo y los detalles de la «asamblea de Siquem» indican un alto grado de reflexión en la tradición, que presupone ya una amplia concepción de la historia de Israel. Esto no era posible ni al comienzo ni al final de la época de los jueces. Difícilmente se puede ver Jos 24 como el reflejo de un acto constitutivo para toda la anfictionía paleoisraelítica [41]. Más atinadas son las

[40] El núcleo de la exposición está constituido por la instalación del santuario danítico y la legitimación de su sacerdocio levítico. Ch. Hauret, *Aux origines du sacerdoce danite, à propos de Jud 18, 30-31,* en *Mélanges A. Robert,* 1957, 105-113; M. Noth, *Der Hintergrund von Ri. 17-18,* 1962, en *Aufsätze* I, 133-147.

[41] Así sobre todo M. Noth, *Das System der zwölf Stämme Israels,* 1930, 65-86, espec. 70; cf. también el análisis literario, *Ibid.,* 133-151; que en Jos 24 se trata históricamente «de la solemne fundación de la liga sagrada de las doce tribus», lo ha repetido Noth en *Josua*: HAT I/7 (1953) 139; ciertas correcciones a la más reciente investigación de Jos 24 han sido intentadas por G. Schmitt, *Der Landtag von Sichem,* en *Arbeiten zur Theologie* I, 1964; como aclaración de la posición de Noth véase R. Smend: EvTh 31 (1971)

consideraciones, que enjuician la «asamblea» desde el contexto de la concepción deuteronómico-deuteronomística de la historia [42]. Después que, según la concepción del libro de Josué, las tribus habían tomado plena posesión del país, en su último capítulo todas las tribus juntas habían de adherirse firmemente al único Dios vinculante. La posición aislada de Jos 24 confirma su carácter exclusivo y programático, que está al servicio no de la historia, sino de una historiografía de configuración pragmática. En esta obra histórica, que va desde Josué hasta 2 Reyes, Jos 24 constituye una pieza intermedia sintetizadora y valorativa como el discurso de Samuel (1 Sam 12) y la reflexión tras la caída del reino septentrional (2 Re 17).

Bueno será considerar la transición de la actuación localmente limitada de las tribus a la creación y reconocimiento de formas organizatorias amplias no abstractamente como consecuencia de decisiones jurídico-administrativas, sino estimulada y provocada por acontecimientos que llegan a las tribus desde fuera. Tales acontecimientos las forzaron finalmente a la decisión inesperada de nombrar rey a un varón benemérito. El reino israelítico no es el resultado de una cuidadosa planificación, sino que desde el comienzo se encuentra bajo la urgencia de tener que conservar y proteger la existencia de las tribus. A la larga sólo era posible la consolidación en el país, si una permanente instancia rectora garantizaba rápidas reacciones por encima de las asociaciones tribales particulares. A tal propósito parece ser que se consideró como algo evidente que la respectiva personalidad no podía actuar sin la expresa legitimación de Yahvé. Las asociaciones tribales algo inconsistentes, que todavía se observan claramente a través de los textos transmitidos como una realidad de la época preestatal, de ningún modo quedaron sencillamente suprimidas y fusionadas mediante una constitución monárquica claramente definida. Se observará más bien cómo este cargo, que ahora de hecho introduce también el título de rey como designación oficial, se derivó orgánicamente de las formas de vida y de organización tribal ya existentes.

623-630; cf. ahora la postura opuesta de R. de Vaux: The Harvard Theological Review (HThR) 64 (1971) 415-436.

[42] Muy sutil L. Perlitt, *Bundestheologie im Alten Testament*: WMANT 36 (1969) 239-284.

II

Los reinos de Israel y de Judá

6

EL REINO DE SAUL

Si bien algunas tribus en los tiempos de los llamados «jueces» y bajo la presión de serias amenazas se mancomunaron temporalmente y fue tomando cuerpo la convicción de que al menos el contexto tribal de la Palestina central y septentrional bajo el nombre de «Israel» constituía una unidad, que se caracterizaba por el común origen, por el mismo Dios y por los mismos destinos, «Israel» de ningún modo formaba todavía un «estado». No cabía pensar en una política activa en el sentido de la mentalidad moderna, y el igualmente moderno concepto de «pueblo» unitario tal vez se sintió inicialmente, pero de ningún modo se delimitó todavía claramente. Los impulsos para una nueva evolución vinieron de fuera.

Las incursiones de vecinos hostiles sobre territorio israelítico, con las que tuvieron que enfrentarse los jefes carismáticos, estuvieron sustancialmente limitadas en el espacio y en el tiempo. La amenaza se convirtió en peligro crónico sobre todo debido a los filisteos. Su conquista territorial había precedido a la israelítica; se limitó a la llanura costera. Pero la consolidación de su poder, especialmente bajo la forma de reinos locales, acrecentó el ansia de expansionarse y configurar en lo posible una autónoma estructura soberana territorialmente redondeada. De este modo se formó paulatinamente, al oeste del área israelítica en toda su extensión desde la llanura costera, un poder organizado, que por el este introdujo sus puestos avanzados hasta la montaña. Allí se produjeron forzosamente choques con los israelitas [1].

[1] Prescindiendo de los legendarios conflictos del «juez» Sansón con los filisteos (Jue 13-16), estamos claramente informados sobre conflictos locales mediante los relatos del comienzo del libro de Samuel (1 Sam 1-7). Ocupa allí el centro el santuario de Silo (*chirbet sēlūn*) en el Efraím meridional, donde se encontraba el arca de Yahvé, junto a la cual servía el joven Samuel. Las circunstancias, bajo las cuales el arca, utilizada como paladión de guerra, cayó en manos de los filisteos, tiene por trasfondo batallas que las tribus israelíticas tuvieron que sostener contra los filisteos en el área de Afec (probablemente *tell el-muchmar* junto a *rās el-ʿēn* en el margen occidental de la mon-

El caudillaje carismático ya no estaba en condiciones de hacer frente a tan fuerte y permanente peligro; el reclutamiento tribal restringido a cada caso particular, dependiente de la iniciativa y de la misión de un solo personaje, «al que llamaba Yahvé», y al que por consiguiente en cada caso había que esperar o encontrar, no se mostró suficientemente eficaz para enfrentarse con éxito a la creciente presión de los filisteos, pero también de los amonitas por el este y de los amalecitas por el sur. Lo que se estimó oportuno fue el conferir una misión permanente a un jefe carismático, una «judicatura para toda la vida» [2]; de este modo podían crearse las condiciones para organizar con más rigor el reclutamiento de las tribus y mantenerlo con mayor energía. Prácticamente eso fue la hora del nacimiento de la idea monárquica, la célula germinal de la firme cohesión mutua de las tribus por medio de una dirección unitaria, unida con una concentración militar en una estructura política, que estrictamente no es todavía un «estado», sino una liga tribal con una cabeza hegemónica. Esta cuidadosa selección de conceptos trata de poner en claro de qué modo tan paulatino las tribus israelíticas pasaron a una forma distinta de organización y con ella adquirieron un nuevo sentido comunitario.

Ahora bien, cuadra también con estas observaciones y reflexiones el hecho de que el primer rey de Israel, Saúl, fue todavía en sus comienzos, en la medida en que podemos juzgar de este asunto, jefe carismático y hasta cierto punto lo siguió siendo durante toda su vida. Fue ante todo el jefe del reclutamiento tribal, fue un «rey militar», cuyo cometido no consistió en mucho más que en el mando y mantenimiento de una poderosa tropa defensiva. En el orden práctico imperaban todavía las circunstancias de

taña efraimítica). Como consecuencia de estos conflictos se perdió el arca (1 Sam 4, 10.11) y tal vez también fue destruido el santuario de Silo (esto lo evocaría mucho después el profeta Jeremías, en cuyos tiempos todavía se podían contemplar ruinas, Jer 7, 12.14; 26, 6.9). Sobre el relato acerca del arca. L. Rost, *Das Kleine Credo und andere Studien zum Alten Testament,* 1965, 122-159; sobre Silo cf. también O. Eissfeldt, *Silo und Jerusalem,* 1957, en *Kl. Schr.* III, 417-425.

[2] La continuidad del proceso ha sido destacado y acentuado por A. Alt, *Die Staatenbildung der Israeliten in Palästina,* 1930, en *Kl. Schr.* II, 1-65 (*Grundfragen,* 258-322); cercano a la postura de Alt está J. A. Soggin, *Das Königtum in Israel*: BZAW 104 (1967); sobre una base más amplia, siguiendo en gran parte las intenciones de Alt y de Noth, y poniendo más de relieve los puntos de vista políticos frente a los religiosos, G. Buccellati, *Cities and nations of ancient Syria. An essay of political institutions with special reference to the israelite kingdom*: Studi Semitici 26 (1967); cf. la extensa bibliografía citada en esas obras; además K. Galling, *Die israelitische Staatsverfassung in ihrer vorderorientalischen Umwelt*: AO 28/3.4 (1929).

la «época de los jueces», con la única diferencia de que el jefe era un personaje dotado de poderes permanentes.

Concuerda con esto el hecho de que Saúl no creó todavía una perfecta organización estatal, y ni siquiera parece haberlo intentado. No construyó residencia ninguna, no amplió su sede de Guibeá en Benjamín (*tell el-fūl*) ni la consideró como «ciudad regia», no tuvo funcionarios estables que se consideraran como autoridad central responsable dentro de la jurisdicción saulídica [3]. Nada sabemos de un cambio de las instituciones cúlticas ni de intervenciones en la vida religiosa.

La eliminación, ordenada por Saúl, de los sacerdotes del santuario de Nob, cuyo primer sacerdote había tomado partido a favor de David, manifiesta una cierta inseguridad en la política interior del rey militar, quien se fía del dudoso consejo de un forastero y parece no tomar para nada en cuenta el sagrado estado jurídico de los sacerdotes de un importante santuario (1 Sam 22, 6-23) [4].

Todo esto confirma totalmente la opinión corriente de que la realeza fue en Israel un fenómeno tardío, que le sobrevino en virtud de circunstancias históricas, pero que en el fondo no se adecuaba a su carácter originario [5]. Por su naturaleza, Israel era una comunidad tribal y lo ha seguido siendo en el plano ideal y en gran parte incluso en el orden práctico. Más pronto o más tarde se advirtió que la forma estatal de la monarquía necesitaba una propia justificación. El cargo de rey en Israel estaba por anticipado sujeto a tensiones frente a la estructura fundamental liga-

3 De cualquier modo que se juzgue la escena de 1 Sam 22, 6 s, Saúl sentado bajo el tamarindo en Guibeá, lanza en mano, en medio de sus gentes, es algo que confirma, más que contradice, el carácter provisional-primitivo de su reino militar.

4 De todos modos hay que tener en cuenta el puesto del relato dentro del primer libro de Samuel. Saúl se venga, porque se prestó auxilio a su sucesor David. Esto también acrecienta, en el marco de toda la exposición, la alienación entre Saúl y Yahvé. Cf. ahora H. J. Stoebe, *Das erste Buch Samuelis*: KAT 8/1 (1973) 401-416.

5 A esto se opone expresamente el libro de Buccellati, *Cities and nations*, 1967. Para él la monarquía en Israel es «the naturel development of forces present among the Israelites and stimulated by circumstances such as the conquest of Palestine and the fight against the Philistines» (241). Esto es difícil negarlo. Pero también es cierto que la propia visión israelítica de su monarquía fue más diferenciada en razón de sus condicionamientos y que la estructura tribal quedó absorbida en la monarquía no sin problemas. Según esto, la comparación con las circunstancias sirias sólo puede ser una ayuda relativa.

da a la tribu, tensiones, que nunca pudieron ser superadas. De tales tensiones nos ofrece ejemplos la profecía posterior, con ellas está relacionado el hecho de que la realeza, tras su quiebra, no experimentó renovación ninguna en tiempos postexílicos. Aunque en esa época tardía concurrieran también otros factores, a buen seguro que influyó el convencimiento de que la realeza no constituía para Israel una magnitud irrenunciable.

Las tensiones y problemas en torno a la realeza israelítica han quedado reflejados fielmente en la tradición veterotestamentaria, pero a menudo determinan la exposición de forma tan exclusiva, que se hace difícil distinguir lo históricamente seguro de la exposición refleja y problematizadora. Esto ocurre también por desgracia en el complejo de relatos de 1 Sam 8, 12, que trata de informar sobre la fundación de la monarquía y la elección de Saúl. Está claro que tales relatos se caracterizan ya por una actitud básica hacia la naciente o ultimada institución monárquica, actitud que no es contemporánea a los hechos narrados, sino que en gran parte se debe atribuir a posteriores experiencias con los reyes. Tan sólo el capítulo 1 Sam 11, reconocido como relativamente independiente, ofrece puntos de apoyo para integrar la figura y la obra de Saúl en un contexto más amplio, cuyos detalles son oscuros.

El transjordánico Yabés de Galad es amenazado por los amonitas, cuya potencia histórica debió crecer paralelamente a la sedentarización de los israelitas [6]. Antes que los amonitas pudieran atacar a la ciudad, consiguen los yabesitas mandar emisarios a la comarca israelítica del oeste del Jordán. Lo hacen con la esperanza de que les salga un «salvador», un *mōschīa'* (1 Sam 11, 3). La descripción se asemeja, pues, mucho más allá del libro de los Jueces, a las formas expositivas de la «época de los jueces».

Los emisarios llegan también a Guibeá de Benjamín, la ciudad natal de Saúl. Este se encuentra a la sazón en el campo arando con sus bueyes. Ante las noticias llegadas de Yabés, monta en cólera. El espíritu del Señor (*rwḥ 'lhym*) viene sobre él. Toma una yunta de bueyes, los despedaza y los reparte por todo el territorio de Israel. Por desgracia no se designa más concretamente ese territorio. Y ordena anunciar: así se hará con los bueyes del que no salga detrás de Saúl. El resultado es completo. Un «temor de Dios», un «temor de Yahvé» (*p̄ḥd̲ yhwh*) cae sobre los invitados a seguirle. Yahvé ha operado en ellos una conmoción tal, que ellos salen y siguen a Saúl «como un solo hombre» (11, 7).

6 M. Noth, *Aufsätze* I, 463-470, espec. 468 s.

Saúl congrega ese ejército junto a Bezec (*chirbet ibzīk*), junto a la bajada de la calzada que va desde Siquem hacia Beth-Sean [7], donde se llegaba en seguida a los vados del Jordán, a través de los cuales probablemente persiguió ya Gedeón a los madianitas. Desde allí ya no se pone muy lejos Yabés [8]. Saúl y su ejército consiguen realmente batir a los amonitas, liberando así felizmente a la ciudad.

Hasta ahí todo responde a la situación de un jefe carismático y del éxito que Yahvé le ha otorgado. Saúl recibió en el campo una vocación auténtica, aunque sumamente extática, una santa ira se apoderó de él, en muy breve tiempo reunió un ejército y bate al enemigo que se había introducido por la fuerza. Es digno de notarse que precisamente el benjaminita Saúl acuda a socorrer a las gentes del lejano Yabés. Se confirman los nexos existentes entre Benjamín y Yabés, cuyos motivos de genealogía y parentesco pueden adivinarse tras el motivo del rapto de la mujer en Jue 20.

El relato de 1 Sam 11 termina diciendo que, después de la victoria, el pueblo se dirigió al santuario de Guilgal y allí proclamó rey a Saúl. Esto aconteció exactamente en el antiguo santuario benjaminítico, desde luego no en Transjordania, pero tampoco en suelo efraimítico. Queda totalmente en suspenso quién estaba particularmente interesado en esa proclamación de rey. En todo caso lo estaba no sólo la tribu de Benjamín, sino que también pudieron estar interesados en ello todos aquellos que siguieron a Saúl a la batalla y que se habían reunido en Bezec. Estos fueron los efraimitas y tal vez también tribus galilaicas. Fue a lo sumo el «Israel» del cántico de Débora. Guilgal no desempeñaba la función de un «centro anfictiónico», sino que entraba en consideración como santuario patrio de Saúl, al que éste debía dirigirse agradecidamente tras la victoria por toda clase de razones. Aquí sucedió, de forma preparada o espontánea, lo que flotaba en el ambiente, la elevación de un probado carismático al ejercicio permanente del poder [9].

Así pues, 1 Sam 11 describe en un rápido y conciso desarrollo de acontecimientos la trayectoria de Saúl desde jefe carismático hasta rey. Se observa claramente cómo el nuevo oficio surge de

[7] La favorable situación de Bezec para el tráfico ha sido descrita ya por A. Alt: PJB 22 (1926) 49 s.; y ahora sobre la base de recientes inspecciones sobre el terreno, ha sido detalladamente expuesta por P. Welten, *Bezeq*: ZDPV 81 (1965) 138-165.

[8] Teniendo a la vista 1 Sam 11, expone la situación geográfica M. Noth, *Jabes-Gilead. Ein Beitrag zur Methode alttestamentlicher Topographie,* 1953, en *Aufsätze* I, 476-488.

[9] Sobre numerosas cuestiones particulares cf. K. Möhlenbrink, *Sauls Ammoniterfeldzung und Samuels Beitrag zum Königtum des Saul*: ZAW 58, (1940-1941) 57-70; además W. Beyerlin, *Das Königscharisma bei Saul*: ZAW 73 (1961) 186-201; J. A. Soggin, *Charisma und Institution im Königtum Sauls*: ZAW 75 (1963) 54-65; Id., *Das Königtum in Israel,* 1967, 29-45.

los condicionamientos del caudillaje carismático, sobre la base del victorioso ejército de las tribus que participaron en la batalla. Predomina ahí la espontaneidad. Pero es indudable que la decisión para la proclamación de rey estaba preparada. Sobre esto nos faltan noticias seguras. Es más bien la tradición narrativa la que más tarde se ocupa de la problemática del naciente reino y del superior destino del elegido y lo hace en parte incluso valiéndose de una descripción plástica y rica en motivaciones. Con diversas variantes esa tradición se conserva en la serie de capítulos de 1 Sam 8-12 dejando a un lado las contradicciones y tensiones existentes dentro del complejo desarrollo de la tradición. Tan sólo la función mediadora de Samuel parece llamada a servir de lazo de unión.

Es relativamente fácil despachar el tal vez más reciente estrato de tradición contenido en 1 Sam 8 y 12. 1 Sam 8 comienza diciendo que Samuel administró justicia en Israel y durante el ejercicio de este cargo, teniendo en cuenta su ya próximo final, le rogaron los ancianos de Israel que les nombrara un rey. Esto tuvo lugar en la residencia de Samuel en Rama, por lo tanto tan sólo a unos pocos kilómetros al norte de Guibeá. Samuel considera dura tal pretensión. Pero Yahvé le exhorta a dar satisfacción al deseo de los ancianos, ya que, así dice expresamente Yahvé, el pueblo no te ha rechazado *a ti* al manifestar ese deseo, sino *a mí*, para que no reine sobre ellos.

La realeza se presenta como una clara empresa competidora contra el reino de Yahvé, que había de reclamar una vigencia exclusiva. Por lo tanto, el oficio de los reyes terrenos es considerado por Israel bajo una luz sumamente errónea. Concuerda perfectamente con esto el que a lo largo del capítulo 8 Samuel le comunique al pueblo lo que había de esperar de un rey en medio de ellos, nada bueno, tan sólo perjuicios y cargas, servicio militar, aprovisionamiento de la corte, bienes de la corona, impuestos. Los ancianos no se impresionan. Exigen para sí un rey, y Samuel recibe la confirmación divina de que ellos deben tener un rey. Pero de momento no sucede tal cosa; los hombres de Israel, tras su propuesta a Samuel, retornan a sus residencias. Ahora debía tomar la iniciativa Samuel y descubrir un individuo idóneo. De tal iniciativa se habla también de hecho en los siguientes capítulos 9 y 10, pero a base de relatos de un tipo literario fundamentalmente distinto de lo que fue la artificial y refleja programática de 1 Sam 8. Esta forma estilística aparece nuevamente en 1 Sam 12, donde Samuel en un gran discurso vuelve sobre los problemas de la elección de rey y repite los argumentos del capítulo 8. Está claro que los capítulos 8 y 12, en orden a la información sobre el origen de la realeza en Israel, son los capítulos-soporte, conscientemente problemáticos, en los que quedan incorporadas las otras tres formas de tradición, 1 Sam 9, 1-10, 16; 10, 17-27, 11, informando los últimos sobre los acontecimientos de la campaña de Yabés.

El complejo 9, 1-10, 16 ofrece una serie de escenas idílicas, pero instructivas. Cuando Saúl va en busca de las asnas de su padre, que se habían extraviado, encuentra casualmente al «vidente» Samuel, hasta entonces desconocido por él, quien por su parte unge al hasta entonces desconocido Saúl por *nāgīd* sobre Israel, con lo que éste queda evidentemente preparado para la realeza, pero de momento no debe decir nada sobre el particular. Samuel actúa en todo por orden de Yahvé, pero la ocasión para esto se le ofrece casi incidentalmente, cuando Saúl le encuentra casualmente. Muy al contrario del capítulo 8, aquí parece descartada cualquier forma de inconveniente exigencia humana. De un modo totalmente distinto toma Samuel la iniciativa en 10, 17-27. Convoca una asamblea tribal en Mispá [10], manda salir una por una las tribus y familias y descubre el rey valiéndose de un procedimiento por suertes no bien concretado. Cae la suerte sobre Saúl, hijo de Quis, que curiosamente se mantiene oculto entre la impedimenta. Cuando aparece, se observa que les lleva a todos la cabeza; tal vez una oportuna ratificación de la elección efectuada [11]. El pueblo le aclama con un ¡viva el rey! A continuación Samuel dicta a los allí congregados un «fuero real», que deposita por escrito en el santuario. Saúl se vuelve con los suyos a Guibeá. Pero salieron algunos escépticos y dijeron: ¿cómo va a poder ése salvarnos? Le despreciaron y no le llevaron regalos, rehusándole así su lealtad.

Lo que a esta escena de Mispá sigue en el capítulo 11 es aquel relato sobre la lucha de Saúl en Yabés contra los amonitas, en la que la figura de Samuel es totalmente superflua [12]. Es evidente que los versículos 11, 12-14 tratan de engarzar ese relato de Yabés con la escena de Mispá. Se pide allí la muerte para aquellos que andaban preguntando si Saúl iba a reinar. Pero Saúl declara que nadie debe morir en ese día en que Yahvé concedió la victoria. Samuel, que está presente en 11, 14, exhorta a marchar hacia Guilgal, para «inaugurar» allí la monarquía, precisamente porque según 10, 17-27 Saúl era ya rey. Pero con este versículo 11, 14 no cuadra el 11, 15, que pertenece

[10] Dando por supuesto que Mispá es idéntica al *tell en-naṣbe,* 11 kilómetros al norte de Jerusalén junto a la calzada principal que corre a lo largo de la región efraimítica (cf. ahora H. J. Stoebe: KAT 8/1 [1973] 215), el santuario se encontraba en Benjamín. Sin embargo, según 1 Sam 11, 15, la proclamación real tuvo lugar en el también efraimítico Guilgal. Los hechos demuestran simplemente que existían opuestas tradiciones sobre los acontecimientos decisivos en torno al origen de la monarquía. La importancia de Mispá en la época de los reyes (cf. 1 Re 15, 22; 2 Re 25, 23; Jer 40, 41) puede haber favorecido el que se hayan transferido allí los acontecimientos legendarios de 1 Sam 10, 17-27.

[11] O. Eissfeldt atribuye este motivo de la estatura corporal de Saúl a una antigua tradición tal vez independiente; cf. *Die Komposition der Samuelisbücher,* 1931, 7, 10.

[12] En 1 Sam 11, 7 la frase «y detrás de Samuel» es una interpolación no motivada por el contexto.

al relato de Yabés y de forma totalmente independiente notifica la elevación de Saúl a la dignidad de rey.

Estos problemas composicionales últimamente debatidos dan claramente a entender que al redactor del libro de Samuel le fue difícil conectar entre sí las diversas tradiciones sobre el origen de la monarquía con la intención de plasmarlas en una exposición coherente. Pero está bien claro que se trata de tradiciones originariamente separadas, que derivan cada una de ellas de una distinta situación de intereses y no pretendían narrar una historia continuada. Ahora bien, los esfuerzos de los escrituristas veterotestamentarios han tratado muchas veces de combinar los inconexos documentos en series de relatos coherentes y de este modo destilar lo históricamente verosímil o en todo caso creíble. Ha hecho escuela sobre todo la distinción [13], sostenida en unión de Wellhausen, de que en 1 Sam 7, 8, y después en 10, 17-27 + 11, 12-14; 12 existe una exposición «anti-rey», pero en 1 Sam 9, 1-10, 16, añadiendo 11, existe una exposición «pro-rey», abarcando así los principales complejos [14]. Ha habido diversos intentos por diferenciar ese resultado o realizar algunos cambios que a su vez tendrían consecuencias históricas [15]. Pero hasta ahora no han conducido a concepciones unánimes, con lo importante que sería por ejemplo conocer más a fondo el papel de Samuel como supuesto «hacedor de reyes» [16]. Nosotros hemos de contentarnos con comprobar que los comienzos de la monarquía nos son asequibles históricamente tan sólo con un relativo grado de seguridad, pero que Israel evidentemente reflexionó mucho sobre tales comienzos, englobando ya en los relatos sobre su origen lo que constitutivamente influyó en la monarquía y lo que en el decurso de su evolución resultó problemático. Hasta tal punto el sentido del com-

[13] J. Wellhausen, *Die Komposition des Hexateuchs und der historischen Bücher des Alten Testaments*, reimpresión 1936, 240-243.

[14] Cf. sobre los detalles las exposiciones de la *Einleitung in das Alte Testament*, recientemente el amplio comentario de los capítulos con una introducción histórico-científica por H. J. Stoebe, Kat 8/1, 176-240.

[15] Remitimos especialmente a H. Wildberger, *Samuel und die Entstehung des israelitischen Königtums*: ThZ 13 (1957) 442-469; K.-D. Schunck, *Benjamin*, 1963, 80-138; G. Wallis en su miscelánea *Geschichte und Überlieferung*: Arbeiten zur Theologie II/13 (1968) 45-87; H. J. Boecker, *Die Beurteilung der Anfänge des Königtums in der deuteronomistischen Abschnitten des I. Samuelbuches*: WMANT 31 (1969); cf. también M. Buber, *Die Erzählung von Sauls Königswahl*: VT 6 (1956) 113-173. En el plano crítico-tradicional investiga la prehistoria de la proclamación regia de Saúl en tres estudios que se complementan entre sí, H. Seebass: ZAW 77 (1965) 286-296; 78 (1966) 148-179; (1967) 155-171.

[16] A. Weiser, *Samuel. Seine geschichtliche Aufgabe und religiöse Bedeutung*: FRLANT 81 (1962); R. Press, *Der Prophet Samuel. Eine traditionsgeschichtliche Untersuchung*: ZAW 56 (1938) 177-225; E. Robertson, *Samuel and Saul*: BJRL 28 (1944) 175-206. Cf. también M. Noth, *Samuel und Silo*, 1963, en *Aufsätze* I, 148-156.

plejo 1 Sam 8-12 pertenece no sólo al campo historiográfico, sino ante todo al de la historia de los problemas.

Se ha de tener muy en cuenta que en puntos esenciales están de acuerdo los relatos sobre el origen de la monarquía. En todos los casos es Yahvé quien elige la persona del rey. El es quien desata la «ira de Dios», que sobrecoge a Saúl en el campo; él ilumina a Samuel en su inesperado encuentro con el desconocido Saúl y le da la certeza de que ése es el *nāgīd*, que ha de gobernar a Israel; aun tras el sorteo y el «sacarles la cabeza a los demás» se encuentra tácitamente la voluntad de Dios. Pero por otra parte en todos los relatos late la convicción de que el rey precisa del beneplácito del pueblo. Este beneplácito se da bajo la forma de aclamación: «¡viva el rey!». Ahí quedan señaladas para los tiempos posteriores las dos principales y siempre observadas condiciones fundamentales, que legitiman al rey en Israel; A. Alt las ha expresado en las dos breves fórmulas, que al mismo tiempo indican los actos constitutivos de la elevación a la dignidad de rey, la «designación por Yahvé» y la «aclamación por el pueblo».

Esto quiere decir que nadie puede llegar a ser rey en Israel por propio impulso. Necesita el consentimiento divino, que se patentiza en el acto de la unción, necesita además de la aprobación por parte del pueblo, esto es, por parte de los varones libres de la comunidad israelítica. La unción siempre fue competencia de varones destacados, encargados del servicio litúrgico, muy a menudo personalidades carismáticas. Samuel, personaje predestinado bajo diversos aspectos [17], ungió a Saúl; posteriormente fueron principalmente profetas quienes designaron a los futuros reyes, ante todo en el llamado reino septentrional, Israel. En la forma de la aclamación se ha querido ver representado el «principio democrático» dentro del reino israelítico. Esto en principio es cierto, aunque las raíces jurídico-sagradas del cargo descartaban prácticamente la posibilidad de que el pueblo pudiera rechazar a uno que hubiera sido designado por Yahvé. Esto hubiera acarreado conse-

[17] 1 Sam 1-3 informa sobre la juventud de Samuel que estuvo vinculada a sus servicios en el santuario de Silo. Por lo demás es difícil encerrar en un marco históricamente convincente el carácter y amplitud de funciones de este personaje. Se le describe como «juez», pero también como «vidente», pero además debió ser una personalidad sumamente influyente, al menos en Benjamín (cf. 1 Sam 7, 16). Contradecía incluso al rey, que temía las respuestas de Samuel. Cf. principalmente A. Weiser, *Samuel,* 1962; M. Noth, *Samuel und Silo,* 1963, en *Aufsätze* I, 148-156; K.-D. Schunck, *Benjamin,* 1963, 80-138; G. Wallis, *Die Überlieferungsgeschichtliche Forschung und der Samuelstoff,* en Wallis, *Geschichte und Überlieferung,* 1968, 67-87.

cuencias muy desfavorables. Y a la inversa, parece que una vez se produjo la aclamación de un rey sin designación comprobándose sin tardar que tal decisión había sido errónea [18]. La aclamación del pueblo significa al menos que el rey no podía gobernar sobre la precaria base de una decisión adoptada tan sólo por unos pocos. Desde sus mismos comienzos estaba descartada en Israel cualquier monarquía absoluta. Era monarquía de Yahvé sobre una base reconocida y confirmada por la comunidad popular, y por consiguiente tampoco era una dominación basada exclusivamente en «la gracia de Dios». El rey se encontraba exactamente entre Yahvé y el pueblo y teóricamente era el representante paritario de ambos.

Dado que no era propio de la mentalidad israelítica y de su tradición literaria exponer de modo abstracto tales diferenciaciones, sino insertar problemas en el desarrollo de un acontecimiento, de un relato o de una confrontación dialogal, no cabe esperar que la monarquía de Israel aparezca definida por principio en algún sitio en forma de una autopresentación. El redactor del libro de Samuel ha tenido en cuenta la dificultad al agrupar las tradiciones de que disponía sobre el origen de la realeza de Saúl conectándolas entre sí al menos inicialmente, con la intención de fijar los diversos aspectos de ese momento históricamente importante.

Objeto de especial interés es ordinariamente el acto de la unción, vinculado además en el caso de Saúl a la reiterada fórmula de que él se ha convertido en un «*nāgīd* sobre (mi pueblo) Israel». La unción se realiza derramando aceite sobre la cabeza del designado. Según la mentalidad del antiguo oriente en el aceite se encierra energía vital; la unción otorga, además de los poderes oficiales, el carisma divino. Posiblemente la costumbre de la unción fue adoptada por Israel; ya era conocida en el área sirio-palestinense, posiblemente por influjo hitita. Una carta de Amarna [19] describe la investidura de un rey en Siria septentrional diciendo que «se ha derramado aceite sobre su cabeza». Observemos aquí de paso que la designación usual del rey israelítico como el «ungido» (y en su forma más plena como «el ungido de Yahvé» [20]) originariamente se aplicaba tan sólo al rey en funciones; sólo tras el final de la monarquía «el ungido» se fue convirtiendo poco a

[18] Esto parece haber ocurrido en el caso de Tibní, el rival de Omrí, si bien la tradición no permite sacar conclusiones del todo exactas (1 Re 16, 15-22); cf. también A. Alt. *Kl. Schr.* II, 121 (*Grundfragen,* 353).

[19] EA 51, Knudtzon, 318 s.

[20] 1 Sam 24, 7.11; 26.9.11.16.23; 2 Sam 1, 14.16; 19, 22; cf. también Sal 18, 51; 20, 7; 84, 10; 89, 21.39; 132, 10; 2 Sam 23, 1.

poco en título escatológico, que en la transcripción helenizada del hebraico *mšyḥ* aparece como «mesías» y en la traducción griega como Χριστός[21]. La designación especial de Jesús como el «Cristo» tiene su origen en la costumbre tradicional de ungir a los reyes israelíticos y más tarde a los sacerdotes. El hecho de que Jesús recibiera el sobrenombre de «Cristo», que le conecta expresamente con la tradición veterotestamentaria [22] debiera ser tenido bien en cuenta por todos aquellos que querrían desgajar en demasía la tradición «cristiana» de sus condicionamientos palestino-israelíticos [23].

Sigue todavía discutiéndose la definición clara del título «*nāgīd* sobre Israel» [24]. Como no se pueden describir claramente sus funciones, la traducción de *nāgīd* es casi imposible. Para salir del paso se utilizan designaciones corrientes para personas de la media y alta administración con variable ámbito de funciones, como excelencia, duque o príncipe, mientras que la expresión «designado» es una traducción ad hoc derivada de la exégesis de la estructura monárquica israelítica. De poco sirve ir a buscar la prehistoria del título en la organización tribal o en los elementos dirigentes militares de Israel en la época preestatal [25]. Cabría esperar que junto al *schōfēṭ* y al *ḳāzīn* apareciera también un *nāgīd,* pero no es así. Pero por otra parte es curioso que tal designación se haya mantenido hasta tiempos muy posteriores, experimentando tal vez ampliaciones y generalizaciones [26]. Por lo que

[21] Véase la traducción expresa del título de mesías en Jn 1, 41; 4, 25.

[22] Cf. por ejemplo Rom 1, 1-4, donde también se encuentra el más antiguo pasaje sobre la filiación davídica de Jesús. Es reveladora la unión χριστὸς κύριος o bien κυρίου, donde se puede ver un reflejo del genitivo hebraico *mšyḥ yhwh*: «ungido de Yahvé»; cf. Sal 17, 32; 18, 7; Lc 2, 11

[23] Sobre la serie de problemas relativa a la unción cf. R. de Vaux, *Lebensordnungen* I, 160-163; M. Noth, *Amt und Berufung im Alten Testament,* 1958, en *Ges. Stud.,* 309-333; también sostiene una interpretación muy diferenciada sobre la unción de los reyes E. Kutsch, *Salbung als Rechtsakt im Alten Testament und im Alten Orient*: BZAW 87 (1963).

[24] Cf. 1 Sam 13, 14; 25, 30; 2 Sam 5, 2; 6, 21; 7, 8; 1 Re 1, 35; 14, 7; 16, 2.

[25] W. Richter, *Die nāgīd-Formel. Ein Beitrag zur Erhellung des nāgīd-Problems*: BZ NF 9 (1965) 71-84, que demuestra de forma muy certera que el título en la época pre-real estuvo restringido a las tribus septentrionales; sigue siendo hipotética la idea de que se designaba así a quien libraba de algún peligro de los enemigos; cf. también W. Richter, *Traditionsgeschichtliche Untersuchungen,* ²1966, 154; recientemente L. Schmidt, *Menschlicher Erfolg und Jahwes Initiative. Studien zu Tradition, Interpretation und Historie in Überlieferungen von Gideon, Saul und David*: WMANT 38 (1970) 140-171; al *nāgīd* lo considera como «l'homme éminent, le prince» J. van der Ploeg, *Les chefs du peuple d'Israël et leurs titres*: RB 57 (1960) espec. 45-47; como «pastor» J. J. Glück, *Nagid-Shepherd*: VT 13 (1963) 144-150.

[26] Empleo del término en plural, 1 Crón 11, 11; 2 Crón 35, 8; como título del sumo sacerdote, 1 Crón 9, 11; 2 Crón 31, 13; Neh 11, 11.

respecta a la época de los primeros reyes se confirma uno en la sospecha de que se trataba de una designación usual en el ámbito de las tribus efraimíticas cuyo sentido objetivo pasó en toda su vigencia al menos al reino septentrional israelítico y allí perduró sin atenuantes. Que se trataba sin más de la originaria designación regia efraimítico-benjaminítica, antes de que la monarquía de David terminara por establecer la dignidad de rey incluso para los jefes del imperio septentrional de Israel, sería una atrevida hipótesis, que desde luego no puede demostrarse mediante las fuentes documentales transmitidas.

Saúl en el momento de su elevación a la dignidad real se vería confrontado con toda una serie de problemas. Los más urgentes eran indudablemente los de política exterior. De momento el peligro de los amonitas parecía conjurado. Más largo y penoso se presentaba el conflicto con los filisteos. En Guilgal haría inmediatamente preparativos para la batalla. Allí de entre los hombres reclutados reunió una especie de tropa escogida, que puso a las órdenes de su hijo Jonatán [27]. Desde luego los primeros conflictos no son verdaderas batallas con los ejércitos filisteos agrupados, sino que de momento eran escaramuzas sostenidas con una especie de avanzadillas de ocupación y tropas fronterizas, que los filisteos habían colocado en la zona israelítica. De ello nos habla el prolijo relato de 1 Sam 13, 2-14, 46. Este relato es desde luego muy anecdótico y se muestra especialmente interesado y orientado por los méritos y deslices del hijo de Saúl, Jonatán. Acerca de otras batallas de este tipo contra los filisteos nos informan 1 Sam 17, 1-58; 18, 6.7; 23, 1-13. Pero significativamente esas descripciones son ya en realidad relatos acerca de los éxitos y avatares del joven David, que tienen una estrecha vinculación con las tradiciones sobre Saúl. Se plantean aquí problemas sobre la historia de la tradición, que son de más general interés por el hecho de que a este complejo de relatos pertenece también el que se refiere al triunfo del joven David sobre el llamado «gigante» Goliat.

Goliat era un luchador individual, algo característico de la milicia filistea. Los príncipes de los filisteos disponían de tropas reducidas, pero eficientes, que en parte estaban constituidas por mercenarios destacados. Era práctica usual en las batallas de entonces el que antes del combate principal lucharan individualmente un guerrero de cada bando, que se desafiaban entre sí,

[27] 1 Sam 13, 2; cf. también 14, 52.

se lanzaban insultos y terminaban por pasar a la lucha cuerpo a cuerpo [28]. Lo que Lutero tradujo mediante la palabra «gigante» se llama en hebraico *'yš hḇnym*, propiamente «el hombre del espacio intermedio», sin duda el espacio situado entre las dos líneas de batalla. Esta interpretación cuadraría exactamente con el luchador individual, que se adelantó a la vista de los dos ejércitos. El que Goliat debiera ser de gran estatura es una cuestión distinta, que nada tiene que ver con la esencia de las luchas individuales. En el plano de la historia de la cultura es interesante el hecho de que llevara una lanza de madera con punta de hierro [29]. Por aquel entonces el hierro era conocido en Palestina y de momento era artículo monopolizado por los filisteos. Sus carros de hierro se consideraban como signos de superioridad.

Es comprensible el temor de los israelitas ante adversarios tan superiormente pertrechados. Es significativo el mismo hecho de que David vence al retador no mediante una lucha en regla, sino valiéndose de una astucia. El joven varón llega casi casualmente al campamento israelítico y allí se le brinda una ocasión de realizar su famosa proeza. Lanzando una piedra con su honda consigue derribar a aquel hombracho y le remata cortándole la cabeza con su propia espada.

Saúl queda sumamente sorprendido, manda que le presenten al victorioso joven y pregunta sobre su procedencia. Ahora bien, esto no está de acuerdo con 1 Sam 16, 14-23. donde se dice que Saúl mandó traer a David a su residencia por especial recomendación, sin haberle conocido previamente a propósito de operaciones militares. De hecho la tradición de la victoria sobre Goliat se le debió aplicar a David posteriormente [30]. Pues según 2 Sam 21, 19 fue un individuo betlemita totalmente distinto, llamado Elijanán, el que mató a Goliat. El hecho de que su fama la cosechara David puede estar relacionado con las grandes y famosas victorias de David sobre los filisteos, que posteriormente despertaron los recelos de Saúl. Lo que contaban las jóvenes, según 1 Sam 18, 6.7, pudo muy fácilmente influir en la tradición.

La lucha de Goliat forma parte de toda una serie de batallas locales, que bajo Saúl sostuvieron los israelitas con los filisteos. Se trataba muchas veces de victorias por sorpresa obtenidas por unos o por otros. El gran conflicto aún no había llegado. La tradi-

28 H. Donner, *Zum «Streitlustigen» in Sinuhe B 110*: ZÄS 81 (1956) 61 s.; G. Lanczkowski, *Die Geschichte vom Riesen Goliath und der Kampf Sinuhes mit der Starken von Retenu*: MDAIK 16 (1959) 214-218; R. de Vaux, *Les combats singuliers dans l'ancien testament*: Bibl. 40 (1959) 495-508.

29 «...y con esa cabeza férrea se introdujo exactamente en la edad del hierro». Así regularmente A. Alt en el curso.

30 Sobre la transmisión y la tradición del texto, aun en época posterior, cf. H. J. Stoebe, *Die Goliathperikope 1 Sam XVII 1 - XVIII 5 und die Textform der Septuaginta*: VT 6 (1956) 397-413.

ción reflejada en el primer libro de Samuel ve ese conflicto en estrecha conexión con el destino personal de Saúl y de David. Sobre la elevación de David habrá ocasión de hablar más adelante. Por lo pronto quedó enmarcado entre los frentes de los israelitas y filisteos, en gran parte debido a evidentes dificultades con Saúl. Paralelamente al ascenso de David se produce un claro «descenso» de Saúl, cuyos más profundos motivos sólo se pueden descubrir de modo aproximativo. La batalla contra los amalecitas, el adversario tradicional de Israel desde los tiempos del desierto [31], la presenta 1 Sam 15 como momento crítico en la evolución del reinado saulídico. Se supone que Saúl permitió que los israelitas se lanzaran sobre el botín, sin tener en cuenta la parte de Yahvé. Samuel declara que Saúl ha perdido su reinado. El rey se hunde en melancolía, le sobrevienen celos patológicos hacia David, al final se encuentra su derrota frente a los filisteos y su muerte. No es fácil explicar históricamente este súbito cambio en la trayectoria vital de Saúl. Existen factores, que se pueden aportar independientemente de la persona del rey, dificultades objetivas, que pudieron superar las fuerzas de un individuo.

Para todas sus empresas Saúl sólo pudo apoyarse en la leva de las tribus, o lo que es lo mismo, en el reclutamiento voluntario de individuos, que no era posible organizar sin el consentimiento de las tribus. Ningún indicio permite suponer que Saúl realizara y ni siquiera pretendiera una modificación de la constitución tribal. Cuando quería y debía tomar medidas para consolidar su reino y asegurar el territorio, no disponía inmediatamente de una tropa personal, manejable y capaz de actuar en cualquier momento. Fueron inevitables las tensiones entre Saúl y las tribus, a las que se les hacía costoso aclimatarse a las nuevas ideas de una organización rígida y de una dirección centralizada.

No es cosa decidida el que con M. Noth [32] haya que suponer una desavenencia personal con Samuel, quien tomó partido a favor de las tribus. Esto significaría tal vez tomar demasiado en serio en el plano histórico la personalización de dificultades objetivas, tal como la realizó el antiguo testamento en la construcción del antagonismo Samuel-Saúl, aunque tal conflicto personal es totalmente concebible como fenómeno concomitante poco grato.

Se debe tratar aquí de otra cuestión importante en orden a la evolución posterior, ya que forma parte de las características de

[31] Cf. Ex 17, 8-16; Dt 25, 17-19.
[32] M. Noth, *Geschichte Israels*, [6]1966, 162 s.

la monarquía saulídica. Nos referimos a la verdadera magnitud de su jurisdicción. Si se parte del hecho de que fue reconocido por un intacto «sistema» de idealmente doce tribus, no hay dificultad ninguna en suponer que su monarquía se extendió desde el sur de Judá hasta cerca del Hermón. Pero esto precisamente resulta inverosímil, si atendemos bien a la tradición. Todos los hechos decisivos en la vida de Saúl se desarrollan dentro del ámbito del posterior reino septentrional, Israel. El origen betlemítico de David y la expansión de las batallas persecutorias de Saúl hacia la zona tribal de Judá, como por ejemplo por la región oásica de Engadi junto al mar Muerto (1 Sam 24), son de carácter extraordinario y no obligan a pensar que Saúl fue también rey de Judá. La ciudad natal de David se encontraba muy lejos al norte de la zona tribal de Judá, de tal modo que cabe suponer fácilmente una toma de contacto con el área de Benjamín [33]; Engedi estaba situado a gran distancia de la zona principal de Judá y es posible que por entonces no estuviera de ningún modo incluida en Judá en un sentido «político».

Por lo que se refiere a la extensión de las zonas territoriales sometidas a Saúl es instructivo 2 Sam 2, 9, donde se enumeran los territorios, sobre los cuales fue proclamado rey Isbaal, sucesor de Saúl. Entre ellos está Galad, por lo tanto al menos la parte central de la Transjordania; además Efraím y Benjamín y algunas zonas marginales hacia el norte, que llegaban hasta la llanura de Megiddo [34]. No se hace mención de Judá. Corrobora esto la opinión de que por el sur Saúl no tuvo influjo ninguno político más allá de Benjamín. Cuando fue proclamado rey, no se hizo cargo de ningún territorio claramente delimitado; le aclamó simplemente un grupo de tribus, que por desgracia no se nos menciona con toda precisión. El «reino» de Saúl fue un estado nacional en el sentido original de la palabra, una hegemonía sobre familias y tribus del mismo origen, pero no fue al mismo tiempo un estado territorial con fronteras sólidas y administración independiente.

[33] Como «hombre del séquito» del rey de ningún modo estaba David obligado a ser súbdito ordinario de su señor. La pertenencia a las tribus y familias de la monarquía saulídica no constituía para el victorioso guerrero ninguna condición forzosa, dado que la monarquía de todos modos se iba ya consolidando; de otro modo opina K.-D. Schunck, *Benjamin*, 1963, 124.

[34] Estos sectores, después de su enumeración, se designan expresamente como «Israel en su totalidad». Por desgracia el texto de la parte central del versículo no es seguro. Probablemente se menciona allí la tribu de Aser, después la ciudad de Jezrael. Sobre el patrimonio fundamental del «reino» de Saúl y de su ampliación en la época davídica A. Alt, *Kl. Schr.* I, 116-119 (*Grundfragen*, 126-129).

Esta monarquía saulídica inicialmente indecisa, no desarrollada aún sistemáticamente por ninguna estructura burocrática, sino apoyada simplemente en el consentimiento de las tribus y totalmente dependiente de ellas, no alcanzó todavía bases sólidas para una perfecta defensa del país. No estaba capacitada para hacer frente al poder de los filisteos y fue su víctima. Tras múltiples luchas y refriegas locales los príncipes de los filisteos prepararon un ataque masivo a la región dominada por Saúl. Esto no debió durar demasiado, ya que a Saúl se le atribuye tan sólo un período de reinado de dos años. Hábilmente atacan los filisteos precisamente allí donde el área cananea se adentraba más profundamente en territorio israelítico, en la zona del pasador septentrional. Esperaban así separar a las tribus galilaicas de los contingentes efraimítico-benjaminíticos. Esto se consiguió totalmente. Según 1 Sam 31, 7 no tomaron parte en la batalla «los israelitas del otro lado de la llanura y del otro lado del Jordán».

Para Saúl y para sus seguidores centropalestinenses la situación estaba ya casi perdida de antemano. Los filisteos estaban magníficamente pertrechados y tácticamente seguros de su causa. Saúl era el más débil y, tras muchas y amargas experiencias con las tribus, no abrigaba confianza ninguna. Su inseguridad está reflejada en el conocido relato de su visita, antes de la batalla, a la nigromante (no «bruja») de Endor en las inmediaciones del campo de batalla. Pretendía él ver el espíritu de Samuel y hablar con él (1 Sam 28, 3-25). La evocación da resultado; Samuel predice el final del ejército de Saúl y de su reinado.

La batalla entre israelitas y filisteos no duró mucho tiempo (1 Sam 31). Los israelitas huyeron en dirección al monte Gelboé, por lo tanto hacia el área oriental de la llanura de Jezrael. Las pérdidas fueron elevadas. Entre los muertos se encontraban varios hijos de Saúl, también Jonatán, el amigo de David. Este mismo no pudo participar en la batalla. Se volverá a hablar de esto. Se dio alcance al mismo Saúl y los arqueros le hirieron. En situación desesperada suplica a su escudero que le traspase con la espada. Pero el escudero no se atreve a poner la mano sobre el ungido de Yahvé. Entonces Saúl toma la espada y se arroja sobre ella. Lo mismo hace su escudero y muere a su lado.

La victoria de los filisteos es amplia; la situación de Israel es desesperada bajo todos los aspectos. Los habitantes del otro lado de la llanura y del otro lado del Jordán huyen ante la noticia de la terrible derrota; en sus ciudades se establecen los filisteos (1 Sam 31, 7). Por desgracia los datos son inexactos. Los filisteos ocuparon probablemente localidades de Galilea y de la Transjordania; nada sabemos de una ulterior incursión hacia el interior de la montaña efraimítica. La cabeza de Saúl juntamente con sus armas fueron enviadas como trofeos de victoria a través de las ciudades filisteas; su cuerpo y los cadáveres de sus hijos fueron colgados de los muros de Beth-Sean.

El horripilante relato termina con una acción honrosa. Los habitantes de Yabés de Galad, cuya ciudad había salvado antaño Saúl del peligro de los amonitas, se sienten agradecidos para con él aun después de su muerte. Yabesitas armados caminan ocultamente durante la noche hacia Beth-Sean, toman los cadáveres de Saúl y de sus hijos del muro y los sepultan en Yabés. El círculo se ha cerrado. El primer rey de Israel ha hallado su último descanso en el punto de partida de su fama.

Prescindamos aquí de la personalidad de Saúl, sobre la que tanto se ha reflexionado y especulado. Fue un rey militar y careció del poder organizatorio para adaptar la limitada y en parte territorialmente desunida antigua liga tribal a las nuevas circunstancias del naciente reino. Tensiones ya existentes o en gestación vendrían a agravar tal estado de cosas. El llamamiento a filas en los casos de peligro constituía una base demasiado precaria para consolidar eficazmente a Israel hacia dentro y hacia el exterior. El jefe carismático comprometido de por vida, carente de corte y de una eficiente administración, al final abandonado tal vez por el hombre de su confianza, por su promotor y protector Samuel, receloso hacia el afortunado David, este hombre fue finalmente incapaz de erigir, bajo la mirada de vecinos hostiles, un estado que pudiera a la larga mantenerse en pie. Saúl legó una liga tribal debilitada y desunida, que encontró dificultades para levantarse de nuevo por sus propias fuerzas. La nueva evolución está influenciada desde el exterior. David llega a ser rey de Judá. Esto descubre nuevas posibilidades.

7

EL REINO DE DAVID

Si prescindimos de la escueta noticia contenida en 1 Sam 31, 7 donde se dice que los filisteos habían ocupado ciudades de la montaña galilaica y del otro lado del Jordán, nada sabemos sobre la situación existente en la región principal de Israel, la montaña efraimítica. No da la impresión de que los filisteos penetraran hasta allí y reclamaran derechos de soberanía. Creían sin duda que, tras su triunfo sobre el ejército israelítico y especialmente tras la muerte de Saúl, habían conjurado los más inminentes peligros. Por eso se puede partir del hecho de que la montaña efraimítica quedó libre de la ocupación, pero también con toda seguridad la Transjordania meridional. Esto lo confirma el ulterior desarrollo de los acontecimientos.

Abner, general de Saúl, encuentra a uno de los hijos de Saúl, que evidentemente no había participado en la batalla y sobrevivió a la catástrofe; a este descendiente del rey, un hombre llamado Isboset, y más correctamente Isbaal [1], lo constituye Abner, por propia iniciativa y sin previa autorización, por rey sobre la región perfilada en 2 Sam 2, 9, por lo tanto sobre la montaña efraimítica, sobre Galad y algunos pueblos diseminados en torno a la llanura de Megiddo. No tenemos noticia de que Isbaal haya sido designado por Yahvé y aclamado por el pueblo. Por consiguiente, no cumplía las condiciones fundamentales para ser rey en Israel. Pero Abner, que por entonces era evidentemente el hombre más poderoso del estado, iba tras sus propios fines políticos, posiblemente consideraba a Isbaal como un simulacro de rey, aunque al mismo tiempo intentaba con él fundar en Israel un reino hereditario. Al parecer Abner no encontró de momento resistencia ninguna contra su propósito. Se podía dar la bienvenida a su iniciativa en momentos de peligro.

Isbaal hubiera podido arreglar realmente ciertas cosas, si hu-

[1] Así acertadamente en 1 Crón 8, 33; 9, 39; Isboset o Isch-Boschet es una desfiguración posterior, para suprimir el elemento teóforo *-baal*.

biera sido el hombre adecuado para ello. Sin embargo, permanece lleno de timidez en el lugar de su proclamación, en Majanaim de Transjordania [2] y ordena que Abner y sus gentes se marchen a Cisjordania. Se dice que esas gentes habían sido los «vasallos» (*'bdym*) de Isbaal, por lo tanto una especie de escolta personal, un pelotón de mercenarios a la disposición personal del rey, que tal vez había reunido Abner.

En Cisjordania, en la comarca benjaminítica cerca de Guibeón, se producen escaramuzas entre la tropa de Isbaal a las órdenes de Abner y los mercenarios de David capitaneados por Joab (2 Sam 2, 12-3, 1). Se trata de batallas entre mercenarios, no de decisivos hechos de armas, según parece, no de batallas sostenidas por las fuerzas movilizadas, que desde luego por la parte de Israel habían sido exterminadas en la batalla con los filisteos. ¿Pero qué fines se persiguen? ¿Se pudo tratar de una aventura desencadenada tan sólo por Abner? Isbaal se mantiene en actitud pasiva. Los hechos no parecen desarrollarse conforme a los propósitos de Abner. Este se enemista con Isbaal, influyendo en esto asuntos privados. Entonces sucede lo inesperado. Abner entabla negociaciones con David, que por entonces era ya rey de Judá y tenía su residencia en Hebrón. El recibimiento del general es espléndido; David organiza un banquete. Abner declara abiertamente su propósito. Manifiesta estar dispuesto a estimular a los israelitas del antiguo reino de Saúl a aliarse con David, de tal forma que éste, como rey de Judá, pueda también gobernar a Israel. No tenemos noticia de la respuesta de David. El decisivo versículo 2 Sam 3, 21 tiene el porte de un moderno comunicado: «Despidió David a Abner, que se fue en paz». Pero apenas había él abandonado Hebrón, cuando regresa Joab de una correría. Abner había matado en las luchas sostenidas junto a Guibeón a un hermano de Joab. Aquellos dos personajes tenían desde luego una cuenta que saldar. Joab, indignado por la visita de Abner, recela turbios propósitos, pide explicaciones a David y, sin que éste lo sepa, manda volver a Abner. Y en la puerta de Hebrón, Joab acuchilla al aborrecido visitante.

La situación se hace extremadamente crítica. Abner, con la intención de separarse de Isbaal, al pasar a Judá sin defensa ninguna se había entregado en manos de David, en otros tiempos celosa-

[2] Es totalmente probable que sea idéntico a *tell ḥedschādsch;* tan sólo a unos 3 kilómetros al sur del Jaboc, a la altura de *tulūl eḏ-ḏahab;* R. de Vaux: RB 47 (1938) 411 s.; Id.: Vivre et Penser I (1941) 30 s.; M. Noth, *Aufsätze* I, 374-378; K.-D. Schunck, *Erwägungen zur Geschichte und Bedeutung von Mahanaim*: ZDMG 113 (1963) 34-40; cf. también S. Herrmann: ZDPV 80 (1964) 74 y cuadro sinóptico 2.

mente perseguido por Saúl; su proceder individualista tuvo que pagarlo con la vida, pues así lo dispuso la venganza personal de Joab, con la que Abner no había contado. David, gravado desde entonces con la sospecha de querer arrebatar violentamente para sí la herencia saulídica, se percató del riesgo de vastas complicaciones, que ahora podían surgir sin culpa suya personal y desbaratar sus propios planes. Se imponía, pues, un acto demostrativo que esclareciera las cosas. Dispuso una especie de entierro nacional para Abner, él mismo iba detrás del féretro y pronunció aquellas famosas palabras: «¿No sabéis que hoy ha caído un gran caudillo (*śr*) en Israel?» (2 Sam 3, 38). La aflicción de David y sus palabras pudieron ejercer entre los que le rodeaban un saludable efecto de sinceridad.

Pero también es indudable y comprensible la reacción que la muerte de Abner produjo en Isbaal y en sus israelitas (2 Sam 4, 1): «Cuando Isbaal, hijo de Saúl, supo que había muerto Abner en Hebrón, desfallecieron sus manos y todo Israel quedó consternado». Isbaal había perdido al hombre que lo era todo para él; Israel se encuentra en situación comprometida y privado de su última esperanza. Los acontecimientos se precipitan. Dos mercenarios de los seguidores de Saúl se ponen en camino, matan a Isbaal y llevan su cabeza a Hebrón esperando obtener una gran recompensa. Con la explicación inventada de que se trataba de la cabeza de su enemigo, que buscaba su muerte, se presentan ante David. Este adivina la maquinación, da orden de que maten a los asesinos y que expongan públicamente sus cadáveres en Hebrón. La cabeza de Isbaal fue enterrada en el sepulcro de Abner.

El dramático desarrollo del relato (2 Sam 3, 6-4, 12) está plasmado aquí con todo detalle. Ciertamente, es evidente su tendencia prodavídica, pero sus supuestos cuadran exactamente con la situación política interior de la liga tribal israelítica tras la muerte de Saúl. Ahora ya se ve claramente lo independiente que era Judá con su rey David, y por otra parte la situación desesperada en que había quedado la federación saulídica. Frente a ésta, Judá con su monarquía era una magnitud separada de Israel por derecho público. La autonomía de su existencia desde los días de la conquista llegó a convertirse en factor de fuerza en el panorama político súbitamente transformado.

No entremos ahora en la cuestión de si David intentaba de antemano hacerse cargo, si se presentaba la ocasión, de la herencia de Saúl. Podía conocer por experiencia propia las tensiones, las esperanzas y las pretensiones que imperaban en el norte efraimítico y que contribuyeron en gran escala a dificultar a Saúl la dirección de su gobierno. Nada hubiera sido más insensato que desafiar a esa federación tribal. David debía tratar de granjearse confianza, y, a diferencia de Saúl, tenía el suficiente aguante para dejar que las cosas evolucionaran normalmente. Los actos de violencia perpetrados con Abner y con Isbaal habían sido más bien idóneos para trastornar o incluso frustrar sus propios planes e intenciones. Pero en realidad el tiempo y las circunstancias trabajaban a su favor.

Los israelitas, dentro del área del antiguo dominio saulídico, habían tenido que soportar, con breves intervalos de separación, una aplastante derrota, la muerte de dos reyes y la pérdida de uno de sus hombres más capaces. Además, los filisteos victoriosos permanecían aún a las puertas. Lo que los acontecimientos habían ido preparando, exigía ya su culminación. Fuera con el unánime consentimiento de todas las tribus o no [3], lo cierto es que el efraimítico norte se acogió voluntariamente a la protección de David como el más fuerte del país por entonces.

Una delegación israelítica se presenta en Hebrón (2 Sam 5, 1-3) y manifiesta al rey su confianza y lealtad en nombre de Israel. «Hueso tuyo y carne tuya somos nosotros. Ya de antes, cuando Saúl era nuestro rey, eras tú el que dirigías las entradas y salidas de Israel». Se escoge esta formulación, no para manifestar algo evidente, sino para justificar algo desacostumbrado. El norte se doblega al sur. Existen ciertamente vínculos de parentesco, que justifican la decisión, aunque tales vínculos no habían tenido hasta entonces consecuencias prácticas. Por otra parte, David había dado pruebas de su lealtad. Sus proezas en la lucha contra los filisteos como partidario de Saúl no habían caído en olvido. Pero lo que, en opinión israelítica, le faltaba todavía al rey de Judá, lo añaden ahora los emisarios como palabra de Yahvé: «Tú apacentarás a mi pueblo Israel y tú serás *nāgīd* de Israel». David, el rey de Judá, es reconocido por Israel como el designado de Yahvé, su aclamación va incluida de hecho en la misión de los delegados. Hace con estos hombres un tratado, que se designa con el trascendental término de *b^{e}rīt,* sin que conozcamos todo el alcance de su contenido. Difícilmente pudo tratarse de otra cosa que de la aceptación jurídica del reino de Israel por parte de David [4]. Cierra la escena la unción de David como rey de Israel.

[3] Es digno de tenerse en cuenta el hecho de que Abner hubo de realizar gestiones especiales con la tribu de Benjamín, para convencerlos de su propósito (2 Sam 3, 19).

[4] E. Kutsch considera *b^{e}rīt* en este lugar «como sumamente probable» como «el autocompromiso de David para con los israelitas» y de esta forma encuentra la confirmación del significado fundamental «compromiso» para *b^{e}rīt;* E. Kutsch, *Verheissung und Gesetz*: BZAW 131 (1973) 55 s. Sin embargo en este lugar precisamente no se saca la impresión de que alguien se imponga a sí mismo especiales compromisos (sobre los cuales el mismo

Al llegar aquí, viene al caso reflexionar sobre el significado y la extensión del nombre «Israel»[5]. Por lo dicho hasta ahora ha quedado claro que desde los días de la conquista el nombre «Israel» estaba principalmente vinculado a las tribus de la montaña efraimítica, incluido Benjamín. En la medida en que la colonización de la Transjordania se realizó partiendo del oeste, esos grupos pertenecían también forzosamente a Israel. Hay que suponer que la idea de extender el nombre de Israel a la Transjordania y tal vez incluso a las tribus galilaicas partiría de Efraím. De hecho Zabulón, Neftalí e Isacar que colindaban junto al Tabor, se habían acreditado al menos en la batalla de Débora aliándose con Efraím y desde luego no prestando a Galad la adhesión esperada. El que en tales circunstancias la región delineada en 2 Sam 2, 9 recibiera y llevara el nombre de «Israel», es casi natural. Por otra parte Judá no tenía importancia ninguna, o en todo caso su papel era muy particular y sin proyección. En sentido estricto jamás fue «Israel». En principio tal situación en nada cambió al pasar a David la dignidad real israelítica. Desde entonces unificó él en una unión personal los dos «reinos» de Israel y de Judá, sin englobarlos expresamente en un «todo» bajo el nombre de «reino de Israel» o algo parecido. De la época de los reyes no ha llegado a nosotros una fórmula tan clara y tan amplia. Cuando, tras la muerte de Salomón, se deshizo nuevamente la unión personal, las «casas» de Judá y de «Israel» vivieron de nuevo separadas como algo natural. No es que en modo alguno el nombre de Israel se «restringiera» desde entonces al reino septentrional, mientras que el reino meridional «adoptaba» el nombre de Judá.

La idea corriente de que desde los primeros tiempos ese «pueblo de Israel» incluía a Judá como algo natural, estriba más bien en la creencia, desarrollada a lo largo de la época de los reyes y convertida posteriormente en ideal, de que «Israel» desde tiempos primitivos constituyó una unidad, de que los «israelitas» tuvieron siempre una mentalidad solidaria de nación al abrigo de ese nombre y que por eso también pensaron y actuaron bajo el influjo de una común nacionalidad «israelítica». Por otra parte, se ha de tener presente que el nombre de «Israel» estaba inicialmente vinculado a las tribus centropalestinenses y que en rigor también permaneció vinculado a ellas. Sólo después de la caída de ese «reino septentrional» el nombre de «Israel» se idealizó y se creó la idea de un «todo Israel» (*k̲l-yśr'l*), haciendo escuela especialmente en la literatura deuteronómica. Es significativo

Kutsch tan sólo puede hacer conjeturas), sino que se establece un acuerdo entre las partes, especialmente por parte de David, a quien se dirigía la petición. Por medio de *b*^e^*rīt* se crea una relación con fuerza de ley, por lo tanto se cierra un contrato, que «obliga» a ambas partes, y por consiguiente (contra Kutsch) estamos ante una «alianza».

5 Cf. sobre esto W. Richter: ZAW 77 (1965) 50-57; de modo distinto piensa K.-D. Schunck, *Benjamin,* 1963, 124-127.

que esa expresión de «todo Israel» nunca se explicara concretamente o fuera identificada con un determinado número de tribus [6]. Que el «todo Israel» es un «pueblo de doce tribus» se basa, para esa explícita combinación, tan sólo sobre el testimonio de fuentes posteriores. En la época de los reyes todavía no se utiliza jamás esa combinación [7].

Aunque no sea estrictamente demostrable, puede ser que la idea de una unidad de doce tribus sea un tanto antigua y que se viera estimulada bajo el influjo de la unión personal davídica y en Jerusalén se convirtiera incluso en una especie de «ideología imperial», que habría de afianzar ideológicamente la monarquía davídica. Bajo ese signo se podrían haber compuesto las viejas máximas tribales como las de Gén 49 y se habrían convertido en elemento integrante del «Yahvista», a quien se sitúa en el comienzo de la época de los reyes. Pero merece ser tenido en cuenta que el desarrollo de las doce tribus es elemento integrante del llamado «escrito sacerdotal» dentro del Pentateuco. Ahí aparece realmente un «sistema de doce tribus» como postulado cúltico en la consolidación de antiguas ideas tradicionales [8]. La unión del «todo Israel» deuteronómico con la sacerdotal-cúltica liga de doce tribus grabó en la época posterior la firme convicción de la supuestamente primitiva unidad de Israel, que hizo de «Israel» un título ideal y de honor para el conjunto, no sin razón bajo la perspectiva de los posteriores. Tras la caída del «reino septentrional» Israel, Josías, en su operación de reforma del año 622 a. C. con el reconocimiento del Deuteronomio, adoptó también para Judá el nombre de Israel y de esta forma inició concretamente aquella evolución, que convirtió al mismo tiempo en «israelitas» a los oriundos de Judá o posteriores «judíos» [9].

[6] Véase el material documental en A. R. Hulst, *Der Name «Israel» im Deuteronomium*: OTS 9 (1951) 65-106.

[7] Se trata casi exclusivamente de pasajes pertenecientes al escrito sacerdotal (P) o influenciados por la tradición sacerdotal, que atribuyen importancia al número doce y definen los *b^{e}nē Jisrā'ēl,* en contraposición a *kol Jisrā'ēl,* como pueblo de las doce tribus: Gén 49, 28; Ex 28, 21; 39, 41; Núm 1, 44; 17, 17.21; Jos 3, 12; 4, 2 y como único pasaje de los escritos proféticos Ez 47, 13.

[8] Prescindiendo de los pasajes mencionados ya en la nota anterior, hay que agregar también aquellos en los que se enumeran las mismas doce tribus, o el orden de los cabezas de tribu se adapta al esquema duodeno: Gén 35, 23-26; Ex 1, 2-4; Núm 26, 5-51; la lista de los cabezas de tribu de Israel, Núm 1, 5-15, cf. además el orden de los campamentos, Núm 7, 12-83; a la tradición sacerdotal pertenece también la lista geográfica, Ez 48, 1-29. Es lógico suponer una tradición jerosolimitana en tales esquemas ordinativos del escrito sacerdotal y sacerdotales, que tan decididamente acentúan el número doce y muchas veces se mueven dentro de concepciones ideales cúlticas.

[9] Estas reflexiones son apoyadas por O. Eissfeldt, quien en el montaje del sistema tribal duodeno ve una magnitud, aunque sólida, acusadamente teorética; cf. O. Eissfeldt, *The hebrew kingdom*: CAH II/34 (1965) 12-17;

El momento de la unificación de la liga tribal efraimítica con el sur judaico ha sido siempre infravalorado en su significación y problemática, pues se tenía demasiada convicción de que Judá había pertenecido siempre a Israel. En realidad se inició ahí una fase evolutiva totalmente nueva. El hecho de que Israel se convirtiera en el «pueblo», como estamos habituados a imaginárnoslo, al que Judá pertenece como de un modo natural, tiene su origen en la audaz resolución de Abner, sin cuya labor preparatoria difícilmente se habrían encaminado a Hebrón los ancianos de Israel. Pero en definitiva el nuevo rumbo de las cosas se basó en la potencia histórica de una extraordinaria personalidad, cuya energía y decisión convencía por igual a judíos e israelitas, David [10], quien, con total independencia de la herencia de Saúl, recibió la dignidad real sobre Judá y de momento residió en Hebrón. Vale ahora la pena recorrer desde sus comienzos, que se remontan a la época de Saúl, la trayectoria de este hombre hasta el momento en que en unión personal unificó Israel y Judá.

En virtud de una convención que se ha hecho usual dentro de la ciencia veterotestamentaria, toda la tradición acerca de David se suele dividir en dos complejos, que constituyen respectivamente un contexto temático suficientemente completo. Se les da el título de «historia de la subida de David», que comprende 1 Sam 16, 14-2 Sam 5, 25, y la «historia de la sucesión al trono de David», que incluye los grupos 2 Sam 7, 9-20 y 1 Re 1, 1-2, 11. Como complementos posteriores de esas antiguas tradiciones se considera ordinariamente 1 Sam 16 1-13; 17; 2 Sam 21-24; una aislada posición especial ocupa 2 Sam 8. En el punto céntrico de estos capítulos se encuentra la persona de David, hasta el punto de que podría hablarse de una tradición casi biográfica. Pero a la luz del contexto se destaca la exposición de lo puramente personal y anecdótico. Esa exposición se caracteriza por el hecho de que, mediante la deliberada composición de pequeñas unidades, tras el acontecer externo descubre al mismo tiempo causas más profundas y las personas participantes junto con sus planes pasan finalmente a un segundo plano bajo la presión de los mismos acontecimientos. Tanto la subida de David a la realeza como las crisis de su reinado están descritas con gran arte y hacen que el lector se olvide de que se está familiarizando con la

como obra de la época davídica considera S. Mowinckel el sistema de doce tribus: BZAW 77 (miscelánea dedicada a O. Eissfeldt en su 70 cumpleaños) (²1961) 129-150; más extensamente sobre las reflexiones hechas arriba S. Herrmann, *Autonome Entwicklungen in den Königreichen Israel und Juda*: VTSuppl. 17 (Leiden 1969) 139-158.

[10] Sobre la interpretación de su nombre, discutida recientemente, J. J. Stamm, *Der Name des Königs David*: VTSuppl. (Leiden 1960) 165-183.

historia de un largo período. El lector se siente más bien transportado a un desarrollo dramático con sus altos y bajos, que desde luego tiende a un fin, primeramente a la proclamación de David por rey de Israel y de Judá, después a su instalación en Jerusalén, y finalmente al afianzamiento de sus posesiones imperiales y de su sucesión.

Esa gráfica exposición, que capta incluso elementos psicológicos, movió a E. Meyer a la tan citada manifestación de que «el apogeo del reino de Judá creó una auténtica historiografía» y que «la cultura israelítica» de ese modo «desde sus comienzos, con autonomía y paridad de derechos, se sitúa junto a la evolución, que, algunos siglos más tarde y sustancialmente más rica y variada, se realizó en suelo griego» [11]. No entremos aquí en si el criterio adoptado por Meyer cuando habla de «auténtica historiografía» se puede aplicar todavía hoy en toda su integridad; precisa indudablemente de una matización, tanto con respecto al ámbito griego como al israelítico [12]. Pero es incuestionable que los relatos sobre David, que se nos han conservado, son bastante primitivos y quedaron fijados sin duda muy poco después de los acontecimientos, o en todo caso inmediatamente después de la muerte de David. Esto no excluye naturalmente que en orden a la interpretación histórica de toda la época queden pendientes no pocas preguntas, que se deben plantear a la luz de la marcha general de la evolución histórica. De vez en cuando hay que conformarse con contradicciones e incongruencias.

En el mismo comienzo del complejo sobre la subida de David existen dos relatos, que suelen considerarse como obra de la novelística posterior,

[11] E. Meyer, *Geschichte des Altertums* II/2, ^{3}1953, 285.

[12] Son inexactas las observaciones, que a este propósito hace Meyer en el sentido de que a esta historiografía «le falta toda tendencia política o apologética», y prosigue: «Con fría objetividad e incluso con deliberada ironía contempla el narrador los acontecimientos, que precisamente por eso puede relatar con incomparable claridad. Queda muy lejos todo matiz religioso, cualquier pensamiento en una dirección sobrenatural...». Pero el partidismo y apasionamiento de los redactores bíblicos son totalmente perceptibles. Esta «historiografía» saca principalmente sus fuerzas de la convicción de un gobierno divino, que trata de descubrir hasta en los detalles «históricos» y humanos. E. Meyer, que califica positivamente la falta «de matiz religioso», se explica la historiografía israelítica «por el enigma inescrutable del talento innato». Cf. sobre la crítica a E. Meyer el escrito, basado en las anteriores citas, de R. Smend, *Elemente alttestamentlichen Geschichtsdenkens*: Theologische Studien 95 (1968); sobre el carácter y sentido de la historia de la sucesión al trono de David, G. von Rad, *Der Anfang der Geschichtsschreibung im alten Israel,* 1944, en *Ges. Stud.*, 1958, 148-188; un detallado análisis de la misma materia en L. Rost, *Die Überlieferung von der Thronnachfolge Davids*: BWANT III/ 6 (1926) (reimpresión en *Das kleine Credo,* 1965, 119-253); sobre este tema recientemente R. Rendtorff, *Beobachtungen zur altisraelitischen Geschichtsschreibung anhand der Geschichte vom Aufstieg Davids,* en *Probleme biblischer Theologie* (Festschrift von Rad), 1971, 428-439; L. Delekat, *Tendenz und Theologie der David-Salomo-Erzählung,* en *Das ferne und nahe Wort* (Festschrift Rost), 1967, 26-36.

la unción de David en Belén (1 Sam 16, 1-13) y la ya mencionada lucha de David contra Goliat (1 Sam 17). La historia de la unción, bajo el aspecto norteisraelítico, parece querer completar lo que forzosamente no procedía de la tradición judaica, la unción de David como *nāgīd* en el más estrecho círculo familiar, análogamente a aquella unción que Saúl recibió de Samuel sin el menor ruido (1 Sam 9, 1-10, 16). Isaí, padre de David[13], presenta a todos sus hijos. Por fin Samuel hace la proverbial pregunta: «¿no quedan ya más muchachos?». Todavía queda uno, el más pequeño, que está guardando el rebaño y hay que traerle de allí. David. La técnica dramática del relato salta a la vista. En ningún sitio vuelve a hacerse referencia a esa unción, en ningún otro sitio se da a entender que la monarquía de David estuviera preparada de esa manera desde sus mismos comienzos. Pero había que asegurar la designación del futuro rey. También de esto se hacía responsable el benjaminita Samuel.

Sobre el fundamento y el modo de la transferencia a David de la victoria sobre Goliat ya se ha hablado anteriormente. Ambas tradiciones, historia de la unción y lucha contra Goliat, pertenecen a la historia de la juventud de David y parecen problemáticas en cuanto a su exactitud histórica. En cambio, en 1 Sam 16, 14-23 parece que pisamos suelo más firme. Allí el agraciado e inteligente David es llamado como juglar para distraer al melancólico Saúl; este motivo ha sido bien aprovechado por las artes plásticas[14].

De juglar asciende David a escudero de Saúl[15]. Como joven guerrero y comandante de las tropas obtiene sus primeros éxitos, que hacen cantar a las jóvenes diciendo que Saúl mató sus millares, pero David sus miríadas (1 Sam 18, 6.7). Saúl teme por su prestigio y por su reino. El famoso pacto de amistad entre su hijo Jonatán y David aumenta la desconfianza del rey, de todos modos inestable. Se llega a la ruptura. Así lo dice en todo caso la tradición en el primer libro de Samuel. Sobre la lámina oscura de Saúl, que va perdiendo poder y prestigio, se destaca tanto más luminosamente el ascenso de David. Sería erróneo interpretar como históricamente vinculantes esos fragmentos narrativos tan personal-

[13] Isaí = Jesé según la transcripción greco-latina del nombre; la forma «Jesé» se ha propagado en virtud de la posterior poesía de la iglesia, que en Isaí ve el tronco paterno del Mesías.

[14] Un ejemplo de la época romántica: el rey Saúl y David en un cuadro de Gerhard von Kügelgen (Caspar David Friedrich sirvió de modelo para el rey Saúl), reproducción en *Haenel und Kalkschmidt,* Das alte Dresden, 1934, 198.

[15] El que la patria de David se encuentre en el Belén judaico nada dice en contra. El servicio militar no tenía por qué ir vinculado a la tribu o al pueblo respectivo.

mente redactados y de carácter tan emocional. Consta que David sacó inmediatas y drásticas consecuencias. Abandonó a Saúl y se volvió a su tierra natal.

Constituye una nueva e importante prueba de la autonomía del sur judaico el hecho de que David desde allí pudiera construirse una existencia totalmente nueva, que difícilmente hubiera sido posible en Efraím y Benjamín. Se convirtió en un guerrero profesional, que mantuvo y capitaneó una tropa de mercenarios adictos a su persona. 1 Sam 22, 2 nos dice que «se unieron a David todos cuantos se encontraban en apuro, entrampados y desesperados». Se mencionan 400 hombres, después 600 (1 Sam 27, 2). Bien mirado, se trata de existencias fracasadas o próximas al fracaso, deudores, que mediante su incorporación a una tropa de mercenarios trataban de liberarse de sus obligaciones [16]; entre los desesperados hay que suponer que no se encontrarían los hijos de labriegos judaicos con derecho de sucesión. En todo caso David con su tropa estaba al margen del reclutamiento militar y reclamaba decisiones independientes. Sus hombres eran para él una especie de fuerza doméstica .

La vida de David como guerrero ha sido muchas veces enjuiciada desdeñosamente. Se le ha considerado como una especie de «capitán de bandidos», un jefe de aventureros, un individuo fuera de la legalidad, tolerado más que respetado. Pero en Judá se debieron estimar realmente sus servicios. Va en auxilio de la ciudad de Queilá [17] contra los filisteos (1 Sam 23, 1-13) y pone a salvo su independencia. Después aparece David al servicio de los labriegos de Engedi e interviene allí en favor de esa tribu probablemente nómada, en la parte suroccidental del mar Muerto (1 Sam 24-26).

La tradición une operaciones de David en la región de Judá con luchas persecutorias de Saúl, quien lleno de odio, envidia y desconfianza, intentaba en vano prender al joven varón, al parecer incluso en suelo judaico. No había fronteras estatales que pudieran impedírselo. Habida cuenta de la situación, David dio el paso increíble, pero no desacostumbrado para un jefe autónomo de

[16] Piénsese en la institución de la esclavitud en lugar de una deuda, como se nos ha transmitido en Ex 21, 2-6. Con respecto al reclutamiento y composición de las tropas mercenarias, tan sólo podemos hacer conjeturas. Un caso análogo aparece ya en Jefté (Jue 11, 3). En todo caso se ha de suponer una composición internacional de tales tropas. Sobre más detalles acerca de la oportuna, pero tal vez esquematizada lista de 2 Sam 23, véase K. Elliger, *Die dreissig Helden Davids*: PJB 31 (1935) 29-75; B. Mazar, *The military elite of king David*: VT 13 (1963) 310-320.

[17] *Chirbet ḳīla* al noroeste de Hebrón, en el límite occidental de la montaña de Judá.

mercenarios. Ofreció sus servicios al más próximo de los cinco reyes urbanos filisteos, Aquis de Gat. David fue bien acogido, permaneció de momento en Gat, pero después pidió una zona propia de ciudad-república en suelo filisteo. Recibió en feudo el lugar de Siquelag [18] y, si se lo pedían, estaba obligado a prestar servicio militar en favor de los filisteos. Sabían lo que se hacían. El meridional Siquelag estaba, más que cualquier otra ciudad, expuesto a la presión de los habitantes de las estepas meridionales. David constituiría una especie de «zona de contención». Consigue batir decisivamente a los amalecitas (1 Sam 30). Su triunfo sobre ese enemigo tradicional de Israel dirige hacia su persona toda la atención. Aprovecha la ocasión diplomáticamente y se granjea la amistad de las tribus meridionales y de las ciudades-república de la gran área de Judá, incluso de los yerajmelitas y kenitas (1 Sam 30, 26-31). Les da parte del botín obtenido de los amalecitas y envía parte de este botín incluso a los ancianos de Judá, «amigos suyos» (1 Sam 30, 26). De un modo tan convincente sigue David presente en el recuerdo de sus judíos. Ya llevaba un año y cuatro meses en Siquelag. Este tiempo era suficiente para tender puentes diplomáticos hacia todas partes. Es natural que esta actividad de David no pasara desapercibida para los filisteos. Cuando éstos prepararon la batalla decisiva contra Saúl, David quedó excluido de la lucha. Se le evitó el tener que luchar contra Israel (1 Sam 29).

La muerte de Saúl en las alturas del monte Gelboé planteó una nueva situación, que de momento no es fácil de contemplar en su conjunto. David consulta a Yahvé si debe subir a alguna de las ciudades de Judá (2 Sam 2, 1). Yahvé accede a ello. Se abre una vía libre a nuevas posibilidades, David se encamina por ella con toda decisión. Sube a Hebrón llevándose consigo a toda su familia, sus dos mujeres, Ajinoam de Jezrael y Abigail de Maón [19]. Además le acompañan los hombres, «que estaban con él», cada cual con su familia, a quienes permite asentarse en las ciudades de los alrededores de Hebrón. Esto significa prácticamente que David se establece con toda su fuerza doméstica en medio de Judá. Se ignora si abandonó totalmente Siquelag. Tal vez dejó allí una tropa de ocupación.

[18] Su emplazamiento no es seguro; probablemente en el margen interior de la parte meridional de la llanura costera; según Jos 19, 5 pertenecía a la comarca tribal de Simeón. Su localización en el *tell el-chuwēlife,* a 17 kilómetros al nordeste de Berseba no se puede demostrar con certeza; cf. H. J. Stoebe, BHH III, 2238/2241.

[19] Ajinoam procedía tal vez de un Jezrael situado al sureste de Hebrón (cf. Jos 15, 56; Simons, *The geographical texts,* 1959, § 709); sobre Abigail de Maón (*tell ma'īn*) cf. 1 Sam 25.

David está a disposición de sus judíos, es un *factum*, una fuerza en el país, que no se puede pasar por alto. Parece algo natural el que al escueto informe sobre ese cambio repentino y total (2 Sam 2, 1-3) le sigan las palabras del v. 4: «Llegaron los hombres de Judá y ungieron allí (en Hebrón) a David como rey sobre la casa de Judá». ¿Había intentado esto David? No queda descartado. Los signos de los tiempos trabajaban a su favor. Saúl estaba muerto, Efraím batido. Lo que Abner había hecho con Isbaal en Majanaim no conmovía a los judíos. Ellos, o en todo caso la tropa, que David tenía consigo, le colocaron en el trono como el hombre más fuerte. Le ungieron por rey [20] «sobre la casa de Judá». Había sabido hacerse amigos, al repartir el botín de los amalecitas; ellos podían esperar que mantuviera la confianza de los filisteos y representara una especie de garantía personal contra el peligro filisteo. En el plano de la política interior y exterior, el paso dado por los judíos fue comprensible, sensato, oportuno.

La monarquía de David desde sus mismos comienzos fue muy distinta de la de Saúl. Saúl había surgido de la tradición de los jefes carismáticos, fue un rey militar y nacional, pero sin un seguro y permanente apoyo en las tribus, sin amplia residencia y sin un cuerpo activo de funcionarios. David jamás fue jefe carismático, pero desde el principio fue guerrero, apoyado en su tropa y en sus éxitos, independientemente de control tribal y de reclutamiento militar. David, en cierto modo como hombre «proscrito», llega a ser rey sobre la gran área de su tribu, esto es, sobre una magnitud «nacional» en cierto sentido limitada, pero que territorial y afectivamente estaba mucho más compacta que la compleja «estructura imperial» de Saúl. La monarquía de David tenía en Judá una base firme y prometía duración. Los filisteos no intervinieron en este estado de cosas. El desplazamiento de las actividades de David hacia Judá no estrechó su radio de acción, les sirvió de garantía contra los abusos y sólo podía tener efectos beneficiosos, mientras supiera contener las fuerzas en Efraím. Pero queda por saber si los filisteos hacían los mismos cálculos. De cualquier manera convenía no perder de vista al acomodadizo David.

20 ¿Hubiera sido esto necesario, de ser verdad 1 Sam 16, 1? La unción «por medio de los hombres de Judá» hace pensar textualmente en un acto soberano de los de Judá sin concomitancias religiosas; no se menciona a sacerdote ninguno ni a otra personalidad con legitimación sagrada. ¿Da motivo esto para pensar en una concepción «profana» de la realeza frente a la concepción en Israel de base institucionalmente religiosa? Cf. las reflexiones al respecto en A. Alt, *Kl. Schr.* II, 41 s. (*Grundfragen,* 298 s.); J. A. Soggin, *Das Königtum in Israel,* 64-66.

Existen indicios seguros de que David buscaba ulteriores metas políticas. Apenas fue ungido en Hebrón, cuando envió un hombre a Yabés de Galad con un mensaje de saludo, en el que recalca el mérito de los yabesitas por haber enterrado a Saúl en su ciudad. Pero termina con esta diplomática frase: «Y ahora tened fortaleza y sed valerosos, pues murió Saúl, vuestro señor, pero la casa de Judá me ha ungido a mí por rey suyo» (2 Sam 2, 7). Esto es algo más que saludo y notificación. La delegación enviada a Yabés no hace ninguna declaración de guerra, es portadora de un mensaje de simpatía, pero entre líneas hay truenos y relámpagos. ¡David se muestra dispuesto a combatir allí donde sea posible y precisa su intervención! Hacia la misma dirección apunta otra táctica, e incluso con mayor claridad. Cuando en 2 Sam 3 se inicia la ruptura entre Abner e Isbaal, y Abner busca sus primeros contactos con David, éste plantea súbitamente la inesperada condición de que Abner no podrá presentarse ante él, a no ser que traiga consigo a la hija de Saúl, Mikal. Esta misma petición se la dirige David a Isbaal directamente.

Mikal constituía un caso especial. Mientras sus primeras luchas con los filisteos, le había sido entregada por Saúl a David bajo determinadas condiciones. Más tarde, cuando David guerreaba en Judá, se había producido una separación entre ambos. Mikal se casó de nuevo con un tal Paltiel. Ahora bien, después de agravarse la situación en Efraím, aprovechó David la primera ocasión que se le ofreció para reclamar a Mikal, su primera mujer, que al mismo tiempo era hija de Saúl. El trasfondo se puede adivinar. Con Mikal se casaba David con la sangre de Saúl, lo que llevaba consigo una fundada aspiración a Israel. La petición de David desafiaba a Israel y brindaba una ocasión para poner a prueba la sinceridad de la otra parte.

Abner se lleva realmente a Mikal para presentarla a David. La despedida de Paltiel en Bajurim es conmovedora; llora. El lector nada sabe de la reacción de Mikal, pero llega a ser mujer de David. El matrimonio se mantiene infecundo. Esto da un matiz dramático al problema de la sucesión al trono. Apenas puede dudarse de que David reclamaba a esta mujer no por razones personales simplemente, sino con la intención de utilizarla algún día como garantía orientada hacia más allá de Judá [21].

[21] H. J. Stoebe, *David und Mikal. Überlegungen zur Jugendgeschichte Davids*: BZAW 77 (^{2}1961) 224-243, basándose en razones de historia de la tradición, ha puesto en tela de juicio el matrimonio juvenil de David con Mikal. Con tales supuestos, la petición de David a Abner de que le trajera la mujer a Hebrón pondría más claramente todavía de relieve sus miras políticas; de modo análogo M. Noth, *Geschichte Israels*, ^{6}1966, 170, nota 1.

Con el intento de mediación de Abner en Hebrón (2 Sam 3) y sus consecuencias, que desembocaron en la transmisión a David del reinado israelítico, se llega al punto en que anteriormente se había interrumpido la exposición seguida de la historia de David. Consta que él no atacó militarmente al viejo dominio de Saúl ni se aprovechó del vacío producido por los asesinatos de Abner e Isbaal para impulsar activamente por su parte la anexión de Efraím a Judá. Su cauteloso proceder no hay por qué atribuirlo a una posterior exposición tendenciosa.

La transferencia del reino de las tribus septentrionales a David significa la creación de una unión personal, de ningún modo el establecimiento de un estado totalmente unitario. Judá e Israel mantienen su personalidad política, conservando también su conciencia individual. No han hecho otra cosa sino someterse al poder supremo de David. De momento tampoco había más que esperar. Todavía predominaba la estructura tribal, todavía se encontraba en sus comienzos la monarquía como nueva forma de organización y gobierno.

Incalculable fue desde luego el aumento en recursos de poder, como jamás antes de David habían estado a disposición de un jefe israelita. Poseía su propia tropa de mercenarios, acaudillaba al ejército de Judá y podía movilizar al ejército de Israel. Este auge de poder no se produjo del modo como pensaban los filisteos, quienes más bien habían esperado una divergencia y antitética evolución entre Judá e Israel. Ahora se les enfrentaba David con fuerza concentrada. Su reacción se encuentra claramente descrita en 2 Sam 5, 17: «Cuando los filisteos oyeron que David había sido ungido rey de Israel, subieron todos (a la montaña) en busca de David...». Ahora, pues, los filisteos proceden de forma totalmente distinta que en la lucha contra Saúl. No intentan envolver el frente en la montaña desde el norte, desde la zona de la llanura de Megiddo, avanzan en el área del pasador meridional sobre las tierras céntricas de David, y dan la impresión de intentar introducir una cuña, precisamente en este sitio, entre los territorios de Israel y Judá, con el fin de hacer saltar otra vez el nuevo imperialismo davídico.

En el pasaje respectivo de 2 Sam 5, 17-25 se nos describen realmente dos encuentros de David con los filisteos, que tuvieron lugar bastante cerca de Jerusalén, y desde luego al oeste de la ciudad, como era de esperar. Los filisteos ocuparon primeramente la llanura de Refaím, en cuyo borde meridional y junto al santuario de Baal-Parasim se produjo el ataque [22]. David venció ya en este primer combate, probablemente por su buen conocimiento del modo de luchar de los filisteos y con el concurso de su dócil tropa de mercenarios. La derrota no dejaba descansar a los filisteos. «Frente a las balsameras» [23] en la llanura de Refaím (2 Sam 5, 23) se produjo un nuevo choque, que ya fue el último. No nos ha llegado la noticia de ninguna otra intervención filistea. David pudo conjurar definitivamente esa amenaza para Judá e Israel.

A lo largo de este conflicto se había visto claramente el peligro, que emanaba del pasador meridional, el cual todavía no se encontraba completamente en poder de David. Todavía habitaban en Jerusalén los jebuseos, todavía separaba ahí los dos dominios de David una ciudad con sus terrenos, que había podido mantener su autonomía y que, a la vista de la nueva situación política, debía parecer una especie de cuerpo extraño. Pero David tenía especiales planes para Jerusalén. La ciudad, por su situación, era la más idónea para convertirse en residencia suya. Hebrón, donde David fue rey siete años y medio en total, constituía un espléndido punto céntrico con respecto al gran Judá. En cambio, en relación con todo el territorio israelítico su ubicación quedaba a trasmano. A la inversa, hubiera parecido natural escoger a Siquem como ciudad residencial, en lugar de Jerusalén, por tratarse del antiguo centro de la hegemonía centropalestinense-efraimítica. Pero Siquem quedaba demasiado al norte con relación a Judá.

Jerusalén reunía las mejores condiciones para el plan de David, esto es, para dominar sus dos estados parciales desde un punto, que se encontraba exactamente entre los dos. Pero tenía David que dejar en claro a cuál de sus dos zonas de soberanía quería él incorporar la ciudad cuando le perteneciera. Ni podía desatender los intereses de Judá, ni podía menospreciar las reivindicaciones benjaminíticas, que desde su territorio podían extenderse preferentemente hasta la ciudad. David ideó una sagaz solución, la de no asignar Jerusalén oficialmente a ninguno de sus dos estados, sino considerarla como *su* ciudad, que, en calidad de ciudad-estado, le perteneciera

[22] El desarrollo exacto de los hechos no se puede ya reconstruir; posiblemente vino David desde el sur de Judá hasta la llanura de Refaím *el-baḳ'a*. El que David, en el momento de estas luchas, estuviera ya firmemente posesionado de Jerusalén, es algo que a veces se pone en duda a pesar de la inclusión del texto en 2 Sam 5, pero no hay pruebas. Se desconoce la situación del monte Parasim; sobre el santuario de Baal-Parasim cf. la propuesta de localización presentada por A. Alt: PJB 23 (1927) 15 s.

[23] Lugar bien conocido por entonces indudablemente.

tan sólo a él. Jerusalén adquirió toda la dignidad de una ciudad gubernamental, pero hasta cierto punto siguió siendo extraterritorial con respecto a los territorios de las tribus limítrofes. ¿Pero cómo fue prácticamente posible conferir a Jerusalén desde el mismo principio y de forma convincente tal situación especial?

David conquistó la ciudad sin valerse para ello ni del ejército de Judá ni del ejército de Israel, sino que utilizó tan sólo sus mercenarios (2 Sam 5, 6: «el rey con sus hombres»). Se ganó la ciudad para sí mismo mediante sus propios recursos, que por una parte le garantizaban el éxito militar y por otra parte excluían reivindicaciones y prerrogativas extrañas, vinieran de donde vinieran.

El relato sobre la conquista de Jerusalén se encuentra en 2 Sam 5, 6-8. Pero este relato encierra ciertas dificultades, que no son fáciles de esclarecer totalmente. En el texto se han introducido unas enigmáticas palabras, tal vez un fragmento de alguna fanfarronada de los jebuseos: «Hasta los ciegos y cojos bastan para rechazarte, pues David no entrará aquí». Al parecer los jebuseos se sentían tan seguros en su ciudad, que, llegado el caso, se podría encomendar incluso a ciegos y cojos la tarea de rechazar a David. El motivo para verificaciones arqueológicas lo dio el versículo 8 donde se habla del acceso al «*ṣinnōr*» (*ṣnwr*). Parece tratarse de parte de un sistema de aprovisionamiento de agua, que se había instalado bajo tierra desde la fuente de Guijón en la pendiente oriental de la antigua ciudad hasta el interior de la misma. Se trata de un corto túnel y de una empinada zanja, que, atravesando el muro de la ciudad, terminaba en una entrada construida en el interior de la ciudad. De este modo les era posible en tiempos de guerra a los moradores de la ciudad bajar sin llamar la atención hasta la fuente situada en lo más profundo de la pendiente: David y sus hombres utilizaron a la inversa aquel sistema de zanjas, una vez que descubrieron su entrada. También es instructiva la alocución de David que leemos en el relato paralelo de 1 Crón 11, 4-6: «El que primero ataque al jebuseo, será jefe (*rōsch*) y capitán (*sar*). Subió el primero Joab, hijo de Sarvia, y pasó a ser jefe». Según esto, la toma de Jerusalén pudo estar relacionada con un destacado mérito personal en conexión con la «subida» al interior de la ciudad. Cualquiera que sea el juicio que se formule acerca de tales tradiciones, no dejan de constituir un buen síntoma de las dificultades que suponía la toma de ciudades fortificadas incluso para una tropa tan experta como era la de David [24].

[24] Los detalles arqueológicos han sido felizmente confirmados mediante la excavaciones efectuadas a las órdenes de K. M. Kenyon. El túnel que partía de la fuente Guijón fue continuado desde el mismo punto del que hay pruebas que ascendía el sistema de zanjas, en tiempos del rey Ezequías

No se nos dice si durante la conquista de Jerusalén se eliminó a algún rey de ciudad que allí residiera, como ocurría frecuentemente en las ciudades cananeas. No hay que descartar que, como en el caso de Siquem, existiera allí una constitución aristocrática. Con un tratamiento cuidadoso de las circunstancias e instituciones internas cuadra el hecho de que David no conquistó el posterior emplazamiento para el templo y el palacio, sino que lo adquirió legalmente por compra, a saber, la llamada era de Areuná (2 Sam 24, 20-25) [25]. Su respeto a la situación existente también lo demuestra el hecho de que David no dio a la ciudad conquistada el nombre que llevaría después sin duda en conformidad con su idea original, a saber «ciudad de David» (2 Sam 5, 7), sino que mantuvo el nombre tradicional [26].

Pero en un aspecto consideró David necesario dar a Jerusalén una especial dignidad a los ojos de las tribus efraimítico-israelíticas, a saber, en el aspecto religioso. Como una de las primeras acciones después de la conquista de la ciudad, se nos relata el traslado del arca de Yahvé a Jerusalén (2 Sam 6). El arca se encontraba últimamente en la antigua ciudad Quiriat Jearim, perteneciente a Benjamín, donde, tras varias vicisitudes y tal vez después de la destrucción del santuario de Silo, quedó expuesta, aunque sin una clara función cúltica. Está fuera de toda duda que el arca constituía para Efraím y Benjamín un importante objeto sagrado; sobre su posible ámbito de influencia para Judá en la época preestatal, nada se puede saber [27]. Por eso se ha de suponer que David con la

en forma de canal bajo la colina, canal todavía hoy transitable; por su parte occidental termina en el estanque de Siloé. Cf. más detalles con croquis panorámicos en K. M. Kenyon, *Jerusalem-Excavating 3.000 years of history*, London 1967; sobre el sistema de zanjas véase también las anteriores reflexiones de H. J. Stoebe, *Die Einnahme Jerusalems und der Ṣinnor*: ZDPV 73 s.

[25] Análogas adquisiciones de territorios cananeos por parte de israelitas son la compra de la gruta de Macpelá por Abrahán, Gén 23 y de la posterior colina urbana de Samaria por Omrí, 1 Re 16, 24.

[26] El primer testimonio literario de la ciudad en los textos de proscripción; cf. K. Sethe, *Die Ächtung feindlicher Fürsten*, 1926, 27/28; G. Posener, *Princes et pays*, 1940, E 45; W. Helck, *Beziehungen*, 48.58. De las cartas de Amarna cf. los escritos de Abdihipa, estacionado en Jerusalén, edición Knudtzon 285-290; AOT, 374-378; TGI, 1950, 23-29; ^{2}1968, 25 s.

[27] Significativamente se menciona en *2* Sam 7, 6 la presencia de Yahvé «en una tienda, en una morada». ¿Había en Judá tan sólo un santuario de tienda de campaña, mientras que la tradición del arca pertenecía al norte? Opina R. de Vaux que la tienda aquí mencionada, que David levantó para el arca, fue tan sólo una tienda evocadora de la época del desierto, de ningún modo la «tienda del encuentro» como santuario independiente, *Lebensordnungen* II, ^{2}1966, 117.134. M. Görg duda que exista una relación entre

adopción de este objeto no sólo se prometía una revalorización del santuario local de Jerusalén, sino al mismo tiempo una vinculación religiosa de las tribus septentrionales a su nueva residencia. Pero es curioso que posteriormente, tras la desintegración de la unión personal, los miembros del estado septentrional de Israel jamás reclamaron el arca, sino que consideraron como definitiva su sede en Jerusalén [28].

No se puede pasar por alto el hecho de que con la conquista de Jerusalén por parte de David, con la elevación de la ciudad al rango de residencia regia en la misma frontera entre los estados parciales de Judá e Israel, se había iniciado una evolución, que, hasta más allá de la época davídica, fue de la mayor importancia para el acontecer del país y en especial para la ciudad. Jerusalén, en lo alto de la montaña, relativamente aislada, no situada en la encrucijada de importantes vías de comunicación y separada geográficamente de la zona principal de la tribu de Judá, debió su auge tan sólo a la iniciativa de David. «De improviso, como de la noche a la mañana, el desmedrado estado-ciudad se convierte en el centro de un reino, que abarca a toda Palestina» [29]. La razón profunda de tan repentino cambio estriba muy especialmente también en la historia demográfica y territorial de la Palestina central. Entre Judá y Efraím no existía contacto ninguno. La barrera de la fortaleza jebusea de Jerusalén y de su estricta zona de influencia impedía el acercamiento, que David, con cálculo previsor de las perspectivas políticas, posibilitó por la fuerza. Desde luego David no podía tener conciencia de que de ese modo se habían creado las bases de la futura importancia mundial de la «ciudad santa». De momento desde su nueva residencia le era posible contener a Israel y Judá en las tradicionales fronteras. Pero, además de esto, parece haber trabajado consecuentemente por el perfeccionamiento territorial de sus dominios palestinenses, muy especialmente con el fin de conjurar los focos de peligro existentes en las zonas vecinas más próximas. Se dice que humilló a los filisteos y les quitó

la tienda erigida en Jerusalén para proteger el arca y la «tienda del encuentro», que habría estado más bien en Guibeón: *Das Zelt der Begegnung*: BBB 27 (1967).

[28] Por lo demás, los reyes del estado septentrional debieron declararse oficialmente en favor de los dos santuarios estatales de Bethel y de Dan, para descartar la competencia jerosolimitana; pero hay que preguntarse si lo que se dice en 1 Re 12, 26-29 se pensó y formuló desde una perspectiva jerosolimitana.

[29] A. Alt, *Jerusalems Aufstieg,* 1925, en *Kl. Schr.* III, 243-257, espec 253 (*Grundfragen,* 323-337, espec. 333).

las «riendas» de las manos (2 Sam 8, 1) [30]. Sin embargo, no se ve claro de qué forma ejerció la soberanía sobre los filisteos. Nada se dice de que ocupara sus ciudades. Pero el verdadero documento, que permite reconstruir todo el territorio estatal davídico, es una descripción de fronteras realizada con motivo del recuento de todos los varones aptos para las armas (2 Sam 24, 5-7).

David envía oficiales, cuyo itinerario se describe. Este empieza por el Arnon en la Transjordania meridional, sigue hacia el norte por las comarcas de Gad y Galad hasta el área del *'adschlūn* y más al norte alcanza el país de los hititas [31]. Luego se atraviesa la Cisjordania desde el norte, Dan, Tiro y los estados-ciudad de la llanura costera al norte y al sur del Carmelo, y más allá Judá, hasta Berseba. Los oficiales recorrerían «todas las ciudades de los jiveos y cananeos». Según esto habrían marchado sobre todo a través de las regiones de la primitiva población israelítica, no propiamente a través del territorio estatal israelítico-judaico. Por los datos que se nos dan, se movieron realmente tan sólo por las regiones limítrofes de Palestina. Esto presupone sin duda que todas estas regiones se encontraban realmente a disposición de David; es posible que el intento de su acción fuera darse una idea de la totalidad de contingentes militares, contabilizando precisamente los de aquellas partes de territorio que se habían integrado recientemente en sus dominios.

De ahí se debe deducir que David consiguió lo que Saúl no había podido lograr, a saber, pasar del estado nacional al estado territorial, a un «imperio» con fronteras más o menos estables, a un territorio y no ya a una liga tribal bajo el poder gubernamental del rey. Pero este estado hubo de lograrse mediante la aceptación de grupos de población de un carácter étnico, y por lo tanto también religioso, distintos del de los israelitas. Los cananeos, y con ellos hasta cierto punto también sectores de la población rural filistea, se convirtieron en miembros del estado davídico con derechos más o menos iguales. De este modo los pasadores de ciudades conocidos por Jue 1 perdieron ciertamente su función peligrosa-

[30] Se quiere decir sin duda que David rompió la hegemonía de los filisteos, de tal modo que ellos ya no pudieron tener «embridado» a nadie. Literalmente se dice «rienda de la vara (de medir)»; tal vez el texto no es correcto. 1 Crón 18, 1 ofrece una lectura diferente, pero no convincente. Cf. las consideraciones de O. Eissfeldt: ZDPV 66 (1943) 117-119, en *Kl. Schr.* II, 455 s.

[31] Así se ha de leer con parte de los manuscritos-Septuaginta. Sin embargo, también es posible que esto sea una interpretación del texto masorético, que en este pasaje llegó a hacerse ininteligible.

mente separadora en el aspecto político-militar, pero se mantuvieron en la medida en que las principales fuerzas de esas ciudades y de sus terrenos iniciaron contactos más estrechos que hasta entonces con la población cananea. Esto tuvo como consecuencia que el llamado «problema de los cananeos» se convirtió en un crítico peligro de política interior, pero sobre todo religioso. Siguió adelante el proceso de asimilación, de amalgama de religión y cultura, ligado forzosamente con más estrechas relaciones personales y familiares.

Las llanuras costeras dejaron de ser desde entonces centros de autónoma formación política. El centro de gravedad de la dirección estatal y de la organización cultural-religiosa se desplazó hacia la montaña. El estado israelítico-judaico acrecentó su potencia y se convirtió en soporte autónomo de desarrollo político dentro del contexto de las estructuras estatales sirias.

Desde luego no se debe sobrevalorar este proceso. No llegó tan rápidamente una total «unificación» de tan dispares elementos en la confederación tribal, que adquirió tan pronto su madurez y autonomía políticas, con sus elementos ya étnicamente diversos. La evolución estatal demuestra que en Judá se siguió pensando en judaico y en Israel en israelítico, por no hablar de la mentalidad de los filisteos, donde ya en la era postsalomónica se produjeron cambios de fronteras en las zonas limítrofes de la ocupación israelítica y en la época asiria incluso volvieron a aparecer príncipes urbanos filisteos con total autonomía [32]. El cuadro de la liga estatal davídica es múltiple. Pero de ningún modo se limitó al estado territorial que se acaba de trazar. David extendió su radio de acción hasta mucho más allá de sus fronteras, pues se vio realmente obligado a ello.

Le mostraron una actitud hostil vecinos orientales y surorientales. El gran conflicto con los amonitas se lee en la conocida «crónica de la guerra amonita» (2 Sam 10, 1-11 + 12, 26-31), donde se intercalan la historia de Betsabé y el diálogo de Natán con David («¡Tú eres ese hombre!»), junto con la dramática preparación para elegir al futuro sucesor del trono [33]. Urías, a quien pertenecía Betsabé, sucumbe en la lucha contra los amonitas. El reino de éstos pasó a David, de tal modo que Ammón junto con Judá e Israel forma parte de la unión personal, si bien con un status inferior; a los amonitas se les imponen trabajos forzados.

[32] O. Eissfeldt, *Israelitisch-philistäische Grenzverschiebungen von David bis auf die Assyrerzeit*, 1943, en *Kl. Schr.* II, 453-463.

[33] Sobre la crónica de la guerra amonita cf. L. Rost, *Das kleine Credo*, 1965, 184-189.

La ampliación del territorio estatal davídico, como también la integración territorial y política de adversarios antiguos y potencialmente nuevos de Israel se nos transmite en 2 Sam 8 de un modo sumario, pero con suficiente diferenciación. Edom se convierte en provincia bajo el mando de lugartenientes de David. El antiguo reino nativo queda eliminado. Los reyes de los moabitas se hacen vasallos y tributarios de David.

Por desgracia no está lo suficientemente comprobada la intervención de David en los dominios de los estados arameos, que hasta entonces no habían influido en la consolidación de las tribus israelíticas en Palestina. La ocasión concreta para marchar contra los arameos aparece claramente en 2 Sam 10, 6. Los amonitas, para luchar contra David, habían solicitado la ayuda de las tropas de una serie de pequeños y grandes principados aramaicos, que se habían formado en la Transjordania septentrional y en la Siria meridional. Contra ellos se dirigió el ataque de David tras su triunfo sobre los amonitas. Entre los enemigos arameos sobresalía el rey Hadadezer de Soba en la región del Antilíbano al norte de Damasco. Poseía al parecer una posición preponderante, que incluía la Transjordania septentrional, y sin duda también la región de Damasco y probablemente también otros territorios aramaicos en Siria septentrional hasta la comarca del Eufrates. Queda por saber hasta qué punto pudo David extender su hegemonía, después de haber vencido al rey de Soba. El relato veterotestamentario da a entender (2 Sam 8, 3-10) que David se apoderó en Siria de un gran botín, en el que figuraba una gran cantidad de bronce, de que disponía Hadadezer gracias a las riquezas mineras de la llanura situada entre ambos Líbanos. En Damasco, que habría estado ya bajo la hegemonía del estado de Soba, instaló sus propios funcionarios encargados de recoger tributos. Distinto fue el comportamiento del rey de Jamat junto al Orontes, el actual *ḥama* en la Siria central, quien se dirigió a David con parabienes y regalos de agasajo, que se pueden interpretar como medida profiláctica o bien como oferta de vasallaje. El rey de Jamat era un viejo enemigo del Hadadezer de Soba [34].

Cabe pensar que esas obligaciones tributarias, que, al sur del estado de Jamat, se impusieron a la comarca de Soba y al estado de Damasco, constituían los límites norte y nordeste de la zona de influencia activa davídica. Para esto podrían haber bastado los recursos de David [35]. Pero es probable, además, que los estados sirios que, tal vez por unión personal con Hadadezer, habían mantenido estrecho contacto entre sí, hasta la región del Eufrates,

[34] La forma de su nombre, *To'i* o *To'u* (2 Sam 8, 9 s) parece del Asia menor o hurrítica. La autonomía del principado de Jamat está posiblemente relacionada con privilegios de la época de la soberanía hitita en esas regiones.

[35] De esta forma cautelosa concluía también sustancialmente la pasada investigación; cf. especialmente K. Elliger, *Die Nordgrenze des Reiches Davids*: PJB 32 (1936) 34-73; A. Alt, *Das Grossreich Davids,* 1950, en *Kl. Schr.* II, 66-75 (*Grundfragen,* 338-347).

tras la victoria de David sobre Hadadezer se sometieron igualmente a su hegemonía, y el único peligroso secesionista, el rey de Jamat, dio también expresas pruebas de su sumisión [36]. Aunque sea concebible tan amplia extensión real de la influencia davídica, carece desde luego de comprobación expresa en las fuentes extrabíblicas; pero precisamente las noticias bíblicas permiten deducir un gradual escalonamiento en las zonas exteriores de influencia davídica, primeramente mediante estados tributarios, y más allá de éstos en virtud de un reconocimiento pacífico. Esta hipótesis está hasta cierto punto confirmada por las relaciones amistosas, que al parecer mantuvo David con las ciudades fenicias costeras; pues no sabemos que tuviera conflictos con ellas [37].

Queda así suficientemente delineado el aparato estatal davídico con sus grados de dependencia, la unión personal de Judá e Israel como núcleo, el afianzamiento de las llanuras costeras tras el sometimiento militar de los filisteos, el dominio de la Transjordania a base de un diferenciado sistema de estados vasallos y tributarios, cuya vinculación a la central davídica se fue haciendo más tenue en relación con su alejamiento geográfico de Jerusalén, lo que se ve con la mayor claridad en las relaciones con los estados-ciudad sirios. Cuando 1 Re 5, 1 dice acerca de los dominios de Salomón que reinó «desde el río (Eufrates) hasta el país de los filisteos y hasta la frontera de Egipto», se refiere con ello a una extensión ideal de la gran potencia israelítico-judaica, que sólo con restricciones es aplicable a Salomón, como también a David. La «frontera de Egipto» era en todo caso el tan mencionado posteriormente «arroyo de Egipto», el *wādi el-'arīṣch* al norte de la península del Sinaí, a medio camino de Egipto. Pero parece que hay que descartar una sumisión de todo el mundo de estados sirios hasta el Eufrates en el sentido de una dominación militar activa, tanto en relación a David como a Salomón. A la luz de una tan amplia concepción ideal, de ningún modo queda rebajado el mérito histórico de David. Su en sí mismo diferenciado ámbito de soberanía, que no sin razón se denominó un «gran im-

[36] A. Malamat, *Aspects of the foreign Policies of David and Solomon*: JNES 22 (1963) espec. 1-8; Id., *The kingdom of David and Solomon in its contact with Egypt and Aram Naharaim*: BA 21 (1958) 96-102; cf. también G. Buccellati, *Cities and nations,* 1967, 143-145.

[37] Esto se debía probablemente a motivos recíprocos; se considera como una especie de principio fundamental de la política fenicia el de procurarse o mantener buenas relaciones con el *hinterland,* contentándose por su parte con la angosta llanura costera. Según 2 Sam 5, 11, no ya sólo Salomón, sino aun el mismo David habrían traído de Fenicia materiales de construcción y constructores. La debida ubicación del versículo es objeto de controversia; ¿no sería su lugar a continuación de 2 Sam 8, 1-14? Cf. M. Noth, *Geschichte Israels,* 181, nota 2; fundamentalmente F. C. Fensham, *The treaty between the israelites and tyrians*: VTSuppl. 17 (1969) 71-87, espec. 73-79.

perio»[38], representaba para las circunstancias israelíticas en la primera época de su monarquía una obra de extraordinaria unidad y eficacia. David disfrutó para esto del favor de una histórica constelación política, que posibilitó su gran estado al menos por un corto período.

La formación del gran estado davídico es un mérito personal de este rey. Fue favorecida por la crisis del gran imperio egipcio en el sur, que tras el final de los ramésidas en la XXI dinastía se dividió en un complejo político septentrional y otro meridional[39]. En el norte gobernaban Smendes y Tentamún, en el sur se formó el gran estado de Tebas. Se trata de la época de decadencia egipcia tan magníficamente descrita en el relato de viaje de Wenamon. Egipto había perdido su influjo sobre Palestina; la recesión de su potencia hizo también posible la ocupación territorial de los filisteos. Los grandes imperios del norte eran también incapaces de una política expansionista. Los hititas hacía ya tiempo que habían perdido su influjo; los pueblos del mar se habían ya establecido por lo menos en las costas de Siria, desde el este apremiaban los arameos y fundaban sus estados. Al mismo tiempo contuvieron a la potencia militar asiria. En la penumbra de esta situación de bruscas transformaciones, de gran proyección histórica en el próximo oriente, hacia el año 1000 a. C. tiene lugar la construcción y desarrollo del estado davídico, la primera estructura estatal realmente israelítica con poder independiente. Los peligros, que le amenazaban desde los pueblos colindantes con sus principados deseosos de autonomía, en especial los filisteos, amonitas, moabitas, edomitas y los arameos en Siria, fueron conjurados por David por medio de una superioridad militar y maña diplomática.

David logró implantar y conservar su gran estado debido también muy especialmente a que para su política exterior disponía de un respaldo suficiente de política interior, que él se fue elaborando poco a poco. El perfeccionamiento de su ejército constituía tan sólo un aspecto de la cuestión; abordó también la construcción de una residencia y corte y la organización de un estado burocrático autónomo.

Jerusalén iba a convertirse en residencia regia y ya no podía seguir siendo un campamento militar. Acerca de la ampliación de la ciudad en tiempos de David disponemos de muy escasas noticias. Reparó las murallas de la

[38] Cf. el ya clásico título del artículo de A. Alt, *Das Grossreich Davids*.
[39] J. Černý, *Egypt from the death of Ramesses III to the end of the twenty-first dynasty*: CAH II/35 (1965).

ciudad y mandó levantar un edificio residencial para él. Refiriéndonos a aquellos comienzos, sería exagerado hablar de un «palacio» (cf. 2 Sam 5, 11). La ciudad era angosta, había muy pocas posibilidades de ampliación en la colina suroriental. Según las recientes excavaciones de R. de Vaux y K. M. Kenyon en la colina suroriental [40], la ciudad antigua sería algo parecido al actual poblado de Silwan situado en la pendiente opuesta del valle de Cedrón. Casas apiñadas con muy escasas posibilidades de ampliación [41]. Recordemos tan sólo la escena de Betsabé. El rey puede observar cómodamente desde el tejado de su casa los hechos íntimos que tienen lugar en las casas vecinas situadas en un nivel más bajo. Un verdadero ambiente de pequeña ciudad según los criterios actuales. Para la ampliación de la ciudad, especialmente en orden a grandes edificaciones representativas, lo que más se prestaba era la parte norte por simples razones topográficas. Allí, sobre la era de Areuná, supestamente adquirida ya por David, se construyeron después el templo y el palacio [42]. Pero de momento fue tan sólo un alojamiento provisional para el arca (cf. 2 Sam 7, 1-6). Por el momento no se podía contar con un incremento de la población en aquellas distintas circunstancias. Se trataba en todo caso de los mercenarios y funcionarios, que debían estar cerca de David y a su disposición. Los campesinos de Israel y de Judá no tenían ni razón ni ocasión para evolucionar. Un bello, aunque tal vez también singular ejemplo, lo tenemos en la negativa de Barzilai [43], a quien David brindó un honroso alojamiento y manutención en la nueva ciudad gubernamental. Sin embargo, Barzilai prefiere morir en *su* ciudad junto a la tumba de su padre y de su madre. En cambio es típico el que Betsabé resida en Jerusalén como mujer de un comandante de la tropa.

Jerusalén tuvo y conservó en definitiva el carácter de una ciudad «internacional», que se componía demográficamente de elementos nativos que allí se habían quedado, pero también de elementos totalmente nuevos. No era una ciudad judaica ni israelítica, era casi un cuerpo extraño dentro del nuevo estado.

David distribuyó las cargas del gobierno entre una serie de funcionarios ministeriales, cuyos nombres se nos han transmitido en dos listas que apenas difieren entre sí [44]. Ambas mencionan dos

[40] Cf. los sintéticos informes de K. M. Kenyon, *Jerusalem,* 1968, 27-63; *Archäologie im Heiligen Land,* 1967, 230-234.

[41] Una buena fotografía en color del actual Silwan en M. Ronnen, *Jérusalem cité biblique,* 1968 (sin número de página).

[42] Extraordinaria fotografía aérea, que muestra la relación entre la colina suroriental y la superficie (posteriormente nivelada) del emplazamiento del templo en su estado actual, en H. Reich, *Jerusalem,* 1968, 42.43.

[43] 2 Sam 19, 32-39.

[44] 2 Sam 8, 16-18 y 2 Sam 20, 23-25. El cap. 8 refleja posiblemente una fase anterior.

cargos militares, en primer lugar el cargo de *'l-hṣḇ'*, esto es, del encargado del «ejército». Este grado se menciona también [45] en tiempos de Saúl y debe significar el comandante del ejército. Junto a él se encuentra el grado de *'l-hḵrṯy w'al-hplṯy,* esto es, del encargado de «los cereteos y los peleteos»; por todo lo que sabemos, se trata del supremo oficial de la tropa de mercenarios [46]. Ambos jefes militares estaban directamente bajo las órdenes del rey; las dos listas mencionan a Joab como comandante del ejército y a Benayas como comandante de los mercenarios.

Entre los restantes altos cargos estatales llaman especialmente la atención el de *śōfēr* (*sp̄r*), propiamente «escribiente», y el de *mazkīr* (*mzḵyr*), cuya mejor traducción es la de «heraldo». J. Begrich vio un paralelismo funcional entre estos dos cargos y ciertos altos puestos administrativos egipcios [47], que aparecen allí como *ssch* («escribientes») y *whm.w.* Además del supremo escribiente real tenían los egipcios un «portavoz» o «heraldo», que puede haber sido comparable al davídico *mazkīr,* no ya atendiendo a la etimología del título, sino en virtud de las respectivas funciones [48]. El funcionario egipcio era al mismo tiempo maestro de ceremonias y secretario de estado, ante quien había que presentarse para concertar cualquier audiencia. Desde luego el cargo en Egipto estaba más evolucionado y consolidado por la tradición de lo que podía estarlo en la pequeña corte de Jerusalén todavía en curso de for-

[45] Allí se llama *sar haṣ-ṣābā'*: Jue 4, 7; 1 Sam 14, 50; 17, 55; cf. con esto 1 Re 1, 19.

[46] La designación de esta tropa como *k^erētī ū-p^elētī* está posiblemente relacionado con su carácter internacional, lo que también pudo motivar la misma expresión. La opinión de que con esas palabras se pretende significar «cretenses y filisteos», parece acertada en la medida en que con ellas se referirían a elementos de los pueblos del mar. David podría haber importado esa expresión de los filisteos o haberla recibido y adoptado del círculo de sus mercenarios. Pero Creta en el antiguo testamento es idéntica a *kaftōr* y los filisteos se llaman *p^elischtīm* y no *p^elētī.* Queda la vaga conjetura de que los nombres quedaran deformados al ser recibidos de un ambiente extranjero. El empleo proverbial de la expresión «*Kreti y Pleti*» para significar una indiferenciada masa de rango inferior se originó tal vez en virtud de unas circunstancias, en las que se carecía de un exacto conocimiento de los acontecimientos veterotestamentarios.

[47] J. Begrich, *Sōfēr und Mazkīr*: ZAW 58 (1940-1941) 1-29, en *Ges. Studien zum Alten Testament,* 1964, 67-98; cf. también R. de Vaux: RB 88 (1939) 394-405, y recientemente en *Lebensordnungen* I, 206-214, espec. 212-214; cf. además H. Graf Reventlow, *Das Amt des Mazkir*: ThZ 15 (1959) 161-175; H. J. Boecker, *Erwägungen zum Amt des Mazkir*: ThZ 17 (1961) 212-216.

[48] Por *whmw* Erman-Grapow, *Wörterbuch* I, 344, da: «portavoz» como título de funcionario. Otras menciones del *makīr* en 2 Re 18, 18.37; Is 36, 3. 11.22; 2 Crón 34, 8.

mación. Pero el cotejo está justificado por el hecho de que la tradición y la praxis de las cortes principescas extranjeras sirvieron de modelo bajo muchos aspectos para las instituciones reales en Jerusalén.

En la más reciente lista de funcionarios de 2 Sam 20, 24 se encuentra también el cargo de ministro de la leva, *'l-hms,* que sin duda surgiría en el estado al correr del tiempo por imperativo de nuevas medidas, en particular de los planes de construcción. Entre los funcionarios estatales aparecen también los sacerdotes, por los que hay que entender principalmente aquellos que actuaban en el templo jerosolimitano. Entre ellos se encuentra el nombre del sacerdote Sadoc, cuya familia en tiempos de Salomón poseería en exclusiva la diginidad sacerdotal para Jerusalén. Sobre su origen se ha especulado mucho. Tiene visos de verosimilitud la hipótesis de que este Sadoc pertenecía al sacerdocio nativo de Jerusalén aceptado por David y su estirpe estaba relacionada con el antiguo Melquisedec, cuyo segundo elemento nominal es idéntico a Sadoc [49]. Aquí quedan problemas pendientes.

2 Sam 8, 18 menciona como sacerdotes a hijos de David. Posiblemente el mismo rey poseía derechos sacerdotales, de los que hizo uso al trasladar el arca (2 Sam 6), danzar ante la misma y bendecir por fin al pueblo. Pero no sabemos de ninguna otra actuación de David como sacerdote. En la lista de funcionarios de 2 Sam 20, 23-25 faltan los hijos sacerdotales de David.

Sería, por consiguiente, algo problemático el basar en estas dispersas noticias la hipótesis de una «realeza sacerdotal» para los davídidas. Tal cosa es inconcebible bajo las especiales circunstancias de la corte davídica [50]. Se debiera además tener en cuenta el hecho de que las especiales circunstancias, que en la ciudad regia de Jerusalén, religiosamente aislada, condujeron a la institución de sacerdotes con un ámbito propio de actividades, pero no sin atender a los rasgos específicos de la religión de Yahvé, de ningún modo experimentarían en seguida aquella problemática fundamental, que en otros sitios, en el seno de naciones ya formadas, produjo una mentalidad que definía como funcionario cúltico al rey en funciones sacerdotales en virtud

[49] H. H. Rowley, *Melchizedek and Zadok* (Gén 14 y Sal 110), en *Festschrift A. Bertholet,* 1950, 461-472.

[50] Además de otros, cf. G. Widengren, *Sakrales Königtum im Alten Testament und im Judentum,* 1952, 1955, espec. 17; sobre el tema en general A. Johnson, *Sacral kingship in ancient Israel,* Cardiff 1955; estudio fundamental: M. Noth, *Gott, König, Volk im Alten Testament,* 1950, en *Ges. Stud.*, 188-229; con la misma profundidad crítica R. de Vaux, *Lebensordnungen* I, 184-186; sobre todo este círculo de problemas cf. además J. de Fraine, *L'aspect religieux de la royauté israélite. L'institution monarchique dans l'ancien testament et dans les textes mésopotamiens,* Roma 1964; K. H. Bernhardt, *Das Problem der altorientalischen Königsideologie im Alten Testament*: VTSuppl. 8 (1961).

de su cargo. En Judá y en Israel dentro del ámbito religioso los reyes tan sólo intervinieron para erigir santuarios estatales, no en otra cosa. Pero esos santuarios no eran precisamente los verdaderos lugares de la vida religiosa de las tribus; esto es así tanto respecto a Jerusalén como más tarde con respecto a los regios santuarios de Bethel y Dan. De ahí que la transferencia de tradiciones cúlticas a Jerusalén y la construcción de una tradición cúltica específicamente jerosolimitana, al menos con respecto a la época de los reyes, debiera considerarse como indicio de una evolución originariamente vinculada al santuario regio y a su radio de acción y sólo posteriormente entendida como «panisraelítica»[51].

Todos los cargos aquí citados son cargos estatales que rodeaban al rey de Jerusalén. Dependen de su apoyo y, estrictamente considerados, poco tienen que ver con el aún subsistente orden tribal y con la estructura interna de las tribus. Independientemente de las tribus, precisamente sin ellas, en su propio territorio entre los estados de Judá e Israel se organiza un gobierno estatal, un centro administrativo, la central de un poder, que lleva en sí mismo su propia ley. Las tribus lo permiten. Pero pierden influencia sobre esa nueva evolución, se retiran como portadoras de una formación política, que al parecer queda transferida totalmente al rey y a sus funcionarios. El funcionamiento del estado se fundaba sobre la personalidad del rey, que gozaba de una amplia confianza por parte de las tribus, pero él mismo residía en «su ciudad».

Hasta qué punto David se decidió a dar de lado a los principios de una monarquía militar y a dirigir los asuntos más importantes desde su residencia, sin su presencia personal, lo demuestra su comportamiento en la guerra de los amonitas. En sus comienzos observaba el desarrollo de las operaciones desde la capital, ordenaba que le tuvieran al corriente de todo, tuvo el encuentro con Betsabé y no se puso en marcha él mismo hasta la última fase de la guerra, para concluirla él personalmente y cosechar sobre el terreno los frutos del triunfo (2 Sam 12, 28-31). De modo análogo se comportó posteriormente al final de la rebelión de Absalón, cuando mientras la batalla decisiva permaneció en el transjordánico Majanaim a la espera de noticias (2 Sam 18, 19-19, 9). El rey adoptó así una actitud privilegiada, que por una parte cons-

[51] Con una correcta valoración del estado de cosas habla H. J. Kraus, *Gottesdienst in Israel*, ²1962, 210, de la «fundación del culto estatal». Pero la cuestión de cuándo y cómo «el calendario litúrgico paleoisraelítico se impuso incluso en Jerusalén» (Kraus, *o. c.*, 242), sigue siendo tema discutido, cuya problemática queda patente incluso en las reflexiones de Kraus.

tituyó un riesgo de enajenarse las tropas [52], pero por otra parte dio un relieve ideal a su cargo y contribuyó a formar en torno a su figura una aureola que favoreció a la formación de una tradición cortesana.

Estas reflexiones no carecen de importancia por lo que se refiere al problema de la formación de un ritual judaico monárquico, que adoptó y asimiló [53] conscientemente modelos extranjeros, pero en conexión con esto promovió también algo así como una «ideología imperial», que trataba de justificar como perfecta forma política la liga estatal vinculada por unión personal. No sin razón la época davídica y aún más la salomónica se considera como la época en que se recogió y fijó el antiguo patrimonio israelítico-judaico de tradiciones, que en adelante se interpretó como posesión común de Israel y de Judá. Actuaba ahí sin duda, de modo expreso o tácito, el anhelo hacia un Israel total, cuya realización parecía haber llegado con David, pero que ya impulsaba también hacia formas de expresión «panisraelíticas». Esta actividad refleja se manifiesta no sólo en la especial forma de historiar la época davídico-salomónica, sino también en la tradicional asociación de David y Salomón con sus propias realizaciones culturales, con el fomento de la poesía y la «sabiduría», que recibieron apoyo y vigencia a través de la centralística corte y de su intelectualidad [54]. Tal vez no pase de mera hipótesis, pero no carece de verosimilitud la opinión de que la concepción del Israel total, integrado ahora realmente por doce tribus, nació propiamente en esa época y actuó primeramente como concepción ideal jerosolimitana, que consideraba [55] el patrimonio imperial davídico actual como resul-

[52] Joab salió enérgicamente al paso de tal peligro en un momento decisivo: 2 Sam 19, 6-9.

[53] G. von Rad, *Das judäische Königsritual,* 1947, en *Ges. Stud.,* 205-213; A. Alt, *Kl. Schr.* II, 133 s. (*Grundfragen,* 365 s.); cf. también S. Morenz, *Ägyptische und davididische Königstitulatur*: ZÄS 79 (1954) 73 s.; J. de Savignac, *Essai d'interprétation du Psaume CX à l'aide de la littérature égyptienne*: OTS 9 (1951) 107-135; H. Cazelles, *La titulature du roi David,* en *Mélanges A. Robert,* Paris 1957, 131-136; R. de Vaux, *Lebensordnungen* I, 163-186.

[54] Esto se manifiesta tal vez en sublimes detalles de la obra yahvística; cf. W. Richter, *Urgeschichte und Hoftheologie*: BZ NF 10 (1966) 96-105; dentro de contextos todavía más amplios estudia la relación entre historia de la época y configuración literaria M.-L. Henry, *Jahwist und Priesterschrift. Zwei Glaubenszeugnisse des Alten Testaments*: Arbeiten zur Theologie 3 (1960) espec. 7-19.

[55] Cf. también H. Schultze, *Die Grossreichsidee Davids, wie sie sich im Werk des Jahwisten spiegelt. Die politische Interpretation des geschichtlichen Credos durch den Jahwisten,* Mainz 1952.

tado de las tradiciones de la historia y el número duodeno como símbolo de perfección de la comunidad étnica, con la especial intención también de presentar la liga estatal como obra de las promesas divinas. Que en esto concurrieron y repercutieron principios de cooperación «anfictiónica» de la época del orden tribal, no hay que ponerlo en duda. Pero la coordinación de las tradiciones y su concepción como elemento armónico de un «pueblo» étnica y nacionalmente delimitado, que también podía ya considerarse como tal, sólo se perfeccionó y completó bajo el influjo de la estructuración estatal davídica. Los testimonios de la época preestatal son de tal naturaleza, que no suponen forzosamente la cohesión de tal mentalidad.

La tradición veterotestamentaria no deja lugar a dudas en el sentido de que, a la vista de una organización de la vida estatal tan inédita para Israel y Judá, la cuestión de la próxima sucesión de David tuvo que constituir un problema especial. El que la solución de tal problema se ideara bajo circunstancias muy peculiares, diríamos «en familia», y sólo en Jerusalén y allí también se llevara a cabo, responde por completo a la nueva modalidad de las decisiones gubernamentales de la corte, que se dictaban sin consultar, que sepamos, a las tribus. Este nuevo rumbo adolecía de muy serios problemas, y cuanto se ha dicho sobre la autonomía de la corte y política davídicas tiene su contrapartida en las crisis estatales, que revelan especialmente al Israel septentrional como factor inestable dentro del estado.

Al problema histórico de la sucesión de David se orienta aquella tradición, que como «relato de la sucesión al trono de David», se sintetiza en 2 Sam 7, 9-20 y se descubre en 1 Re 1, 1-2, 11. Esta serie de capítulos se mueve en torno a la cuestión de la sucesión de David aun allí donde esto no resalta expresamente. A este respecto tienen su propia importancia las rebeliones de Absalón (2 Sam 15-19) y de Seba (2 Sam 20). Fueron las agudas crisis que vivió el principal núcleo territorial del reino davídico, crisis, que también decidieron sobre su ulterior subsistencia y en defintiva hubieran podido poner totalmente en tela de juicio la continuidad de la obra de David.

El tan estudiado capítulo 2 Sam 7 [56] tiene carácter programático para la cuestión de la sucesión al trono y, dentro de un marco independiente, abor-

[56] Citemos aquí a H. van den Bussche, *Le texte de la prophétie de Nathan sur la dynastie davidique*: EThL 24 (1948) 354-394; M. Simon, *La prophétie de Nathan et le temple*: RHPhR 32 (1952) 41-58; M. Noth, *David und Israel in 2 Samuel 7*, en *Mélanges A. Robert*, 1957, 122-130 (*Ges. Stud.*, 334-345); G. Ahlström, *Der Prophet Nathan und der Tempelbau*: VT 11 (1961) 113-127; H. Gese, *Der Davidsbund und die Zionserwäh-*

da aquellos problemas, que se derivaban del hecho del principio dinástico en la casa de David. La convicción de que el soberano salido del linaje de David está aceptado y legitimado como hijo de Yahvé, justifica el pensamiento dinástico al más alto nivel, pero en esa forma sólo puede ser el resultado de experiencias históricas. En favor de esto habla también la adopción de una marcada forma literaria en que aparece esa «promesa dinástica» [57]. Esta adquirió su importancia en el aspecto teológico como la célula germinal del pensamiento «mesiánico», a saber, cuando se abrió paso la convicción de la filiación davídica de un futuro dominador, a menudo idealmente imaginado; fue una idea que sobrevivió incluso a los tiempos de monarquía efectiva en Israel y Judá.

Las circunstancias históricas para la sucesión dinástica hereditaria en la casa de David de ningún modo se dieron espontáneamente. David debió tener primeramente la intención de conseguir un hijo de su matrimonio con Mikal, la hija de Saúl, como sucesor. De ese modo se habría logrado una conciliación natural entre Judá e Israel. Israel hubiera podido ver en un hijo de Mikal la continuidad de la herencia de Saúl [58]. Pero el matrimonio de David con Mikal fue infecundo [59]. De ahí que se tomara en consideración a hijos que David había tenido ya de sus mujeres en Hebrón [60]. Pero él no parece haberse definido nunca expresamente con respecto a esos varones. Especiales circunstancias aconsejaban mantener una actitud de reserva.

El primogénito Amnón quedó descartado por una infamia. Se acercó a su media hermana Tamar, que era plena hermana de su hermano Absalón. Este se vengó y asesinó a Amnón (2 Sam 13). El segundo hijo, Kilab, ya no vuelve a ser mencionado. Su suerte nos es desconocida.

Al tercer hijo, Absalón, las cosas se le ponen serias. Tras su asesinato de Amnón, se marcha primeramente del país. David facilita su retorno de mala gana. Este personaje arrogante [61], pero no dotado, bajo todos los as-

lung: ZThK 61 (1964) 10-26; A. Caquot, *La prophétie de Nathan et ses échos lyriques*: VTSuppl. 9 (1963) 213-224; M. Tsevat, *Studies in the book of Samuel* III: HUCA 34 (1963) 71-82; A. Weiser, *Die Legitimation des Königs David*: VT 16 (1966) 325-354.

[57] S. Herrmann, *Die Königsnovelle in Ägypten und in Israel*: Wiss. Ztschr. der Univ. Leipzig 3 (1953-1954) 51-62; de opinión contraria E. Kutsch, *Die Dynastie von Gottes Gnaden*: ZThK 58 (1961) 137-153; ahora, sin embargo, positivamente M. Görg, *Der Gott vor dem König*, Bochum 1972.

[58] David dio importancia al hecho de mantenerse leal a la casa de Saúl; con especial claridad en el caso del hijo de Jonatán Meribaal (1 Crón 8, 34; 9, 40); en 2 Sam 9 y otros pasajes ese nombre se encuentra deformado en Mefiboset.

[59] 2 Sam 6, 21-23.

[60] 2 Sam 3, 2-5.

[61] Cf. su caracterización en 2 Sam 14, 25-27; tan sólo una vez al año se cortaba el pelo, cuando ya le pesaba doscientos siclos según el peso real,

pectos, de la destreza diplomática de su padre, intentó granjearse a su manera la confianza de los israelitas del estado septentrional. No tardó en salir al encuentro de los peticionarios que llegaban a las puertas de Jerusalén y que venían «de una de las tribus de Israel», y por lo tanto del estado septentrional. Absalón les prometía defender su causa ante el rey. Su tan aireada campechanía se alió con el suplicante gesto: «¿Quién me pusiera por 'juez' de esta tierra?». Empleando el concepto de *schōfēt,* Absalón trataba de enlazar con las mejores tradiciones israelíticas. Así quería él «robar el corazón de los hombres de Israel» (2 Sam 15, 1-6). Se aprovechaba evidentemente de cierta animosidad contra el rey que cundía entre las tribus efraimíticas y que él incorporó a sus ulteriores planes.

Consiguió permiso del rey para marchar a Hebrón, supuestamente para cumplir un voto. El propósito parecía inofensivo, pero se llevó consigo 200 hombres como invitados a la fiesta sacrificial. Secretamente «hizo saber a las tribus de Israel» que, a una señal convenida, gritaran: «¡Absalón se ha proclamado rey en Hebrón!». Este «en Hebrón» ha dado pie a la conjetura de que había sido informado todo el territorio estatal israelítico-judaico de David, y que en todos esos sitios se había estado esperando la señal de Absalón. Pero en realidad la marcha de Absalón a Hebrón no sólo había desconcertado a David y a los jerosolimitanos, sino «también a los modernos historiadores» (Alt). Estos pudieron creer que Absalón en Hebrón trataba de poner de su parte a Judá, para, con su ayuda, apoderarse de todo el estado [62]. Pero el ulterior desarrollo de la revuelta de Absalón pone de manifiesto que en ese conflicto Judá se mantuvo neutral. El plan de Absalón era distinto. Desde un principio pretendía él levantar al estado septentrional de Israel contra David, para con su ayuda apoderarse de Jerusalén y de Judá. Aprovechándose del antagonismo existente en el plano de la política interior, Absalón había concebido su revuelta de tal forma que él desde Hebrón en el sur avanzara sobre Jerusalén, y al mismo tiempo los israelitas desde el norte pusieran en aprieto a David.

Este plan de copar a David en Jerusalén fracasó, porque el rey abandonó la ciudad de modo imprevisto y marchó a Transjordania. Podía prever que Absalón fracasaría en la ciudad. Este se encuentra con una ciudad abierta, y es lo suficientemente imprudente para establecerse allí mientras que David con sus mercenarios opera fuera de la ciudad y tiene tiempo suficiente para concentrar fuerzas. Absalón está perplejo. Rechaza el sabio consejo de

impresionante contribución al tipismo de las personalidades revolucionarias... 200 siclos son aproximadamente 2.280 gramos o incluso el doble, si es que podemos interpretar así el peso «real»; cf. sobre esto BHH II, 1.167. Además Absalón se hizo con un carro, a buen seguro un carro de guerra de tipo cananeo, así como una escolta personal (2 Sam 15, 1).

[62] Cf. por ejemplo las reflexiones de W. Caspari, *Aufkommen und Krise des israelitischen Königtums unter David,* 1909, 84-90.

Ajitófel de salir inmediatamente en persecución de David y derrotarle allí donde le encuentre. Sigue la recomendación de Cusaí, varón allegado al rey, quien le sugiere que espere y por su parte reúna un ejército contra David [63]. Ajitófel, viendo venir la catástrofe, se suicida. Las demoras por parte de Absalón no pueden por menos que favorecer a la posición de David. Al sur del Jaboc se enfrentan el ejército israelítico y los mercenarios de David. En el bosque de Efraím [64], no lejos de Majanaim, donde el rey acampaba, se produce el golpe decisivo. La batalla en la selva resultó fatal para el torpe ejército israelítico e incluso para el mismo Absalón. En la huida queda trabado con su abundante cabellera entre el ramaje de un árbol, mientras el mulo que montaba sigue adelante. Joab le da muerte. Este manda tocar la trompeta y da por terminada la batalla. Se ha conseguido lo que se pretendía. Absalón está muerto, está eliminado el hombre de la resistencia. Ya no cabe pensar en otra guerra contra Israel.

Sin embargo, la situación resultante reviste caracteres peculiares. La rebelión ha sido aplastada, pero el rey no está en su casa, en su ciudad residencial, en aquella ciudad que no pertenecía a ninguno de sus dos estados. Israel, que había seguido principalmente a Absalón, se encuentra con respecto al rey en precaria situación. ¿Deberá temer un castigo por parte del rey? ¿Habrá de rendirle homenaje nuevamente? Judá se mantuvo lejos de la rebelión; en sus manos estaba principalmente el hacer algo por el rey. 2 Sam 19 nos describe con suficiente claridad la fatal situación. Las tribus del estado septentrional de Israel discuten entre sí qué es lo que se debe hacer. A nadie se le ocultan los méritos de David; hay que tomar en serio el hecho de que Absalón está ya muerto. Cunde la tendencia de retornar a él. Entonces interviene el mismo rey. Ordena a los sacerdotes jerosolimitanos que se pongan al habla con los ancianos para que salgan a acogerle demostrativamente como rey. Mediante la iniciativa de sus judíos quiere David ser nuevamente legitimado. Ellos se ponen de su parte «como un solo hombre» (2 Sam 19, 15). El rey cruza el Jordán junto a Guilgal y recibe el homenaje de los judíos, pero también de los israelitas, que se hacen presentes por medio de una delegación. Pero vuelve a producirse un altercado

63 En el punto culminante del relato, construido con bastante dramatismo, sobre la rebelión de Absalón se lee en 2 Sam 17, 14b: «Es que Yahvé había decidido frustrar el consejo de Ajitófel, para traer la ruina sobre Absalón». Aquí queda claramente rota la tesis de E. Meyer, a saber, la de que al narrador le es totalmente ajeno cualquier matiz religioso, todo pensamiento en una dirección sobrenatural (*Geschichte des Altertums* II/2, 1953, 285).

64 Ahí debe tratarse de una región boscosa al sur del Jaboc. Todavía hoy existen en esta zona restos de arbolado. Alguna idea de esto la da mi fotografía, que está tomada desde lo alto del *tell ḥedschādsch*: ZDPV 80 (1964) lámina 2; cf. a este propósito el texto 74 nota 84.

sobre quién es el más llamado a reclamar para sí al rey. Israelitas y judíos rivalizan entre sí con palabras fuertes.

Con todo, la situación en el estado septentrional de Israel permanecía tensa. David debió temer que no estuviera con él todo el territorio estatal del norte. Los antagonismos se convirtieron en conflicto abierto, cuando el benjaminita Seba ben Bicri lanzó la peligrosa consigna: «No tenemos parte con David, ni tenemos heredad con el hijo de Jesé. ¡Cada uno a sus tiendas, Israel!» (2 Sam 20, 1). La recomendación final consiste normalmente en requerir al ejército para que, después de la batalla, retorne a casa. Pero aquí consiste en exhortar a Israel a que reflexione y rompa sus relaciones con David. Seba encuentra bastantes partidarios, Judá se mantiene leal a David. Por eso David también ahora moviliza al ejército junto a sus mercenarios y logra empujar a Seba con sus gentes cada vez más hacia el norte del país. Parece que se hizo fuerte en Abel-Bet-Maaca [65]. Allí «una mujer sagaz» entra en negociaciones con Joab, general de David, y le manifiesta que Abel-Bet-Maaca es una ciudad pacífica y fiel, una «madre en Israel». Que a esa ciudad no se la debe destruir. Joab se lo promete, pero exige que le entreguen a Seba. Y le arrojan su cabeza por encima de la muralla. El rebelde ha muerto. La guerra ha concluido, como anteriormente tras la caída de Absalón. Israel se doblega y no se aventura a un nuevo conflicto con el rey David.

Pero la rebelión de Seba marca un peculiar estado de cosas. Si hasta entonces el reconocimiento de David por parte del estado septentrional de Israel tuvo por base una decisión libre y el mismo Israel, tras la revuelta de Absalón, había vuelto a reconocer a David, ahora ya tenía David toda clase de razones para mantener a raya a Israel incluso militarmente. Habían hecho aparición ciertas fuerzas que hacían todo lo posible por hacer saltar la unión personal. En Israel había evidentemente muchos que sólo de mala gana se sometían al gobierno de Jerusalén. Lo que anteriormente se había basado en libre decisión, adoptaba ahora la forma de un necesario reconocimiento de lo que es superior. Israel se mantuvo tranquilo, pues no podía competir contra el sur. Esta evolución no resultó saludable, aunque de momento no se produjeron otros conflictos.

La historia de la sucesión al trono de David, a la que pertenecen estos relatos sobre Absalón y Seba, pone de manifiesto que por las crisis interiores, nacidas incluso del círculo de los propios hijos del rey, podían sobrevenirle no pequeños peligros a todo el patrimonio imperial. El problema de la sucesión de David se fue haciendo cada vez más candente, pero también más dificultoso.

[65] *Tell ābīl el-ḳamḥ* el extremo septentrional de Palestina al oeste de Dan: J. Simons, *The geographical texts,* §§ 19.788.814.889.

Su solución definitiva se nos relata en la parte final de la historia de la sucesión al trono, 1 Re 1, 1-2, 11.

Contemplamos las circunstancias de la corte jerosolimitana en la época de la ancianidad de David. Se han formado partidos, especialmente bajo el punto de vista de quién habría de poseer después la autoridad estatal. Por una parte se encuentra el partido del hombre que principalmente podía reclamar el derecho al trono, el partido de Adonías, el hijo de David que seguía a Absalón. A él se le agregaron personajes importantes, Joab, jefe del ejército, y Abiatar, el sacerdote. Por otra parte se encuentra un no menos importante grupo, el sacerdote Sadoc, Benayas, el jefe de mercenarios, así como Natán que aparece más como «consejero privado» que como profeta, una especie de ministro con especiales atribuciones dentro del ambiente próximo al rey. Es interesante el hecho de que la milicia y el sacerdocio están disociados. A ambos partidos pertenecen respectivamente los dos jefes de tropa y los dos sacerdotes. Se añade que también los mercenarios a las órdenes de Benayas se adhirieron al partido de su comandante.

Los acontecimientos se agravaron dramáticamente. Adonías con sus gentes organiza un banquete sacrificial muy cerca de Jerusalén, en la fuente de Roguel [66]. Sobre los hechos nada se dice en concreto (1 Re 1, 9.10). A lo largo del resto del dramático relato se nos habla del modo como David, principalmente bajo la influencia de su consejero Natán, quien sabe introducir sagazmente a Betsabé, se ve más o menos impelido a nombrar al hijo de Betsabé, Salomón, como sucesor suyo. Inmediatamente, con la intervención del partido del rey, del sacerdote Sadoc, de Natán y de los mercenarios con Benayas al frente, tiene lugar la unción del nuevo rey junto a la fuente de Guijón. El júbilo regio llega hasta los hombres del otro partido en torno a Adonías, quienes al alcance de la voz están celebrando su festín junto a la fuente de Roguel en el valle del Cedrón. Al enterarse ellos de la unción de Salomón celebrada con todas las formalidades, abandonan instantáneamente al pretendiente al trono, Adonías. Este queda definitivamente excluido de la realeza y teme la persecución del ungido dominador. Busca protección en el santuario. Salomón le garantiza la inmunidad de su persona, en caso de que mantenga su lealtad.

66 «Fuente del batanero», al sur del punto de unión entre el valle del Cedrón y el valle de Hinnom, muy cerca por lo tanto del Jerusalén davídico sobre la colina surorienta; hoy llamada «pozo de Job» (*bir'ejjūb*); H. J. Stoebe: BHH III, 1.606.

Esta historia de la sucesión al trono deja en concreto muchas cuestiones en suspenso. Está rodeada de intrigas. Pero la decisión se ha tomado ya. Lo mismo que David, también Salomón, según la costumbre judaica, fue ungido por un pequeño grupo de altos personajes, al parecer sin previa designación como *nāgīd,* tal como la conocemos tan sólo en Israel. El principio dinástico queda fundado con la sucesión de Salomón. En gran parte se debió a la necesidad política. David tuvo que preocuparse de asegurar la subsistencia del estado y de los territorios de él dependientes mediante una neta regulación de su sucesión; una condición importante para ello era la conservación de la unión personal con Israel [67]. El imperio davídico fue una creación singular, pero un producto de la historia expuesto a tendencias hostiles de dentro, acechado por peligros exteriores. Su sucesor se hizo cargo de una herencia cuantiosa, pero también pesada.

Se dice que David murió después de reinar durante 40 años. También Salomón habría reinado 40 años (1 Re 11, 42). Suponiendo que Salomón murió hacia el año 930 a. C. [68], se puede decir que el reinado de David fue hacia el año 1000 a. C.

Si prescindimos de no pocos detalles sobre el reinado de David consignados ciertamente con miras tendenciosas, es la situación política general, el momento histórico de Judá e Israel, con el que él se enfrentaba, lo que al observador de la escena le obliga a sacar la conclusión de que el retrato bíblico de David tiene que ser exacto en sus elementos esenciales. La situación requería una personalidad elástica, lo que sin duda era David. Es cierto que fue un fenómeno complejo, no sin debilidades, pero también fue una personalidad genial con clara visión de lo necesario y lo posible, diplomática y llena de ideas. Saúl fue un personaje original, ligado todavía por completo a la antigua ordenación tribal israelítica y a sus compromisos. David se desligó de todo eso, fundó un nuevo estilo de vida y contribuyó a crear una nueva mentalidad. Pudo sorprender lo atrevido de sus planes; todo lo superó con sagacidad política y convenció no sólo a Judá, sino finalmente también al refractario Israel.

Salomón pudo conservar todavía en sus partes esenciales la complicada estructura estatal de David. Es cierto que se consolidaron las fuerzas en el entorno cada vez más consciente de sí mis-

[67] Cf. también una serie de opiniones consignadas por M. Noth, *Jerusalem und die israelitische Tradition,* 1950, en *Ges. Stud.,* 172-187.

[68] K. T. Andersen, *Die Chronologie der Könige von Israel und Juda*: Studia Theologica 23 (1969) 69-114.

mo, pero no constituyeron un grave peligro para la unión personal asumida por Salomón en el núcleo territorial palestinense. En el interior Salomón consiguió implantar una rígida organización. Esta fue desde luego la que, contra sus fines, fomentó en el estado las tendencias divergentes, como se vería después drásticamente.

8

EL REINO DE DAVID BAJO SALOMON

Salomón pasa por rey pacífico, y lo fue realmente. Nada sabemos de conflictos de política exterior en su época. Otra cuestión totalmente distinta es si el nombre «Salomón», en el que evidentemente está contenida la raíz de la palabra «Schalom», se puede relacionar con las especiales circunstancias de su vida y de su reinado. Extraña el hecho de que Salomón recibiera al nacer el nombre de Jedidia (2 Sam 12, 25). No hay que descartar la conjetura de que «Salomón» fuera un nombre de entronización, que se le otorgó; sin embargo, sobre esto no hay certeza ninguna [1].

Las realizaciones del reinado de Salomón pertenecen al ámbito religioso, económico y cultural. No sólo construyó y perfeccionó el templo de Jerusalén, sino que también en otras ciudades levantó edificios y creó fortificaciones. Puso a su estado en relaciones comerciales y económicas con países vecinos, tales relaciones desde luego sólo pudieron redundar en provecho de la nueva corte de Jerusalén, de su desarrollo, de su esplendor, de su estilo de vida, que a ojos vistas iba adoptando formas internacionales.

La tradición en torno a Salomón en 1 Re 2, 12-11, 43 se diferencia fundamentalmente de la tradición sobre David. Ya no nos habla bajo la tensión de interrogantes cargados de problemas sobre la formación y desarrollo de la personalidad del rey y de su autoridad, sino que es completamente estática. Enumera lo que *hubo* en los tiempos de Salomón, describe situaciones del estado, sin tener en cuenta las circunstancias de su origen. Registra los funcionarios de Salomón, los distritos administrativos, las fortalezas y posesiones del rey, sus mujeres, su riqueza, sus relaciones con el exterior. La más extensa descripción coherente es sin duda el relato contenido en los capítulos

[1] El nombre «Salomón» ha sido interpretado en el sentido de «prosperidad», «bienestar», «paz» con $\bar{o}$ como terminación hipocorística por M. Noth, *Personennamen*, 165; otra propuesta, tomando en consideración las circunstancias concretas del nacimiento de Salomón, ha sido presentada por J. J. Stamm, *Der Name des Königs Salomo*: ThZ 16 (1960) 285-297. Jedidia = «amigo, favorito de Yahvé»; M. Noth, *o. c.*, 149.

5-8 sobre los preparativos, la edificación y la dedicación del templo. En estilo narrativo se exponen muy pocas cosas, así en el capítulo 2 los detalles sobre el modo como Salomón cumplió la «última voluntad» de David; además, en el cap. 3 y 9 se da cuenta de una conversación de Yahvé con Salomón, en la que se trata de la legitimación de su realeza [2]. Otras cosas que ahí se narran se desvanecen en lo legendario y siguen siendo poco asequibles, el famoso relato del juicio de Salomón (1 Re 3, 16-28), un motivo universalmente divulgado, aquí una prueba de la sabiduría del rey [3]; en esplendor legendario, pero también para gloria de la sabiduría, aparece la visita de la reina de Saba (1 Re 10, 1-13).

En visión de conjunto, Salomón no fue una personalidad tan expansivamente creadora como David; muchas cosas suyas dan ya casi una impresión de decadencia. Salomón no hizo guerra ninguna. En tal sentido parece un Augusto que sigue a César. El ámbito de colonización de Israel ya estaba delimitado; David había ampliado las fronteras del imperio mucho más allá de lo que Israel había podido ir dominando a lo largo del tiempo. Da la impresión de que este diferenciado aparato estatal se mantuvo sustancialmente tranquilo y no estuvo expuesto a peligros exteriores, de tal modo que ni siquiera hubo necesidad de guerras defensivas. También se mantuvo la unión personal de Judá e Israel, cuanto más que, tras la rebelión de Seba, el ejército israelítico quedó debilitado.

El modo como Salomón sacó adelante el imperio que había recibido, estribó principalmente en las activas relaciones diplomáticas que el rey entabló y fomentó de diversas maneras. Un recurso fueron las mujeres. La noticia sumaria de 1 Re 11, 1 nos dice que el rey amó a mujeres moabitas, amonitas, edomitas, sidonias e hititas. No es difícil adivinar por esta enumeración el trasfondo de política exterior. Pues se trata precisamente de mujeres de aquellos países que Salomón deseaba ver pacificados en su vecindad cercana e incluso algo alejada. Juega un papel especial la hija del rey de Egipto, que Salomón obtuvo por esposa y a

[2] En una forma descriptiva plasmada según el estilo de los cuentos regios egipcios, Salomón, durante un sueño tenido en el santuario, tiene noticia de las promesas divinas en apoyo de la legalidad y éxito de su reinado. Cf. S. Herrmann, *Die Königsnovelle in Ägypten und in Israel*: Wiss. Zeitschr. der Univ. Leipzig 3 (1953-1954) espec. 53-57; M. Görg, *Der Gott vor dem König. Untersuchung zu den Gott-König-Reden der prosaischen Literatur Altisraels im Lichte ägyptischer Phraseologie*, Bochum 1972.

[3] H. Gressmann, *Das salomonische Urteil*: Deutsche Rundschau 130 (1907) 212-228; M. Noth, *Die Bewährung von Salomos «göttlicher Weisheit»*, 1955, en *Ges. Stud.* II, 1969, 99-112.

quien dedicó especiales atenciones. Se hace mención de ella cinco veces con distintos motivos [4]. Una importancia especialísima reviste la parentética noticia de 1 Re 9, 16, que se refiere al hecho de que «Faraón, rey de Egipto», se apoderó de la ciudad de Geser, la incendió y mató a sus habitantes cananeos; pero la ciudad se la dio en dote a su hija casada con Salomón. Si no se quiere considerar los acontecimientos resumidos en este versículo como una imprecisa combinación de diversos actos y se pretende valorarlos como históricamente indudables, se plantea la cuestión de si un rey egipcio de la XXI dinastía realizó realmente una incursión en Palestina en tiempos de Salomón. Las posibilidades han sido ponderadas bajo diversos aspectos [5]. Aunque, después de lo que sabemos, sea difícil imaginar complicaciones bélicas con Salomón [6], es indudable que ya desde la época de David el territorio filisteo no era tan sólidamente dependiente de Judá e Israel como por ejemplo los estados de la Transjordania. Los estados-ciudad filisteos habían conservado una cierta vida autónoma, que pudo manifestarse incluso en el mantenimiento de ciertas bases [7]. Según el testimonio del antiguo testamento, la intervención de un rey egipcio en acciones contra los filisteos es algo sumamente aislado, pero es indicio de ciertas pretensiones de Egipto sobre la llanura costera y tal vez hasta más allá, pretensiones que con toda certeza, en tiempos del sucesor de Salomón, el faraón Sosaq procuró mantener por medio de una campaña atestiguada por la Biblia [8]. Pero esto demuestra que Egipto todavía no representaba un serio peligro para el imperio de Salomón.

Más claras son las relaciones de Salomón con los fenicios, sobre todo con el rey de Tiro. Con este rey existía una sólida relación contraactual, que sirvió de base a prestaciones recíprocas [9].

4 1 Re 3, 1; 7, 8; 9, 16; 9, 24 (cf. 2 Sam 8, 11); 11, 1.

5 A. Malamat, *Aspects of the foreign policies of David and Solomon*: JNES 22 (1963) espec. 8-17.

6 Una dificultad enorme consiste en el hecho de que no se menciona ni el nombre del rey egipcio ni el de su hija; Malamat piensa en el rey Siamún (ca. 976-958 a. C.) y admite incluso la posibilidad de que ese rey planeaba en definitiva una conquista de Judá e Israel (*o. c.*, 13). Globalmente a Malamat le parece problemática la imagen de Salomón como un pacífico dominador. Se inclina por ver en él una personalidad dinámica, realmente comparable con David, incluso bajo el aspecto de la política exterior.

7 A. Malamat, *o. c.*, 14 s.; O. Eissfeldt, *Israelitisch-philistäische Grenzverschiebungen*, en *Kl. Schr.* II, espec. 459-463.

8 1 Re 14, 25-28.

9 F. C. Fensham, *The treaty between the israelites and tyrians*: VTSuppl. 17 (1969) espec. 78 s.

Salomón adquirió allí materiales de construcción y personal especializado, que sabía manejarlo. Por su parte Salomón se decidió a ceder al rey de Tiro veinte ciudades en Galilea (1 Re 9, 11-14)[10].

Además de sus contactos diplomáticos, Salomón fomentó amplias relaciones comerciales, que bajo esa forma constituían igualmente algo nuevo para Israel. Ocupan el primer lugar los viajes marítimos al país de Ofir, del que se traía oro, maderas nobles y otros objetos de gran valor. Como los israelitas no eran navegantes, Salomón recibió apoyo del rey de Tiro, quien le prestó navieros y marinos (1 Re 9, 26-28; 10, 11.22)[11]. La situación del país de Ofir ya no se puede fijar con certeza. No se sabe si Ofir era el país de origen de las numerosas riquezas o tan sólo una parada intermedia de aquella vía comercial. Salomón mandó construir, como puerto de matrícula para su flota, la ciudad de Esyón Guéber, en la costa septentrional del golfo de Akaba (*tell el-ḫlē-fi*)[12]. Las excavaciones han confirmado que esa ciudad fue posiblemente neofundación de Salomón[13]. Se encontraron también instalaciones para la fundición de cobre y de hierro, que se extraía en las orillas del golfo y en el Arabá y después se transformaba en Esyón Guéber. Se utilizaba el viento, que allí soplaba constantemente del lado del mar. Desde luego por el antiguo testamento nada sabemos sobre esa industria de cobre y de hierro. Pero no hay duda de que Salomón intervino ahí con éxito.

Salomón fomentó un lucrativo comercio intermediario de caballos y carros de combate (1 Re 10, 28.29). Los carros provenían de Egipto, los caballos de Cilicia[14]. Después se vendían a los «reyes de los hititas» y a «los reyes de Aram». Se trataba sin duda de los reyes de pequeños estados de Siria[15].

10 Sobre la característica designación de lugar o distrito «Cabul» M. Noth, *Könige,* 211; F. C. Fensham, *o. c.*

11 Cf. *Ibid.,* 78.

12 Cf. ahora en plan de resumen M. Noth, *Könige,* 222 s. Piensa él en «una determinada zona próxima al mar Rojo» o al menos con un acceso hasta ese mar.

13 M. Noth, *o. c.,* 221.

14 1 Re 10, 28, por lo que respecta a los datos geográficos, está deformado; léase: «la exportación de los caballos, que tenía Salomón, se realizaba desde Musri y Kuwe; los mercaderes del rey solían traerlos desde Kuwe por su precio». Kuwe es el Que conocido por los documentos cuneiformes, la llanura de Cilicia; en lugar de «Misraím» (Egipto) se debe leer «Musri» y hay que suponer que se encontraba en la comarca del Taurus. Los caballos de Salomón procedían sin duda en su totalidad de zonas situadas en el sureste del Asia menor. Detalles y documentos en M. Noth, *Könige,* 234 s.

15 Las escuetas formulaciones no permiten deducir ulteriores detalles; cf. también M. Noth, *o. c.*

En el contexto de tan amplias relaciones hay que inscribir probablemente también la visita de la reina de Saba, que tal vez vino de la Arabia meridional, de la región del actual Yemen. La noticia sobre el reino de los sabeos pudo penetrar hasta Jerusalén, aunque todavía sabemos muy poco acerca de la persona misma de la reina [16]. Desde luego nada históricamente sólido puede decirse de la visita a Salomón [17].

Salomón pudo conservar ampliamente el patrimonio del imperio de David, pero tuvo que experimentar menoscabos exactamente allí donde se desarrollaban las fuerzas políticamente activas del ulterior futuro. Ya se ha hablado de las especiales cesiones a los fenicios en dirección a Tiro. Estas cesiones estaban indudablemente relacionadas con los servicios que Salomón recibió de esas ciudades-estado. De modo distinto y más difícil se planteaba la situación con respecto al territorio propiamente sirio-aramaico, del que David había recibido tributos y al que él en parte había hecho tributario suyo por medio de sus propios funcionarios. Un oficial que inicialmente había estado bajo el poder del rey de Soba logró fundar un reino en Damasco, que en lo sucesivo se convertiría en peligroso adversario de Israel. Este reino de Damasco relevó a la antigua supremacía del dominador de Soba [18]. No es exagerado suponer la pérdida de toda la Siria oriental en la parte que había pertenecido al reino de David [19]. Además parece haberse perdido una parte de Edom. Un príncipe edomítico por nombre Hadad había huido a Egipto en tiempos de David; al parecer, tras la muerte de David, se adueñó de una parte de Edom [20].

16 Con el nombre de Saba se piensa ordinariamente en el reino de los sabeos. La tradición epigráfica de ese estado surarábigo se inicia tan sólo en el siglo IX a. C.; el final del reino se sitúa hacia el 525 d. C. Tales datos son tardíos con respecto a la época de Salomón; sin embargo, se puede suponer una más larga prehistoria del reino. Por desgracia, hasta el presente no existen pruebas epigráficas sobre reinas de los sabeos (cf. R. Borger: Or. 26 [1957] 8 s.). Sobre otras posibilidades de interpretación del «Saba» del antiguo testamento, cf. M. Noth, *Könige*, 223 s.

17 Cf. la conjetura de M. Noth, *o. c.*, 226 s., quien considera como trasfondo histórico relaciones comerciales entre Israel y Arabia meridional, ya que el intercambio de mercancías juega un papel no despreciable en el relato.

18 1 Re 11, 23-25; a este propósito A. Malamat: JNES 22 (1963) 5.

19 Una vez que para Salomón se había perdido el influjo sobre Damasco, es difícil de suponer que ciertas regiones del interior de Siria, por ejemplo en el ámbito de los monarcas de Jamat, siguieran manteniendo relaciones con Jerusalén.

20 1 Re 11, 14-22: por desgracia esa tradición es fragmentaria.

Este balance de política exterior del reino de Salomón tiene tal vez sus factores negativos, pero son comprensibles. El cambio gubernamental en Jerusalén tuvo que repercutir inmediatamente en las posiciones exteriores, en los estados y territorios colindantes con el aparato político davídico-salomónico. Salomón no se mostró como general activo, ni siquiera como conservador a todo precio del patrimonio. Arriesgó y soportó reveses y pérdidas, que no conmovieron el núcleo de su posición política. Sin embargo, en política interior no descuidó el potencial militar. De David recibió naturalmente la tropa de mercenarios. Pero es algo extraordinario el hecho de que organizara un cuerpo de carros de combate. Este cuerpo de carros no podía estar reclutado de hombres del ejército, sino que debía ser una tropa bien instruida y especializada, cuyos miembros posiblemente estarían familiarizados desde muy temprano con la lucha de carros. Para esto eran idóneos los individuos procedentes de la región cananeo-filistea, que ahora estaban a su disposición. Esto parece confirmarse especialmente por la construcción de las fortalezas que antiguamente existían en la zona colindante con los cananeos.

Salomón debió advertir la necesidad de proteger al estado contra el constante riesgo de ataques, especialmente en las regiones fronterizas. En una sección-resumen (1 Re 9, 15-22), que describe la actividad edificatoria de Salomón en muy amplias zonas, se mencionan especialmente Hazor, Megiddo y Geser. En el caso de Hazor se renovó una zona parcial en el marco del gran perímetro urbanizado de la ciudad, posiblemente para protección contra los cercanos arameos de Damasco, que se iban estableciendo arrogantemente [21]. Ante el hecho de que los fenicios habían avanzado hasta la región del Carmelo, la fortaleza de Megiddo pudo ser una importante medida preventiva en el límite meridional de la frecuentemente atacada llanura de Megiddo/Jezrael [22]. Como

[21] Como fortaleza de la época salomónica ha sido comprobado el perímetro de la ciudad sobre el *tell waḳḳās* (Hazor) en su vértice suroeste, perímetro que estaba rodeado por un muro de casamatas. Se descubrió además una soberbia instalación de portón, que en sus trazas y dimensiones se asemeja a las de Megiddo y Geser; cf. Y. Yadin, *Hazor,* London 1972, 135-146; K. M. Kenyon, *Archäologie,* 1967, 237 s.

[22] Un breve resumen de los resultados de excavaciones recientes en K. M. Kenyon, *Archäologie,* 238-240; detalladamente Y. Yadin, *Megiddo of the kings of Israel*: BA 33 (1970); Id., *Hazor,* 1967, 150-164. Las «caballerizas» de Megiddo, que antes se consideradan seriamente como salomónicas, son probablemente de más reciente fecha, como se deduce de la sucesión de los estratos; no se encuentran al mismo nivel que la instalación de portón considerada como salomónica y la contigua muralla con casamatas; Y. Yadin, *New light on Solomon's Megiddo*: BA 23 (1960) 62-68; por lo que

protección del otrora tan importante pasador meridional se nos habla de la reconstrucción de Geser[23], y de Beth-Horon (1 Re 9, 17). El Baalat, que también se menciona, es desconocido[24]; pero Tomar, a 32 kilómetros del límite meridional del mar Muerto, pudo ser una base fortificada contra los edomitas[25].

Para la realización práctica de todas estas medidas se utilizó la organización sistemática de la leva. Probablemente el rey utilizaba durante los meses veraniegos a los hombres libres, cuando cesaba el trabajo del campo. El ministro de la leva, que ya tuvo David (2 Sam 20, 24), se llamaba también Adoniram en tiempos de Salomón, sin que tuviera que ser con certeza el mismo individuo (1 Re 4, 6).

Acerca del reclutamiento para los trabajos de prestación personal existen dos noticias contradictorias. Según 1 Re 5, 27 se reclutaron trabajadores de leva «en todo Israel»; en cambio en 1 Re 9, 20-22 se recalca que para los trabajos de prestación personal se reclutó tan sólo a la población no-israelítica de los estados-ciudad cananeos[26]. Sin embargo, hay bastante fundamento para pensar que el «todo Israel», de que se habla en 1 Re 5, se refiere realmente a los moradores del estado septentrional con la exclusión de Judá. Finalmente, desde el levantamiento de Seba en tiempos de David Israel estaba sometido también militarmente. En la consiguiente transferencia de los trabajos de leva al estado septentrional de Israel hay que ver también uno de

respecta a la fase anterior de los conocimientos es representativo C. Watzinger, *Denkmäler Palästinas* I, 1933, 87 s. e ilustr. 80 s.

23 A la primera época de la arqueología palestinense pertenecen las excavaciones de Geser realizadas por R. A. Macalister, *The excavations of Gezer* I-III, 1902-1905 y 1907-1909, London 1912; investigaciones más recientes han permitido conocer un tipo de muralla con casamatas, que es análogo al de Hazor; Y. Yadin, *Solomon's city wall and gate at Gezer*: IEJ 8 (1958) 80-86; Id., *Hazor,* 1972, 147-150.

24 Su identidad con el Baalat de Jos 19, 44 no está asegurada; se sospecha que se trata de un lugar al sur de Geser; cf. A. Malamat: JNES 22 (1963) 16; M. Noth, *Könige,* 213 s.

25 Identificado por Y. Aharoni: IEJ 13 (1963) 30-42 con *'ēn ḥaṣb* en el margen occidental del Arabá, la gran serie de valles situada al sur del mar Muerto.

26 La contradicción entre ambos pasajes ha sido estudiada de diversos modos por los exegetas. Cf. los diferenciados juicios de M. Noth, *Könige,* 92, 216-218; M. Noth, a tenor de 9, 20-22, opina que sólo se obligó a trabajos de prestación personal a «la población esclava o al menos semilibre de los estados-ciudad preisraelíticos», mientras que la población israelítica sería requerida tan sólo «para otros servicios diversos al rey», que desde luego fueron considerados como atentado a la libertad de los varones israelitas. Noth incluye ahí como población israelítica «todos los dominios inmediatos de Salomón» y no distingue entre las poblaciones de las dos zonas estatales de Israel y de Judá.

los motivos que originaron la posterior ruptura de la unión personal. Confirma este estado de cosas el hecho de que Salomón creó doce distritos administrativos (Alt habla de «cantones»), cuya finalidad era la de asegurar una paritaria distribución de las cargas en orden al aprovisionamiento de la corte durante los doce meses del año. Es significativo que en la lista transmitida de esos distritos administrativos 1 Re 4, 8-19 se tiene tan sólo en cuenta el estado septentrional de Israel [27]. Nada sabemos sobre una correspondiente división técnico-administrativa de Judá. Queda por saber si, y, llegado el caso, de qué modo Salomón integró a Judá en esa organización del aprovisionamiento y de los tributos.

No vamos a entrar aquí en detalles concretos de la lista de los distritos administrativos de 1 Re 4 [28]. Al frente de cada distrito había un determinado funcionario administrativo. La distribución de los distritos se adapta en parte a los territorios tribales y en parte a los distritos que se formaron mediante los estados-ciudad. Por cuanto puede apreciarse, los distritos estuvieron repartidos a partes iguales entre israelitas y cananeos. Existen, sin embargo, diferencias de dimensión. Por desgracia no tenemos noticia ninguna sobre el funcionamiento de este aparato administrativo.

Los distritos administrativos debían atender al aprovisionamiento de la residencia regia. Realmente Salomón completó considerablemente la ciudad de Jerusalén, la amplió, pero sobre todo erigió el templo en conexión con el palacio real. La situación exacta de estas dos grandiosas edificaciones es hasta el día de hoy objeto de investigación. Es muy probable que se tomaran en consideración las formaciones de terreno, que, tras una pequeña hondonada, se unían por el norte a la colina suroriental, el lugar del más antiguo Jerusalén. Ya Salomón realizaría allí nivelaciones, que posteriormente durante la construcción del templo herodiano se convirtieron en una amplísima meseta, precisamente en aquel «lugar del templo», que contiene hoy día los santuarios del Islam, la llamada «catedral de roca» y la mezquita de Aksa. Pero dentro de esta delimitación, tan sólo hipotéticamente puede fijarse el emplazamiento del templo salomónico, ya que hasta el presente no se han podido hacer excavaciones en esa zona. Para la exacta localización del templo desempeña un papel importantísimo la original roca que hoy se encuentra bajo la cúpula de la catedral ro-

27 A. Alt, *Israel Gaue unter Salomo,* en *Kl. Schr.* II, 76-89.

28 Cf. A. Alt, *o. c.*; posteriormente W. F. Albright: JPOS 5 (1925) espec. 25-54, mediante manipulaciones del texto ha tratado de incluir a Judá en la lista.

cosa [29]. Pero prescindiendo de la exacta fijación local de las mismas edificaciones antiguas, del templo salomónico, del postexílico y del herodiano, que probablemente estuvieron las tres en el mismo emplazamiento, encierran interés el perímetro, la estructura y la decoración de esos edificios; a falta de restos arqueológicos, hay que procurar averiguarlo y exponerlo sobre la base de la tradición literaria [30].

Por lo que se refiere al templo salomónico, entran en consideración los capítulos 1 Re 6-8, una detallada descripción de la edificación y de su ajuar; 1 Re 5 informa sobre los antecedentes de los planes de Salomón [31]. El rey se sirvió del apoyo de Hiram de Tiro, aprovechando así las relaciones contraactuales tal vez existentes ya desde David (cf. 2 Sam 5, 11) y ordenó se le enviase material de construcción y artesanos para levantar aquellas modernas y sigulares instalaciones en atención a las circunstancias israelíticas. Se explica, pues, que en los detalles y en su conjunto sirvieran de pauta modelos extranjeros para la configuración del palacio y sobre todo del templo, pero dentro de una forma adecuada a la religión de Yahvé. La participación de los fenicios hace suponer principalmente influjos fenicios. La cultura fenicia en sí misma era una cultura netamente mixta, en la que indudablemente confluyeron influjos sirio-mesopotámicos y egipcios. Esto lo corrobora también la descripción arquitectónica de 1 Re 6 y 7, que desde la misma planta de la construcción da a entender claramente que se tuvo

[29] Las ya algo antiguas opiniones de que la sagrada roca era el lugar del *sancta sanctorum* en el templo o bien el altar de los holocaustos que es de suponer existiera delante del edificio del templo, hasta el momento no están aclaradas, naturalmente. Recientemente y por lo que se refiere al edificio del templo se ha considerado como verosímil una situación al norte de la sagrada roca; Th. A. Busink, *Der Tempel Salomos,* Leiden 1970, 20; cf. también el informe sobre esta obra por H. Bardtke: ThLZ 97 (1972) 801-810; sobre la polémica cf. principalmente H. Schmidt, *Der heilige Fels in Jerusalem,* 1933, que suponía el *sancta sanctorum* encima de la roca; le sigue H. Schmid, *Der Tempelbau Salomos in religionsgeschichtlicher Sicht,* en *Archäologie und Altes Testament,* 1970, 241-250.

[30] Además de la obra de Busink, cf. la descripción de K. M. Kenyon, *Jerusalem,* 1968, 65-78; además K. Möhlenbrink, *Der Tempel Salomos*: BWANT IV/7 (1932); C. Watzinger, *Denkmäler Palästinas* I, 1933, 88-97 (aquí también se habla sobre el palacio de Salomón); K. Galling, BRL, 511-519; A. Parrot, *Der Tempel von Jerusalem. Golgatha und das heilige Grab, Bibel und Archäologie,* 1956, 5-89; G. E. Wright, *Biblische Archäologie,* 1958, 133-141; BHH III, 1940-1947; cf. además la obra acerca de Jerusalén de L. H. Vincent - A. M. Steve, *Jérusalem de l'ancien testament,* Paris 1954-1956, espec. II/III, 373-431.

[31] Ultimo y detallado comentario de estos textos por M. Noth, *Könige,* 95-193.

presente el llamado «tipo sirio de templo»[32]. De una casa oblonga (*hēkāl*) con atrio (*'ūlām*) queda separado un «adyton» (*d^ebīr*), que en el templo salomónico se convirtió en el *sancta sanctorum*, el lugar en que estaba colocada el arca[33]. En las religiones politeístas estaba allí el lugar donde se colocaban las imágenes de los dioses. Con esta estructura fundamental orientada a un fin está relacionado el hecho de que el templo de Jerusalén no se construyó realmente en torno al arca, sino que se estructuró de tal modo que se llegara al fin hasta el arca[34]. No entremos aquí en la cuestión de si el creyente particular podía entrar alguna vez en el edificio del templo; lo cierto es que sus elementos edificatorios no se derivaban desde luego de tradiciones específicamente israelíticas, por ejemplo de la del sagrado tabernáculo[35], sino que se adaptaron a un determinado efecto arquitectónico, siguiendo los principios arquitectónicos de los templos existentes en el mundo circundante. Como característica especial se consideran dos columnas exentas erigidas en el exterior delante del atrio sin función ninguna sustentadora. Llevaban los nombres de Jaquín y Boaz[36]. El altar de los holocaustos se encontraba naturalmente fuera del edificio dentro del acotado sagrado recinto.

La construcción del templo fue asunto del rey, él decidió sobre su plano y su realización; la coordinación entre palacio y templo estaba llamada a confirmar la impresión de que se trataba de un santuario estatal, en el que incluso los sacerdotes ejercían de funcionarios regios. El maestro de obras Salomón era al mismo

[32] A. Alt, *Verbreitung und Herkunft des syrischen Tempeltypus*, 1939, en *Kl. Schr.* II, 100-115; cf. también O. Eissfeldt, *Tempel und Kulte syrischer Städte in hellenistisch-römischer Zeit*, 1941.

[33] La tripartición de la casa según el modelo del tipo sirio de templo fue impugnada por H. Schult, *Der Debir im salomonischen Tempel*: ZDPV 80 (1964) 46-54; por el contrario y con razón A. Kuschke, *Der Tempel Salomos und der «syrische Tempeltypus»*, en *Das ferne und das nahe Wort*: BZAW 105 (1967) 124-132.

[34] J. Maier, *Das altisraelitische Ladeheiligtum*: BZAW 93 (1965) 64-74 niega al arca toda función sacro--arquitectónica dentro del templo salomónico. «El templo no ha sido construido para el arca» (69). Maier opina que el arca se convirtió en símbolo de la doble elección de Jerusalén y de su dinastía. Pero de esta tesis se derivan, en orden a las funciones de templo y arca y su interpretación fundamental, amplias consecuencias, que no vamos a dilucidar aquí. Como igualmente problemático contrapolo cf. H. Vincent, *Le caractère du temple salomonien*, en *Mélanges A. Robert*, Paris 1957, 137-148.

[35] Sobre la complejidad de esa tradición del tabernáculo, que tal vez estuvo en consciente contraposición a las tradiciones del arca y a Jerusalén, cf. M. Görg, *Das Zelt der Begegnung*: BBB 27 (1967).

[36] H. G. May, *The two pillars before the temple of Solomon*: BASOR 88 (1942) 19 s.; S. Yeivin, *Jachin and Boaz*: PEQ 91 (1959) 6 s.

tiempo el permanente dueño del templo y el responsable de su sostenimiento y conservación. No nos consta si tal circunstancia merecía la unánime aprobación de los habitantes de Judá e Israel, como tampoco sabemos si algunos de ellos tenían encomendadas funciones estables en el santuario. Por extraño que parezca, este templo, lo mismo que todo Jerusalén, era un cuerpo extraño dentro del estado, una empresa regia, un lugar de autónoma representación del rey y del Dios venerado por él [37]. No es posible imaginar el rumbo que habría tomado la religión de Yahvé si hubiera quedado estrechada a estas formas de práctica religiosa vinculada al rey, si la viva tradición de las tribus y de sus santuarios no hubiera velado por conservar en la conciencia desde la época del desierto la adoración de Yahvé con ininterrumpida continuidad y originalidad.

Nada se dice de que la erección del templo en Jerusalén mermara o suprimiera la vigencia de los santuarios existentes en el país. Allí la vida proseguía su rumbo acostumbrado. Pero digamos ya aquí por anticipado que el desarrollo de la religión veterotestamentaria no fue en lo más mínimo configurado ni acentuado por la veneración de Yahvé vinculada a Jerusalén por decisión del rey. «Jerusalén» pudo realmente desarrollar una tradición cúltica fomentada por el rey en el santuario estatal, sin que tal tradición fuera radicalmente «judaica» ni «israelítica». Lo que las tribus conservaron y lo que ellas cuidaron como recuerdo nomádico fueron relatos de su respectiva historia desde los días del desierto. Por efecto de la unificación política en la época de los reyes esas tradiciones se convierten en tradiciones «panisraelíticas», pero con una cierta tensión frente a la ordenanza estatal. Esa condensación de tradiciones quedó tal vez expresada del modo más claro en la redacción «deuteronómica», en la que la realeza es un elemento funcional, pero no dominante. El Deuteronomio con sus tradiciones tiene frente a sí a otro círculo de tradiciones, que se inspiraba en la praxis cúltica de las ordenanzas sacerdotales; como centro

[37] Sobre esta base se comprende la tesis de J. Maier, *o. c.,* que considera al arca dentro del templo de Jerusalén como un símbolo dinástico. Pero hay que pensar si el arca, que hasta entonces tan sólo dentro de las tribus septentrionales representaba a Yahvé como Dios de Israel, en el santuario de los dominadores jerosolimitanos estaba llamada a garantizar y representar la sólida vinculación del estado septentrional a Jerusalén. Análogamente, aunque con distinto matiz, Maier, *o. c.,* 70. Para O. Eissfeldt por el contrario el traslado del arca a Jerusalén significa la introducción de todas las potencias histórico-religiosas y teológicas ligadas al «que se sienta sobre los querubes». La instalación del arca en Silo sirvió de modelo a Jerusalén; O. Eissfeldt, *Silo und Jerusalem,* 1956, en *Kl. Schr.* III, 417-425.

puede considerarse Jerusalén. Ahora bien, Deuteronomio y tradición sacerdotal constituyen las grandes componentes de tradición exílico-postexílica en el antiguo testamento. Sus raíces estriban en aquel «dualismo», que originó la decisión real de yuxtaponer el «gran santuario» de Jerusalén al fomento de la religión tribal. Pero el que esta última sobreviviera bajo la forma de Deuteronomio se debió también a una decisión regia. Esta decisión la tomó Josías, hacia el final del siglo VII, con la aceptación en Jerusalén del núcleo de la legislación deuteronómica. De este modo estaban a salvo en su más amplia escala las «tradiciones de Israel» y el amparo de la tradición jerosolimitana sancionó su existencia y su eficacia. Como característico de la nueva mentalidad religiosa, que se abrió paso paulatinamente en el decurso de la época de los reyes con Jerusalén como ciudad del templo, puede considerarse el concepto de «monte de Sión», que significa el monte del templo, pero al mismo tiempo evoca la conexión entre grandeza regia y nueva residencia de Yahvé [38].

Salomón había hecho de Jerusalén una metrópoli que, como sede del gobierno, seguía sus propias leyes. Los funcionarios de Salomón están comprendidos en la lista de 1 Re 4, 2-6. Por esa lista se aprecia que casi todos los cargos de David [39] subsistieron también bajo Salomón, pero que también se realizaron algunas ampliaciones en la administración.

A la cabeza figura un único hijo de Sadoc como sacerdote. Los sadóquidas tan sólo son los que desde Salomón llevan el sacerdocio del templo. Abiatar, el sacerdote de David, es desterrado (1 Re 2, 26.27) y desde luego a Anatot [40]. El que en 1 Re 4, 4b se presente a Sadoc y a Abiatar como sacerdotes, es probablemente un error [41]. El oficio de secretario está duplicado, se conserva el *mazkīr* («heraldo»). En cuanto al gobierno de las tropas, se menciona tan sólo al jefe del ejército. ¿Tal vez el mismo rey se hizo cargo de los mercenarios junto con la tropa de carros de combate?

Entre los nuevos cargos de la administración salomónica está el de superintendente de los jefes de distritos administrativos («cantón»), por así

[38] Sobre la conexión entre la idea de monte y el trono de Yahvé y sobre las consecuencias histórico-tradicionales que de ahí se derivan para el santuario jerosolimitano, tal como han quedado reflejadas en el antiguo testamento, M. Metzger, *Himmlische und irdische Wohnstatt Jahwes*: Ugarit-Forschungen 2 (1970) 139-158, con las láminas I-II.

[39] Cf. 2 Sam 8, 15-18; 20, 23-26.

[40] Si el profeta Jeremías, que procedía del sacerdocio de Anatot (Jer 1, 1), era descendiente de ese Abiatar, es algo que suele suponerse, pero carece de pruebas sólidas.

[41] Estos dos fueron sacerdotes bajo David; cf. 2 Sam 20, 25.

decirlo, el jefe superior de la administración en el estado, un ministro de economía y de impuestos. Además sigue subsistiendo todavía el jefe superior de los trabajos de prestación personal. Pero al parecer se crearon dos oficios más según el modelo de las cortes extranjeras: el *r'h hmlḵ*, el «amigo del rey», y el *'l hḇṯ*, que estaba «al frente de la casa». De ambos oficios existen paralelos en los territorios egipcio y acádico. El «amigo del rey» tenía poderes especiales. En Egipto existe toda una serie de «amigos del rey», hasta cierto punto comparables con los secretarios de estado [42]. El funcionario que estaba «al frente de la casa» era el prefecto del palacio, una especie de mayordomo mayor, al que con el tiempo le correspondería también la administración de los bienes del rey, del patrimonio de la corona. Sus funciones excedían bajo muchos aspectos los límites del palacio y afectaban a la corte en general [43].

Todos estos cargos no fueron un producto derivado de la organización de la liga tribal, sino que, como ya se ha indicado, tiene en parte sus modelos en las usanzas de las cortes extranjeras. De este modo el estado davídico queda perfeccionado en manos de Salomón bajo el aspecto técnico-administrativo. Pero es difícilmente imaginable que en esa evolución tan fuertemente vinculada a la capital tuvieran una activa participación las tribus de Judá e Israel o que incluso pudieran colaborar por propia iniciativa. El rey garantizaba la existencia de ambos estados, que él unificaba siempre mediante la unión personal; no se veía obligado a intervenciones militares, por lo que no necesitó ponerse en contacto con el ejército, al menos de los de Judá. Al menos para Judá la época del reinado de Salomón pudo ser realmente una época pacífica, que sirvió para fomentar la confianza e incluso el orgullo por el gobierno jerosolimitano. No así en Israel, el estado del norte. A éste se le exigieron servicios, que antes no se conocían, pero que estaban exclusivamente relacionados con la voluntad de dominio del gobierno central. Se explica que de esa época tengamos conocimiento tan sólo de documentos judaico-jerosolimitanos; Is-

42 A. van Selms, *The origin of the title «The king's friend»*: JNES 16 (1957) 118-123; no así H. Donner, *Der «Freund des Könings»*: ZAW 73 (1961) 269-277; posiblemente la traducción al ḥebreo de un título extranjero, cf. Noth, *Könige,* 64 s.; acerca de la supervivencia de la designación en tiempos posteriores y de su aparición en Jn 19, 12 cf. E. Bammel: ThLZ 77 (1952) 205-210.

43 El título está atestiguado, 1 Re 16, 9; 18, 3; 2 Re 18, 18, etc., pero también epigráficamente en la población de Silwan junto a Jerusalén (Donner-Röllig, KAI 191) y como leyenda de un sello de Laquis (S. H. Hooke: PEFQSt 67 [1935] 195); sobre la función del administrador del patrimonio de la corona M. Noth, *Aufsätze* I, 159-182, espec. 163 s.

rael llegó a experimentar el peso de la realeza, como ya lo había bosquejado programáticamente el «fuero real» de 1 Sam 8, 11-17, si bien allí tan sólo en mirada retrospectiva [44].

Hasta qué punto Jerusalén tomó un rumbo propio y el rey se sumergió en la atmósfera «internacional» de aquella época, se puede deducir por ciertas noticias que dan a entender su participación en la vida cultural general, que no estaba vinculada incondicional y únicamente a lo religioso. Se celebra la «sabiduría» de Salomón, que no se refiere solamente a las cualidades personales del dominador, aunque ciertamente no se podía infravalorar al hijo de un David. El concepto de «sabiduría» descubre un campo más amplio de actividades intelectuales y de grandes iniciativas en el ámbito de la corte consolidada, que no tienen que estar solamente relacionadas con la persona del rey. Es evidente que en Jerusalén se dedicaron a la confección de listas o catálogos enciclopédicos, que abarcaban el mundo y sus objetos, como sucedió también con las listas que nos son conocidas tanto del ámbito mesopotámico como sobre todo de Egipto [45].

Un conspicuo ejemplo egipcio, aproximadamente de hacia el 1100 a. C. y por lo tanto apenas cien años antes de Salomón, es el onomástikon de Amenope, que en forma amplia permite asomarnos al carácter de esa «ciencia enciclopédico-catalogal» [46]. Que Salomón, o por lo menos las gentes de su entorno cortesano se ocupaban con esa especie de «registro universal», puede deducirse de 1 Re 5, 13: «Y él (Salomón) habló sobre las plantas, desde el

[44] En todo caso de ningún modo es necesario pensar que las cargas reunidas en ese fuero real surgieron bajo la presión de monarquías extraisraelíticas. El mismo Israel ofrecía para ello suficientes puntos de apoyo. Cf. las reflexiones de A. Weiser, *Samuel,* 1962, 38-42.

[45] Una síntesis de los efectivos procedentes de Mesopotamia y una introducción sobre la naturaleza de esas obras catalogales en W. von Soden, *Die Welt als Geschichte* II, 1936, 417 s., con un complemento en: Sitzungsberichte d. Österreich. Akad. d. Wiss. Phil.-hist. Kl. 235/1 (1960) 3-33; cf. además Matouš, *Die lexikalischen Tafelserien der Babylonier und Assyrer in den Berliner Museen* I, 1933, 1 s.; un estudio detallado de la 14 tabla por B. Landsberger, *Die Fauna des alten Mesopotamien,* 1934. Con respecto a Egipto véase un resumen en Spuler (ed.), *Handbuch der Orientalistik* I/2 (*Ägyptologie, Literatur*), Leiden ²1970, 187-193; detallado estudio de algunos textos por A. H. Gardiner, *Ancient egyptian onomastica* I, II y volumen de láminas, Oxford 1947; sobre el influjo de estos géneros literarios en el antiguo testamento es fundamental A. Alt, *Die Weisheit Salomos,* 1951, en *Kl. Schr.* II, 90-99; además G. von Rad, *Hiob XXXVIII und die altägyptische Weisheit,* 1955, en *Ges. Stud.*, 262-271; cf. también S. Herrmann, *Die Naturlehre des Schöpfungsberichtes*: ThLZ 86 (1961) 413-424.

[46] Texto, traducción y comentario en A. H. Gardiner, *o. c.*

cedro del Líbano hasta el hisopo que brota en el muro; habló de los cuadrúpedos, de las aves, de los reptiles y de los peces». Aquí precisamente están exactamente perfilados los principios de la ciencia catalogal, que clasifica y ordena sus objetos según el tamaño y por grupos de cosas. No es ciertamente casualidad el que en 1 Re 5, 10 la sabiduría de Salomón sea comparada con la sabiduría de otros pueblos, incluso de los egipcios. Pero tampoco hay que descartar el que Salomón, además de la confección de las listas, mandara recopilar sentencias de sabiduría práctica, de principios ético-morales, y procurara que se consignaran por escrito. 1 Re 5, 12 menciona los 1000 proverbios y cánticos del rey. El «proverbio» se designa con el término *māschāl,* que posiblemente ya en tiempos de Salomón incluía la formulación de la regla de conducta [47]. La visita de la reina de Saba encierra esencialmente el sentido de expresar el intercambio de bienes culturales y las universales relaciones del rey al más alto nivel.

Universalístico y al parecer totalmente opuesto al exclusivismo de la mentalidad israelítica fue, por fin, el hecho de que Salomón tuviera también consigo a mujeres oriundas de los países vecinos, para cuyas divinidades llegó incluso a erigir pequeños templos en el monte de los Olivos (1 Re 11, 1-10). Es probable que allí se venerara realmente a las divinidades de las mujeres. También es verosímil que el establecimiento de ese «panteón» era la expresión de la lealtad del estado salomónico, que mediante la introducción de divinidades extranjeras pretendía ver también garantizada la pacificación de los países colindantes. Un gobierno estatal actúa con política de fuerza y tiene derecho a ello. Pero nadie puede extrañarse de que, a la vista de tales modelos, se fomentaran también en Judá e Israel tendencias a inclinar el corazón a las mujeres y a los dioses de los circunvecinos, en especial de los cananeos de las llanuras costeras, y hacer de Yahvé uno de tantos dioses. ¡Ya tenemos ante nosotros el terreno propicio para suscitar

[47] La parte que pudo tener la época de Salomón en la formación y sobre todo en la formulación de la sabiduría proverbial israelítica, como también el grado del influjo de la literatura sapiencial egipcia sobre Israel, no han podido ser esclarecidos hasta el presente con unanimidad. A este propósito demasiado pesimista R. B. Y. Scott, *Solomon and the beginnings of wisdom in Israel*: VTSuppl. 3 (1955) 262-279, en cambio con gran seguridad Christa Kayatz, *Studien zu Proverbien 1-9*: WMANT 22 (1966); cf. también H.-J. Hermisson, *Studien zur israelitischen Spruchweisheit*: WMANT 28 (1968); recientemente M. Noth, *Könige,* 79-84; hagamos especial referencia al volumen colectivo *Les sagesses du Proche-Orient ancien. Colloque de Strasbourg 1962,* Paris 1963, y a los trabajos ahí contenidos, de H. Cazelles, S. Morenz, W. Zimmerli y H. Gese.

la futura cólera de los profetas! A lo largo de la época de los reyes brotó una semilla, que sólo la ley del período de Josías procuró arrancar con decisión.

La pacífica época de Salomón ha sido descrita no raras veces de tal forma que vemos a Israel incorporándose al mundo internacional, abriéndose al espíritu de los tiempos, comenzando a florecer las artes y la ciencia, surgiendo edificaciones de categoría, produciéndose abundante literatura. ¿Dónde en realidad? En Jerusalén naturalmente, en ningún otro sitio. El espíritu de la «ilustración» [48] y de la sabiduría salomónica influyó en la corte, se insertó incluso en el antiguo testamento bajo la forma de historiografía cortesana y acrecentó la fama del rey. Sin embargo, todo esto hemos de imarginárnoslo modestamente, en un reducido espacio, algo así como un fatigoso esfuerzo de provincia. En efecto, los altos vuelos del espíritu no tardaron en remitir, dado que Judá de su natural no era capaz de realizar aquello que Salomón exigió posiblemente por la fuerza a los norisraelitas como prestación personal. De todos modos, no hay que infravalorar esa época salomónica. No inútilmente se duplicó el oficio de *sōfēr,* surgieron archivos estatales, un libro de los hechos de Salomón (1 Re 11, 41). Probablemente se consignó también esa descripción plástica de la época davídica, que entusiasmó a Meyer impulsándole a enjuiciar laudatoriamente los comienzos de la historiografía en Israel. Pudo deberse a la ideología de estado, pero también a la creciente conciencia de las tribus, el recopilar las tradiciones de la primera época y fijarlas en sus partes esenciales. Se crearon los condicionamientos de aquella literatura, que tenemos ante nosotros por ejemplo en el «Yahvista», el más antiguo testigo dentro del Pentateuco. No sin razón se han comparado entre sí las descripciones detalladas y psicológicamente acertadas del relato de la sucesión al trono de David y de la tradición yahvística, por ejemplo en Gén 2, 3, descubriéndose su aspecto acusadamente antropológico [49]. En Judá e Israel creció la autoconciencia y con ella la comprensión de la naturaleza humana, de sus posibilidades, de sus limitaciones, de sus flaquezas [50]. Desde luego puede tratarse de consideraciones, cuyo fundamento se echó sin duda en la época davídico-salomónica, pero cuya plena comprensión y desarrollo puede haber tenido lugar sólo durante la época de los reyes. Cuanto los reyes y su corte hi-

[48] Cf. especialmente G. von Rad, *Teología del antiguo testamento* I, Salamanca [3]1975, 67-78; se ve claramente que el espíritu de esa época quedó probablemente limitado a la corte y a la clase superior.

[49] G. von Rad, *Ges. Stud.,* 148-188; 272-280.

[50] M. L. Henry, *Jahwist und Priesterschrift,* 1960, espec. 15-19.

cieron con audaz previsión y cuanto practicaron con anticipación de potencias intelectuales y de criterios conscientes de su poder, dejaba en gran parte a las tribus todavía solas. Estas no se desligaron tan rápidamente de la fuerza de gravedad de sus leyes con el peso de sus tradiciones y conflictos. Sobre todo estos últimos estallaron desenfrenadamente cuando murió el poseedor del trono jerosolimitano e hijo del gran y hasta cierto punto odiado David. La residencia ya había alcanzado y sobrepasado la cumbre, volvió a sonar la hora de las tribus.

9

LA DIVISION DEL REINO Y SUS INMEDIATAS CONSECUENCIAS

Las noticias sobre la época postsalomónica son escasas. Mientras que los aproximadamente 80 años de los reinos de David y de Salomón han legado documentos, que se extienden a lo largo de varios libros veterotestamentarios (desde 1 Sam 16 hasta 1 Re 11), la segunda mitad del primer libro de los Reyes, 1 Re 12-22, se ocupa de la complicadísima época que llega hasta la mitad del siglo IX a. C. Once capítulos abarcan, por consiguiente, casi tres cuartos de siglo. De ahí que sobre muchos acontecimientos llegamos a saber tan sólo lo más preciso, y de muchas cosas nada se nos dice. De lo que más al detalle se informa es del cambio de trono en los separados reinos de Israel y de Judá y sobre la lucha del profeta Elías contra el culto de Baal en Israel. Se presta una atención casi incidental a los acontecimientos relativos a la política exterior, en la medida en que esos mismos acontecimientos tuvieron enormes repercusiones sobre Israel y Judá.

En principio estas condiciones histórico-tradicionales valen para toda la llamada «época de los reyes» hasta la caída de Jerusalén en el año 587-586 a. C. Pues incluso el segundo libro de los Reyes, cuyos especiales materiales documentales alcanzan con ciertas noticias hasta la época del exilio, se adapta en su selección y temática a los mencionados principios. El armazón de la tradición lo constituyen las noticias sobre los cambios de reinado en Judá e Israel [1], incorporando también algunos datos de política interior, sobre todo acerca de la conducta de los reyes en asuntos cúlticos, así como noticias sobre política exterior en cuanto ésta influyó fatalmente en la vida de ambos estados. Por estos temas principales se advierte el sustancial principio selectivo de la tan atina-

[1] Al campo de los libros de los reyes se dedica por extenso A. Jepsen, *Die Quellen des Königsbuches*, ²1956; las noticias de carácter cronológico las estudia R. Bin-Nun, *Formulas from royal records of Israel and of Judah*: VT 18 (1968) 414-432; cf. ahora especialmente H. Weippert, *Die «deuteronomistischen» Beurteilungen der Könige von Israel und Juda und das Problem der Redaktion der Königsbücher*: Biblica 53 (1972) 301-339.

damente llamada «redacción deuteronomística» del antiguo material documental, su interés por los problemas de la monarquía y sus comportamientos, especialmente en lo concerniente al debido culto a Yahvé, tal como este culto se debiera haber practicado desde el ángulo visual de los ideales consignados en el Deuteronomio. La obra histórica cronística, en el segundo libro de las Crónicas, sigue en lo esencial a la exposición deuteronomística, pero se restringe todo lo posible a los acontecimientos del estado meridional de Judá, pues sus redactores estaban interesados en la única legitimidad del santuario jerosolimitano y de su culto, como de las tradiciones históricas vinculadas a la monarquía de David.

Son lamentables tales principios de selección; encuentran su confirmación expresa mediante reiteradas y estereotipadas referencias a que, acerca del reinado de cada rey, se puede encontrar más en los «diarios de los reyes», tanto «de los reyes de Israel» como «de los de Judá». Allí se encontrarían también las noticias sobre los años de gobierno de los reyes, que al menos permiten una cronología relativa; sobre esta base y con la ayuda de puntos fijos cronológicos, que se pueden encontrar por comparación con fuentes extraisraelíticas, se hace posible establecer una cronología absoluta para los reyes de Israel y de Judá. En este asunto es natural que existan ciertas inexactitudes, que han motivado el que la investigación de la cronología de la historia de Israel y de Judá haya llegado a resultados distintos. Pero se trata de diferencias de escasa importancia, por lo que puede decirse que esta cronología debe considerarse sustancialmente asegurada.

En los últimos decenios se han propuesto varios proyectos relativos a la cronología de los reyes de Israel y de Judá. Especialmente en los países de habla alemana halló aceptación la investigación de Joachim Begrich[2], que posteriormente fue sometida a revisión y cambios por Afred Jepsen por lo que se refiere a la segunda parte de la época de los reyes[3]. Para la fijación de una fecha, Begrich presenta siempre dos años consecutivos, por ejemplo 853-852. Este procedimiento se explica por los principios de la llamada antefechación y posfechación. En el caso de la antefechación, como consta se practicó en Egipto al menos para ciertas dinastías, el tiempo que va desde año nuevo hasta el día de la muerte de un monarca se considera como último año completo. Igualmente al sucesor se le asigna como primer año *completo*

[2] J. Begrich, *Die Chronologie der Könige von Israel und Juda,* 1929.
[3] A. Jepsen - R. Hanhart, *Untersuchungen zur israelitisch-jüdischen Chronologie*: BZAW 88 (1964); A. Jepsen, *Noch einmal zur israelitisch-jüdischen Chronologie*: VT 18 (1968) 31-46; Id., *Ein neuer Fixpunkt für die Chronologie der israelitischen Könige?*: VT 20 (1970) 359-361.

el tiempo que media entre su subida al trono y el final de año. Según esto, el sucesor con el día de año nuevo inicia oficialmente su *segundo* año de reinado. Cosa distinta es el modo de contar por posfechación, que estuvo oficialmente vigente en el ámbito babilónico. El año de la muerte del monarca se considera todavía como año completo. Al sucesor se le asigna como primer año el primer año *completo* de su reinado, pero no el lapso que se extiende desde la muerte de su predecesor hasta el final de año. Cuál de los dos modos de contar los años corresponde a los datos veterotestamentarios sobre los reyes de Israel y de Judá, no pasa de mera hipótesis. Begrich estima posible que la más antigua época de los reyes contaba por antefechación, y la época posterior (judaica) de los reyes por posfechación.

A esto hay que añadir otra consideración importante. La antigua época de los reyes israelítico-judaica contaba a base de un calendario que comenzaba el año con el otoño, mientras que la época posterior de los reyes comenzaba el año con la primavera. Piensa Begrich que el antiguo calendario fue sustituido por el más reciente antes del año 620. Jepsen, que sigue sustancialmente a Begrich, propone la hipótesis de que ambas modificaciones, la del calendario y la del método de fechación, tuvieron lugar con la entrada de los dos estados en el vasallaje asirio, en cada estado al producirse el primer cambio de trono, en Israel al comenzar a reinar Peqajyá, en Judá con Ezequías [4].

A la vista de estas formas de cálculo cargadas de tantas inseguridades, el plan propuesto por K. T. Andersen parte de hipótesis que son más sencillas y sobre todo no cuentan con un cambio de técnica datadora dentro de la época de los reyes [5]. Andersen llega a la conclusión de que: a) en los dos estados de Israel y de Judá y durante todo el período de su existencia el año según el calendario empezaba en el otoño; b) en ambos estados se utilizó siempre la antefechación; c) corregencia y monarquía rival no se incluyeron en los años oficiales de gobierno de los reyes [6]. Aun en este procedimiento son inevitables las correcciones en ciertos casos; pero en lo sustancial aparece una clara sucesión cronológica, que se puede concordar incluso con los puntos fijos extraisraelíticos de importancia, la batalla de Karkar 853-852 y el tributo de Yehú a Salmanasar III, probablemente en el verano del 841. Por vía de ensayo se utiliza en este libro la hasta ahora poco probada cronología de Andersen, haciendo en cietros casos referencias transversales a anteriores teorías, en especial a la de Berich-Jepsen.

Acerca de otros estudios cronológicos más antiguos, como los de S

[4] A. Jepsen - R. Hanhart, *Untersuchungen,* 28.
[5] K. T. Andersen, *Die Chronologie der Könige von Israel und Juda*: Studia Theologica 23 (1969) 69-114.
[6] *Ibid.,* 73.

Mowinckel, W. F. Albright, R. Thiele y C. Schedl [7], informa Jepsen en su libro; también Andersen vuelve sobre ellos [8].

Por las razones expuestas, el historiador se ve obligado por principio a ser cauto incluso en lo que respecta al resto de la época de los reyes, y de modo especial en algunos pasajes, o al menos tiene que basarse en cotejos y combinaciones. Estas reciben apoyo de los documentos procedentes de los estados extraisraelíticos que eventualmente prestan atención a los avatares de Israel y de Judá [9]. Pero en las fases importantes es posible reconstruir el desenvolvimiento de los acontecimientos. Las noticias de los «libros históricos» reciben respaldo también de las alusiones y referencias que se encuentran en los libros de los profetas. Pero ellas precisamente dan a entender que, sin el más amplio material documental de los libros históricos, quedaría descartada una reconstrucción de la historia de Israel y por lo tanto también una fijación exacta de la actuación profética. Esto confiere a los libros históricos la importancia de documentación independiente y fidedigna, que puede ser enjuiciada prescindiendo de la obra profética y de los testimonios de la tradición cúltica.

El problema referente a la continuación de la unión personal entre los estados de Judá e Israel con Jerusalén como centro gubernativo es el primer tema que nos presenta la época de gobierno del sucesor de Salomón, su hijo Roboam. La sucesión al trono en la corte de Jerusalén parece haberse realizado sin dificultades. No sabemos de oposición ninguna por parte de los cortesanos o de los habitantes del estado de Judá. Distinta fue la situación en las tribus septentrionales de Israel. Tales tribus no consideraban como algo natural el que el rey de Jerusalén recibiera automáticamente la soberanía incluso sobre ellas. Para ello se requería al menos un

7 S. Mowinckel, *Die Chronologie der israelitisch-jüdischen Könige*, 1932; W. F. Albright, *The chronology of the divided monarchy of Israel*: BASOR 100 (1945); Id., *New light from Egypt on the chronology and history of Israel and Judah*: BASOR 130 (1953); R. Thiele, *The mysterious numbers of the hebrew kings*, Chicago 1951; C. Schedl, *Textkritische Bemerkungen zu den Synchronismen der Könige von Israel und Juda*: VT 12 (1962) 88-119.

8 Remitimos también a A. L. Otero, *Cronología e historia de los reinos hebreos* (1028-587 a. C.), Lugo 1964; G. Sauer, *Die chronologischen Angaben in den Büchern Deuteronomium bis 2. Könige*: ThZ Basel 24 (1968) 1-14; D. N. Freedman, *The chronology of Israel and the ancient near east*, en *The Bible and the ancient near east*, 1961, 203-228.

9 En este lugar remitimos a la sección introductoria «Testigos y testimonios».

acto independiente de legitimación realizado en territorio del estado de Israel. Pero no sabemos si las tribus israelíticas habían tomado en serio tal posibilidad, a saber, la de reconocer como rey al sucesor de Salomón, en cualesquiera condiciones. Ya es sospechoso el que Roboam por su parte viajara a Siquem (1 Re 12, 1), al parecer para que allí le confirmaran como rey, en vez de recibir en Jerusalén a los representantes de las tribus septentrionales. Es probable que tras la muerte de Salomón Israel adoptara una actitud pasiva y Roboam con su presencia personal en Siquem se prometiera el éxito de mover o incluso obligar a Israel al reconocimiento de su realeza.

Siquem, aquella ciudad otrora perteneciente a los altivos estados-ciudad cananeos en el centro de Efraím y sede de aquella asamblea que presidió Josué (Jos 24), debió ser, análogamente al centro judaico en Hebrón, el centro de las tribus israelíticas. Allí se centró también ahora el acto de autoconsciente afirmación frente al sur, sobre todo frente a la autocrática residencia de Jerusalén. No sin condiciones iba a ser Roboam rey de Israel. Tajantemente manifestaron los israelitas: «tu padre (Salomón) hizo pesado nuestro yugo». Todo el aparato administrativo salomónico, extremadamente rígido, debía quedar suprimido, ya que él había tratado con toda dureza especialmente —y tal vez incluso únicamente— a Israel, como se indicó anteriormente. No habla en favor de una firme y diplomática actitud de Roboam el hecho de que, ante la clara petición de los israelitas de aligerarles el yugo de su padre Salomón, Roboam pida tres días de reflexión, envíe a su casa a la asamblea popular y mientras tanto celebre consejo con sus personajes más allegados. No entremos aquí en si la escena siguiente, en la que el rey desecha el consejo de los ancianos para que tenga moderación y sigue el consejo de los jóvenes («Diles: mi padre os azotaba con azotes, pero yo os azotaré con 'escorpiones'!»), está concebida sobre la base de modelos extranjeros [10]. El rey es lo suficientemente imprudente para dejarse llevar del consejo dudoso de los jóvenes. Esto recuerda aquel momento en que Absalón repudió el sabio consejo de Ajitófel (2 Sam 17, 14b); y no es casual el que en 1 Re 12, 15 se encuentre intercalado un dato de análoga importancia: «pues se trataba de una intervención (*sibbā*) de Yahvé».

Lo que entonces sucede no sorprende: Israel, las tribus septentrionales, se apartan al instante de Roboam. Lo manifiestan con

[10] A. Malamat, *Kingship and council in Israel and Sumer. A Parallel*: JNES 22 (1963) 247-253.

la misma consigna con la que en otra ocasión Seba (2 Sam 20, 1) logró partidarios y añaden: «Que ahora gobierne tu casa solamente David» (1 Re 12, 16). La asamblea de Siquem se disuelve. Roboam tiene la osadía de enviar una vez más al ministro de la leva Adoniram, para intimidar a los israelitas. Pero éstos reaccionan de forma inequívoca. Le apedrean a la vista del rey. Este a toda prisa consigue subir a su carro para huir rápidamente a Jerusalén [11].

He aquí el final de la unión personal de David y Salomón. Los dos estados parciales de Judá e Israel están nuevamente separados, han roto definitivamente. No ha existido intento serio ninguno para atar de nuevo el vínculo de la unión personal. Quien hasta este acontecimiento haya seguido atentamente el desarrollo de la historia de las tribus sobre el suelo de Palestina, no considerará demasiado sorprendente este desmoronamiento de las dos estructuras estatales. Judá y las tribus del centro de Palestina, aun después de su ocupación territorial, siguieron siendo magnitudes separadas con un distinto pasado y con desenvolvimientos independientes. El concepto, convencional para el panorama de 1 Re 12, de «división del reino», por objetivo que parezca, puede suscitar la idea de que aquí fue dividido un organismo, originando violentamente algo antinatural. En realidad ocurre todo lo contrario. Se retorna a las fronteras de estructuras ya consolidadas, el gran reino davídico-salomónico, que llegó a ser posible y que fue aceptado por las tribus septentrionales, apareció posteriormente como algo episódico, como el vano intento de constituir en una unidad a las tribus de la montaña palestinense y con su fuerza realizar una amplia idea estatal y una estructura imperial. Lo que pudo lograr la voluntad de dos reyes no había llegado a calar en la mentalidad de las tribus. Judá se mantuvo en la línea de David. Permaneció junto a la familia de aquel varón, a quien en otros tiempos habían entronizado confiadamente en Hebrón. Israel pensaba y actuaba en Siquem con sus propias ideas. Tenía una firme convicción: debía haber un nuevo rey, pero de Israel, un hombre de gran energía, que estu-

[11] Sobre el dictamen de los hechos como acontecimientos históricos cf. fundamentalmente A. Malamat, *Organs and statecraft in the israelite monarchy*: *El Ha'ayin* («Back to the Sources») 41 (1964); M. Noth, *Könige*, BK 9, 265-287 (con más bibliografía); además sobre 1 Re 12, S. Herrmann, *Geschichte Israels - Möglichkeiten und Grenzen ihrer Darstellung*: ThLZ 94 (1969) 641-650; por extenso J. Debus, *Die Sünde Jerobeams*: FRLANT 93 (1967); sobre la tradición de los Setenta de 1 Re 12, H. Seebass, *Zur Königserhebung Jerobeams* I: VT 17 (1967) 325-333: D. W. Gooding, *The Septuagint's rival versions of Jeroboam's rise to power*: VT 17 (1967) 173-189.

viera decidido a ejercer una política independiente contra Judá. Cuando se consumó la ruptura en Siquem, ese hombre ya se había encontrado: Jeroboam.

Los antecedentes de Jeroboam se remontan a la época del reino de Salomón. El mismo Salomón se había percatado de la capacidad de ese hombre; por eso le había nombrado supremo administrador de los trabajos de leva de la casa de José. Jeroboam procedía de esa región, de una ciudad por nombre Zereda situada en la montaña efraimítica [12]. Estaba ocupado con sus gentes en las construcciones regias de Jerusalén. Cierto día, cuando regresaba a Israel, salió a su encuentro el profeta Ajías de Silo. Este llevaba, según el relato, un manto nuevo. Los dos hombres se encuentran solos. Entonces Ajías rasga su manto en doce jirones. Y le dice a Jeroboam: «¡Toma para ti diez jirones!»— y en el nombre de Yahvé le anuncia: el reino de David se va a desintegrar. «De la mano de su hijo (esto es, del hijo de David, de Salomón) voy a tomar el reino y te daré diez tribus y a su hijo una tribu» [13]. Este lenguaje podría entenderse en el sentido de que ya en tiempos de Salomón iba a producirse la ruptura. Al menos Jeroboam pudo sentirse llamado a preparar la defección israelítica de Salomón. Aunque no sabemos detalles concretos al respecto, Jeroboam tuvo que realizar intentos en esa dirección. De otro modo sería ininteligible la observación de 1 Re 11, 40: Salomón trató de dar muerte a Jeroboam.

Jeroboam huyó a Egipto, pero parece que regresó nuevamente a Israel, tan pronto supo la noticia de la muerte de Salomón, y posiblemente allí hizo ambiente en contra de Jerusalén o bien apoyó enérgicamente las tendencias que en tal sentido ya existían [14].

Apenas escapó Roboam a Jerusalén, los israelitas proclamaron a Jeroboam como rey del reino septentrional [15]. La tradición veterotestamentaria considera la notificación de Ajías de Silo como un acto de designación realizado por Yahvé; el pueblo aclamó en

[12] El nombre se conserva probablemente en la designación de la fuente *'ēn ṣerēda* al suroeste de *selfī*. Uno de los parajes de sus cercanías podría ser idéntico con Zereda; cf. W. F. Albright: BASOR 11 (1923) 5 s; A. Alt: PJB 24 (1928) 69; Simons, 839.

[13] 1 Re 11, 35 s. Sobre este pasaje M. Noth, *Könige,* 258-264; cf. también J. Debus, *o. c.,* 12 s.; S. Herrmann, *o. c.,* 649.

[14] 1 Re 12, 2.3 en conexión con el v. 20 no está claro; por una parte parece haber vuelto Jeroboam por propia iniciativa y por otra parte se dice que «enviaron a llamarle»; cf. la problemática en M. Noth, *Könige,* 273; sobre el carácter especial y origen de la exposición histórica I. Plein, *Erwägungen zur Überlieferung von I Reg. 11, 26-14, 20*: ZAW 78 (1966) 8-24.

[15] Como «Jeroboam I» diferenciado de ordinario del rey homónimo del siglo VIII (Jeroboam II).

Siquem al nuevo monarca; desde luego no se habla de unción ninguna. De todos modos, Jeroboam en principio llegó a ser rey al estilo de Saúl. Se narra el doble paso de designación y aclamación, mientras que David y Salomón por parte de Judá fueron ungidos y aclamados en un solo acto y con ello quedaron legalmente entronizados. Con Roboam no debió ocurrir de modo diferente. Se mantuvo el principio dinástico, Jerusalén y Judá se pusieron de su parte.

Lo que de forma diferente sucedió en ambos estados, sirvió después de pauta para todo el resto de la época de los reyes. Los davídidas se mantienen en sucesión dinástica en Jerusalén; también en Israel se llega a varias estructuras dinásticas; pero de modo regular cada fundador de dinastía es designado rey por un profeta. Además es característico el que casi regularmente la designación profética estimule al interesado a exterminar de raíz a toda la familia del rey en funciones, con lo que queda descartada la posibilidad de que los descendientes del designado anterior puedan aspirar de nuevo a hacerse con el poder.

Siguió, pues, en vigor para el estado septentrional de Israel aquel elemento carismático que ya se pudo observar en Saúl y que después de Saúl se reanudó con Jeroboam como primer rey israelítico independiente. Este elemento carismático, que se concretaba en la designación profética, confería a la monarquía de Israel —a diferencia de la de Judá— cierta inestabilidad y labilidad. Pues cada soberano tenía que temblar ante la posibilidad de que, sin saberlo él, estuviera ya designado un nuevo hombre, que de la noche a la mañana atentara contra su vida. Hay algunos casos que lo demuestran. Las sangrientas circunstancias concomitantes dan la impresión de que un cambio de gobierno conseguido de esa forma constituía una auténtica «revolución», que acompañaba al cambio político impuesto carismáticamente. Por eso A. Alt dijo que el estado de Israel, que había sido un territorio de «revoluciones queridas por Dios», era objeto de la voluntad divina, ya que sólo la designación profética posibilitaba y legitimaba el cambio de soberanía [16]. El que tal cambio político se concretara sólo en el relevo de la familia gobernante y en ningún caso llevara consigo una transformación de las situaciones o estructuras «sociales», es algo perfectamente comprensible por el nexo de los acontecimientos y de sus contextos. De ahí que, según los actuales conocimientos, el concepto de «revolución» basado en la constitución israelítica

[16] A. Alt, *Das Königtum in den Reichen Israel und Juda,* 1951, en *Kl. Schr.* II, 116-134 (*Grundfragen*, 348-366).

probablemente no es atinado. Más importante, en cambio, es el hecho de que en Jerusalén estuvieran descartados tales cambios de poder, pues se mantenía la dinastía única. Esto confirma en otro plano el hecho de que tribu y estado de Judá desde sus orígenes no conocieron la designación como acto independiente de un mediador profético-carismático y este ideal tan sólo más tarde se aplicó en ciertos casos a Judá dentro de la literatura veterotestamentaria, cuando, ya en sus comienzos, se quiso interpretar a Judá e Israel de acuerdo con unos criterios unitarios [17].

Estas constataciones son de importancia decisiva muy especialmente por el hecho de que sobre todo en la bibliografía veterotestamentaria de orientación teológica se formulan juicios globales sobre «la» monarquía en Israel, y de este modo se miden indiscriminadamente por el mismo rasero a las monarquías de Israel y de Judá. Injustificadamente se les exige a los reyes de Judá la designación profética o se manifiesta extrañeza por la deficiente conciencia dinástica en Israel. Además: mientras que la concepción de una monarquía sagrada puede aplicarse a Jerusalén con cierta apariencia de razón [18], los argumentos aplicables a los davídidas no entran en consideración con respecto a los reyes israelíticos, dado que sus circunstancias eran diferentes. Por otra parte, si la idea del Mesías se relaciona globalmente con la realeza veterotestamentaria, se derivan dificultades con respecto a Israel, pues allí se carece para ello de todo punto de apoyo; en cambio, las circunstancias apropiadas para la idea mesiánica se dan única y exclusivamente en Jerusalén, donde la realeza dinástica permitía concebir también la renovación o renacimiento de un soberano del mismo tronco. De ahí que con lógica objetividad las monarquías de Israel y de Judá se encuentran en una situación de tensión mutua, que se explica si se tiene en cuenta el hecho de que se trata de monarquías de dos ligas tribales estructuralmente diversas. En esta situación tensional reside uno de los motivos de las constantes críticas sobre la monarquía, que nacían de Israel, pero que al extenderse a Judá desestimaban las raíces históricas y con ello no enfocaban debidamente la soberanía histórica de los davídidas. Pues Judá estaba de parte de sus reyes. Fue indudablemente la teología deuteronómica la que enjuició globalmente a la realeza del antiguo testamento, al transferir también a Judá los principios

[17] Esto ocurrió en el caso de David, 1 Sam 16, 1-13, donde Samuel realiza en David una unción que se adapta al modelo de la unción de Saúl; cf. también 2 Sam 7, 8-10 y las consecuencias que de ahí derivan en M. Noth, *David und Israel in 2 Samuel 7,* 1957, en *Ges. Stud.,* ^{3}1966, 334-345.

[18] Teniendo presente la estrecha conexión entre monarquía y santuario estatal, entre «palacio y templo» y considerando el templo como «santuario del rey», que no era en el mismo grado el santuario de las tribus de Judá (e Israel).

norte-israelíticos. La observación de estos criterios podría contribuir a esclarecer y profundizar la imagen de la teología veterotestamentaria acerca de la realeza [19].

Por estas razones se debe seguir de forma separada el curso de los acontecimientos en ambos estados parciales. En primer lugar parece ser que Roboam, partiendo de Judá, intentó realmente recuperar a Israel, y desde luego mediante medidas militares, realizando un amplio reclutamiento de hombres de Judá y significativamente también benjaminíticos (1 Re 12, 21-24). Una palabra profética habría prohibido finalmente al rey la lucha contra el vecino septentrional. Algo distinto es lo que se lee en una concisa noticia (deuteronomística) al final del reinado de Roboam (1 Re 14, 30), al decírsenos que hubo guerra continua entre Roboam y Jeroboam. Que durante aquella época hubiera continuas escaramuzas entre ambos estados, es fácilmente comprensible. Pero por otra parte no parece que tales escaramuzas llegaran a adquirir proporciones de una gran lucha, que amenazara en serio la independencia del estado septentrional.

Sabemos no poco sobre las medidas de Jeroboam. El primer problema que se planteó fue el del lugar en que debía residir el nuevo rey. No había razón ninguna para enlazar con los comienzos de Saúl en Guibeá; tal idea era desaconsejable por varios motivos. Benjamín estaba de parte de Judá, como habrá ocasión de exponer con más detalle. Mucho más apropiado era Siquem, que se brindaba como residencia en el centro del estado. La ampliación y fortificación de la ciudad es la primera medida de política interior de Jeroboam que se nos comunica (1 Re 12, 25); se dice expresamente «y habitó en ella». Pero se añade inmediatamente: «Pero él salió de allí y fortificó Penuel». Ahora bien, Penuel se encuentra en Transjordania en el curso inferior del Jaboc [20].

Si Jeroboam hubiera creado allí realmente una ciudad fortificada o convertido una instalación ya existente en una especie de baluarte, ello hubiera

[19] Sobre la reciente polémica en torno a la realeza cf. los trabajos de G. Wallis, *Geschichte und Überlieferung*, 1968, especialmente 45-108; H. J. Boecker, *Die Beurteilung der Anfänge des Königtums in den deuteronomistischen Abschnitten des I. Samuelbuches*: WMANT 31 (1969); W. H. Schmidt, *Kritik am Königtum*, en *Probleme biblischer Theologie*, 1971, 440-461; J. A. Soggin, *Der Beitrag des Königtums zur israelitischen Religion*: VTSuppl. 23 (1972) 9-26.

[20] La situación no se puede determinar con absoluta seguridad, probablemente *tell eḏ-ḏahab esch-scherḳi;* cf. K. Elliger, BHH 3 (1978) y M. Noth, *Aufsätze* I, espec. 518, nota 71.

sido una medida premeditada en atención a motivos geográfico-tácticos. El rey tenía allí una muy aceptable posibilidad de retirada. Su comunicación desde Siquem no era mala. O bien podía él, después de atravesar el *wādi bēdān,* utilizar el ancho y cómodo *wādi fār'a* [21] y atravesar el río por los vados del Jordán cercanos a la desembocadura del Jaboc; en tal caso se encontraba rápidamente en Penuel; o bien podía alcanzar los vados, si desde Siquem y en dirección sureste utilizaba una serie de valles, que en las proximidades del actual *medschdel beni fāḍil* y junto a varios escalones montuosos aplanados llegaba hasta la fosa del Jordán [22]. De todos modos Penuel ya no vuelve a desempeñar ningún papel importante, que conozcamos, en el decurso de la historia posterior.

Por simples razones geográficas parece más explicable que Jeroboam pusiera pie posteriormente (1 Re 14, 17) en una tercera ciudad, que sirvió de residencia a varios reyes, a saber, en Tirsa. Se encuentra en el curso superior del *wādi fār'a* y tras recientes excavaciones en el *tell el-fār'a* ha sido estudiada también arqueológicamente [23]. Esta ciudad se encuentra mucho má próxima a Siquem, tiene fáciles accesos, pero, en comparación de Siquem, se encuentra más internada en la montaña.

Queda por saber qué significaría esa sucesión de tres residencias para Jeroboam. Ciertamente se puede ver ahí una prueba más de la labilidad de la monarquía israelítica, que sobre todo en sus fases iniciales tuvo dificultades y en todo caso desde sus orígenes no dispuso de una residencia como Jerusalén, ciudad regia por excelencia, que venía a ser una posesión particular del rey. En esto se convertiría posteriormente. Dificultades con los habitantes de Siquem por una parte, y por otra las que deparaba la continuación de la fortaleza en el un tanto remoto Penuel, pudieron ser una razón. Pero para explicarlo se ha aducido otro acontecimiento, del que volveremos a tratar después, la campaña del rey egipcio Sosaq I, que, a juzgar por su lista egipcia de ciudades, se extendió con

[21] Este *wadi* no desempeña en ningún sitio del antiguo testamento un papel importante y ha sido descuidado por la investigación arqueológica; cf., sin embargo, recientemente los estudios de S. Kappus, *Oberflächenuntersuchungen im mittleren wādi fār'a*: ZDPV 82 (1966) 74-82 y R. Knierim. *Oberflächenuntersuchungen im Wādi el-Fār'a II*: ZDPV 85 (1969) 51-62. La importancia del *wādi* en el aspecto de las comunicaciones es estudiada por Y. Yadin, *Some aspects to the strategy of Ahab and David* (1 Re 20; 2 Sam 11): Biblica 36 (1955) 332 s, espec. 338 s.

[22] Cf. las consideraciones al respecto por S. Herrmann: ZDPV 80 (1964) 74-76.

[23] Cf. K. M. Kenyon, *Archäologie im Heiligen Land,* 1967, 312 s. con otras indicaciones bibliográficas.

gran impetu hasta el estado septentrional de Israel. En tal caso las mencionadas residencias remotas serían lugares a los que el rey escapó. Pero aquí nos movemos en simples conjeturas.

Además de la elección de ciudad residencial, las medidas de política religiosa tuvieron para Jeroboam una importancia no despreciable. Se puede dar por cierto que elevó al rango de santuarios estatales los dos santuarios de Bethel y de Dan, situados por lo tanto en las fronteras extremas sur y norte, colocó en cada uno de ellos un becerro de oro y dotó a estos lugares sagrados de sacerdotes propios, dedicados a sus tareas específicas. 1 Re 12, 28 fundamenta al rey su decisión: «¡Basta ya de subir a Jerusalén. Este es tu dios, Israel, el que te hizo subir de la tierra de Egipto!».

Cada uno de los elementos de esta decisión regia de Jeroboam sigue siendo todavía tema de investigación. Desde luego de aquella época no nos ha llegado noticia alguna sobre una posición especial del santuario de Siquem, por más que era lógico el que allí se construyera un palacio y un templo a ejemplo de Jerusalén. Tal vez ese plan chocó con el estamento superior cananeo todavía hostil a Israel y con las tradiciones de que tal estamento era portador. Tanto Bethel como Dan poseían más antiguas tradiciones israelíticas, que en parte se pueden remontar ya hasta la primera época de la conquista [24]. Se trataba de lugares del *hinterland* de la colonización cananea. Su decisión la justifica Jeroboam en 1 Re 12, 28. Pero ¿era necesario descartar a Jerusalén como el gran santuario competidor? La formulación en conexión con la tradición-Egipto hace pensar en una interpretación posterior bajo criterio deuteronomístico. Va por delante la pretensión de Jerusalén como sede del Dios de Israel, que aquí se define en firme conexión con la tradición-Egipto según la concepción deuteronomística. La fundamentación imputa a Jeroboam el sacrilegio de haber iniciado un falso culto a este Dios. De cualquier modo que se pretenda explicar este estado de cosas, es muy difícil encontrar una aclaración históricamente segura a base del texto de 1 Re 12, 28.

Resta por comentar la curiosidad de los becerros de oro, o dicho más exactamente, de las imágenes áureas de toro. ¿Se trataba de pedestales —en forma de toro— del dios que presidía? [25]. Con toda certeza no se trata de

[24] Sobre Bethel cf. Gén 28, 10-22 y O. Eissfeldt, *Der Gott Bethel,* 1930, en *Kl. Schr.* I, 206-233; A. Alt, *Die Wallfahrt von Sichem nach Bethel,* 1938, en *Kl. Schr.* I, 79-88; sobre Dan cf. Jue 17.18 y M. Noth, *Der Hintergrund von Richter 17 y 18,* 1962, en *Aufsätze* I, 133-147; cf. también *ibid.,* 235-237; A. Malamat, *The danite migration and the pan-israelite exodus-conquest. A biblical narrative pattern*: Biblica 51 (1970) 1-16.

[25] O. Eissfeldt, *Lade und Stierbild,* 1940-1941, en *Kl. Schr.* II, 282-305; M. Weippert, *Gott und Stier*: ZDPV 77 (1961) 99-117; W. Zimmerli, *Das Bilderverbot in der Geschichte des alten Israel,* en *Schalom,* 1971, 86-96;

factores específicos del más antiguo culto a Yahvé. La decidida resistencia de los sectores levíticos contra tales toros, como aparece en la fidedigna mirada retrospectiva del capítulo sobre el «becerro de oro» durante la época del desierto (Ex 32), confirma el carácter de esas obras plásticas como una extraordinaria innovación con respecto a las tradiciones nomádicas. Si esto es así, para la explicación de esa medida regia se impone una reflexión de «política religiosa» en su más verdadero sentido. Al adoptar un objeto de culto aceptable incluso para la población cananea, Jeroboam intentaba ganar para su reinado el afecto de la parte cananea de sus súbditos, tan propensa a la resistencia. Por consiguiente, la fabricación de un arca hubiera sido una medida demasiado sublime, comprensible tan sólo para los israelitas; en cambio los toros eran, al parecer, aceptables incluso para los israelitas.

La desacostumbrada medida exigía normas regias en amplia escala. Jeroboam no sólo descartó a los sacerdotes levíticos, sino que incluso redactó un programa de fiestas, para que los santuarios se mantuvieran en actividad [26]. Los hechos demuestran que en Israel, mucho más abiertamente que en Jerusalén, la monarquía intervino en los asuntos religiosos del estado y con ello trataba de dictar una línea unitaria a la forma nomádica de religión, tal como se mantenía viva en las tribus, y esto sin tener en cuenta la propia posición de fuerza. Posteriormente este culto estatal aparece claramente atestiguado en Bethel, cuyo sacerdote advirtió al profeta Amós que se encontraba en un «santuario del rey», en una «casa del rey» (Am 7, 13). La religión estatal de Jeroboam se adhirió como un cuerpo extraño al adulto culto tribal a Yahvé; no es de extrañar, pues, que en las tribus se produjera resistencia y nacieran críticas, y que sobre todo en su seno pervivieran y se fomentaran los recuerdos de la religión nomádica. La oposición profética contra la monarquía allí encontraba su respaldo y de allí sacaba su fuerza original. En esos círculos hay que buscar también los portadores de la tradición, cuyas ideas quedaron mucho después programáticamente condensadas en el núcleo del Deuteronomio [27].

La política religiosa de Jeroboam fue tan enérgica como sospechosa. Iba dirigida al afianzamiento de su reinado y de su estado; pero precisamente esa política provocó graves tensiones internas, que motivaban la constante aparición en escena de profetas, que designaban nuevos reyes. Tal vez latía ahí la esperanza de obtener por la fuerza una reforma de la monarquía imperante. Se compren-

cf. también L. Malten, *Der Stier im Kult und mythischen Bild*, en *Jahrbuch des Dt. Archäolog. Inst.* 43, 1928-1929, 90 s.

[26] 1 Re 12, 31-33.

[27] Cf. A. Alt, *Die Heimat des Deuteronomiums*, 1953, en *Kl. Schr.* II, 250-275 (*Grundfragen*, 392-417); H. W. Wolf, *Hoseas geistige Heimat*: ThLZ 81 (1956) 83-94, en *Ges. Stud.*, 232-250.

de que la refundición deuteronomística de los libros de los Reyes no se canse de fustigar el «pecado de Jeroboam, hijo de Nebat» y presentarlo como un monstruo entre los reyes. Así debía aparecer este rey ante un culto a Yahvé de orientación ortodoxa. Pero en realidad abordó ya instintiva y correctamente el principal problema, con el que también sus sucesores tendrían que enfrentarse con diversos resultados, la pacificación de los heterogéneos componentes dentro de la población del reino septentrional, que no constaba solamente de israelitas y que por largo tiempo siguió siendo un foco de peligro.

Acerca de las medidas militares de Jeroboam no sabemos absolutamente nada. Tampoco sabemos de ningún avance agresivo hacia los estados vecinos. El ejército de Israel disfrutaba de un alto prestigio, pero es que Israel le había proporcionado ya a Salomón combatientes de carros, y algunas de las fortalezas que Salomón construyó se encontraban en suelo israelítico [28]. Es indudable que al correr del tiempo Israel amplió su tropa de carros de combate; de uno de sus comandantes se nos habla después (1 Re 16, 9). Si se tiene en cuenta sus planes edificatorios, no parece probable que Jeroboam suprimiera los trabajos obligatorios o de leva. Pero tal vez tuvo dificultades precisamente en este sector.

Un acontecimiento tuvo que conmover indudablemente a los dos estados de Israel y de Judá, aunque el relato del antiguo testamento al respecto es muy conciso y está totalmente restringido a Judá y Jerusalén. En el año 5 del reinado de Roboam, Sosaq, rey de Egipto, marchó contra Jerusalén y saqueó los tesoros del templo y del palacio real; pero Roboam pudo reponerlos después parcialmente (1 Re 14, 25). Se trata probablemente de un extracto de los anales de Judá, que no informaban sobre los detalles militares de la intervención faraónica, sino que registraban simplemente las consecuencias y cambios que esa intervención acarreó para el templo y el palacio. Parece claro que el rey egipcio no conquistó ni ocupó Jerusalén. El algo más detallado relato paralelo de 2 Crón 12, 2-12 menciona plazas fuertes de Judá que ocuparon los egipcios; el rey habría llegado hasta Jerusalén, donde Roboam se humilló, de tal modo que en atención a ese gesto no quedó todo aniquilado. De todo esto se puede conjeturar que Roboam rescató la ciudad mediante un elevado tributo, y que no fue el faraón el que echó mano al tesoro del templo, sino el mismo rey de Judá, con el fin de salvar a la ciudad y a su reino.

28 Especialmente Megiddo y Hazor.

Estas noticias pueden realmente armonizarse con los documentos egipcios. Sosaq es indudablemente idéntico con el fundador de la XXII dinastía (bubástidas), Sosenq I (llamado también «Sesonq» por analogía con la forma griega Sesonchis)[29]. Su reinado cae ciertamente en la segunda mitad del siglo X, de tal forma que el quinto año del reinado de Roboam (aproximadamente el 925 a. C.) cuadra perfectamente. Sosaq I dejó en un muro del gran templo de Amón en Karnak una impresionante lista de ciudades, por lo demás la última de este tipo que poseemos de un rey egipcio en relación con una campaña palestinense[30]. En esa lista es digno de notarse que Jerusalén parece que no está realmente mencionada[31], y por consiguiente no pertenecía a los lugares conquistados; por otra parte esa lista de ciudades incluye toda una serie de lugares, que pertenecen al estado septentrional de Israel. Jeroboam tuvo que verse en apuros extremos, pero en el antiguo testamento faltan las correspondientes noticias.

En un orden fácil de advertir se encuentran una tras otra las localidades de Guibeón, Beth-Horon y Ayalón, que marcan exactamente la ruta que va desde la llanura costera hasta el interior de la comarca benjaminítica. Pero no se consigna precisamente el nombre de Jerusalén. Sin embargo, por el camino señalado Sosaq podría haberse aproximado a la ciudad. Otra serie de ciudades de esa lista igualmente interesantes es: (Megiddo), Tanac, Sunem, Beth-Sean, Rehob... Majanaim (*mḥnm*). Según eso el rey habría avanzado hacia el norte hasta la llanura de Jezrael, por fin incluso hasta el foso del Jordán subiendo hacia Majanaim, si es cierta la equivalencia con *mḥnm*. Con esta operación cuadrarían los datos sobre las distintas residencias de Jeroboam, que explicarían una evasión del rey. Los datos de la lista de ciudades de Sosaq incitan a trazar un plan normal de operaciones, como lo ha intentado en forma impresionante B. Mazar y reforzó el efecto de su tesis al unir los nombres de ciudades del final de una línea con los del final

29 E. Otto, *Ägypten. Der Weg des Pharaonenreichs,* ⁴1966, 213-221; A. H. Gardiner, *Geschichte des alten Ägypten* (*Egypt of the Pharaos*), 1965, 363-367; W. Helck, *Geschichte des alten Ägypten,* Leiden 1968, 221-223.

30 Magnífica edición: *Reliefs and inscriptions at Karnak* III: *The Bubastide Portal,* Chicago 1954; adaptación de J. Simons, *Handbook for the study of egyptian topographical lists relating to western Asia,* 1937, 89-101; 178-186; estudio detallado por M. Noth, *Die Schoschenkliste,* 1938, en *Aufsätze* II, 73-93. La presencia de Sosaq en Palestina está atestiguada por un fragmento de relieve procedente de Megiddo, que lleva el nombre del rey; Lamon-Shipton, *Megiddo* I 60/1; P. Porter - R. L. B. Moss, *Topographical bibliography* VII, 381 s.

31 Es probable que ni siquiera en las pocas partes destruidas de la correspondiente sección de la lista.

de la próxima línea en dirección inversa (la llamada lectura en «bustrofedón»)[32]. De esta forma logró reconstruir un itinerario armónico para el ejército egipcio a través del estado septentrional de Israel. Desde luego esa tesis ha sido formulada sin atender a las condiciones del terreno, arduas en algunos trechos, y no es concluyente bajo todos los aspectos[33]. Pero, prescindiendo de estos detalles, consta realmente que la empresa de Sosaq no fue de gran duración. Con la mejor voluntad no se podía pensar en una ocupación de Palestina, como en los tiempos de las grandes expansiones de Egipto durante el nuevo imperio. Egipto ya no disponía de los necesarios recursos, y en la misma Palestina se habían consolidado las fuerzas, a las que los egipcios, dada su situación, no podían hacer frente a la larga. Así pues, la campaña de Sosaq vino a ser un último intento por demostrar a lo grande en Palestina-Siria la potencia egipcia. La segunda parte de la lista de ciudades ofrece muchos nombres, pero que sólo son descifrables en una parte mínima. Apuntan a una zona situada al sur de Judá y desde luego también a la región edomítica. Tal vez fue ése el camino de retirada de los egipcios.

La campaña palestinense de Sosaq fue un episodio sin repercusiones. Pero los documentos al respecto brindan desde luego un cuadro fidedigno sobre los centros fortificados de aquella época. Tales documentos coinciden sustancialmente, e incluso en los detalles, con los antiguos «pasadores» a la altura de Jerusalén y en la llanura de Megiddo. La campaña-Sosaq pudo estimular a Roboam, durante sus 17 años de reinado en total, a preocuparse por la seguridad de su territorio estatal, sobre todo en el sur y en el oeste. 2 Crón 11, 5-10 enumera una serie de ciudades fortificadas, que él construyó o reforzó. Tan sólo los libros de las Crónicas del antiguo testamento informan sobre esto, pero a buen seguro que se basan en documentos oficiales preexistentes, toda vez que sus datos permiten hacerse una idea bastante exacta del patrimonio territorial de Judá[34]. Lo peculiar de esa lista de ciudades fortificadas consiste en el hecho de que contiene lugares, que se encuentran al parecer muy adentrados en el *hinterland* y por consiguiente en la antigua zona tribal de Judá, y excluyen tanto la llanura costera como el lejano sur.

[32] B. Mazar, *The campaign of pharaoh Shishak to Palestine*: VTSuppl. 4 (1957) 57-66.

[33] S. Herrmann, *Operationen Pharao Schoschenks I. im östlichen Ephraim*: ZDPV 80 (1964) 55-79.

[34] G. Beyer, *Das Festungssystem Rehabeams*: ZDPV 54 (1931) 113-134; también O. Eissfeldt, *Israelitisch-philistäische Grenzverschiebungen von David bis auf die Assyrerzeit*, 1943, en *Kl. Schr.* II, 453-463.

Se trata en total de 15 ciudades. Por lo que se refiere al sur es instructivo el hecho de que no aparezca Berseba, sino que la línea fortificada se retrae bastante y pasa por Adoraím, Hebrón y Siph. Por la parte occidental el sistema queda limitado por Laquis y Gat, por el norte sirve de límite Ayalón. Queda fuera toda la llanura costera, pero se incluye por lo menos una parte de la comarca benjaminítica. No es una cosa cierta que por medio de esas ciudades se trace una línea fronteriza de fortificaciones de Judá; pero por otra parte hay que dar por descontado que desde los tiempos de David Judá había sufrido notables menguas territoriales en el sur y en el oeste. Particularmente los filisteos, bajo la dirección de algunos príncipes de ciudad, parecen haber pretendido nuevamente su independencia y haberla conseguido en gran parte. Tales tentativas eran estimuladas por la defección del estado septentrional. Muy pronto se produjeron nuevos conflictos armados con los filisteos.

De otro modo parece haber evolucionado la situación en la frontera septentrional. No es propiamente la época del reinado de Roboam, sino la de sus sucesores la que nos demuestra claramente que Judá tenía interés por expansionarse hacia el norte. Esto es comprensible. Tras la separación de ambos estados se encontraba Jerusalén no lejos de la frontera israelítica. Lo que en otros tiempos constituyó una ventaja para David, resultaba ahora sumamente desventajoso: Israel podía amenazar directamente a Jerusalén. De ahí que los reyes de Jerusalén tuvieran el explicable deseo de adquirir por el norte una zona neutra para su ciudad, que protegiera a la capital contra Israel.

La geografía del norte de Jerusalén invita a hacer algunas reflexiones al respecto. Tras una cresta de mediana altitud, el llamado Scopus, se extiende una zona llana moderadamente movida, que a unos 14 kilómetros de Jerusalén queda cerrada por medio de una loma que se destaca netamente. Sobre esta loma se encuentran hoy día las localidades de *rāmallah y el-bīre*. Este terreno pertenece a la zona de colonización de la tribu de Benjamín; desde los tiempos de Roboam se convierte en territorio disputado entre Judá e Israel.

El problema de la frontera septentrional de Judá va vinculado a la situación e historia de la tribu de Benjamín. Su relativamente reducido territorio queda situado entre las más fuertes potencias de Judá y Efraím. Se discute que en su origen ese territorio perteneciera a Efraím. Aunque Saúl procedía de Benjamín y Efraím le reconoció, parece ser que esta tribu conservó una dosis elevada de autoconciencia, que a veces forzó un trato especial (cf. 2 Sam

3, 19) y supo mantener su libertad de opción hacia uno u otro de los socios. Según 1 Re 12, 21 Roboam reclutó también hombres benjaminitas para recuperar Israel; en Siquem, Benjamín optó por Judá. Este problema pudo influir también en la historia de la designación de Jeroboam. Ajías le adjudicó diez tribus; *una* tribu se la quería dar al hijo de David (1 Re 11, 35 s). ¿Esta tribu era acaso Judá? ¿Se hubiera indicado eso especialmente? Más bien se debe segregar de Israel esa *única* tribu. Sólo puede ser la de Benjamín [35]. 1 Re 11, 36 razona esto así: David debe tener siempre una lámpara en Jerusalén. Por lo tanto, el traspaso se realizará en atención a Jerusalén, Jerusalén se mantendrá y Benjamín contribuirá a ello a su manera. La guerra continua que hubo entre Roboam y Jeroboam (1 Re 14, 30) fue una contienda en torno al territorio benjaminítico, que por las mismas razones fue proseguida por los reyes inmediatos.

En el plano de la política exterior ambos reinos sólo pudieron anotar pérdidas. El sistema de complicadas dependencias de estados tributarios y representaciones, que David organizó y Salomón descuidó, se deshizo por completo. Israel perdió en el nordeste la provincia aramaico-siria. El reino de Damasco se desarrolló independientemente y reclamó aquellos territorios, que David tomó anteriormente y que llegaban hasta muy dentro de la Transjordania septentrional. Ahí le salió a Israel un peligroso adversario para generaciones. De su dependencia se desgajó poco a poco el estado de los amonitas, cuya corona había llevado el mismo David en otros tiempos. Parece que de momento Moab no suspendió sus tributos. Una nueva monarquía surgió en Edom, que ya bajo Salomón se había independizado.

¡Con qué rapidez cambiaron los tiempos después de David y de Salomón! Se ha deshecho la unión personal, los grandes gestos de amplias expansiones y de regulaciones administrativas en política interior parece que han desaparecido como de un soplo. Es preciso mantener el patrimonio de las zonas principales, con trabajo se fortifican en el norte varias ciudades para que puedan servir de residencias, se aseguran en el sur las muy apartadas fronteras del antiguo patrimonio tribal y se lucha en tenaz guerra de guerrillas por una línea de demarcación. La antigua capital y gran urbe de Jerusalén manifiesta su necesidad de seguridad frente al antiguo socio. Judá e Israel se han convertido en pequeños estados, que

[35] Esta teoría es desde luego discutida. Cf. el cambio de opiniones en esta cuestión en M. Noth, *Überlieferungsgeschichtliche Studien*, ²1957, 72, nota 7 y *Könige*, 259 s.; cf. también S. Herrmann: ThLZ 94 (1969) 647-649; sobre toda la problemática K.-D. Schunck, *Benjamin*, 1963, 139-153.

han de renovar constantemente sus fuerzas para defenderse con mayor o menor éxito contra intrusiones de los extraños y deben mantenerse alerta para no sucumbir a las más fuertes potencias vecinas. Nada puede ilustrar mejor el carácter excepcional del apogeo davídico-salomónico que esa macabra recaída en un hervidero de intereses tribales tras la ruptura de la unión personal. Ahora hay más razón que nunca para contemplar los acontecimientos de Israel como desarrollos particulares. No se harían esperar las consecuencias teológicas y religioso-políticas. «Israel» como unidad, como concepción ideal sobre una base antiguamente «anfictiónica» fue y siguió siendo un postulado al que se oponían los mismos desarrollos históricos.

Al final de los reinados de Roboam y de Jeroboam, en el primer libro de los Reyes se yuxtaponen sincrónicamente por vez primera los años de reinado de los reyes de ambos estados. Se dice en 1 Re 15, 1: «el año 18 del rey Jeroboam comenzó a reinar Abías sobre Judá». En forma análoga se lee después (1 Re 15, 25): «Nadab, hijo de Jeroboam, comenzó a reinar en Israel el año segundo de Asa, rey de Judá». Tales son los ya mencionados datos, que proporcionan el material para una relativa cronología; a título de datos absolutos se le asignan a Roboam los años 932-931 a 916-915, y a Jeroboam la época de 932-931 a 911-910 [36]. Sobre el rey Abías de Judá (916-915 a 914-913) no se nos dice nada. Se dice en su honor que mantuvo en pie a Jerusalén (1 Re 15, 4); pero se dice con las mismas palabras que utilizó ya Ajías de Silo en diálogo con Jeroboam (1 Re 11, 36). También Abías tuvo guerra con Jeroboam. Permaneció, pues, en pie el problema de la frontera septentrional de Judá.

Más dramáticos parecen haber sido los acontecimientos en torno al sucesor de Jeroboam sobre Israel, su hijo Nadab. Su reinado fue corto (911-910 a 910-909). Se trataba ahora de cómo había que proceder en general en los cambios de trono en Israel. Jeroboam estaba designado personalmente por Ajías; pero no su hijo Nadab. Parece cierto que inicialmente se toleró su gobierno, pero los dos años de reinado que se le asignan (1 Re 15, 25) si nos atenemos al cómputo de predatación (el año de cambio de gobierno se cuenta como año completo) significan que él estuvo en el poder tan sólo a través de un final de año natural. El desastre ya se le iba aproximando. Basa, de la tribu de Isacar, conspiró contra él y le

[36] Jepsen asigna a Salomón el tiempo que va del 965 hasta el 926; lógicamente distintos son los datos referentes a Roboam (926-910) y Jeroboam I (927-907).

mató en Guibetón, donde Nadab se encontraba luchando contra los filisteos. Basa se erigió en rey y exterminó a toda la casa de Jeroboam. El primer libro de los Reyes explica el violento cambio según el principio, ya expuesto, del influjo profético sobre la monarquía. Fue nada menos que Ajías de Silo el que profetizó el desastre a la casa de Jeroboam (1 Re 14, 1-18) y fue el profeta Yehú ben Janani el que designó a Basa y le hizo *nagid* sobre Israel (1 Re 16, 2). Es totalmente cierto que este automatismo en la exposición de los acontecimientos, en la que la descalificación y cualificación proféticas se suceden una a otra con tanta rigidez y exactitud, pero sin motivos palpables, se basa en criterios pragmáticos, que pueden haber simplificado los mismos hechos. Pero sería ciertamente erróneo querer ver ahí tan sólo la obra del Deuteronomista. En todo caso se silencian los motivos proféticos; y esto tiende en definitiva a señalar la inescrutable voluntad de Dios, que, llegado el caso, se escogía a sus hombres. Pero se podría preguntar qué motivos históricos hacían caer a un rey tan rápida e inesperadamente. La formación de dinastías se produjo en Israel tan sólo más tarde. En un principio parece que en Israel se actuó por inseguridad y con una cierta inquietud. Atendiendo al modelo jerosolimitano, la idea del compromiso dinástico resultaba desautorizada. Debía permanecer en vigor el principio carismático. Pero por otra parte también dependía de las cualidades de los personajes el que conservaran el mando. Ellos, que tras la división estatal de Siquem debían actuar por sí mismos, encontraban muy difícil renovar la realeza desde su propio ambiente; al mantener el principio carismático frente al principio dinástico, se encontraban bajo una premura de decisiones, que a la larga resultaba desfavorable para una política reflexiva. Con Basa se inició una turbulenta evolución, que sólo se calmó bajo Omrí.

Dado que en esa época los años de gobierno en Judá e Israel se entrecruzan de forma complicada, consignemos aquí una contraposición sinóptica de los soberanos:

Roboam	932-931 a 916-915	Jeroboam	932-931 a 911-910
Abías	916-915 a 914-913		
Asa	914-913 a 874-873		
		Nadab	911-910 a 910-909
		Basa	910-909 a 887-886
		Ela	887-886 a 886-885
		Zimrí	886-885
		Omrí	886-885 a 875-874
		Ajab	875-874 a 854-853

En ambos estados a Roboam y Jeroboam les siguieron dos reinados cortos, los de Abías y Nadab, pero inmediatamente dos largos períodos de gobierno por parte de los reyes Asa y Basa. Estos tuvieron contiendas mutuas durante toda su vida; su objeto era la zona fronteriza del territorio benjaminítico (1 Re 15, 16-22). El que intervino en primer lugar fue Basa. Avanzó hacia Rama, situado tan sólo ocho kilómetros al norte de Jerusalén; lo hizo con el propósito expreso de cortar las comunicaciones a Asa (15, 17). Eso suponía bloquear a Jerusalén con respecto al norte.

Era muy conveniente fortificar a Rama. Se trata, como todavía hoy puede observarse desde *er-rām,* de un cerro con buena panorámica hacia el sur, y precisamente allí donde se controla el camino, que desde occidente, desde la llanura costera, lleva a Guibeón y se junta con la calzada que va desde Jerusalén hacia el norte. Asa, el rey de Judá, no contestó al reto con la guerra, sino con un gesto diplomático, que demuestra claramente las nuevas relaciones de fuerza. Envió una legación al rey Ben-Hadad de Damasco, y no con las manos vacías. Sacó abundantes objetos preciosos del tesoro del templo y del palacio y se los envió, rogándole se aliara con él contra Basa rey de Israel. Para esto el rey de Damasco tenía que romper su vigente alianza con Basa. Ben-Hadad consintió en ello, envió tropas a Galilea y allí invadió amplias zonas. Esto movió a Basa a suspender inmediatamente la fortificación de Rama; se dice que se volvió a Tirsa. No sabemos cómo se las arregló con el rey de Damasco, pero sí sabemos lo que hizo Asa. Avanzó hasta Rama, confiscó todo el material de construcción israelítico allí reunido y se aprovechó de él para fortificar inmediatamente dos ciudades, Gueba y Mispá.

Gueba (*dscheba'*) se encuentra a tres kilómetros al este de Rama y es también un buen punto geográfico, que permite una aceptable panorámica hacia el norte. Pero todavía mejor era la situación de Mispá, si es que realmente se la puede identificar con el *tell-en-naṣbe,* que se encuentra todavía más al norte que Rama junto a la calzada procedente de Jerusalén [37].

Asa fortificó al parecer también otras ciudades; sobre esto se podrían hallar más datos en los anales de los reyes de Judá. En su lugar, el Deuteronomista obsequia al lector con la importante noticia de que el rey ya anciano enfermó de los pies... Dolorosamente unilateral es este informe sobre los nada menos que 41 años

[37] Sobre las excavaciones (con bibliografía) K. M. Kenyon, *Archäologie,* 1967, 314 s; sobre la equiparación con Mispá A. Alt. *Neue Erwägungen über Lage von Mizpa, Ataroth, Beeroth und Gibeon*: ZDPV 69 (1953) 1-27.

del reinado de Asa. De interés puede considerarse tan sólo la noticia de que en su lugar gobernó su madre Macá, que probablemente comenzó llevando la regencia por su hijo, pero que al parecer exigió también seguir gobernando más allá del tiempo de la regencia. Asa se vio precisado a deponerla, al parecer a causa de un desmán cúltico. El papel de la reina madre (hebr. *g̅b̲yrh*, propiamente «señora») se convierte ahí en un problema, que, dentro de la institución de la monarquía, se debe considerar sobre la más amplia base del derecho real del antiguo oriente [38].

Con iniciales turbulencias, pero mucho más importante era lo que acontecía en el estado septentrional de Israel, paralelamente al reinado de Asa. Es sorprendente el hecho de que los libros de los Reyes, desde 1 Re 16 hasta 2 Re 10 informan por extenso casi exclusivamente acerca de Israel; tan sólo dos veces se insertan escuetas noticias sobre el estado de Judá [39].

Como es sabido, Basa mató a su predecesor Nadab, mientras éste asediaba precisamente la ciudad de Guibetón. Guibetón pertenecía a los filisteos y se encontraba verosímilmente entre las dos ciudades de Ecrón y Geser [40], por consiguiente en la zona de transición desde la montaña a la llanura costera, y precisamente allí donde comenzaba el pasador meridional de ciudades. En esta comarca colisionaban fuertemente entre sí los intereses judaicos, israelíticos y filisteos. Partiendo de Geser se hacía igualmente posible irrumpir hacia la montaña por el sur como por el norte y esto se prestaba a llevar a los dos estados a crisis vitales. Las tropas de Sosaq operaron allí, lo cual puede considerarse como un síntoma de la permanente posición clave de esa zona. Está claro

[38] G. Molin, *Die Stellung der Gebira im Staate Juda*: ThZ 10 (1954) 161 s.; con más amplitud H. Donner, *Art und Herkunft des Amtes der Königinmutter im Alten Testament*, en *Festschrift Joh. Friedrich*, 1959, 105-145. El puesto especial de la reina madre se limita a monarquías dinásticamente vinculadas. Donner considera posible que en la estructuración del «cargo» de reina madre en Judá se dejara sentir el influjo hitita por mediación cananea. Pero nada seguro puede afirmarse acerca de los derechos, deberes y funciones de la reina madre, si atendemos a las fuentes veterotestamentarias. Los elocuentes testimonios de Asiria, Ugarit y el ámbito helenístico los menciona y estudia H. Donner, *o. c.*

[39] 1 Re 22, 41-51 sobre el rey Josafat, 2 Re 8, 16-29 sobre Joram y Ajazyá.

[40] Posiblemente Guibetón se ha de buscar en el *tell el-melāt;* G. von Rad, *Das Reich Israel und die Philister*: PJB 29 (1933) 30-42; le sigue O. Eissfeldt, *Israelitisch-philistäische Grenzverschiebungen*, 458; no así K. Elliger, BHH 1, 566 s., quien en atención a la lista de Jos 19, 43 s recomienda equiparar al *tell el-melāt* con Eltheke, pero en cambio a Guibetón con *'āḳir,* situado 4 kilómetros más al oeste y al que antes se identificaba con Ecrón.

que ya debían haber pasado los tiempos en que Geser, como dote de la hija del faraón, con la que se casó Salomón, era posesión de Judá. Hacía tiempo que los filisteos se habían hecho allí independientes y defendían su recuperada autonomía o trataban de corroborarla frente a Israel. Se ignora el desenlace de las luchas sostenidas durante el reinado de Basá; sus sucesores prosiguieron el mismo rumbo.

Fue el mismo profeta Yehú ben Janani el que había designado a Basa y el que ahora predijo la ruina a toda su casa. Basa murió en Tirsa de muerte natural, pero lo que se había intentado tras el final de Jeroboam, se repitió ahora: primeramente escaló el trono de Basa su hijo Ela, intentándose así un nuevo arranque dinástico. Pero se supone que reinó dos años en Tirsa, y esto puede significar que ocupó el trono tan sólo unos cuantos meses. Ela es muerto por un alto oficial de la tropa de carros, Zimrí. Mientras se celebraba un festín en Tirsa, Ela es asesinado en estado de embriaguez por Zimrí (1 Re 16, 9.10).

Zimrí actuó inmediatamente como rey israelítico, como había hecho Basa. Se dispuso a exterminar la casa de Basa, creyendo que de ese modo usurparía infaliblemente el reino para sí. Pero se equivocó. Siete días permaneció Zimrí en Tirsa como rey. No sabemos de ningún profeta que le designara como rey. Ese hombre era un conspirador y en consecuencia debía acabar rápidamente.

De la conspiración de Zimrí y de su acción se enteró el ejército, que se encontraba nuevamente en Guibetón en lucha contra los filisteos. Allí el jefe del ejército, Omrí, fue aclamado inmediatamente como rey. Al momento se dirigió a Tirsa para asediar la ciudad, en la que Zimrí se había hecho fuerte. Este vio llegar el fin. En su desesperación entró en lo más interior del palacio y murió abrasado al prender fuego a toda la casa.

Zimrí, el hombre que se hizo rey a sí mismo, el «auténtico» usurpador, estaba muerto. Omrí fue aclamado por el ejército en el campamento. ¿Sería él el futuro rey? Esta cuestión preocupaba también a los israelitas y el antiguo testamento no silencia que las opiniones en Israel estaban divididas. Dice que una parte siguió a un tal Tibní para hacerle rey; pero otra parte se decidió por Omrí (1 Re 16, 21). Ahí se ve cómo terminaban las cosas cuando no existía designación profética; se llegaba a una verdadera crisis de gobierno, no había antirrey ninguno. Por fin prevaleció el pueblo que seguía a Omrí. Se nos dice que Tibní murió. No sabemos más detalles.

La realidad es que Omrí llegó a ser rey. Reinó sobre Israel durante doce años. Llegó a rey por decisión mayoritaria, primeramente en el campamento de Guibetón, después por parte de todo Israel. No se nos ha transmitido una designación profética. Pero, tras los tiempos turbulentos y los fracasos y crisis internas, que habían conmovido y debilitado al estado desde Jeroboam, fue en fin de cuentas una gran personalidad sobre el trono de Israel. Poseyó perspicacia política y desde luego también tuvo la suficiente habilidad para fortalecer a Israel en su política interior. No fue ciertamente un David, pero cuanto va asociado a su nombre suscita el recuerdo de David. Con Omrí dio comienzo en Israel una primera dinastía auténtica, que pudo mantenerse durante algunos decenios, y Omrí fue el que creó para Israel una nueva ciudad residencial, la ciudad de Samaria. Inauguró una nueva época para el estado de Israel.

10

OMRI Y SU DINASTIA EN ISRAEL

Tras una breve noticia sobre el comienzo del reinado de Omrí, dice 1 Re 16, 23 que residió seis años en Tirsa. Pero, ¿dónde residió después? Prosigue el texto: «entonces compró la montaña Someron (*šmrwn*) a Semer por dos talentos de plata y construyó sobre la montaña, y a la ciudad que edificó la llamó Someron por el nombre de Semer, el propietario de la misma». Lo que aquí se notifica es la fundación de la ciudad de Samaria, aquella ciudad, que en adelante se convertiría en indiscutible capital y ciudad residencial del estado de Israel. El hecho merece una gran atención en todos sus detalles.

El rey Omrí compró un lugar hasta entonces no poblado [1]. Lo *compró,* y esta circunstancia supone que no era un terreno israelítico, sino cananeo [2]. Semer era un hombre que pertenecía a la población preisraelítica del país y significativamente allá en el interior de la montaña efraimítica logró mantener hasta entonces su propiedad. Omrí compró su solar y de ese modo añadió a sus propiedades un territorio, que originariamente nada tenía que ver con Israel, pero que ahora ya se convirtió en su posesión personal. Su propósito fue el de edificar allí una ciudad, y se puede añadir que se trataba de la capital y residencia suya y del país.

Este procedimiento nos recuerda mucho a David y el modo como convirtió en propiedad suya los terrenos de su planeada capital de Jerusalén. Fueron al menos los mismos criterios y propósitos los que guiaron a Omrí en la adquisición de la colina de Samaria, y la ulterior evolución, que respondió plenamente a tales ideas, dio la razón a su decisión.

1 Cf. A. Alt, *Der Stadtstaat Samaria,* 1954, en *Kl. Schr.* III, espec. 262 s.; sobre la calidad arqueológica del contorno del cerro urbano R. Bach, *Zur Siedlungegeschichte des Talkessels von Samaria*: ZDPV 74 (1958) 41-54.

2 Rememoremos otras análogas compras de terreno de manos cananeas en el caso de Abrahán (la cueva Macpelá como lugar de sepultura, Gén 23) y sobre todo David (la era de Areuná, 2 Sam 24); siempre en el terreno adquirido arraiga una tradición. La ciudad de Jerusalén en sí misma la adquirió desde luego David como posesión propia por derecho de conquista.

Albrecht Alt, que es quien más ha hecho notar estas conexiones [3], dice con toda claridad que Omrí con su proceder imitó a David. Las circunstancias de Omrí eran incluso más favorables. Pues él no recibió, como David, una ciudad ya poblada con sus instituciones y sus gentes. Comenzó algo radicalmente nuevo y de esa forma lo pudo configurar todo mucho mejor y con más claridad según sus propias ideas. Por lo demás él no llamó a la ciudad «ciudad de Omrí», como tampoco David pudo ni quiso cambiar el nombre a la ciudad de Jerusalén llamándola «ciudad de David». Está claro que no había que romper el nexo con la anterior historia del lugar. En esto pudo influir la idea de que, con el nombre de la ciudad, se conservaba y fomentaba un poco de cananeísmo.

Samaria se encuentra a unos 8 kilómetros al noroeste de Siquem, en la montaña ciertamente, pero en una zona que, entre todas las anteriores residencias de Siquem, Tirsa y naturalmente también Penuel, es la más occidental y la más cercana a la costa y a los cananeos. El propósito era tal vez el de afincarse allí. Precisamente desde Samaria se prometía él ejercer un favorable influjo sobre las partes del país que tenían una población mixta. También esto guarda un paralelismo con David. El eligió a Jerusalén, porque se encontraba en una zona limítrofe entre Judá e Israel, donde estaba igualmente próximo a los dos estados parciales de su jurisdicción. Omrí escogió Samaria, el cerro de Semer, porque allí se encontraba en posición favorable y en un terreno apto para fortificarse, donde veía la posibilidad para arreglar de forma ideal y con política de fuerza los conflictos que pudieran surgir entre los dos estratos de población. Rehusó por ejemplo ir al cercano Siquem. Siquem estaba gravado con tradiciones específicamente cananeas y era sede de una antigua aristocracia; allí tal vez sería demasiado fuerte la resistencia contra Israel, de allí se había retirado ya Jeroboam.

A estas reflexiones hay que añadir otra más. ¿Cómo concebía Omrí la futura relación constitucional entre Samaria y el estado de Israel? ¿Siguió también en eso los patrones davídicos? David gobernó Judá desde Jerusalén, pero la ciudad, como residencia personal de David, conservó algo así como un *status* especial, que se manifestó posteriormente distinguiendo «Jerusalén y Judá». Es cierto que no se lee la fórmula «Samaria e Israel» [4], pero la «ciu-

[3] A. Alt, *Stadtstaat*, *o. c.*, espec. 266-270.

[4] Cf., sin embargo, el giro empleado por Isaías, al unir «Efraím» y los «habitantes de Samaria», Is 9, 8; sobre esto cf. Alt, *Kl. Schr.* III, 300.

dad» mantuvo una posición independiente frente al territorio de las «tribus» en Efraím y Manasés; esto demostraría su eficacia a propósito de la revolución de Yehú. Tal estado de cosas se vio favorecido por las mismas circunstancias topográficas.

El cerro de Samaria descuella desde casi todos los lados, pero de un modo especialmente impresionante se levanta por su lado occidental dominando una extensa serie de valles [5]. Muy atinadamente se designa a Samaria en Is 28, 1 como «arrogante corona sobre un fértil valle». No es éste el lugar indicado para exponer detalladamente la construcción de la ciudad [6]. Fueron sobre todo los reyes posteriores los que se preocuparon por decorar a la ciudad de Samaria como residencia, Ajab, sucesor de Omrí, edificó una «casa de marfil» (1 Re 22, 39); se alude sin duda a una casa, en cuya decoración se utilizaron tallas en marfil, como las que allí se han encontrado en interesantes fragmentos [7]. Pero Ajab también erigió en la ciudad un templo a Baal, confirmando con ello que aquel lugar no era netamente israelítico; los diversos elementos del estado habían de estar representados en esta su capital, para que ésta pudiera constituir una especie de vínculo entre las poblaciones.

Es muy lamentable el que no se nos brinden ya más detalles precisamente sobre estos problemas de política interior de la época de Omrí. El mismo recibe del redactor deuteronomístico una mala nota, pues dice que irritó a Yahvé con su idolatría. El mal que hizo a los ojos de Yahvé fue más que el que hicieron sus predecesores (1 Re 16, 25). En el trasfondo de estas palabras pueden adivinarse diversas concesiones hechas precisamente al cananeísmo en el aspecto cúltico, pero también en el político. Omrí parece haber iniciado una política de complacencia y de sensata concordia. La elección del cerro urbano de Samaria y la construc-

[5] Las fotografías de la colina se toman ordinariamente desde el lado oeste; P. Volz, *64 Bilder aus dem Heiligen Lande,* 34; H. Bardtke, *Zu beiden Seiten des Jordans,* 1958, 62; dos diferentes e impresionantes fotografías en L. H. Grollenberg, *Bildatlas zur Bibel,* 1957, 78, donde se encuentra una imponente fotografía aérea y una panorámica desde el sur, que muestra la pendiente de la colina hacia el oeste.

[6] Alt, *o. c.,* 270-283; Id., *Archäologische Fragen zur Baugeschichte von Jerusalem und Samaria in der israelitischen Königszeit,* 1956, en *Kl. Schr.* III, 303-325; bibliografía sobre los informes de excavaciones en K. M. Kenyon, *Archäologie im Heiligen Land,* 1967, 307.

[7] J. W. Crowfoot-G. M. Crowfoot, *Early ivories from Samaria,* London 1938 = Samaria-Sebaste II; J. W. Crowfoot-G. M. Crowfoot-K. M. Kenyon, *The objects from Samaria,* London 1957 = Samaria-Sebaste III; cf. también ANEP, 129.130; una resonancia de la suntuosidad edificatoria en Amós 3, 15.

ción allí de una residencia propia fueron tan sólo un paso por tal camino, aunque desde luego decisivo. La inestabilidad de la monarquía israelítica, el ideal carismático con sus constantes e imprevisibles cambios de gobierno, la permanente amenaza por parte de los filisteos y el creciente peligro procedente del nordeste, donde estaba situado el estado de Damasco en contacto fronterizo con Israel, todo esto estaba pidiendo un fortalecimiento interior de Israel, un entendimiento entre todos los grupos demográficos y tribales que convivían en ese estado. Para ello hacía falta la estabilización de la monarquía, pero también la tolerancia de la religión hereditaria. No la erradicación, sino la tolerancia de la religión de Baal en el territorio israelítico era lo que prometía a la larga el éxito de la política interior. Ciertamente un alto precio, que pagó Israel, y que sobre todo el rey estaba dispuesto a pagar, pero que también provocó una oposición israelítica. Por fin estas fuerzas antagónicas asestaron más tarde el golpe de gracia a toda la dinastía de Omrí. Pero esto no debe ser obstáculo para apreciar y reconocer el mérito político de Omrí. El fue el primero, en la época posterior a David y Salomón, que al incorporar otras poblaciones hizo del estado de Israel una estructura étnicamente compleja, vio los problemas decisivos para el gobierno y para la pervivencia de Israel. El camino de equilibrio iniciado por Omrí, mirado con desconfianza por los sectores juramentados en Yahvé, obedecía a un imperativo del momento. Pues la estabilización del estado no se podía conseguir a base de un permanente conflicto, sino uniendo a las fuerzas existentes, fueran del matiz que fueran.

Omrí ordenó que le enterraran en Samaria. Este es el punto final de su vida, la confirmación de su programa. Omrí yace enterrado en *su* ciudad. Este hecho también señaló la dirección a sus sucesores. Quien quisiera proseguir la eficaz obra de ese perspicaz varón, no podía por menos que considerar a la ciudad de Samaria como garantía del propio éxito y favorecerla con todas sus fuerzas. También en esto tenemos un inequívoco paralelismo con el estado meridional: lo mismo que los davídidas habían de ser sepultados en Jerusalén, así también en adelante los reyes israelíticos serían sepultados en su nueva capital.

Sucesor de Omrí fue su hijo Ajab y se mantuvo como tal. No le fue como a Nadab o Ela, que a los pocos meses fueron eliminados como hijos de su padre. Ajab se sostuvo porque se avistaron las condiciones para la constitución de una dinastía y la base para un sólido plan político. Ajab se sentía estimulado por el prestigio de Omrí y por la consolidación de la monarquía, por la que él siguió laborando; estaba resuelto a proseguir la política de su padre y perfeccionó aún más la ciudad de Samaria. Se hace notar especialmente que reinó en Samaria veintidós años (1 Re 16, 29), por lo tanto diez años más que Omrí. Andersen le asigna a Ajab el tiempo comprendido en 875-874 y 854-853 a. C.

La actuación positiva y eficaz de Ajab desencadenó naturalmente la crítica de la redacción deuteronomística. Lo que ya se ha dicho acerca de Omrí, se repite literalmente en Ajab. Que a los ojos de Yahvé hizo el mal todavía más que sus predecesores. Ahora bien, en realidad dio un notable paso adelante en comparación de su padre. Se casó con una hija del rey de Fenicia, con Jezabel, hija de Ittobaal rey de Tiro.

En 1 Re 16, 31 este rey lleva desde luego el nombre de *etba 'al,* «rey de los sidonios». Otra cosa ocurre en Josefo, *Antigüedades* VIII 13, 2 § 324, que habla de Ἰθώβαλος rey de Tiro. De hecho es posible que el nombre esté mal vocalizado en el antiguo testamento; debería ser *itob 'al.* Sidón está situado a 36 kilómetros al norte de Tiro junto a la costa fenicia; es el más próximo estado-ciudad de esa zona. Puede existir un error tanto en el antiguo testamento como en Josefo, o bien «sidonio» se usaba en general por fenicio.

El casamiento con esa fenicia tuvo para Ajab consecuencias intra-políticas, pero sobre todo cúlticas. Se dice que adoró a Baal, aquella divinidad que los fenicios veneraban sobre todo en su respectiva forma local como la suprema de las divinidades de sus estados-ciudad [8]. Entra en la línea de la política seguida ya también por Salomón el que la casa real respetara los dioses de *todos* los súbditos, pero en especial los de la familia real. Con todo la situación de Ajab era distinta. Salomón erigió el parecer para sus mujeres santuarios de sus dioses sobre el monte de los Olivos. Se trataba de un asunto de la capital y no se hizo sin fundamento diplomático. Ajab en cambio construyó en Samaria un templo de Baal como santuario oficial, no sólo para la familia real, sino para una parte de su verdadera liga de estados. Esto fue el reconocimiento oficial de la religión de Baal en Israel. No podía dejar de

[8] Sobre el planteamiento religioso-histórico cf. O. Eissfeldt, *Jahwe und Baal,* 1914, en *Kl. Schr.* I, 1-12; H. Gese, en Gese-Höfner-Rudolph, *Die Religionen Altsyriens, Altarabiens und der Mandäer,* en Chr. M. Schröder (ed.), *Die Religionen der Menschheit* X/2, 1970, espec. 182-215; cf. también RGG I, 805 s. (Lit.); R. Rendtorff, *Die Entstehung der israelitischen Religion als religionsgeschichtliches und theologisches Problem*: ThLZ 88 (1963) 735 s.; G. Fohrer, *Geschichte der israelitischen Religion,* 1969, 91-97.

producirse el contra-movimiento de los círculos fieles a Yahvé. El grado de esa oposición tiene su vivo reflejo en la amplia acogida que los libros de los Reyes hicieron de las tradiciones en torno a Elías y Eliseo, tradiciones que desde 1 Re 17 hasta 2 Re 8 dan de lado a casi todo lo demás. Es más, incluso la continuación, los hechos que giran en torno a Yehú (2 Re 9.10), se engloban en definitiva en ese gran movimiento de oposición y vienen a ser su colofón. Los deuteronomistas pudieron ahí utilizar documentos relativos a un cambio de situación, que apuntaba, a nivel profético e incluso militante, contra el cananeísmo.

En ese tiempo se nos habla tanto de profetas de Yahvé como de profetas de Baal. Jezabel iba sobre todo contra los profetas de Yahvé. Se dice que los exterminó (1 Re 18, 4), por lo menos lo intentó. La división se extendía a través de la corte real. Uno de los altos funcionarios estatales, uno de aquellos que estaban puestos «sobre la casa» (*'šr 'l-h-byṯ*), un tal Abdías, pertenecía al número de aquellos «que temían a Yahvé» (18, 3). Ocultó en cuevas a profetas de Yahvé y allí cuidó de ellos. Apenas puede caracterizarse de modo más drástico el tenso clima en política interior de esa época de Ajab. Por una parte una reina «extranjera», obstinada en eliminar a los servidores del dios nacional extraño a ella; por otra parte un ministro israelítico, que además tenía un nombre derivado del de Yahvé (!) [9], que secretamente desbarataba la política de su reina.

De entre los profetas de Yahvé destacaba especialmente un personaje, a quien la tradición ha puesto de relieve con rasgos muy señalados, realzado ciertamente con leyendas y por lo mismo inaccesible a los antagonismos, que con soberanía y con inflexible severidad luchó por el culto de Yahvé, el profeta Elías. Ha llegado hasta nosotros todo un rosario de tradiciones-Elías, continuado por otras tradiciones análogas, que tienen como centro a su discípulo Eliseo. Elías abarca los capítulos 1 Re 17-19.21; 2 Re 1, 1-2, 18; Eliseo 2 Re 2.4, 1-8, 15 [10].

En estos personajes ve la tradición los consecuentes combatientes por la causa de Yahvé, el dios de Israel. Ellos se opusieron a todos los influjos de los cultos extraños y de la veneración de dioses extranjeros. Esto resalta desde luego en Elías de un modo más grandioso, armónico y monumental que en Eliseo. La tradición-Eliseo es más amplia, a menudo más intensamente interesada

[9] M. Noth, *Personennamen,* 137 s.

[10] G. Fohrer, *Elia,* en AThANT 53 (^{2}1968); O. H. Steck, *Überlieferung und Zeitgeschichte in den Elia-Erzählungen*: WMANT 26 (1968).

por el detalle narrativo y por su exageración milagrosa, construida no tan rígidamente y a veces dependiente de la tradición-Elías. Esta tradición, tanto en su forma como en su contenido, se sustrae incomparablemente más al juicio históricamente seguro que los relatos-Elías.

Elías procedía de Tisbí, que hay que buscar en la Cisjordania [11]. Se presentó en diversos lugares de Israel, pero nunca en Judá. El nada tenía que ver con Judá. Elías es exclusivamente una figura del estado septentrional de Israel y hay que verle siempre sobre esta base. En Judá no conocemos conflictos con la religión de Baal, lo cual no descarta que los hubiera pero no de la misma acritud y con las mismas consecuencias políticas que en Israel. En todo caso Elías fue un rival de la casa de Ajab y sobre todo de Jezabel. Hizo acto de presencia en los focos del estado y en las regiones limítrofes de la religión-Yahvé. Le observamos en la zona fronteriza israelítico-fenicia, si no es que incluso Zarpath (Sarepta) se encontraba ya en suelo fenicio (1 Re 17, 8-24) [12]. Le vemos en el Carmelo, en la residencia Jezrael y al fin también en Samaria, prescindiendo por completo de su gran peregrinación al monte de Dios al sur, tal como se describe en 1 Re 19. Pero como el acontecimiento más grande y triunfal de su vida aparece el llamado «juicio de Dios en el Carmelo», 1 Re 18, 20-40 [13].

El Carmelo es aquella sobresaliente sierra del noroeste de Israel, cuya última estribación limita a la bahía de Acó (Haifa) por el sur y allí desciende abruptamente hasta el Mediterráneo. En su trayectoria de sureste a noroeste se eleva el macizo del Carmelo sobre la parte septentrional de la llanura de Megiddo. La situación del Carmelo tenía su especial importancia. Pertenecía a la región fronteriza entre fenicios e israelitas. El rey de Tiro había podido entretanto extender su jurisdicción hacia el sur. Es probable que desde los primeros tiempos hubiera habido un santuario en el Carmelo, como por lo demás también lo hubo posteriormente. El mismo Tácito menciona un santuario del Carmelo, que visitó Vespasiano en el año 69 d. C. [14].

11 Se desconoce la situación exacta del lugar; cf. las reflexiones de M. Noth, *Aufsätze* I, 367.374.519-522.

12 Hoy día *ṣarafand*, a 13 kilómetros al suroeste de Sidón junto a la carretera de Tiro; BHH 3, 2204 (Elliger).

13 A. Alt, *Das Gottesurteil auf dem Karmel*, 1935, en *Kl. Schr.* II, 135-149; sobre el desarrollo de los hechos se suscitó una gran polémica especialmente entre los pasados investigadores; citemos como ejemplo la sección «Elias und die Religiosen» en R. Kittel, *Gestalten und Gedanken in Israel. Geschichte eines Volkes in Charakterbildern,* 1925, 159-182.

14 Tácito, *Hist.* II, 78, 3 (ed. Klostermann, 1950, 94); cf. también Suetonio, *De vita Caesarum* VIII, 5 (ed. Roth, 1865, 228); sobre los dos pasajes O. Eissfeldt, *Der Gott Karmel,* 1953, 8-10.

El lugar era muy apropiado para la veneración de una divinidad de montaña, cuyo santuario fácilmente accesible y visible desde lejos debía atraer en cualquier tiempo una muchedumbre de adoradores [15].

De la cambiante historia del santuario da testimonio también 1 Re 18, 30. Ahí se dice que Elías reparó el demolido altar de Yahvé. Así pues, el Carmelo albergó alguna vez un culto regular a Yahvé, cuya introducción se puede suponer en los tiempos de David y Salomón. Pero después, por influjo cananeo-fenicio, y precisamente en esta zona fronteriza el Carmelo debió cambiar su divino propietario. Allí donde Yahvé había tenido un altar, volvió a reinar Baal, probablemente el Baal de Tiro [16]. Ahora bien, tal vez debido al favorable influjo de las buenas relaciones entre Israel y Tiro, parece ser que Ajab adquirió derechos de soberanía sobre el Carmelo. Este fue el momento que aprovechó Elías para infligir un castigo ejemplar en este destacado lugar de culto y en presencia de israelitas y fenicios. ¿Quién es el auténtico propietario del Carmelo? Esta era la cuestión, que ante todo había que resolver, un conflicto «local», si podemos decirlo así. Pero naturalmente latía ahí el problema, mucho más trascendental, de la política interior de Israel, a saber, lo que significaría el que Baal, bajo el reinado de Ajab y de su mujer Jezabel, ganara terreno tan desmesuradamente. No puede censurarse a la exposición de la gran escena del Carmelo en 1 Re 18 el elevar ese conflicto local a la categoría del problema de la verdad, del problema de la verdad tal como entonces podía concebirse en su limitación nacional: ¿Quién es el dios de Israel, es Yahvé o es Baal?

La decisión se inclinó en favor de Yahvé. El fuego del cielo, que devoró el holocausto de Elías, manifestaba al verdadero Dios, la desesperada danza de los profetas de Baal no hacía sino acrecentar su derrota. Nos es imposible saber hasta qué punto un conflicto cúltico en el santuario del Carmelo sirvió de base para grandes desmanes contra los profetas de Baal de aquella región. Según el relato, Elías con su propia mano degolló a esos profetas en la falda del monte (1 Re 18, 40).

El núcleo histórico del acontecimiento-Carmelo puede verse en que se produjo tal vez un conflicto entre fenicios e israelitas en torno al santuario del Carmelo, en el que Elías desempeñó un papel principal a lo largo de un proceso, que posiblemente tuvo un resultado dudoso. Pues el estado se impuso y Jezabel fue tal vez una fuerza motriz en orden a apoyar al lado cananeo y a limitar la influencia de Elías y sus secuaces. Parece creíble que la reina persiguió a Elías como cabecilla de la otra parte, de tal modo que el profeta hubo de salir del país. La tradición le atribuye una peregrinación

[15] O. Eissfeldt, *Der Gott Karmel;* K. Galling, *Der Gott Karmel und die Ächtung der fremden Götter,* en *Geschichte und Altes Testament,* 1953, 105-125.

[16] Se ha pensado en Melkart o también en *Ba'alschamēm;* sobre la problemática, Eissfeldt y Galling, *o. c.*

al meridional monte de Dios [17], donde Yahvé le saldría al encuentro en el marco de un grandioso escenario, que evoca las tradiciones-Moisés [18]. Sin embargo, Yahvé no estaba en los grandiosos fenómenos de la naturaleza, sino que fue conocido por Elías «en el susurro de una brisa suave», como dice la expresiva traducción tradicional [19]; desde luego sería más conforme con el texto original decir «en un hondo silencio abismal» [20].

No sabemos si los relatos-Elías del primero y segundo libro de los Reyes están ordenados con exactitud cronológica. De ahí que el ulterior desarrollo de los destinos de Elías sea oscuro en sus detalles. De todos modos, los requerimientos subsiguientes a la escena-Horeb, para que Elías realice tres unciones, ungiendo a Jazael como rey de Damasco, a Yehú por rey de Israel y a Eliseo como sucesor suyo, han deparado mucho trabajo a los exegetas, pues tales requerimientos son tan inverosímiles como contradictorios. La unción del enemigo de Israel por medio de Elías [21], la unción de Yehú [22] realizada de hecho más tarde por un discípulo de Eliseo y la aceptación —narrada a continuación en 1 Re 19, 19-21— de Eliseo como discípulo del profeta, manifestada no mediante una unción sino arrojándole el manto [23], tienen como trasfondo común el final de la casa de Ajab y con ello el final de la dinastía de los omridas. Pues los sirios de Damasco se convirtieron en permanente amenaza de Israel en su próximo futuro, Eliseo había de ungir a Yehú y precisamente éste derribaría al último

[17] Sobre la polémica con teorías más recientes ahora K. Seybold, *Elia am Gottesberg. Vorstellungen prophetischen Wirkens nach 1. Könige 19*: EvTh 33 (1973) 3-18.

[18] Ex 33, 18-23, donde Yahvé pasa junto a Moisés que no puede ver a la divinidad, pero puede «ver sus espaldas». G. von Rad vio simbolizado en este pasaje todo el antiguo testamento. En él no podemos contemplar a Dios, pero podemos rastrear su singular camino; G. von Rad, en Alt-Begrich-von Rad, *Führung zum Christentum durch das Alte Testament. Drei Vorträge,* 1934, 70 s.

[19] 1 Re 19, 12: «Vnd nach dem Fewr kam ein still sanfftes Sausen». M. Luther, *Biblia. Die gantze Heilige Schrifft Deudsch,* Wittenberg 1545 (ed. H. Volz, 1972), 671.

[20] Todavía no se ha dado una explicación del pasaje totalmente satisfactoria. El concepto y el término «calma (del viento)» no agotarían todo el sentido; cf. una sinopsis y explicación en J. Jeremias, *Theophanie*: WMANT 10 (1965) 112-115; cf. también O. H. Steck, *Überlieferung und Zeitgeschichte,* 117 s.

[21] En 2 Re 8 el comienzo del reinado de Jazael se relaciona con Eliseo; por eso no se puede dar con certeza una fecha exacta de ese hecho; cf. A. Jepsen, *Israel und Damaskus*: AfO 14 (1941-1944) espec. 158.

[22] 2 Re 9, 1-10.

[23] De aquí el proverbial «manto del profeta».

omrida. Cabe suponer que la tradición tuvo algún interés en relacionar esa cadena de causas con Elías, presentándolo al menos como el hombre del gran impulso y como padre ideológico de un futuro castigo. Esta ideal importancia de la cadena causal queda expresada como tal en 1 Re 19, 17 y elevada a la categoría de un compacto programa: «al que escape a la espada de Yehú le hará morir Eliseo». Esto en definitiva no es ningún pronóstico político, sino una perspectiva profética. El castigo llegará, caerá sobre los adoradores de Baal, los cuales caerán, porque son perseguidos por la espada, que contra ellos levantarán Jazael y Yehú y Eliseo, cada cual en su tiempo y a su manera. Esto queda confirmado por 1 Re 19, 18: «¡Pero me reservaré 7.000 en Israel, todas las rodillas que no se doblaron ante Baal, y todas las bocas que no le besaron!» [24].

Tras esta programática de la tradición-Elías ordenada a la política interior se desvanecen dos cosas, los ulteriores destinos concretos de Elías, pero también la actitud de Israel para con sus vecinos. Pero subsisten algunos puntos de apoyo. 2 Re 1 habla de una aparición en escena de Elías, sumamente legendaria, en tiempos del sucesor de Ajab, Ajazyá. Elías pudo volver realmente a Israel, aunque no ya bajo Ajab como príncipe reinante. El relato sobre la «subida al ciedo» de Elías en un carro tirado por caballos de fuego (2 Re 2, 1-18) pertenece ya de hecho a las leyendas-Eliseo; se desarrolla junto al Jordán en las cercanías de Jericó y por todo su carácter se sustrae a la fijación histórica. Ciertamente los relatos-Elías son tan sólo un destello de la situación global de su época, pero desde luego acertado. Tras la iniciación de la política de equilibrio de Omrí, la lucha entre Yahvé y Baal había llegado, con Ajab y Jezabel, a un punto culminante. Elías pertenecía a las más destacadas figuras de la otra parte. Fue una lucha, que no finalizó en tiempos de Elías. Lo demostraría el futuro.

Por motivos exegéticos [25] puede considerarse como discutible la participación de Elías en el conocido relato sobre la viña de Nabot, 1 Re 21. Su importancia afecta menos al plano cúltico que al de la historia del de-

[24] «7.000 naturalmente es cifra redonda para significar una considerable minoría». R. Kittel, *Die Bücher der Könige,* 1900, 154.

[25] 1 Re 21, 17 s presenta unas palabras de Yahvé dirigidas a Elías, en las que no se hace referencia a circunstancias muy concretas. Desde el versículo 20b el lenguaje de Elías está compuesto por frases, que en parte se encuentran ya literalmente en 1 Re 14, 10 s; R. Kittel, *l. c.,* 158 s. Un enjuiciamiento de todo el relato de la viña de Nabot en su relación con 2 Re 9 cf. J. M. Miller, *The fall of the house of Ahab*: VT 17 (1967) 307-324, espec. 309-317.

recho[26]. En Israel la propiedad de terrenos era inalienable; regía exclusivamente el derecho hereditario, que, según la mentalidad veterotestamentaria, consideraba no al israelita particular, sino al mismo Yahvé como dueño radical de la tierra prometida y otorgado. El intento de Ajab de apropiarse de una buena finca como patrimonio de la corona junto a la residencia secundaria de Jezrael[27] atestiguada desde sus días, fracasa ante todo por la negativa, válida según las ideas jurídicas israelíticas, de su dueño Nabot, que defiende la herencia de sus padres; Ajab se muestra dispuesto a reconocer ese derecho. Sólo la intervención de Jezabel hace cambiar las cosas. Para ella la soberanía del rey es la ley suprema, que ni siquiera en lo concerniente a la propiedad de la tierra puede tener limitación alguna, criterio que, a la vista de las prácticas fenicias que posibilitaban sin más las transacciones sobre terrenos, es incluso comprensible. En el fondo en este relato entran en conflicto no ya personas entre sí, sino ordenamientos jurídicos, que no raras veces pueden haber determinado y dificultado el clima intrapolítico. El sumamente criminal final del relato, que va ligado a la muerte de Nabot, puede ser un síntoma de la acritud del conflicto. Hasta ahí queda de suyo redondeado el relato; la intervención de Elías es algo secundario y por razones objetivas ni siquiera es necesaria[28].

Ya se ha dicho que la tan desarrollada tradición-Elías y Eliseo, que han recogido los libros de los Reyes, no presenta un cuadro del todo claro sobre la política externa, tanto de Israel como de Judá, en la época de los omridas y más allá de la misma. Ello se debe, especialmente en los pasajes relativos a Eliseo, al carácter legendario de la mayor parte de los relatos, pero sobre todo al hecho curioso de que en una serie de textos sobre conflictos con Damasco y con los vecinos estados de Transjordania los nombres de los reyes interesados o no se mencionan en absoluto o han sido enmarcados en unos contextos con los que ellos posiblemente nada tuvieron que ver, sino alguno que otro de sus sucesores. Se saca la impresión de que acerca de las actividades políticas, que se inician masivamente a partir de Ajab, de los arameos de Damasco y acerca de las luchas que se propagan a toda la Transjordania, corrían toda una serie de recuerdos; estos recuerdos tenían segura-

[26] K. Baltzer, *Naboths Weinberg (1 Kön 21). Der Konflikt zwischen israelitischem und kanaanäischem Bodenrecht*, en *Wort und Dienst*, 1965, 73-88; F. J. Anderson, *The socio-juridical background of the Naboth Sucident*: JBL 85 (1966) 46-57; P. Welten, *Naboths Weinberg (1 Kön. 21)*: EvTh 33 (1973) 18-32.

[27] B. D. Napier, *The omrides of Jezreel*: VT 9 (1959) 366-378.

[28] Cf. las consideraciones acerca de si y cuándo Elías estuvo personalmente frente a Ajab, en S. Herrmann, *Die prophetischen Heilserwartungen im Alten Testament*: BWANT 85 (1965) 51 s.

mente puntos de apoyo locales e históricos, pero que dentro de los libros de los Reyes no se utilizaron siempre felizmente, esto es, con una meticulosa atención a lo históricamente cierto, sin establecer por otra parte una mutua relación entre los mismos. La ya mencionada conexión de Elías con el rey Jazael de Damasco (1 Re 19, 16 s) con motivo de sucesos intrapolíticos de Israel es un síntoma. Esto delata sobre todo el carácter y la finalidad de la elaboración literaria. Para los redactores finales de los libros de los Reyes los acontecimientos de política exterior sólo constituyen en definitiva hitos de los desarrollos intrapolíticos, y se interesan por la gran política tan sólo allí donde pueden consignar claras repercusiones sobre los acontecimientos del mismo Israel.

Como ejemplo evidente mencionemos aquí las iniciativas de Ajab en política exterior, tal como fugazmente y de forma casual se manifiestan en una inscripción regia asiria, pero de las que el antiguo testamento guarda un total silencio. Se significa la participación de Ajab en la coalición de príncipes sirios, que se opuso al avance de los asirios bajo Salmanasar III. Ajab de Israel es mencionado en la llamada «inscripción del monolito» junto con su contingente de tropas [29]. Sobre esto informaban probablemente los anales de los reyes de Israel, que eran todavía conocidos a los redactores de los libros de los Reyes. Pero para ellos la participación de Ajab en empresas sirias no era importante sino en la medida en que tal circunstancia influyera claramente en la política interior de Israel. Volveremos a tratar de los detalles de la participación de Ajab en las luchas contra los asirios, cuando se expliquen las razones profundas de la política expansionista asiria. Esto se realiza en la sección que trata de la dinastía de Yehú.

Lo que, dada la precaria documentación, puede decirse con alguna seguridad es que en la época de la dinastía de Omrí las relaciones de Israel con el estado arameo de Damasco se fueron haciendo cada vez más difíciles y los arameos tuvieron que considerar al cada vez más fuerte Israel como un duro rival del sur. Al menos parece que tenían interés en extender su hegemonía lo más posible. Por el norte pudieron ejercer un fuerte influjo sobre los estados-ciudad sirios; parece ser que también buscaron contactos con los fenicios. No sabemos si las buenas relaciones entre Israel y Tiro, que Ajab había subrayado mediante su casamiento con Jezabel, perjudicaron a las relaciones entre Damasco e Israel. Para los fenicios asegurar su *hinterland* era una comprensible necesidad, ya que su interés estaba cada vez más orientado hacia

[29] TGI, 50.

el mar. Israel, bajo Omrí y Ajab, pudo mantenerse en el juego de fuerzas de sus pueblos vecinos. Con los filisteos no existieron conflictos dignos de mención, hacia Judá se desarrollaron unas relaciones sorprendentemente amistosas, hasta tal punto que el rey de Jerusalén se mostró dispuesto repetidas veces a unirse al ejército de Israel. El rey Josafat, sucesor de Asa, aparece varias veces como aliado; y el rey Joram, que le siguió, se casó incluso con una hija de Ajab, con Atalía (2 Re 8, 18) .

Las relaciones de Israel con el estado de Damasco tuvieron que ser bastante variables. Como ya se ha mencionado, Ajab tomó parte en la gran coalición siria contra Salmanasar III y aportó tropas, que se batieron en la batalla de Karkar en la Siria septentrional. Sucedía esto en el año 853 a. C. Para defenderse contra el gran enemigo procedente del norte Israel estaba dispuesto a aliarse con Damasco. Pero por otra parte se encontraba en conflicto con los arameos de la Transjordania, donde ambas partes tenían intereses territoriales. Con la mayor cautela hay que insertar en este más amplio marco político-estratégico las tradiciones veterotestamentarias, que pretenden situarse en la época de los omridas.

En este lugar conviene consignar una vez más en forma sinóptica las fechas de reinado de los reyes de Israel y Judá, agregando los reyes de Damasco que se suponen contemporáneos:

Israel		Judá		Damasco
Omrí	886-885 a 875-874	Asa	914-913 a 874-873	Ben-Hadad
Ajab	875-874 a 854-853	Josafat	874-873 a 850-849	Hadadezer
Ajazyá	854-853 a 853-852			
Joram	853-852 a 842-841	Joram	850-849 a 843-842	
Yehú	842-841 a 815-814	Ajazyá	843-842 a 842-841	Jazael
		Atalía	842-841 a 837-836	

El primer libro de los Reyes sitúa en la época de Ajab, en los capítulos 20 y 22, luchas con las tropas aramaico-sirias junto a Afec (*fiḳ*) al este del lago de Genesaret y junto a Ramot de Galad (*tell rāmīṯ*); otras luchas fronterizas y otros conflictos, que se dejaron sentir incluso en Israel, son difíciles de fijar y en el segundo libro de los Reyes se encuentran entretejidos con las tradiciones en torno al profeta Eliseo. Se trata de 2 Re 6, 8-23; 6, 24-7, 20. Finalmente Ajazyá de Judá y Joram de Israel lucharon en coalición contra los arameos en Ramot de Galad, 2 Re 8, 28.

Se llega a un peculiar acuerdo en 1 Re 20, 34, donde Samaria y Damasco se otorgan mutuamente derechos comerciales en sus ciudades.

Israel sufrió una grave derrota en la batalla de Ramot de Galad, 1 Re 22, 2-38. Acerca de esto, por varios motivos, es necesario decir algo. El «rey de Israel» luchó en unión del rey Josafat, que fue contemporáneo de Ajab y de Ajazyá de Israel. Antes de la batalla se realiza una consulta a los profetas israelíticos, unos 400 hombres. Estos deben pronunciarse sobre si es bueno marchar a la lucha. Los profetas responden afirmativamente. Pero el también consultado Miqueas, hijo de Yimlá, predice el infortunio. Aparece aquí por vez primera la cuestión sobre la naturaleza de la profecía verdadera y de la falsa entre los concurrentes profetas de Yahvé, o mejor dicho, la cuestión del valor de un profetismo profesional [30] frente al auténtico carismático [31]. La campaña tuvo lugar, aun contra el consejo de Miqueas, hijo de Yimlá. En la lucha cayó el «rey de Israel». El contexto pretende dar a entender que se trata de Ajab. Pero de él se dice en 1 Re 22, 40, que él «se acostó con sus padres», y ésta es precisamente la fórmula usual para decir que un rey ha muerto de muerte natural [32]. Estas y otras observaciones sobre el texto hacen sumamente verosímil que las batallas de 1 Re 22 se han de relacionar, no con Ajab, sino con alguno de los reyes posteriores de Israel, tal vez con Joram de Israel [33].

Por fortuna un documento original extra-veterotestamentario de esa época posibilita una mirada segura a la actitud de Israel hacia la Transjordania meridional, donde rozaba con las fronteras del estado de Moab. Se trata de la inscripción de «la estela del rey Mesa (Mescha)» de Moab [34], la cual ciertamente no lleva fecha, pero da la significativa noticia de que Omrí, rey de Israel, durante su reinado y el de sus hijos tuvo ocupada una parte del país

[30] J. Lindblom, *Zur Frage des kanaanäischen Ursprungs des altisraelitischen Prophetismus*, en *Von Ugarit nach Qumran*, ²1961, 89-104; acerca de los profetas de la corte del rey ZKR de Jamat KAI, 202; cf. también S. Herrmann, *Heilserwartungen*, 58-60.

[31] G. Quell, *Wahre und falsche Propheten*, 1952; E. Jacob, *Quelques remarques sur les faux prophètes*: ThZ 13 (1957) 479-486; E. Osswald, *Falsche Prophetie im Alten Testament*: SGV 237 (1962); Id., *Irrender Glaube in den Weissagungen der alttestamentlichen Propheten*: Wiss. Ztschr. Jena, número especial (1963) 65 s.; H. Seebass, *Micha ben Jimla*: KuD 19 (1973) 109-124.

[32] G. Hölscher, en *Eucharisterion* I, 1923, 185; B. Alfrink: OTS 2 (1943) 106-118; C. F. Whitley, *The Deuteronomic presentation of the house of Omri*: VT 2 (1952) 137-152, espec. 148.

[33] C. F. Whitley, *o. c.*, 148-151; cf. también O. H. Steck, *Überlieferung und Zeitgeschichte*, 131-147.

[34] KAI, 181; AOT, 440-442; ANET, 320 s.; TGI^1, 47-49 (texto original); TGI^2, 51-53 (traducción).

de Moab, hasta que «Israel se hundió» y Mesa logró dominar nuevamente al país en toda su extensión [35] y fortificar sus ciudades. Ahora bien, también en 2 Re 3, 4-27 se menciona a un rey moabítico por nombre Mesa, contra el cual guerrearon los reyes coligados de Israel, Judá y Edom. De esto la inscripción de Mesa no dice ni una palabra, pero arroja mucha luz sobre las dependencias y tensiones existentes en la época de los omridas entre Israel y Moab y se inserta muy bien al menos en los grandes contextos de la época [36].

La gran estela portadora de la inscripción de Mesa y cuyos (completados) fragmentos se encuentran en el Louvre, fue descubierta ya en 1868 por un misionero llamado Klein en *dībān,* el antiguo Dibon. El mismo Mesa se designa ahí como «dibonita», debió, pues, también gobernar desde Dibon. La ciudad se encuentra en la región fronteriza moabítica al norte del Arnon. Según la costumbre de las inscripciones de las estelas sirias Mesa habla en primera persona tras una autopresentación introductoria: «Yo soy Mesa, el hijo de *Kmsch(jt)* [37], rey de Moab, el dibonita». Su actitud hacia Israel la describe él de este modo: «Omrí fue rey de Israel y había humillado a Moab durante muchos años, pues (el dios moabítico) Kamosch estaba muy enojado con su país. Le siguió su hijo, y también él dijo: 'Quiero humillar a Moab'. Todavía en mis días habló él así. Pero yo le observé a él y a su casa; e Israel se ha hundido para siempre. Omrí se había apoderado del país de Medebá y (Israel) residió allí durante su reinado y (¿todo?) el reinado de sus hijos, cuarenta años [38]; pero durante mi reinado allí habitó Kamosch».

De este modo, completando al antiguo testamento, nos enteramos de que Israel bajo Omrí llegó hasta la región del sur del

[35] Se trataba especialmente de las posesiones de Moab en su frontera septentrional, que constituían una zona conflictiva con Israel. Esta frontera septentrional, en el mejor de los casos, apenas llegaba más allá de la anchura del extremo norte del mar Muerto.

[36] Se cumple esto, aunque con limitaciones, con respecto a las noticias veterotestamentarias, aun en opinión de K.-H. Bernhardt, *Der Feldzug der drei Könige,* en *Schalom,* 1971, 11-22.

[37] El complemento de la segunda parte del nombre, que no tiene una clara interpretación, se basa en una inscripción de el-Kerak publicada por W. L. Reed y F. V. Winnett: BASOR 172 (1963) 1-9; cf. KAI II, 170. El primer elemento del nombre designa a la deidad moabítica Kamosch.

[38] KAI II, 168 traduce: «y la mitad de los días de sus hijos, cuarenta años»; TGI, 52: «y el período del reinado de sus hijos —cuarenta años—». La sustitución de «mitad» por «período» deja en claro que los años de reinado de todos los hijos de Omrí en su conjunto (Ajab, Ajazyá, Joram) quedan ahí incluidos; de este modo los 40 años corren paralelamente a la cronología de Israel a partir de Omrí; así G. Wallis, *Die vierzig Jahre der achten Zeile der Mesa-Inschrift*: ZDPV 81 (1965) 180-186.

Jaboc y del norte del Arnon y dominó ahora con superioridad militar esos territorios que antiguamente pertenecían a la soberanía de los davídidas. Ajab no procedió de otro modo, como tampoco su sucesor. Mesa mediante la frase «hundimiento de Israel» parece significar el final de los omridas. Desde luego el antiguo testamento, tras la muerte de Ajab, habla de una defección de los moabitas (2 Re 1, 1; 3, 5), pero también de los cuantiosos tributos que hubo que pagar (2 Re 3, 4). La intervención del hijo de Ajab, Joram, contra Moab (3, 7) y su alianza con Josafat de Judá con la inclusión de Edom, dependiente de Judá, presuponen desde luego un movimiento moabítico de resistencia tras la muerte de Ajab. De todos modos no puede descartarse el que ya entonces Mesa luchara contra Israel, pero sólo después de la caída de los omridas se encontró en condiciones de recuperar la región ocupada por Israel; y de esto se ufana él en su inscripción, la cual por lo demás destaca en muchos lugares especialmente su actividad constructora. Aunque en particular no sea satisfactoria la sincronización con 2 Re, en el fondo los textos se complementan. Moab sufrió bajo la expansión israelítica de los omridas, entabló luchas, en las que también Judá puede haber tenido su parte, pero se le hizo posible a Mesa recuperar la región situada al norte del Arnon y tal vez incluso conjurar el peligro de los edomitas al sur. Esto pudo ocurrir todavía durante los últimos años de los omridas. El que con el «hundimiento» de Israel, mencionado por Mesa, se pueda significar también el final de la dinastía, es una pura cuestión de interpretación. La inscripción de Mesa no tiene que presuponer el comienzo del reinado de Yehú, aunque en tal caso pudiera realmente combinarse mejor con 2 Re 3. No sería necesaria una datación posterior de los acontecimientos de este capítulo hacia el final del siglo.

Paralelamente a Ajab y algunos de sus sucesores reinó en Jerusalén y Judá Josafat (hacia 874-849). Durante estos 25 años se debieron producir grandes éxitos por el sur (1 Re 22, 41-51). Lo mismo que en otros tiempos Salomón, él intentó restablecer la unión con el golfo de Akaba. Pero sus barcos se destrozaron en Esyón-Guéber. De todos modos parece ser que sus empresas resultaron favorecidas por el hecho de que en Edom no gobernaban reyes, sino gobernadores (22, 48), a buen seguro bajo la dependencia de Judá. Cuadra con esto la leva militar judaico-edomítica contra Moab en 2 Re 3.

El sucesor de Josafat, Joram (hacia 849-842) se casó con la hija del rey de Israel, Atalía. Esto constituyó el apogeo de las buenas relaciones entre Israel y Judá. Desde luego en esta época se interrumpieron los favorables contactos de Judá con los edomitas. Edom se hizo su propio rey. Después nada sabemos ya de dependencia edomítica. Edom logró mantenerse en pie frente a Judá.

Al sucesor de Joram, Ajazyá, se le asigna tan sólo un año. Fue víctima de los hechos sangrientos de Yehú, cuando estaba precisamente visitando al rey israelítico Joram en Jezrael.

Omrí había inaugurado en Israel una nueva época. Había estabilizado la monarquía y al mismo tiempo había logrado crear las condiciones para una dinastía; él y sus sucesores procuraron la concordia con los elementos demográficos cananeos. Mientras que de este modo la parte occidental de Israel en toda su enorme extensión entre los fenicios por el norte y los filisteos en la llanura costera estaba afianzada e incluso por el sur se mantenían las mejores relaciones con Judá, reafirmadas mediante alianzas militares y casamientos, el complejo sirio de estados-ciudad se convirtió en una amplia zona de peligros, que se extendía hasta la Transjordania, pero detrás de la cual estaba, como un mayor peligro, la poderosa Asiria; sus reyes avanzaban sistemáticamente hacia el sureste y amenazaban toda Siria-Palestina. Quedan así perfilados los dos problemas principales, que pesaron sobre Israel y Judá desde los años cuarenta del siglo IX, la política expansionista sirio-asiria y las tensiones entre cananeos e israelitas en el interior del estado. Sobre tales problemas hablaremos en primer lugar. Hacia el final de los años cuarenta en Israel y en Judá se produjeron crisis con un resultado muy característico para los dos estados. Tradicionalmente se habla de las «revoluciones» de Yehú y de Atalía.

11

DOS REVOLUCIONES. YEHU EN ISRAEL Y ATALIA EN JERUSALEN

Según informa el segundo libro de los Reyes, había llegado el fin de la dinastía de Omrí cuando, por iniciativa profética, fue ungido un nuevo personaje de origen totalmente distinto. Nuevamente se abrió paso el ideal carismático del estado septentrional como en otros tiempos, antes de que Omrí escalara el trono. Esto es suficiente explicación para el autor veterotestamentario. Otros condicionamientos del cambio gubernamental sólo podemos conjeturarlos. El nuevo hombre actuó profunda y radicalmente sobre la situación del estado; por cuanto sabemos, fue partidario de aquel israelitismo, que trataba de hacer valer a Yahvé. Cabe suponer que los últimos omridas no fueron grandes personalidades y que posiblemente después de la muerte de Ajab estuvieron sometidos al influjo de la «reina madre» [1] Jezabel, que todavía residía en la corte real. Pero también las luchas, cada vez más duras, contra los arameos en la Transjordania, exigían una enérgica cabeza rectora en Israel.

Todas las esperanzas y aspiraciones parecían realizables por medio de un oficial y general por nombre Yehú, quien, ungido en el campamento, hizo sin tardar uso de sus poderes y mediante varias disposiciones convincentes se granjeó las voluntades de la nación. Su diligencia personal era extraordinaria. Si él era realmente el ungido. Israel hubiera debido reconocerle sin más. ¿A qué, pues, tanto esfuerzo personal? Esto es lo que da pie para sospechar que Yehú estuvo principalmente interesado y tomó parte activa en su «subida al poder» y en sus preparativos.

Los hechos se describen detalladamente en 2 Re 9 y 10. Paso a paso se puede seguir el curso de los acontecimientos, hasta tal punto que de ahí se pueden deducir muy fundamentales consecuencias incluso en orden a la estructura constitucional de la política interna de Israel. No sin reconocimiento y consenso general el redactor deuteronomístico dio acogida tan deta-

[1] Cf. oportunas consideraciones en O. H. Steck, *Überlieferung und Zeitgeschichte in den Elia-Erzählungen*: WMANT 26 (1968) 59-71.

lladamente en su obra histórica a la subida de Yehú al poder, ya que atacó a los adoradores de Baal, como nadie lo había hecho antes que él. De todos modos, el profeta Oseas, unos cien años más tarde, adoptó una actitud crítica contraria a tal proceder (Os 1, 4 s). Vale la pena examinar aquí al detalle los acontecimientos, ya que bajo muchos aspectos son sintomáticos de las circunstancias de Israel.

Los hechos se inician por medio de un discípulo del profeta Eliseo. Los israelitas se encuentran en lucha contra los arameos de Damasco junto a Ramot de Galad. Allí está el campamento, allí se encuentra Yehú en medio de sus tropas. Joram, el rey de Israel, yacía enfermo en la residencia de Jezrael. En la hora decisiva estaba visitándole precisamente Ajazyá, el rey de Judá. Entretanto el discípulo del profeta se encamina hacia Yehú. Le ruega que salga del círculo de los oficiales y le unge a solas. El retraimiento de los interesados, sin testigos, nos rememora la unción de Saúl por medio de Samuel (1 Sam 9, 27; 10, 1). Pero mientras que al parecer Saúl guardó por largo tiempo el secreto, a Yehú sus oficiales, que habían reconocido al discípulo del profeta, le preguntaron inmediatamente qué quería de él «ese loco» [2]. Tras un titubeo inicial, Yehú se lo dice. Manifiesta que él está ungido por rey de Israel [3]. Al momento los oficiales extienden sus mantos bajo él, tocan la trompeta y exclaman: «¡Yehú es rey!» [4]. De este modo se realiza y adquiere validez la aclamación por el ejército en el campamento.

Ahora ya, oficialmente confirmado, Yehú no vacila ni un momento en tomar en sus manos la autoridad gubernamental. Y lo hace con una vehemencia insospechada. La descripción veterotestamentaria es narrativamente magistral. El vigía, que estaba sobre la torre de Jezrael, observa que la tropa de Yehú se acerca con sus carros por la llanura. Todavía no se distingue bien de quién se trata. Joram envía en un carro dos mensajeros para que se informen de qué se trata. Yehú los retiene consigo. El vigía se lo comunica al rey; ahora agrega: «da la impresión de que es Yehú, pues corre vertiginosamente como un loco». La tensión llega a punto de ebullición. Los dos reyes, Joram de Israel y Ajazyá de

[2] El diálogo parece convincente. El ejército y el clero tienen a veces pocas reservas mutuas.

[3] ¿Y por qué no como *nāgīd?* 2 Re 9, 6.12.

[4] No se puede decir con certeza si el extender las vestiduras era un rito de sumisión. El vestido como expresión de autoridad: 1 Re 19, 19. También se extienden vestiduras al entrar Jesús en Jerusalén, Mt 21, 8; no hay que descartar aquí el eco de un rito vinculado a la realeza.

Judá, suben a sus carros de combate. A la altura de la finca de Nabot, por lo tanto poco antes de Jezrael, se encuentran ambos bandos. Joram pregunta de qué se trata. Yehú grita enfurecido: «¡Tu madre sigue siendo una prostituta y sus desvaríos son cada vez mayores!». ¡Significativas palabras! Joram vuelve riendas; Ajazyá puede todavía exclamar: «¡Traición!». Entonces la flecha de Yehú, rey de Israel, alcanza a Joram, mientras que Ajazyá trata de escapar hacia el sur, pero durante la huida es herido y finalmente muere en Megiddo.

Mientras tanto Yehú llega a la residencia de Jezrael. Jezabel, magníficamente ataviada, se asoma al patio desde la ventana en el momento en que entraba Yehú. Ella exclama: «¿Qué ocurre, Zimrí, asesino de su señor?». Se adivina la traición. No ha caído en olvido el rey de siete días de antaño, quien como comandante de carros de combate quiso usurpar el reino (1 Re 16, 9-20). Pero para Yehú nada vale la historia, sino el momento actual. «¡Echadla abajo!», exclama. Dos serviciarios agarran a Jezabel y la arrojan al patio. Yehú pasa con su carro sobre su cuerpo. Su sangre salpica los muros. Se baja del carro, entra en la residencia y como príncipe reinante se dirige al banquete regio.

Con rasgos sumamente concisos y convincentes se ha perfilado hasta aquí un cuadro, que nada deja que desear en punto a claridad y brutalidad. No sin razón se describe con llamativos colores el final de Jezabel. Los sectores leales a Yahvé la consideraban como la más inexorable enemiga. Pero con la toma de Jezrael no se llega todavía al punto culminante para Yehú. Se trataba de una residencia secundaria, probablemente una residencia veraniega. La capital era Samaria, allí habitaba la familia real, allí en el centro del gobierno existía un estrato social aristocrático, del que se podía recelar el que organizara una resistencia. Yehú echa ahora por otro camino; ante todo él no aparece personalmente en la capital. En un escrito dirigido a la aristocracia samaritana, en el que Yehú advierte que entre esos aristócratas se encontraban los miembros de la familia real, y que disponían de fuerzas armadas y de una ciudad fortificada, los exhorta a que elijan al mejor de la familia real y le coloquen en el trono.

Aunque en el fondo de semejantes palabras puedan sospecharse astutas intenciones, es un hecho que Yehú no podía evidentemente tomar la ciudad de Samaria, plaza fortificada y en posesión de fuertes potencias políticas y militares, con un simple golpe de mano como a Jezrael. En todo caso él tuvo que llegar a pensar tal cosa. Pero de hecho los funcionarios samaritanos se sometieron incondicionalmente. Entonces Yehú estableció las condiciones. El esperaba para el día siguiente las cabezas de los miembros de la familia real en Jezrael. Yehú se ahorró el trabajo, que habían realizado otros reyes antes que él, a saber, el de exterminar personalmente a la familia del predecesor; él procuró que otros trabajaran en su lugar, y además aprovechó esa estratagema para practicar una demagogia macabra. Samaria reaccionó inmediatamente; Yehú apiló las cabezas enviadas en dos montones ante las puertas de Jezrael y pronunció un discurso. Dijo que él había matado al rey, pero ¿quién había matado a ésos? En medio del triunfo el cinismo no conoce límites. Pero este hombre pretendía ser el órgano ejecutivo de la voluntad divina y se sentía obligado a ejecutar el castigo sobre la familia de Omrí y de Ajab. Probablemente el relato veterotestamentario es parcial. Indudablemente Yehú tergiversó la autoridad otorgada.

Una vez que la capital se había sometido, el rey se puso en camino, para posesionarse de ella personalmente. Durante el camino se producen dos escenas harto opuestas. Un grupo de príncipes judíos, hermanos del ya difunto rey Ajazyá, va de camino sin tener noticia de los hechos, con el propósito de visitar a Joram y a la familia real. Yehú ordena asesinarlos inmediatamente. ¿Acaso temía él que por medio de esos príncipes Atalía en Jerusalén, hija israelítica de rey y como madre de rey influyente tras la muerte de su hijo, pudiera anunciar pretensiones y como miembro de la dinastía de los omridas forjar planes de venganza? No lo sabemos. Pero en realidad Yehú había también ocasionado una gran pérdida a la familia real davídica.

Distinto fue el comportamiento de Yehú con Jonadab ben Recab, a quien encontró cerca de Samaria. Esta notable personalidad entre los recabitas, quienes abogaban por un ideal nomádico de religión (cf. Jer 35), se puso de parte de Yehú. Yehú le hizo subir a su carro; él va a ser testigo de sus hechos en Samaria. Se anuncia una nueva medida programática.

Lo primero que hizo Yehú en Samaria fue una especie de batida contra los miembros todavía supervivientes de la antigua familia real. Se dice que los exterminó (2 Re 10, 17). Pero entonces aparentó querer iniciar un rumbo totalmente nuevo. Ante una asamblea del pueblo manifestó él: «Ajab sirvió poco a Baal, Yehú le servirá más». A todos los profetas de Baal y a los sacerdotes de todo el país, no solamente de la capital, los invitó a un gran sacrificio, los congregó en el gran templo de Baal en Samaria, les dio especiales vestiduras. Acudieron en gran número con la esperanza de que el nuevo rey pensaba demostrar su reverencia a Baal mediante un acto demostrativo y proseguir aquella política de equilibrio, que ya habían iniciado Omrí y Ajab. Pero apenas estuvieron reunidos todos en el templo, ordenó Yehú cerrar el edificio, y no bien hubo terminado el grandioso holocausto comenzó la matanza. Los adoradores de Baal fueron asesinados, los objetos sagrados fueron destruidos, el templo quedó reducido a cenizas, su emplazamiento fue profanado. El aniquilamiento del santuario de Baal en Samaria constituye el punto culminante de descripción de la subida de Yehú al poder. Se describe así el inicio de una política religiosa, que encontró la simpatía de la redacción deuteronomística.

Cabe sospechar que el golpe contra el culto de Baal se encuentra sobrecargado. A buen seguro que era imposible poner fin mediante una limitada acción local a las prácticas cúlticas cananeas de todo el país. Ya en el escueto relato sobre el reinado de Joacaz, que sucedió a Yehú, se hace constar que «la asera siguió en pie en Samaria» (2 Re 13, 6). Tampoco es muy concebible que Yehú hubiera reinado tan venturosa y largamente, si hubiera querido sostenerse tan sólo mediante medidas violentas. No hay duda de que, tras la muerte de Jezabel, pudo él haber contribuido muy decisivamente al reflorecimiento del culto a Yahvé en Israel; cesaron las persecuciones fanáticas de la reina extranjera, que ella había puesto en escena contra los adoradores de Yahvé. Cuadra con esto el hecho de que desde que Yehú subió al trono no apareció por largo tiempo profeta ninguno en Israel, y en todo caso ninguno de la grandeza de Elías. Aunque los grupos de profetas, como los que nos presenta la tradición en torno a Eliseo como «hijos de profetas» o «discípulos de profetas» hayan seguido actuando en los santuarios del país, y aunque el culto estatal de Bethel y Dan se haya mantenido sin interrupción, nada sabemos de conflictos. Es lógico deducir que desde Yehú los cultos existentes en el país, tal como eran, permanecieron intactos y esta circunstancia contribuyó no poco a la estabilidad interna del estado. Yehú pudo convertirse en el fundador de una nueva dinastía en Israel.

Es de lamentar que no sepamos nada más sobre la política interna de Yehú. 2 Re 10 elogia al sanguinario usurpador por lo que hizo a la «casa de Ajab». De ahí que tampoco se pueda saber si Yehú suprimió el dualismo, que hasta entonces había existido entre el estado-ciudad de Samaria y el resto del territorio israelítico [5]. Es lo cierto que destituyó a todo el aparato burocrático de los omridas en Samaria, y es posible que no lo sustituyera en la misma forma;

[5] Cf. las reflexiones de A. Alt, *Der Stadtstaat Samaria,* espec. 291-300.

pero no sabemos si, con la mira de vincular más fuertemente a todo el estado con el gobierno y la capital, abolió eventuales privilegios de Samaria y simplificó la administración. Desde luego nada obliga a suponerlo así; pues Samaria, aun por simples razones de situación y de rango como ciudad gubernamental, no dejó de poseer una aureola propia [6], cuyas repercusiones perduraron desde luego bajo circunstancias muy distintas [7].

Con respecto a la política exterior de Yehú el antiguo testamento guarda un silencio absoluto. Tan sólo indica las derrotas, que él sufrió por parte del arameo Jazael en un amplio frente de Transjordania (2 Re 10, 32 s). Pero el hecho de que él en unión de los estados sirios se vio obligado a conjurar de Israel el peligro asirio y lo consiguió, será objeto de posteriores explicaciones sobre la situación general de la política mundial. En este lugar es preciso echar una mirada a los acontecimientos peculiares de Judá, o dicho más exactamente, de Jerusalén.

Las acciones sanguinarias de Yehú habían afectado también a los davídidas. El había asesinado a las puertas de Jezrael al rey Ajazyá recién ascendido al trono en Jerusalén juntamente con Joram, y no había perdonado a los príncipes de Judá durante su visita al estado septentrional (2 Re 10, 12-14). ¿Quién quedaba en Jerusalén, quién era allí capaz de gobernar? Quedaba la madre del rey Ajazyá, Atalía, una israelítica hija del rey, con quien se había casado el rey Joram en la época de las buenas relaciones con los omridas [8]. Ahora ya, tras la muerte de su hijo y en atención al hecho de que no había ningún sucesor al trono mayor de edad, se hizo ella cargo del reino. Para esto pudo ella tal vez ver un derecho legítimo en la circunstancia de que ella misma procedía del reino septentrional; se comportó también al estilo de una usurpadora conforme a las costumbres de su patria, asesinando a todos los miembros de la casa real en Jerusalén (2 Re 11, 1). De hecho

[6] Samaria figura como destinataria en algunas expresiones de los profetas del siglo VIII; pero el número de tales expresiones proféticas se mantiene dentro de ciertos límites; cf. Am 3, 9 s; 4, 1; 6, 1 s; Os 7, 1; 10, 5.7; 13, 15b-14.1; Is 8, 4; 28, 1-4; Miq 1, 2-5a + 6.7; 5, 8 s.

[7] Cf. las sumarias observaciones de Alt, *Kl. Schr.* III, 300-302; Id., *Die Rolle Samarias bei der Entstehung des Judentums*, en *Kl. Schr.* II, 316-337 (*Grundfragen*, 418-439).

[8] Se discute si Atalía era hija de Omrí (2 Re 8, 26; 2 Crón 22, 2) o de Ajab (2 Re 8, 18; 2 Crón 21, 6). Cf. también 2 Re 8, 27, donde Ajazyá se describe como emparentado con la casa de Ajab. Si nos atenemos a su probable edad, Alatía era sin duda hija de Ajab. No piensa así J. M. Miller, *The fall of the house of Ahab*: VT 17 (1967) 307-324, espec. 307; H. T. Katzenstein, *Who were the parents of Athaliah?*: IEJ 5/3 (1955) 194-197.

consiguió mantenerse durante seis años en Jerusalén (842-841 a 837-836). Fue tal vez una dominación tiránica, que a falta de suficientes contrafuerzas permaneció de momento indiscutida. De momento. Ya que a la larga Atalía había equivocado sus cálculos. Era tan sólo una cuestión de tiempo el que en Jerusalén se preocuparan de colocar nuevamente en el trono a un davídida. Y tal davídida desde luego existía. Una hija del rey Ajazyá por nombre Josaba consiguió poner a salvo de los cruentos excesos de la reina a un hijo de Ajazyá, a Joás todavía lactante. El sumo sacerdote Joyada lo ocultó en el recinto del templo. Es significativo el hecho de que este sacerdote del santuario jerosolimitano se considerara a sí mismo como defensor y guardián de la tradición davídica. El lo prepara todo para proceder con firmeza a la entronización del joven rey. 2 Re 11 informa gráficamente sobre todo esto, aunque se muestra un tanto embrollado con respecto a detalles sin importancia [9]. Están claras las medidas que gradualmente se van adoptando. El sacerdote Joyada empezó por asegurarse de la fidelidad y discreción de los guardianes del templo. El los juramentó en el templo y a continuación les mostró al príncipe regio Joás. Inmediatamente prohibió entrar a nadie en el recinto del templo y aprovechó el momento de un relevo de guardia para realizar la unción de Joás. En ese momento se encontraban discretamente concentrados en un punto determinado la mayor parte de los hombres armados de la guardia del templo.

Con tan gran escolta el joven príncipe fue llevado a uno de los atrios del templo, al parecer fue llevado concretamente al patio más interior situado entre el templo y el altar (2 Re 11, 11). Allí Joyada le puso la diadema, le entregó el llamado «protocolo regio» [10] y le ungió entre las aclamaciones de los circunstantes. Mientras tanto estaba el rey en un sitio especialmente destacado. Este acto de coronación en circunstancias extraordinarias nos ha proporcionado una idea relativamente completa de los elementos que constituían el ritual regio de Judá [11].

[9] Se hacen difíciles de comprender las medidas de organización de 2 Re 11, 5-8, ya que no tenemos ideas exactas acerca de las localidades mencionadas. Sobre todo el texto W. Rudolph, *Die Einheitlichkeit der Erzählung vom Sturz der Atalja* (*2. Kön. 11*), en *Festschrift A. Bertholet,* 1950, 473-478.

[10] La palabra hebraica *'ēdūt,* 2 Re 11, 12, se interpreta muchas veces como «documento oficial», en el que constaban los nombres titulares y honoríficos del rey, de lo cual también existen testimonios relacionados con actos de entronización en Egipto; G. von Rad, *Das judäische Königsritual,* 1947, en *Ges. Stud.,* 205-213, espec. 208. Partiendo de otras hipótesis argumenta E. Kutsch, *Verheissung und Gesetz*: BZAW 131 (1973) 56, nota 29.

[11] G. von Rad, *Das judäische Königsritual;* con respecto al sitio espe-

Las aclamaciones que en el templo se tributaban al rey llamaron la atención de Atalía. Esta acudió al templo, se percató inmediatamente de la escena, vio al rey junto a la columna y reconoció la conjura. Los guardianes del templo la sacaron afuera; y fue asesinada fuera del sagrado recinto. El gobierno de Atalía había llegado a su fin; nuevamente ocupó el trono un davídida, que obtuvo el poder por mediación del sumo sacerdote que ejercía sus funciones en el santuario del rey.

Se dice que, después de la coronación de Joás, Joyada estipuló un contrato especial, cuya finalidad era la de vincular «al pueblo» expresamente al nuevo rey y a su dinastía (2 Re 11, 17). La muy genérica forma del texto, el predominio del pensamiento del pueblo de Dios al estilo de la teología deuteronomística, la aislada situación del versículo así como también la singular transmisión de este acto en conexión con una escena de entronización, no invitan a ver en este texto el reflejo de un formulario contraactual sólidamente anclado en el ritual regio de Judá; es más bien un fragmento de reflexión teológica posterior [12]. Al gusto de la mentalidad deuteronomística, a continuación del contrato con el «pueblo» se habla de acciones del «pueblo», o dicho más exactamente, por parte de la población campesina de Judá, que eliminaron el culto a Baal introducido o tolerado por Atalía. De este modo se restableció en Jerusalén la «armonía ideal» por así decirlo. Yahvé, rey y pueblo constituyen una unidad inseparable de base contraactual, que se manifestó en la lucha contra el culto extraño. Tal es la interpretación deuteronomística de los acontecimientos jerosolimitanos.

2 Re 11, 20 concluye el relato con la curiosa observación de que «el pueblo del país» [13], por consiguiente las gentes labriegas de Judá, se alegraron, una vez que el rey estuvo entronizado, pero la ciudad (Jerusalén) se mantuvo tranquila. Parece ser que ahí, en contraposición a los versículos 17 y 18, se consignan hechos auténticos. Se acentúa la diferencia entre ciudad y población campesina. Mientras que la residencia como escenario de los

cial reservado al rey en el atrio del templo existe tal vez ahora un caso paralelo bajo la forma de una basa de basalto, que ha sido descubierta en el atrio del templo —de la época del bronce tardío— de Kāmid el-Lōz. Cf. las consideraciones de M. Metzger a propósito de su estudio titulado *Kumidi und die Ausgrabungen auf Tell Kāmid el-Lōz*: VTSuppl. 22 (1972) espec. 162-166.

[12] Mayor importancia se le da a este tipo de contrato en M. Noth, *Ges. Stud.*, 151 s.; G. Fohrer, *Der Vertrag zwischen König und Volk in Israel*, en *Studien zur Alttestamentlichen Theologie und Geschichte* (1949-1966), 1969, 330-351; E. Kutsch, *o. c.*, espec. 163-165.

[13] Cf. sobre esta parte de la población campesina de Judá E. Würthwein, *Der 'amm ha'arez im Alten Testament*, 1936.

hechos se mantuvo en una expectante reserva, los hechos causaron allá en el resto del país un alborozo unánime. Está claro que allí tenía hondas raíces el pensamiento dinástico; y este pensamiento había triunfado ahora. Difícilmente se puede ver en este texto únicamente la insatisfacción con el gobierno de Atalía.

El riguroso comportamiento de Yehú aun contra los miembros de la casa real de Judá motivó el que en ambos estados se desencadenaran simultáneamente crisis de gobierno. En Israel había obtenido un triunfo indiscutible el ungido por iniciativa profética; incluso los actos de violencia, que él perpetró, no fueron obstáculo para que continuara gobernando. Algo muy distinto ocurrió en Jerusalén, donde las osadas ambiciones de una mujer enérgica, que como reina madre podía ostentar una apariencia de legalidad, no fueron capaces de conmover el principio de la sucesión dinástica. Apenas podía expresarse paradigmáticamente con más claridad la diferencia fundamental en la estructura de los estados de Israel y de Judá. Judá, frente a las tribus de la montaña efraimítica, mantuvo una autonomía practicada ya al elegir como rey a David, autonomía que no permitió le fuera arrebatada, pero que también indica cuán problemática cosa es pretender enjuiciar a los estados de Israel y de Judá sobre el trasfondo de una rota unidad ideal de una asociación tribal primitiva. Judá e Israel eran magnitudes autónomas, que supieron conservar su peculiar carácter.

12

ISRAEL Y JUDA A LA SOMBRA DE LA LUCHA POR EL PODER EN SIRIA

El tiempo que va a abarcar esta sección es aproximadamente de cien años. Entre 845 y 840 tuvo lugar la revolución de Yehú, en el año 745 Teglatfalasar III subió al trono real de Asiria e introdujo poco después su gran política expansionista, que para Israel y Judá significaba una amenaza muy directa. Ahora poseemos bastantes noticias sobre los acontecimientos políticos de este siglo hasta Teglatfalasar III, en especial sobre el auge del poder asirio desde aproximadamente el 900 a. C. Textos y obras plásticas procedentes de Asiria y de sus países vecinos proporcionan múltiples testimonios. En cambio, sobre la situación de Israel y Judá durante este período estamos excepcionalmente mal informados. Es para nosotros uno de los siglos oscuros dentro de la época de los reyes. Sobre este siglo informan especialmente tan sólo tres capítulos, 2 Re 12-14, y algo también 2 Re 15, 1-12. Tales noticias en su mayor parte tienen un carácter de anales, los detalles a veces se mencionan sólo de forma superficial y raras veces se amplifican [1]. Esta escasez de documentos veterotestamentarios relativos a la situación intraisraelítica de esta época hemos de lamentarla tanto más cuanto que ese siglo es precisamente el que precede a los grandes «profetas escritores» Amós, Oseas, Isaías y Miqueas o incluso comprende el comienzo de su actividad. Esto significa que las situaciones que esos profetas encontraron en Israel y Judá, que ellos criticaron y que constituían propiamente el trasfondo de su mensaje, no se pueden seguir ni enjuiciar directamente a través de su desarrollo.

El estado de cosas aquí esbozado comporta consecuencias en orden a la subsiguiente exposición de esta época. Hay que dar primeramente una breve panorámica sobre la precaria información

[1] El relato paralelo de las Crónicas ofrece a trechos amplificaciones, pero sin seguridad histórica; sobre el rey Joás: 2 Re 12, cf. 2 Crón 24, donde en los versículos 4-14 existe una elaboración independiente de 2 Re 12, 5-16; sobre Amasyá: 2 Re 14, 2-14.17-20, cf. 2 Crón 25; sobre Azaryá-Uzziyyá: 2 Re 14, 21 s; 15, 2 s. 5-7, cf. 2 Crón 26.

veterotestamentaria, que se orienta por las fechas de reinado de cada uno de los reyes. A continuación se hace un examen global del desarrollo de la política exterior. Y por fin hay que hacer al menos algunas observaciones sobre el desarrollo intrapolítico en Israel y Judá, sobre todo acerca de los problemas sociales, que revisten importancia para enjuiciar la más antigua profecía clásica.

Junto a los reyes de Israel y de Judá se consignan los gobernantes asirios contemporáneos:

Israel	
Yehú	842-841 a 815-814
Joacaz	815-814 a 799-798
Joás	799-798 a 784-783
Jeroboam	784-783 a 753-752
Zacarías	753-752 a 752-751
Sallum	752-751 a 751-750
Menajem	751-750 a 742-741
Peqajyá	742-741 a 741-740
Peqaj	741-740 a 730-729
Oseas	730-729 a 722-721
Judá	
Alatía	842-841 a 837-836
Joás	836-835 a 797-796
Amasyá	797-796 a 769-768
Uzziyyá	769-768 a 741-740
Jotam	741-740 a 734-733
Ajaz	734-733 a 715-714
Asiria	
Salmanasar III	858-824
Schamschi-Adad V	823-810
Adadnirari III	809-782
Salmanasar IV	781-772
Assurdan III	771-754
Assurnirari V	753-746
Teglatfalasar III	745-727

Ya desde la época de Yehú se anunciaban pérdidas territoriales en Transjordania en toda su extensión (2 Re 10, 32 s). Aun durante la época de reinado de su hijo y sucesor Joacaz (2 Re 13, 1-9), los arameos siguen siendo los peligrosos adversarios de Israel por el nordeste. Se mencionan los reyes Jazael y Ben-Hadad de Damasco. Israel sufrió grandes pérdidas en jinetes, carros y gente de a pie. Se dice que el rey de Aram los redujo a polvo de la tierra. Es cierto que a Israel le salió un especial «salvador» (*mōschīʿa*), que consiguió algo contra los arameos [2]; pero esto parece ser que no duró mucho. La imagen de Asera se dice que permaneció en Samaria; esto permite deducir que ya en tiempos del sucesor de Yehú volvieron a imponerse en la capital influjos cananeos.

[2] No sabemos quién fue y en qué circunstancias apareció este personaje. El que se le designe como «salvador» hace pensar ante todo en un personaje procedente de Israel. Difícilmente se puede suponer que ahí se aluda al rey asirio Adadnirari III; así M. Haran, *The rise and decline of the empire of Jeroboam ben Joash*: VT 17 (1967) 266-297, espec. 267 s.

A Joacaz le siguió su hijo Joás (2 Re 13, 10-25; 14, 14 s). Este tuvo al parecer conflictos con el rey de Judá Amasyá. Se nos dice que junto a Beth-Semes (*rumēle* junto a *'ēn schems*), aproximadamente a la altura de Jerusalén bajando hacia la llanura costera, batió a los judíos en una batalla, avanzó después hacia Jerusalén, derribó una parte de las murallas de la ciudad, echó mano a los tesoros del templo y del palacio y por fin se dirigió de nuevo hacia Samaria (2 Re 14, 8-15). Sería esta la única vez que Jerusalén fue alcanzada y saqueada por tropas del estado septentrional. La tradición permanece oscura; se encuentra muy aislada; los acontecimientos no tuvieron repercusión ninguna comprobable, pero tampoco sus antecedentes se pueden ya esclarecer [3].

También en Transjordania se le atribuyen éxitos a Joás. Se nos vuelve a hablar ciertamente de una incursión de los moabitas en el país (2 Re 13, 20); pero también se nos dice que, tras la muerte de Jazael y durante el reinado de su sucesor Ben-Hadad, Joás pudo arrebatar las ciudades, que se habían perdido durante el reinado de su padre.

Una vez más aparece en escena Eliseo (2 Re 13, 14-21). Joás tuvo un último encuentro con él, antes de que Eliseo muriera durante el tiempo de su reinado.

A Joás le sucedió en Israel su hijo Jeroboam (2 Re 14, 23-29), a quien se le suele llamar de ordinario Jeroboam II, para distinguirlo de aquel rey homónimo, que siguió a Salomón [4]. Con él se llega ya a la mitad del siglo VIII. Es seguro que en su época hizo su aparición el profeta Amós y probablemente también Oseas. Se trata de aquel soberano a quien el sumo sacerdote de Bethel anunció la aparición de Amós (Am 7, 10-17). El reinado de Jeroboam II es muy largo; se describe generalmente como un período venturoso, en el que cesaron las grandes incursiones asirias de Teglatfalasar III. Lo relativo de esta circunstancia se advertirá al examinar los amplios contextos políticos de esta época. Sin embargo, cabe suponer que los arameos de Damasco encontraron grandes dificultades para enviar sus ejércitos hacia el sur. El vecino reino de Jamat representaba una seria amenaza. Este reino había adquirido una preponderancia, que obligó a Damasco a concentrar toda su atención en sus fronteras septentrionales. Esto explica el que Jeroboam pudiera apoderarse nuevamente de la región de su es-

[3] Al mencionarse el templo, es posible que la tradición provenga de las actas de Judá; cf. M. Noth, *Überlieferungsgeschichtliche Studien*, 76; Id., *Geschichte Israels*, 216 s.

[4] Cf. M. Haran, *o. c.*

tado «desde Lebo-Jamat hasta el mar de Arabá» (2 Re 14, 25). Desde luego este dato es poco preciso. Podría significar que Jeroboam reconquistó el territorio de Israel situado al este del Jordán en una extensión como la que había tenido en tiempos de David y Salomón.

La frontera sur, el «mar de Arabá», hay que situarla en la zona del mar Muerto. Posiblemente se trataba de fijar una nueva frontera frente a los moabitas, bien a la altura del límite septentrional del mar Muerto o más hacia el sur hasta el Arnon. Por «Lebo-Jamat» difícilmente se entiende un lugar relacionado con el estado de Jamat [5], sino más bien el margen septentrional de la región de Transjordania que ya anteriormente había sido israelítica [6]. Se puede suponer que Israel se extendió hacia el norte y llegó a controlar aquellas regiones que habían sido zona discutida entre él y Damasco a partir de su fundación en la época de Salomón [7].

A Jeroboam II le siguió su hijo Zacarías (2 Re 15, 8-12). Tan sólo seis meses duró su reinado. En muy pocas palabras se nos dice que contra él se había conjurado un tal Sallum, que le mató. Pero tampoco Sallum tuvo suerte. Cuando había transcurrido sólo un mes, Menajem le mató y se proclamó rey (2 Re 15, 17-22).

De esta forma se inicia en Israel una fase claramente revolucionaria. Pues ya Sallum, que mató a Zacarías, no pertenecía en modo alguno a la dinastía de Yehú. A esta dinastía sólo pertenecieron los cinco reyes Yehú, Joacaz, Joás, Jeroboam II y Zacarías.

Generalmente son aún más breves las noticias sobre los contemporáneos reyes de Judá. A Joás, que se había salvado de Atalía, se le asigna el largo reinado de 40 años. Muy detalladamente se habla de una nueva regulación

[5] En este sentido 2 Re 14, 28 es desde luego equívoco. Allí incluso se nombra a Damasco junto a Jamat. Ahora bien, parece descartada tal extensión del poder de Jeroboam.

[6] Sobre Lebo-Jamat como designación de una determinada localidad en el extremo septentrional de Transjordania cf. M. Noth, *Aufsätze* I, 271-275; no así K. Elliger, *Die Nordgrenze des Reiches Davids*: PJB 32 (1936) espec. 40-45; al contrario M. Noth, *Das Reich von Hamath als Grenznachbar des Reiches Israels,* en *Aufsätze* II, 148-160, espec. 159; cf. ahora también A. Malamat, *Aspects of the foreign policies*: JNES 22 (1963) 4 y M. Haran: VT 17 (1967) 278-284.

[7] Cf. M. Noth, *Aufsätze* I, 463. Según 2 Re 14, 25-27 esas conquistas de Jeroboam estaban de acuerdo con las palabras de un profeta por nombre Jonás ben Amitay; lo menciona la obra histórica deuteronomística, pero no al profeta Amós; cf. a este respecto ahora F. Crüsemann, *Kritik an Amos im deuteronomistischen Geschichtswerk. Erwägungen zu 2. Kön. 14, 27,* en *Probleme biblischer Theologie,* 1971, 57-63.

en lo concerniente al dinero ofrendado para reparaciones del templo (2 Re 12, 5-17). De más importancia es el hecho de que en su época el rey arameo Jazael ocupó Gat, esto es, una de las ciudades de la filistea llanura costera [8]. Quiso también subir a Jerusalén. pero Joás logró mantener libre a la ciudad mediante un elevado tributo del tesoro del templo (12, 18 s). Con esto se completan las noticias que tenemos acerca del contemporáneo rey israelítico, el sucesor de Yehú. Este sufrió graves pérdidas en Transjordania (2 Re 13, 3-7). Se advierte ahora que las incursiones de los arameos debieron afectar también a la comarca occidental de Israel, e incluso Jerusalén debió encontrarse directamente amenazada.

Pero el final de Joás, que antaño había sido salvado tan prodigiosamente de Atalía y había sido coronado con tanta magnificencia, sigue siendo oscuro. Fue víctima de la indignación de dos hombres, sin duda estrechamente allegados a él, que le mataron. Pero ninguno de los asesinos parece haber aspirado a la corona. A Joás le sucedió su hijo Amasyá (2 Re 14, 1-22) [9]. Nada concreto sabemos sobre complicaciones motivadas por la sucesión al trono. Pero de todos modos algo da a entender 2 Re 14, 5. Se dice que Amasyá mató a los asesinos de su padre, una vez que él se había hecho firmemente con el poder. Es evidente que Amasyá poseía un natural enérgico. Luchó con éxito en el sur contra los edomitas (2 Re 14, 10). Parece ser que esto le hizo insolente, hasta el punto de provocar un conflicto con Israel, aquel precisamente en el que él mismo fue vencido junto a Beth-Semes por el rey Joás de Israel (2 Re 14, 8-14) [10]. Pero a Amasyá le esperaba el mismo destino que a su padre. En Jerusalén se tramó una conjura contra él; el rey consiguió escapar a Laquis, pero allí fue asesinado. Sin embargo, se le dio honrosa sepultura en Jerusalén. Tampoco esta vez se nos dice nada sobre el trasfondo de la intentona, pero es indudable que en torno al problema sucesorio tuvo que crearse una crítica situación. El pueblo de Judá, el *'amm hā'āräs*, intervino y logró por la fuerza que el sucesor fuera su hijo.

[8] Todavía se discute su situación. La mayor verosimilitud se le atribuye al *tell eṣ-ṣāfi;* cf. K. Elliger: ZDPV 57 (1934) 148-152; Id., BHH I, 515; cf. también la polémica en Y. Aharoni, *The land of the Bible,* 161 s., 250 s.

[9] La cronología del rey Amasyá presenta siempre dificultades. Según 2 Re 14, 2 reinó 29 años y según 14, 17 sobrevivió a Joás de Israel en 15 años. Jepsen, *Untersuchungen*, 38, sobre la base de sus cálculos supone que fue depuesto el año 787 y que vivió todavía hasta 773; cf. también J. Begrich, *o. c.,* 49 s.; la cronología de Andersen ofrece una solución discutible.

[10] La respuesta al reto de Amasyá la dio Joás de Israel, según 2 Re 14, 9, primeramente bajo la forma de una fábula de plantas, que nos recuerda la fábula de Jotam de Jue 9. Aquí se plantean problemas sobre la historia de la tradición. ¿Es concebible que el fragmento entero 2 Re 14, 8-14 haya sido tomado de «diarios» de Judá? Cf. sobre esto M. Noth, *Überlieferungsgeschichtliche Studien,* 76.

Este hijo era Azaryá, que por otro nombre también se le llamaba Uzziyyá (2 Re 15, 1-7). A él se le asigna ciertamente un largo período de reinado. Pero le acometió la lepra, hasta el punto de que su posterior sucesor Jotam tuvo que encargarse de los negocios en su lugar. Estas fechas, que no se pueden fijar con exactitud, han motivado el que el cálculo de los años de reinado en aquella época dependa de muchas hipótesis y que los resultados de estos cálculos sean muy distintos [11]. Esto repercutió también en el modo de juzgar al profeta Isaías y en la fijación de su período de actividad, pues él, según Is 6, 1, debió tener su vivencia vocacional precisamente en el año de la muerte del rey Uzziyyá.

Estas escasas y concisas noticias sobre los reyes de Israel y de Judá en tan problemático y oscuro período no son suficientes para trazar un cuadro armónico de los contextos históricos. Sin embargo, del contexto de los acontecimientos políticos de la primera mitad del siglo IX se pueden sacar algunas conclusiones. Sobre la relativa autonomía que ambos estados, Israel y Judá, pudieron conservar y afirmar, se proyectaba la sombra de graves luchas en Siria, que mantenían entre sí los estados-ciudad de aquel país, pero, más todavía, las que procuraron sostener contra la gran potencia asiria que se iba fortaleciendo, si bien los resultados de tales luchas fueron muy diversos.

Tras el avance de los arameos, que a lo largo de un amplio frente llegaron hasta el fértil Creciente, hacia el final del siglo X y bajo Assurdan II (932-910), Asiria empezó nuevamente a adquirir preponderancia. Parecía revivir el espíritu de Teglatfalasar I. La meta de la nueva política asiria era la reconquista de la Mesopotamia arameizada. Primeramente más bien bajo la forma de conflictos localizados, y más tarde en operaciones de gran alcance, los asirios lograron en el siglo IX éxitos militares, que intimidaron a las poblaciones hasta mucho más allá de Mesopotamia. Se ha de considerar como auténtico fundador del imperio neoasirio a Assurnassirpal II (883 hasta 859) [12]. En él pueden ya observarse aquellas terribles prácticas de los métodos asirios de conquista y

[11] Para este período Jepsen señala unas fechas distintas a las de Begrich. Consignémoslas aquí en plan comparativo. Azaryá: 785-784 a 747-746 (Begrich), 787-736 (Jepsen); Jotam: 758-757 a 743-742 (Begrich), 759-741 (Jepsen).

[12] Cf. la concisa e instructiva descripción de su persona y de su obra en W. von Soden, *Herrscher im alten Orient,* 1954, 78-89; además Scharff-Moortgat, *Ägypten und Vorderasien im Altertum,* ²1959, 400-405; *Fischer Weltgeschichte* IV, 1967, 25-44 (incluyendo a Salmanasar III y a sus sucesores).

de sus técnicas de dominación, que dieron posteriormente solidez al aparato imperial asirio, aunque con elevadas pérdidas. El exterminio del adversario recalcitrante se convirtió en la meta suprema, ya mediante matanzas en gran escala, ya por medio de deportaciones de población a otras zonas del imperio asirio. De esta forma quedaron despobladas comarcas enteras, mientras que en otras partes se pudieron conseguir extraordinarios rendimientos. De este modo Assurnassirpal II empezó por quebrantar la resistencia de sus vecinos países mesopotámicos. En las otras regiones situadas más allá de Mesopotamia, no tuvo el mismo éxito. De todos modos llegó hasta Siria septentrional y recibió tributos de los fenicios [13]. Advirtamos de paso que Assurnassirpal II no fue solamente conquistador, sino también arquitecto extraordinario. Su interés se orientó, además de Asiria y Nínive, sobre todo en la ciudad de Kálaj en la desembocadura del Zab superior en el Tigris (hoy Nimrod). El soberbio palacio, que allí surgió, no sólo estaba recubierto con numerosas losas de alabastro y piedra caliza, que contenían relieves e inscripciones, sino que sus puertas estaban flanqueadas por figuras en tamaño natural de toros, leones y toda clase de seres mixtos con cabezas de hombre y alas de águila. Estas figuras se han convertido en verdaderos símbolos del arte asirio y estaban concebidas principalmente para conjurar a los demonios y a los poderes malignos [14].

Más espectaculares todavía que los éxitos de Assurnassirpal fueron las amplias campañas de su hijo Salmanasar III (859-824), que con toda propiedad se considera como el gran conquistador asirio de mediados del siglo IX. La Siria central y meridional constituyó muchas veces la meta de sus campañas, que desde luego no siempre se desarrollaron felizmente. En efecto, el arameísmo de los estados-ciudad sirios, que dio lugar a grandes coaliciones, poseía una buena dosis de autonomía, a la que no siempre pudo hacer frente el indudablemente precipitado conquistador, quien al parecer no calculaba, como su padre, la exacta medida de lo posible. Es famosa la coalición de príncipes sirios, entre los cuales se encontrarían los reyes de Damasco y de Jamat, pero también, según se dice «el israelita Ajab» (*Achabbu Sir'ilā'a*). El texto se encuentra en la así llamada «inscripción del monolito» de Salmanasar III [15]. Se

[13] AOT, 339 s.; ANET, 275 s.

[14] Ilustraciones W. von Soden, *o. c.*, 83; AOB 378-380; ANEP 646.647. 651; una grandiosa impresión del arte de los relieves asirios nos la ofrece la obra de R. D. Barnett y W. Forman, *Assyrische Palastreliefs*, Praga 1960.

[15] Col. II, 90-102. Traducciones: AOT, 340 s.; ANET, 278 s.; TGI, 49 s.

trabó la batalla en el año 853 junto a Karkar, en la región de Jamat (*chirbet ḳerḳūr* en el valle del Orontes inmediatamente al este de los montes Asariya). Pero al parecer los éxitos no fueron muy notables después de esta batalla, en la que Salmanasar pretende haber reportado la victoria. Pues las luchas con las coaliciones sirias no cesaron durante toda su vida [16].

De gran importancia para la historia de Israel había de ser especialmente la llamada cuarta campaña de Salmanasar III (en el año 842-841) [17]. Sus principales esfuerzos iban dirigidos a toda la zona del estado de Damasco. Allí, aproximadamente en la época de la revolución de Yehú, al rey Hadadezer (*Adad-idri*) le había sucedido el rey Jazael, hombre belicoso, que se apoderó del trono por la fuerza. Así se consigna en el antiguo testamento, 2 Re 8, 7-15, y está confirmado por documentos asirios [18]. En su cuarta campaña, Salmanasar luchó contra Jazael, que había convertido en una fortaleza al monte Hermón, «cima situada enfrente del Líbano». Se dice que cercó al rey de Damasco y arrasó los vergeles. Debieron ser los huertos del fértil oasis de Damasco. De todos modos no se consigna la conquista de la ciudad. En cambio el asirio marchó hacia el sur de Damasco, hacia la región de Haurán, y por fin nuevamente hacia el oeste «hasta los montes de *Ba'lira'si* frente al mar», «allí implanté el símbolo de mi reino». Esto sólo pudo haber sucedido junto al promontorio situado en la desembocadura del actual *nahr el-kelb,* a 10 kilómetros al norte de Beirut.

La extraña nariz rocosa de este promontorio constituye todavía hoy un punto de atracción para el turismo. En sus escarpadas laderas se encuentran relieves de soberanos egipcios y asirios. Uno de estos relieves debe ser el de Salmanasar (atribuido anteriormente a Asaradón) [19]. Estas efigies poseen aproximadamente tamaño natural, pero a trechos se encuentran gravemente dañadas por la acción del tiempo. De todos modos es explicable la razón de que allí se esculpieran tales monumentos para el recuerdo. El promontorio se adentra impresionantemente en el mar y viene a ser una especie de señalización fronteriza. La calzada antigua pasaba a lo largo de ese saliente roqueño y junto a esos mismos trabajos plásticos [20]. Hoy día se circunda la

[16] Cf. los textos en AOT, 340-344; ANET, 276-280; cf. también la recopilación de E. Michel, *Die Assur-Texte Salmanassars III* (858-824), en WO I.

[17] AOT, 343; ANET, 280; TGI, 50 s.; E. Michel, WO I, 1947, 265-268.

[18] AOT, 344; ANET, 280; E. Michel, WO I, 1947, 57-63.

[19] AOB, 146.

[20] Cf. la algo antigua foto AOB, 147, y mejor aún el viejo dibujo en H. Winckler, *Das Vorgebirge am Nahr-el-Kelb und seine Denkmäler*: AO

roca por medio de una buena carretera que pasa por debajo de los históricos monumentos. La demolición de roca que para ello ha sido necesaria, ha motivado el que se haga bastante dificultoso el aproximarse a ciertas efigies, como por ejemplo a la que representa a Ramsés II. Al pie del monte puede apreciarse de qué modo se ha proseguido la tradición, pues ahí han sido representados modernos acontecimientos por medio de sus correspondientes monumentos.

En la misma inscripción, en la que Salmanasar menciona esa colocación de su efigie, hace también referencia a un tributo, que además de los tirios y sidonios, le pagaba también Yehú de Israel, a quien se le da el nombre de Iaua de *bīt-Chumrī,* esto es, Yehú de la «casa de Omrí». Esta designación del estado de Israel sigue todavía empleándose posteriormente, a pesar de que la «casa de Omrí» no existía ya como dinastía. El procedimiento del pago tributario de Yehú lo tenemos, gráficamente representado, en el así llamado «obelisco negro», monumento basáltico de Salmanasar procedente de Kálaj (Nimrod), que en varios planos muestra una serie de escenas. En la segunda serie aparece Yehú en actitud devota; su leyenda dice: «Como tributo de Yehú de Bit-Chumri he recibido: plata, oro, una bandeja de oro, un plato de oro, cálices de oro, cubos de oro, estaño, un cetro para la mano del rey (y) armas» [21].

Disponemos todavía de algunas noticias del año 838 acerca de conquistas en «el país de Damasco» y sobre tributos de ciudades fenicias [22].

Resumiendo se puede decir que Salmanasar III a base de impresionantes campañas recorrió el territorio sirio incluyendo a Damasco y los montes de Haurán, pero también hay que decir que allí no se asentó en modo alguno sólidamente y que no pudo considerar al país como posesión asegurada. Pero es un hecho que los asirios quedaban todavía lejos de la zona israelítica; Ajab, como es sabido, luchó contra ellos en Siria junto a Karkar, y Yehú mediante el pago de tributos pudo mantener libre del enemigo a su país. El vecino colindante de Israel, el reino de Damasco, estuvo completamente vinculado a Israel. A pesar de todo, según 2 Re 10, 32 s Jazael derrotó a Yehú a lo largo de toda la frontera de Israel.

10/4 (1909) 7 y la magna edición de F. H. Weissbach, *Denkmäler und Inschriften am Nahr-el-Kelb,* 1922, 20, ilustr. 5 y lám. 2.

[21] AOT, 343; AOB, 121-125; ANEP, 351-355, espec. 355; cf. también los detalles fotográficos de los tributarios en Barnett-Forman, *Assyrische Palastreliefs,* 33.34.

[22] AOT, 343.

Esta noticia global puede relacionarse mejor con la época de los sucesores de Yehú. Es significativo que del propio reinado de Yehú ni siquiera en el antiguo testamento se haga la menor referencia acerca de importantes luchas contra Damasco. Salmanasar III no pudo mantener sus éxitos en Siria. Sus últimos años de gobierno estuvieron llenos de luchas interiores en la misma Asiria, y a duras penas pudo él sostenerse retirado en Kálaj hasta su muerte. Para las poblaciones sometidas y para los tributarios esos cambios de gobernantes significaban a menudo momentos de respiro que aprovechaban para restablecer su autonomía. Es lógico, pues, que los gobernantes de Damasco intentaran reconstruir su poder y que dirigieran también sus miradas hacia el sur. Así se explican las duras guerras contra los arameos, de que habla el antiguo testamento a propósito del reinado de Joacaz, sucesor de Yehú (2 Re 13, 3-7). «El rey de Aram los redujo (a los israelitas) a polvo». Pero el avance arameo no se redujo a los tradicionales escenarios bélicos de Transjordania, sino que debió llegar hasta territorio filisteo, si es cierto que Jazael ocupó la ciudad de Gat y que Joás de Judá, rey contemporáneo de Joacaz, rescató a Jerusalén tan sólo a base de un elevado tributo (2 Re 12, 18 s).

Las noticias veterotestamentarias y extra-veterotestamentarias de aquella época se ensamblan y completan magníficamente. Para Israel habían de mejorar los tiempos tan pronto como Damasco fuera nuevamente atacado. Esto sucedió hacia el final del siglo.

El sucesor de Salmanasar III, su hijo Schamschi-Adad V (824-810), estuvo desde luego tan ocupado con la situación de la misma Asiria y con sus relaciones hacia Babilonia, que no le quedó tiempo para realizar movimientos expansionistas hacia Siria. Se casó con una babilonia, la Schammuramat, cuya preponderancia sirvió de base a la legendaria Semíramis. Esta mujer dirigió posteriormente los negocios en sustitución de su hijo menor de edad Adadnirari III (810-782), quien asestó un decisivo golpe al estado arameo de Damasco. Obligó al rey [23] a someterse y a pagar tributo; por lo demás, la misma inscripción asegura que también se le habrían sometido Tiro, Sidón, (el país de) Chumri, Edom y Filistea. Esto da a entender una amplia campaña, que a través de la llanura costera habría llegado hasta muy dentro del sur de Palestina incorporando incluso a Israel a la soberanía asiria. Pero es difícil suponer que en esta batida hacia el sur se tratara de acontecimientos

[23] Al rey de Damasco se le da ahí el nombre de *Mari'*, en arameo «mi señor»; se empleó como nombre el tratamiento del rey; AOT, 344 s.; ANET, 281 s.; TGI, 53 s.

importantes, si es que llegaron a ocurrir en realidad. Más creíble es, desde luego, lo que dice una estela de Adadnirari III que no ha sido descubierta hasta 1967; esta estela menciona como los tributarios más meridionales a Damasco, Tiro y Sidón, pero también, y esto se desconocía hasta ahora, al rey Joás de Samaria [24]. Los tributos del rey de Israel serían comparables a los de Yehú atestiguados por «el obelisco negro». Ahora bien, esto significa que Adadnirari III apenas consiguió extender su radio de influencia más allá que Salmanasar III. Tan sólo Damasco parece haber perdido su supremacía, y esto significativamente en beneficio del vecino estado septentrional de Jamat.

Esta situación conflictiva en el interior de Siria, junto con una cierta pacificación en la frontera septentrional de Israel ha dado pie, con respecto a este último, al tan repetido parecer de que en la época de los reyes Jeroboam II de Israel y Azaryá (Uzziyyá) de Judá tuvo lugar una distensión de la situación, que deparó a Israel una especie de «apogeo tardío» antes de la incursión de los asirios bajo Teglatfalasar III. Esta opinión ha encontrado recientemente contradictores, quienes se han basado para ello en acontecimientos políticos hasta ahora poco advertidos, que afectaron a los asirios y en los que también se vieron envueltos los estados del norte de Siria [25].

Además los capítulos iniciales del libro de Amós (Am 1, 3-2, 16) parecen demostrar que hacia el final de los años sesenta, en los que suele fijarse la aparición del profeta, surgieron para Israel nuevas complicaciones bélicas, que estuvieron desencadenadas por los arameos de Damasco y por los amonitas. Los estados sirios de esta época ya no se sentían directamente amenazados desde el norte y procedieron a intervenciones independientes. En esto hay desde luego algo de verdad, pero siguen siendo muy oscuras las directas repercusiones sobre Israel y no se puede decir con certeza de qué época proceden realmente los mencionados versículos de Amós ni a qué hechos concretos se refieren. Aun admitiendo la autenticidad de esos versículos [26], las aludidas fechorías de los arameos,

24 S. Page, *A Stela of Adad-Nirai III and Nergal-ereš from Tell al Rimah*: Iraq 30 (1968) 139-153 y lám. XXXIX-XLI; además y sobre todo en torno a los problemas cronológicos de los textos de Adadnirari III y los vasallos del oeste, en *Archäologie und Altes Testament,* 1970, 49-59.

25 S. Cohen, *The political background of the words of Amos*: HUCA 36 (1965) 153-160; M. Haran, *The rise and decline of the empire of Jerobeam ben Joash*: VT 17 (1967) 266-297; H. W. Wolff, *Amos*: BK 14/2 (1967) 105 s.; 183 s.

26 Con gran verosimilitud, y por razones de forma y de fondo, las secciones relativas a Tiro (1, 9 s), Edom (1, 11 s) y Judá (2, 4 s) se han de

filisteos, amonitas y moabitas, no digamos nada de Israel, pese a todo el afán por concretar, sin embargo poseen una fuerte tipificación paradigmática, de tal modo que no es imprescindible que se refieran a nuevos conflictos acaecidos en la propia época de Amós, sino durante toda la dinastía de Yehú. Tendríamos así un amplio radio de acción que comprendería desde la segunda mitad del siglo IX hasta casi la mitad del siglo VIII.

En el aspecto de la política exterior no deja de ser notable el hecho de que precisamente durante ese período se produjera el primer conflicto de los asirios con los medos en la región del lago Urmia y que también el reino de Urartu en la altiplanicie que circunda al lago Van experimentara un considerable apogeo[27]. Los urarteos acosaron a los asirios, cuando en la época de los tres débiles reyes Salmanasar IV (781-772), Assurdan III (771-754) y Assurnirari V (753-746) el hombre realmente fuerte era el mariscal de campo (*turtan*) Schamschi-ilu. Como es sabido, también él tuvo que entenderse con los urarteos. Especialmente bajo su rey Sardur III (aproximadamente 810-743) alcanzaron los urarteos una posición preponderante, que condujo a un auténtico envolvimiento del territorio asirio y cerró a los asirios el acceso al Mediterráneo.

Cuadra bien con esta situación el hecho de que un reyezuelo del norte de Siria, el rey Mati-ilu (Matiel) del país de Agusi próximo a Arpad, que había jurado lealtad a Assurnirari V hacia el 754, se uniera a los urarteos y junto con ellos luchara contra Assur. Este Matiel nos es conocido por una serie de textos contraactuales, que, grabados en estelas, han sido encontrados en el pasaje denominado *sefire* en la zona de Alepo[28]. Se trata en esos textos de acuerdos, que fueron estipulados con otros socios arameos, por todo lo cual se comprueba que se produjo entonces un aglutinamiento de los estados arameos. Prescindiendo aquí del hecho de que las estelas I y II probablemente son anteriores a la estela III, su fijación cronológica es difícil y dudosa su relación con el convenio de Matiel de 754 con los asirios por una parte y con el acuerdo establecido con los urarteos por otra[29]. Sin embargo, estos detalles tienen solamente una relativa importancia en orden

considerar como suplementos; cf. H. W. Wolff, *o. c.*, 184 s.; de otro modo opina W. Rudolph, *Die angefochtenen Völkersprüche in Amos 1 und 2*, en *Schalom*, 1971, 45-49; Id., KAT XIII/2 (1971) espec. 118-124.

[27] A. Goetze, *Kleinasien, Kulturgeschichte des Alten Orients* III, [2]1957, 187-200, espec. 192; Id., *Hethiter, Churriter und Assyrer*, Oslo 1936, 170-185.

[28] KAI 222-224 (con bibliografía); cf. espec. M. Noth, *Der historische Hintergrund der Inschriften von sefire*: ZDPV 77 (1961) 118-172, en *Aufsätze* II, 161-210; J. A. Fitzmyer, *The aramaic inscriptions of Sefîre*, 1967.

[29] Cf. KAI II[2], 272-274; M. Noth: ZDPV 77, 167-172, en *Aufsätze* II, 206-210.

al enjuiciamiento de la situación global. Esta situación se caracteriza por la debilidad de los asirios, por el apogeo de los urarteos y su influencia sobre el sistema sirio-septentrional arameo de estados-ciudad y por una relativa autonomía que de ese modo se iba haciendo posible para los pequeños estados de Siria meridional. Esto explica al menos el que Amós en la mencionada serie de versículos se ocupe exclusivamente de los vecinos inmediatos de Israel y de ningún modo de los asirios. Estos constituían ciertamente un peligro en el horizonte lejano, pero, atendido el estado de las cosas, hasta la llegada de Teglatfalasar III en el año 745, ese peligro no era todavía considerable. De ahí que sea creíble la aparición de ese antiquísimo profeta-escritor del antiguo testamento hacia el final del reinado de Jeroboam II. Assur no constituye objeto de sus reflexiones, aunque no podemos saber si Amós tal vez recelaba también del pelibro que se cernía por el norte. A la vista de las actividades urarteas no estaba claro cuándo se produciría el golpe decisivo y de parte de quién. Demos aquí de lado a la cuestión de hasta qué punto en aquel entonces un profeta judaico que aparece en Israel, como Amós, podía estar «informado» sobre la política internacional. Pero aun bajo este aspecto no hay por qué infravalorar a la antigüedad.

Es ahora el momento oportuno para volver la mirada hacia la situación intraisraelítica y contemplar especialmente la evolución social existente a mediados de la época de los reyes. En efecto, esa evolución social constituye casi exclusivamente el trasfondo de la más antigua profecía escrita que conocemos, tal como se nos ha transmitido en el libro del profeta Amós y en el de su contemporáneo, aunque algo más joven, Oseas. Hoy vemos ciertamente que el mundo de entonces se encontraba también totalmente conturbado por una situación político-militar sumamente agitada. Pero la política exterior de Israel por sí sola difícilmente dio base para la formación de aquellas concepciones proféticas, que dentro de la profecía escrita de Israel alcanzó un influjo singular de proyección histórico-mundial. Ni la interpretación de la historia ni vagos pronósticos del acontecer futuro dieron motivo y materia para tomar la palabra a los grandes profetas de Israel. Fue la peculiarísima religiosidad de Israel junto con su certeza de Dios, su sentido de la justicia y su esperanza escatológica, lo que constituyó la auténtica base de la corriente profética y lo que hizo ver a aquellos hombres de Dios de qué adolecía Israel fatalmente rodeado por las más poderosas fuerzas de su entorno. Ellos descubrieron entre sus contemporáneos evoluciones desviadas, que, con un pragmatismo para nosotros extraño, relacionaron con las crisis de la política exterior, ellos vieron las culpas de Israel castigadas por medio de conquistadores extranjeros. Pero los oráculos proféticos hallaron motivación y fundamento en las crisis que se observaban en el mismo Israel; de ahí que sus causas deben también ser explicadas e interpretadas partiendo de la médula del carácter israelítico. La dificultad formal consiste en que el trasfondo y los motivos de la aparición del profetismo hay que deducirlos de los mismos escritos proféticos. Las mismas sentencias de un Amós son, por su forma y contenido, creaciones «acabadas», que aluden a una situación concreta, sin considerar analíticamente sus causas y repercusiones. Esto es tarea de nuestras reflexiones.

Al estudiar los profetas clásicos del siglo VIII sorprende el hecho de que ellos tengan presente toda una serie de graves abusos, que evidentemente guardan relación con el comportamiento de una clase media bien acomodada. Se habla de opresión y de injusticia, de soborno y de deudas, de un desorden social, que no se puede o no se quiere eliminar. Los libros históricos del antiguo testamento nos rehúsan toda información al respecto. De ahí que sólo con gran cautela se puedan reconstruir los fundamentos político-sociales de los dos estados de Israel. Para ello hay que valerse de ciertas observaciones, que por una parte nos las proporcionan los mismos libros proféticos, pero que en una parte esencial pueden hacerse también a base de los libros jurídicos. Hasta el presente muy pocos trabajos serios se han publicado en torno a este grupo de problemas [30].

Para enjuiciar la evolución global lo mejor es partir de la situación legal con respecto a los problemas suscitados por los bienes raíces en Israel y Judá. Las tribus inmigradas se apropiaron la tierra basándose simplemente en el hecho de su ocupación. El fundamento legal supuesto en el antiguo testamento consistía en la convicción de que se trataba de la tierra que Yahvé había prometido a las tribus y que él les dio en herencia [31]. Se deduce de

[30] Hay que mencionar en primer lugar A. Alt, *Der Anteil des Königtums an der sozialen Entwicklung in den Reichen Israel und Juda,* 1955, en *Kl. Schr.* III, 348-372 (*Grundfragen,* 367-391); además M. Noth, *Das Krongut der israelitischen Könige und seine Verwaltung*: ZDPV 50 (1927) 211-244, en *Aufsätze* I, 159-182; H. Donner, *Die soziale Botschaft der Propheten im Licht der Gesellschaftsordnung in Israel*: Oriens Antiquus 2 (1963) 229-245; K. Koch, *Die Entstehung der sozialen Kritik bei den Propheten,* en *Probleme alttest. Theologie,* 1971, 236-257; O. H. Steck, *Prophetische Kritik an der Gesellschaft,* en *Christentum und Gesellschaft,* 1969, 46-62; M. Fendler, *Zur Sozialkritik des Amos*: EvTh 33 (1973) 32-53.

[31] G. von Rad, *Verheissenes Land und Jahwes Land im Hexateuch,* 1943, en *Ges. Stud.,* 87-100; cf. ahora también el volumen misceláneo, que presenta los numerosos puntos de vista que se han dado hasta el presente, titulado *Jüdisches Volk - gelobtes Land. Die biblischen Landverheissungen als Problem des jüdischen Selbstverständnisses und der christlichen Theologie,* 1970.

aquí que en Israel el verdadero propietario de las tierras era el mismo Yahvé; todo israelita libre, que disponía de terrenos, los explotaba como donación hecha por Yahvé a él y a su familia. Esta convicción dio pie a la teoría de la invendibilidad del suelo y tuvo consecuencias en orden a la distribución de las tierras y al derecho hereditario en vigor para las familias. Esto es algo evidente sin más por lo que se refiere a la época de la constitución tribal. La situación cambió con el advenimiento de la monarquía, una de cuyas consecuencias, como es sabido, fue la de que por medio de conquistas quedaran anexionados también al territorio israelítico terrenos cananeos. Para ellos no estaba en vigor el derecho hereditario israelítico. Los primeros procedieron muchas veces con gran cautela. No en todas partes hicieron ellos valer con todo rigor el derecho de conquista. Adquirieron tierras por compra. Esto fue lo que hizo David con la era de Areuná en Jerusalén (2 Sam 24), y esto también lo hizo después Omrí con la colina de la ciudad de Samaria (1 Re 16, 24). Estas conocidísimas compras fueron posibles y necesarias, porque ahí se trataba no ya de regiones tribales genuinamente israelíticas, sino de tierras cananeas. Ahora bien, esta forma de poseer terrenos por parte de los reyes se amplió al correr de los tiempos, aun en el ámbito del mismo territorio israelítico. Las posesiones familiares se hicieron libres, las dinastías y sus exigencias iban cambiando. El relato de la viña de Nabot nos descubre a las claras una situación especial. Los reyes pueden haberse arrogado el derecho de intervenir en las herencias ajenas. También se pudieron dar otros casos legales, no llegados hasta nosotros, que modificaran o trastornaran prácticamente la antigua ordenación legal del suelo en Israel.

Consecuencia lógica de tales evoluciones fue el que el laboreo y la administración, especialmente de los terrenos de propiedad de los reyes, hubieron de plantearse sobre nuevas bases. Se constituyó un cuerpo de funcionarios al servicio del rey y de la corte, que era responsable de la administración y del pago de los tributos procedentes de los dominios regios y de las propiedades de las tribus y familias israelíticas. Esta burocracia, junto con la monarquía, adquiere muy pronto carácter de institución estable. Más que las listas de funcionarios de David (2 Sam 8, 15-18; 20, 23-26) son más bien las listas de Salomón (1 Re 4, 1-6) y el establecimiento de sus correspondientes distritos administrativos con la finalidad expresa de proveer al rey y a su casa las que nos lo atestiguan con la mayor claridad. Tales funcionarios eran o bien militares jubilados o bien individuos que, como hijos sin derecho de sucesión, se ofrecían al servicio del rey. La ampliación y perfeccionamiento de este funcionariado era tan sólo cuestión de tiempo.

Está claro hasta qué punto a la antigua y ya desarrollada ordenación tribal con sus principios jurídicos, que, atendiendo a las circunstancias de la primera época, podrían calificarse de genuina constitución israelítica, de modo consecuente y sistemático se sobrepuso una nueva estratificación del repartimiento y administración de las tierras, cuyo principio supremo era no sólo el cultivo del suelo de Yahvé, sino la oportuna creación de una base de suministro para el país y para su población, esto es, un sistema económico, cuyo principal cometido era el aprovisionamiento de la corte y del aparato estatal. Esta evolución quedó aún más corroborada en las regiones de población cananea mediante la posibilidad de la compra oficial de terrenos.

Tales son, por así decirlo, las nuevas «estructuras» que trajo consigo la monarquía y a cuyas consecuencias se alude ya en 1 Sam 8. Pretende ahí Samuel, al parecer antes de la introducción de la monarquía, poner en guardia a los israelitas frente a esa nueva institución y habla de un «derecho regio», que se impondrá una vez que los reyes se hagan con el poder. Describe él la adopción de hombres jóvenes al servicio del rey, de su forzada contribución militar, de sus trabajos en la agricultura y en caso de guerra. Se refiere además a las múltiples y amplias reclamaciones que hará el rey sobre los productos agrarios y sobre las tierras, que quiere ceder a sus funcionarios. Aparece el rey como punto céntrico de un organismo estatal, que en todas sus funciones se ordena a la realeza y cuya finalidad es la conservación de esa misma realeza. Cualquiera que sea el origen cronológico de 1 Sam 8, no deja de reflejar experiencias, que se derivaron de la emancipación de la monarquía y que en todo caso permiten sacar conclusiones relativas a la estructura económica y social de la época de los reyes en Israel y Judá y a sus principios, que incluso ilustran drásticamente. Sería aquí oportuno analizar más detalladamente estos problemas. Habría, por ejemplo, que plantear también la cuestión de los gastos en favor de los santuarios del país, el problema de las fuerzas laborales, que se dedicaban más o menos exclusivamente a trabajos artesanales, incluyendo la producción de armas. Pero las respuestas a tales problemas no es algo que se pueda obtener por la fuerza pues no se ha de perder de vista lo deficientes que en muchos aspectos son nuestros conocimientos sobre lo «cotidiano», sobre el funcionamiento de lo auténticamente vital, y esto por falta de documentos [32].

Se puede considerar como cierto que, además de las propiedades rústicas del israelita libre, hubo dominios de explotación estatal que evolucionaron con sus propios derechos y obligaciones, y que estuvieron administrados por funcionarios estatales, que a su vez empleaban o inspeccionaban a otros individuos que dependían de ellos. En esta ampliación de la estructura administrativa con sus diversos grados de dependencia hay que buscar las raíces de los

[32] Interesante e instructivo S. Morenz, *Prestige-Wirtschaft im alten Ägypten,* 1969, 4; cf. ahora la documentada miscelánea H. Klengel (ed.), *Beiträge zur sozialen Struktur des alten Vorderasien,* 1971; además: *Gesellschaftsklassen im Alten Zweistromland und in den angrenzenden Gebieten. XVIII. Rencontre assyriologique internationale,* München 1970.

abusos que lamentaban los profetas; en todo caso, esos abusos constituyeron el primer motivo para toda una cadena de equivocaciones y aberraciones, que estaban en contradicción con las viejas concepciones legales de Israel. Como esa burocracia estaba totalmente sometida a la jurisdicción del rey y por lo mismo estaba bajo muchos aspectos desconectada del hombre de la calle, era lógico que los defensores de las viejas concepciones israelíticas, en gran parte marcadas por la ya adulta ordenación tribal, mostraran su indignación, y sus portavoces fueron en todo caso los profetas. Estos se pusieron del lado de los ciudadanos modestos e indefensos, que se encontraban a merced del «aparato» dominante. De ahí que la crítica de los profetas tuviera como blanco las clases altas, incluyendo al secerdocio estatal y, al menos en el estado septentrional, también a la monarquía.

Es preciso recalcar expresamente que esta reconstrucción de la estructura económica y administrativa de la época de los reyes sigue siendo por desgracia y bajo muchos aspectos una mera hipótesis, y como consecuencia de esto también es hipotética la interpretación del trasfondo que subyace a los discursos proféticos. Sin embargo y de forma muy limitada unos cuantos documentos, que son más bien hallazgos casuales, nos ofrecen una confirmación de las prácticas predominantes, pero en todo caso tan sólo bajo la forma burocráticamente sobria de actas administrativas. Se trata de 63 tabletas de piedra (*óstraka*), que fueron halladas en unas excavaciones efectuadas en Samaria y que con la mayor probabilidad proceden de la época de la dinastía de Yehú. Forman parte de los pocos documentos escritos en lengua hebraica, que, además del antiguo testamento, nos han llegado del territorio del mismo Israel y de los tiempos de la historia de Israel [33].

Los *óstraka* fueron hallados en Samaria todos juntos en un cuerpo de edificio que originariamente se pretendía atribuir a la época de Omrí, o al menos a la de Ajab. En consecuencia se opinaba que también había que referir esas tabletas pétreas a la época de los omridas. Pero deben ser de época más reciente. Pueden pertenecer a la época de Yehú, o en todo caso a la de sus sucesores, pero muy difícilmente son de la época de Jeroboam II. Hay que seguir considerando hipotética la teoría de Y. Yadin [34]. Piensa él

[33] G. A. Reisner y otros, *Harvard Excavations at Samaria* I, 1924, 233 s.; M. Noth, *Das Krongut;* KAI 183-188; cuatro escogidos especímenes textuales en TGI[1], 1950, 50; cf. también Galling, BRL, 407 s. y en BHH II, art. *Ostraka,* 1.359 s.

[34] Y. Yadin, *Ancient Judaean weights and the date of the Samaria Ostraca*: Scripta Hierosolymitana 8 (Jerusalem) 1961, 9-25.

en la primera época de Teglatfalasar III y se inclina a interpretar los mencionados pagos, que los *óstraka* consignan, en conexión con el tributo que el rey israelítico Menajem tuvo que pagar a los asirios [35]. Basa Yadin su argumentación en una distinta interpretación de los signos numéricos, que se utilizan en el texto de los *óstraka*.

Se trata en concreto de escritos que acompañaban a los suministros de vino y de aceite, que evidentemente se enviaban a Samaria desde las fincas del rey. Para dar una idea del carácter de los textos, veamos al menos un ejemplo de cada uno de los dos esquemas utilizados. El esquema más breve menciona fecha, lugar de origen, destinatario y el mismo objeto: «En el año décimo de Azah (el actual lugar *zawāta* al noroeste de Siquem) a Gaddijo (nombre del funcionario, que representaba una especie de depósito central) una cántara de aceite puro». El esquema más largo coincide primeramente con el breve, si bien no menciona el objeto, aunque sí el nombre del funcionario remitente: «En el año décimo quinto de Helek a Isa, hijo de Ahimelek. Heles de *ḥṣrt*». Reviste aquí especial interés el que aparezcan nombres de distritos, que nos son conocidos también por la genealogía de la tribu de Manasés (Núm 26, 30-33). ¿Se recurría así a sabiendas a anteriores ordenamientos tribales o más bien se manifiesta aquí una estructura administrativa organizada tan sólo en la época de los reyes de conformidad con la geografía demográfica, que contribuyó a fijar posteriormente con exactitud topográfica los territorios de las tribus y de los linajes? Quedan aquí problemas sin solucionar.

Los *óstraka* dan cuenta tan sólo de suministros de vino y aceite. Esto hasta cierto punto puede ser una casualidad. Sin embargo, nos son también conocidos ejemplos, dentro de la administración egipcia, de suministros especiales de esa clase procedentes de las fincas reales. Es posible que los demás víveres se recogieran mediante un impuesto general, del que desde luego no poseemos documentos similares.

Los *óstraka* samaritanos pueden esclarecer una pequeña parte de las usuales prácticas económicas y de aprovisionamiento de la época de los reyes; nada comparable conocemos por el antiguo testamento. Pero no es difícil comprender que una burocracia revestida de autoridad y de prestigio, especialmente durante la prolongada dinastía de Yehú, se las ingeniara para barrer hacia adentro y enriquecerse sin escrúpulos, no solamente de productos en especie, sino también de tierras y de todos los bienes de su demarcación sometidos o cedidos a un funcionario administrativo. Con la mayor rapidez podía caer bajo la dependencia de un funcionario real cualquier labrador israelítico que no cumpliera sus pagos y

[35] 2 Re 15, 19 s.

a quien con cierto pretexto de legalidad (por ejemplo fundándose en las prescripciones relativas a la esclavitud por deudas, cf. Ex 21, 2-11) se le impugnaban sus propiedades y al fin éstas quedaban adjudicadas al patrimonio de la corona. La especulación del suelo y la extorsión son los principales delitos a los que han de dirigirse los ataques de los profetas, por no decir nada de los desórdenes y francachelas, a que se entregaban los usufructuarios del sistema (cf. Am 2, 6 s; 4, 1 s). En una palabra: a la ordenación económica basada primitivamente en los pegujaleros se sobrepuso una creciente gran propiedad, un latifundismo, que se fue preparando merced al apoyo de los reyes. Sobre el trasfondo de este antagonismo hay que procurar entender en gran parte las palabras proféticas.

Nos llevaría demasiado lejos entrar aquí en una exégesis detallada de los oráculos proféticos. Sin embargo, teniendo en cuenta la división social intraisraelítica, se comprende mejor por ejemplo lo que dice Amós (5, 7.10): «Tornan el juicio en ajenjo y echan por tierra la justicia..., en las puertas detestan al censor y aborrecen al que habla rectamente». La antigua jurisdicción de las puertas fue desde siempre el lugar de la tradicional administración de la justicia. En vano busca allí la defensa de sus derechos aquel que ha caído en dependencia de algún funcionario. Todavía más claramente se interpela a los nuevos señores del país, cuando se dice (Am 5, 11 s): «Porque pisoteáis al pobre y le exigís [36] la carga del trigo, las casas que de piedras talladas os habéis construido no las habitaréis (aquí el análisis se torna de pronto en amenaza)... Sois opresores del justo, aceptáis soborno y en las puertas hacéis perder al pobre su causa». Tales versículos no pueden referirse precisamente a una culpabilidad general de todos los israelitas ante Yahvé, sino que apuntan a conflictos concretos intraisraelíticos, a un antagonismo surgido dentro de la misma población entre frívolos explotadores y explotados a quienes se ha privado de derechos. Sobre el trasfondo del trastornado ordenamiento social israelítico se aprecia claramente lo que realmente pretendían los profetas, lo que significaba hablar de justicia, entrega y amor. Era la lucha profética por proclamar los antiguos preceptos de Yahvé, y al mismo tiempo interpretarlos con más hondura. Los mismos profetas mediante sus formulaciones enriquecieron y ampliaron el conocimiento de Yahvé en forma hasta entonces desconocida.

Sería simplista considerar las palabras de los profetas de aquella época como una mera interpretación religiosa de una evolución de hecho inalterable. Una separación entre hábitos mentales estata-

[36] Traducción de Nácar-Colunga.

les y religiosos, políticos y espirituales, como se da entre nosotros, era algo ajeno a Israel. Los profetas tenían a la vista un Israel que había sucumbido sin remedio a aquellas fuerzas que se habían interpuesto entre el pueblo y su Dios, ante todo a aquella corrompida clase media y a una buena parte de la clase alta. Amós y Oseas y posteriormente también Isaías y Miqueas debieron percatarse de que aquella podrida estructura estatal era definitivamente incapaz de hacer frente ni siquiera en apariencia a los inminentes peligros. Ahí estaban las raíces de su anuncio de calamidades, que ellos no podían ni debían silenciar. Una cuestión distinta, que no es aquí ocasión de dilucidar, es la de las fuentes de donde ellos tomaron sus ideas tan superiores a la mentalidad media de sus contemporáneos. No hay que empequeñecer las profundas dimensiones de la actividad profética, que se encuentran más allá de cualquier consideración racional. Pero lo que de esta manera se conocía y expresaba, quedó también confirmado a través del ulterior desarrollo de acontecimientos demostrables. Los estados de Israel y de Judá quedaron expuestos a dificultades interiores y exteriores y cayeron en el abismo de su existencia. Esto se debió a un asirio de desacostumbrada energía, cuyos afanes expansionistas no se detuvieron, como había sucedido hasta entonces, ante las puertas de Israel y de Judá.

13

LA EXPANSION ASIRIA HASTA LA CAIDA DE SAMARIA

En el año 745, tras una rebelión en Kálaj, Teglatfalasar III consiguió hacerse con el mando en Asiria. Puso manos a la obra en orden a construir un imperio asirio. Frente a Siria y Palestina se encontró de momento con los mismos problemas que sus predecesores Salmanasar III y Adadnirari III en el siglo IX. Fue preciso abatir a los pequeños estados sirios. Pero después, a lo largo de ulteriores campañas, el gran rey avanzó a través de la región norteisraelítica hasta la llanura costera palestinense, luchó contra los filisteos y por fin allá en el sur alcanzó el llamado «arroyo de Egipto», el *wādi-el-'arīsch*.

El sometimiento de toda esa comarca a lo largo de los años no se produjo de una forma igualmente decisiva e ininterrumpida. No todas las partes de la región quedaron inmediatamente y totalmente incorporadas al reino asirio. Algunas de ellas de momento sólo pagaron tributos, en otras los reyes nativos se hicieron vasallos dependientes del gran rey. En algunos casos parece ser que Teglatfalasar III se dio por satisfecho con tributos y declaraciones de lealtad. Así parece que ocurrió en el caso de Judá.

Ahora bien, una vez que un país se encontraba de lleno en las manos del rey podía suceder que los asirios emprendieran su práctica de deportaciones, esto es, podía ocurrir que sobre todo a las clases dirigentes, ya menos a los labriegos autóctonos, las trasladaran a lejanas regiones del imperio y de esta manera hicieran prácticamente imposible la resistencia en las comarcas sometidas. Los habitantes del estado norte de Israel en su parte sustancial fueron víctimas de esta práctica; la existencia estatal de Israel no sólo fue totalmente borrada, sino que incluso los deportados nunca se nos muestran como grupo compacto. Se dispersaron por las regiones a las que fueron llegando y allí quedaron absorbidos por las poblaciones nativas. Algo distinto ocurrió con los judíos, que más de cien años después, durante el exilio babilónico, no quedaron totalmente privados de su autonomía.

El ejército asirio se había perfeccionado en gran manera. Ese ejército se manifestó superior a cualquier adversario en armamento y en capacitación técnico-táctica. Los asirios eran la potencia militar más temida de su época, que por lo demás también está atinadamente caracterizada en algunos versículos del profeta Isaías.

En Is 5, 26-29 se dice: «Alzará (Yahvé) pendón a gente lejana y llamará silbando a los del cabo de la tierra [1], que vendrán pronto y velozmente. No hay entre ellos cansado ni vacilante, ni dormido ni somnoliento. No se quitan de sus lomos el cinturón ni se desatan la correa de sus zapatos. Sus flechas son agudas y tensos sus arcos. Los cascos de sus caballos son de pedernal y las ruedas de sus carros un torbellino. ¡Su bramido es de león; ruge como cachorro de león, gruñe y arrebata la presa y se la lleva sin que nadie pueda quitársela» [2]. En este pasaje de Isaías, si se observa bien, aparecen todos los detalles de la técnica y práctica combativa de los asirios. Esto se puede demostrar aun con respecto a los objetos del armamento a base de representaciones asirias de tropas y de soldados, en las que por ejemplo aparece claramente la bota militar asiria atada hasta arriba [3].

La extraordinaria superioridad de los asirios se debía también en gran parte al hecho de que disponían de un ejército permanente. Los pequeños reinos, como por ejemplo los de Siria y Palestina, generalmente recurrían a reclutamientos ocasionales. En caso de necesidad todos los hombres libres debían marchar a campaña, mientras que la economía campesina quedaba abandonada. Tales ejércitos no estaban en condiciones de poder lanzarse a amplias empresas expansivas; para ellos era imposible cubrir grandes distancias; su utilidad se reducía principalmente a operaciones defensivas dentro de una limitada zona. Los asirios disponían de guerreros profesionales, que no sólo procedían del propio pueblo, sino que también eran mercenarios de las más diversas nacionalidades. Al correr de los años esas tropas durante sus prolongadas campañas fueron adquiriendo cada vez más habilidad y técnica. Los ejércitos mercenarios de los estados conquistados pudieron darles acogida y de ese modo ampliaron y consolidaron su fuerza combativa. Los asirios también fueron metódicos en la organización y ampliación de su imperio. Crearon diversos grados de dependencia, pues no tenían de antemano la intención de quitar a cualquier estado inmediatamente su autonomía y su vida propia. En la periferia exterior de su ámbito de influencia, en los estados limítrofes del imperio, los asirios se contentaron de momento con la declaración de lealtad por parte de los príncipes nativos, quienes de este modo adoptaban una actitud de vasallaje y habían de pagar tributos. Pero

[1] Yahvé quiere valerse de los asirios como instrumentos, como ejecutores de su voluntad.

[2] Traducción de Nácar-Colunga.

[3] Cf. ilustraciones en AOB, 132-141; ANEP, 336-373; especialmente impresionante Barnett-Forman, *Assyr. Palastreliefs*, 51.53.76.77.85.87.123.125.

si dejaban de pagarlos o fomentaban planes revolucionarios, si por ejemplo seguían tomando parte en coaliciones antiasirias, en tal caso los asirios daban un paso más en su política expansionista. Reducían al estado respectivo, convertían sus zonas territoriales en provincias y en un residuo estatal que quedaba instalaban a algún vasallo asiriófilo. El establecimiento de provincias iba regularmente vinculado a deportaciones. Sólo cuando el vasallo de ese residuo estatal osaba conspirar contra Asiria, el gran rey consumaba el tercero y último paso, suprimía por completo el estado en cuestión y de ese último residuo hacía una provincia. Precisamente en la manera como fue tratado el estado septentrional de Israel pueden claramente observarse esos tres pasos del procedimiento asirio.

De este modo surgió un imperio singular para aquella época, sólidamente organizado y sistemáticamente estructurado, un sistema de estados con numerosas provincias, que giraban en torno a la región central y que por su parte quedaban rodeadas por un cinturón de estados vasallos. Salvo contadas excepciones, los asirios lograron hacer desaparecer paulatinamente aun esos estados vasallos. Sobre el trasfondo de una política expansionista bien pensada, de una práctica sistemática de avasallamiento y de una superioridad militar hay que tratar de interpretar la marcha triunfal que emprendieron los asirios sobre el próximo oriente a partir de Teglatfalasar III.

Probablemente ya en el año 740 Teglatfalasar inició la conquista de Siria septentrional. Pero, por las noticias de que disponemos, la primera campaña de envergadura tuvo lugar el año 738 [4]. Sometió al estado de Jamat en el norte y centro de Siria, que ya algunos decenios antes había relevado al predominio damasceno. Numerosos estados sirios y ciudades costeras fenicias pagaron tributos, una vez que se vino por tierra el poderío de Jamat; entre tales tributarios se encontraban también el rey *Raṣunnu* de Damasco, conocido en el antiguo testamento por el nombre de Rasín [5], y *Menihimme* de Samaria, el rey Menajem de Israel (2 Re 15, 17-22). El texto veterotestamentario menciona el tributo de Menajem a «Ful», como en ese lugar se llama a Teglatfalasar con su babilónico nombre de trono. Se impone por consiguiente aquí echar una mirada al desarrollo de la situación de Israel.

Sallum había asesinado al último representante de la dinastía de Yehú, al hijo de Jeroboam II, al rey Zacarías, tras seis meses de reinado. Pero ya un mes más tarde, Menajem, que vino de Tirsa a Samaria, asesinó a Sallum y se proclamó él mismo rey. Los

4 AOT, 345 s.; ANET, 282 s.; un fragmento en: TGI, 55.

5 El nombre del rey estaría mejor vocalizado diciendo Razon (cf. LXX). Se le menciona en Is 7, 1 s; 8, 6; 9, 10; ademán 2 Re 15, 37; 16, 5.6.9.

auténticos motivos de tan fulminante cambio de trono siguen oscuros, los informes de que disponemos nos brindan tan sólo los hechos escuetos. Pero Menajem se mantuvo durante diez años (751-750 a 742-741) [6]. Es posible que se pudiera mantener debido a su enorme crueldad y dureza. Esto es lo que permiten deducir algunos detalles contenidos en 2 Re 15, 14 s. Su tributo a Teglatfalasar es el hecho principal que de él se nos narra (2 Re 15, 19 s). Pagó mil talentos de plata, y reunió esta suma imponiendo una capitación, de la que no conocemos otros ejemplos. A cada uno de sus *ḡḇwry hḥyl* les hizo pagar 50 siclos. Se trataba de terratenientes libres aunque sujetos al servicio militar. Su número, solamente en el reino septentrional de Israel, se ha calculado en 60.000 [7]. También se pudo tratar de israelitas avecindados desde antiguo y también de funcionarios y administradores del rey. La clase elevada antaño tan autocrática recibió entonces un serio golpe. Se trataba de las gentes adineradas de Israel, y Menajem supo muy bien forzarlas a aportar el tributo. De este modo, con la protección asiria, afianzó él su autoridad. A aquellos reyes, que pagaban libremente, Teglatfalasar los dejó en sus respectivos tronos, especialmente en los distritos exteriores de su imperio. Ahora bien, Israel, como vasallo del gran rey, pertenecía a la más extrema línea exterior de la jurisdicción asiria.

Esto está en perfecta consonancia con el hecho de que el reino meridional de Judá por aquella época está todavía totalmente al margen de esos acontecimientos y no tiene nada que ver con los asirios.

De ahí que sea también poco probable que el rey Azrijahu de Ja'udi, mencionado como tributario en el texto asirio relativo a la campaña del año 738, se identifique con Azaryá (Uzziyyá) de Judá. Se trata más bien del rey del estado Ja'udi al noroeste de Siria, estado que conocemos bien por las inscripciones de los reyes de Sam'al. Mencionemos tan sólo las inscripciones de Kilamuwa (Donner-Röllig, KAI 24; AOT, 442 s.) y de Panammuwa (KAI 215), que fueron descubiertas en las excavaciones llevadas a cabo en Sendschirli (Zincirli) por el Oriente-Comité alemán en los años noventa del siglo pasado [8]. El rey asirio alcanzó ese estado de Ja'udi entre los primeros del norte de Siria y por eso cuadra magníficamente con las operaciones del año 738, muy al contrario de la lejana Judá.

6 Menajem, según Begrich, 746-745 a 737-736, según Jepsen, 747-738.
7 Galling, BRL, 176.185-188.
8 *Ausgrabungen in Sendschirli, ausgeführt und herausgegeben im Auftrage des Deutschen Orient-Comités zu Berlin* I-V, 1893-1943.

Por lo demás son muy escasos los documentos relativos al estado de Judá en aquella época. Lo incierto de la fecha en que murió Azaryá-Uzziyyá, y también sobre si su sucesor Jotam ejerció la regencia en su lugar (cf. 2 Re 15, 5), ha dado pie a las más variadas consideraciones cronológicas, a cuya discusión se puede renunciar aquí, dado que en definitiva carecen de importancia en orden al enjuiciamiento del curso histórico de los acontecimientos [9].

Sobre el rey Jotam de Judá (2 Re 15, 32-38) nada sabemos, salvo que en su época se estaba preparando ya la coalición sirio-efraimítica (nor-israelítica). Concuerda con esto la cronología calculada por Andersen, que le asigna a Jotam los años 741-740 a 734-733 y sitúa así su muerte poco antes de los trascendentales acontecimientos del año 733, con los que ha de enfrentarse su sucesor Ajaz.

Pero con esto nos hemos adelantado mucho al curso de la historia. Es necesario conectar una vez más con los acontecimientos que tienen lugar en el estado septentrional de Israel. Allí, tras la muerte de Menajem [10], subió al trono su hijo Peqajyá (2 Re 15, 23-26), pero sólo pudo mantenerse durante muy poco tiempo. Fue asesinado por Peqaj, quien por su parte se proclamó rey (2 Re 15, 27-31). Este Peqaj, hijo de Remalyá, era, de acuerdo con su rango, un conductor de carros de combate: Isaías, sin duda con intención despectiva, le llama simplemente el «hijo de Remalyá» (por ejemplo Is 7, 5.9). Peqaj habría reinado durante veinte años (2 Re 15, 27); pero esto es inverosímil. Cotejando las fuentes asirias se deduce que el año 733-732 debió ser el último año de su reinado [11]. Le siguió con aprobación expresa de Teglatfalasar el último rey de Israel, Oseas. Todo esto es cuanto sabemos sobre la situación interna de Israel y de Judá en los años treinta. Dirijamos ya nuestra mirada retrospectiva a la política exterior.

Por las noticias que tenemos, Teglatfalasar, después de las empresas de 738, acometió en el año 734 una campaña, que le llevó «a Filistea», esto es, a la tierra de los filisteos. Esta breve noticia

9 Para los detalles remitidos a los estudios de Begrich, Jepsen y Andersen. La vocación de Isaías tuvo lugar en el año de la muerte de Uzziyyá (Is 6, 1); con seguridad puede decirse que a más tardar el profeta apareció durante el reinado de Ajaz.

10 Andersen sitúa el final de Menajem en el año 742-741. Aquí fallan sus cálculos. ¿En tal caso cómo se podría mencionar a Menajem como tributario en el informe de la campaña del 738? Según Begrich murió Menajem en 737-736, según Jepsen en 738.

11 Begrich asigna a Peqaj los años 734-733 a 733-732, Jepsen 735-732; también aquí es dudoso Andersen al señalar 741-740 a 730-729.

tomada de la lista asiria de epónimos [12] ha sido recientemente confirmada y enriquecida mediante algunos detalles. En el curso de las excavaciones inglesas realizadas en el palacio noroccidental de Assurnassirpal (883-859) en Nimrod se encontró el año 1950 el fragmento de una tabla, que brinda algunas noticias acerca de la campaña del 734 [13]. En este año el rey asirio alcanzó ya el «arroyo de Egipto», el *wādi el-'arīsch,* después de avanzar a través de Siria y de la zona estatal de Israel hasta la llanura costera y después de entrar en los estados-ciudad filisteos. Se nos habla de conflictos en torno a Gaza, cuyo rey Hanún llegó a huir de los asirios hacia Egipto, para no tener que rendírseles como vasallo [14]. Parece como si el rey asirio tratase de tomar de ese modo bajo su control las vías de comunicación con Egipto, descartando así en lo posible todo contacto entre los estados sirios y el país del Nilo. Sobre esta campaña nada nos dice el antiguo téstamento. Con Israel no hubo conflictos, por haber manifestado su lealtad mediante tributos [15].

La situación se transformó al año siguiente, 733. En alianza con una serie de pequeños estados, Damasco procuró independizarse de los asirios iniciando una política autónoma. Entre sus aliados se encontraba también Israel bajo Peqaj, pero no Judá, donde Ajaz se opuso. No podemos saber por qué razón el rey de Jerusalén no se sumó a la coalición damasceno-israelítica. ¿Se debió ello a temor de la lejana gran potencia, latía ahí el propósito de cambiar radicalmente de política? En todo caso, el rey Rasín de Damasco y Peqaj, el hijo de Remalyá, debieron asociarse para marchar en plan bélico contra Judá; habrían sitiado Jerusalén, pero sin éxito (2 Re 15, 37; 16, 5). Tradicionalmente este peculiar conflicto de los aliados arameos e israelitas con Judá se llama la «guerra sirio-efraimítica», utilizando aquí la palabra «Efraím» como *pars pro toto,* para significar a todo el estado de Israel.

[12] *Verzeichnis assyrischer Staatsbeamten, ab 9. Jahrhundert v. Chr. mit kurzen Notizen über die Feldzüge der einzelnen Jahre;* otros detalles en A. Ungnad, *Reallexikon der Assyriologie* II, 1938, art. *Eponymen,* 412 s.

[13] Publicado por Wiseman: Iraq 13 (1951) 21 s. Pl. XI; traducción TGI, 56; sobre la valoración histórica A. Alt, *Tiglathpilesers III. erster Feldzug nach Palästina,* 1951, en *Kl. Schr.* II, 150-162; E. Vogt: Biblica 45 (1964) 348 s.

[14] Cf. también la inscripción de Teglatfalasar, AOT, 347 s.; ANET, 283 s.; TGI, 57 s. y 58 s.

[15] De otro modo A. Alt, *Kl. Schr.* II, 155-157, que en las líneas 10-13 del fragmento hallado en 1950 sospecha alusiones a un encuentro bélico de Teglatfalasar con el estado de Israel y tal vez incluso al establecimiento de una provincia en la llanura costera septentrional de Palestina.

Esta guerrilla, que tan sólo indirectamente tiene que ver con el conflicto asirio y que desde luego los socios coaligados no la llevaron a cabo con plena energía, ha merecido desde siempre un interés tan grande por el hecho de que el mensaje profético va vinculado a ella. Con seguridad se refiere a esto el pasaje Is 7, 1-9, y probablemente también su continuación en los versículos 10-17; pero también el pasaje de Oseas 5, 8-6, 6 parece tener como trasfondo detalles del avance arameo-israelítico sobre Jerusalén y Judá [16]. Is 7 habla de la aparición de Isaías en una situación sumamente explosiva. El rey Ajaz se sitúa evidentemente en un punto importante para la defensa de Jerusalén, en un tramo del sistema urbano de aprovisionamiento de agua, donde posiblemente un ataque enemigo podía acarrear muy graves consecuencias [17]. En todo caso no se puede decir con certeza lo que suele suponerse, a saber, que Ajaz trataba de inspeccionar las fortificaciones de la ciudad. Sea de esto lo que sea, Isaías trata de prevenir al rey de aventurarse a una prueba de fuerza con el adversario; pero advirtiéndole también que podía estar tranquilo, si confiaba en Yahvé. En efecto, los malignos planes de los dos aliados de Damasco y Samaria con sus amenazas [18] estaban desde luego condenados al fracaso. La gran consigna «si no os afirmáis en mí, no seréis firmes» (Is 7, 9) tiene ahí su lugar histórico, donde se trata de no

[16] A. Alt, *Hosea 5, 8-6, 6. Ein Krieg und seine Folgen in prophetischer Beleuchtung,* 1919, en *Kl. Schr.* II, 163-187; cf. también J. Begrich, *Der syrisch-ephraimitische Krieg und seine weltpolitischen Zusammenhänge,* 1929, en *Ges. Stud.*, 99-120. Se discute la conexión de Is 10, 27b-34 con la guerra sirio-efraimítica; aboga por esa conexión H. Donner, *Israel unter den Völkern:* VTSuppl. 11 (1964) 30-38; Id.: ZDPV 84 (1968) 46-54; no opina así H. Wildberger, *Jesaja*: BK 10 (1972) 423-435, quien piensa en una amenaza asiria en tiempos del rey Ezequías, cuando Jerusalén simpatizaba con Asdod.

[17] La aparentemente tan concreta indicación de lugar «final del caño de la alberca superior, por la calzada del campo del batanero» todavía no ha sido determinada con exactitud. Remitimos a los comentarios sobre Isaías y a los fundamentales estudios sobre la topografía histórica de Jerusalén realizados por J. Simons, *Jerusalem in the old testament,* 1952; L. H. Vincent, *Jérusalem de l'ancien testament* I, 1954; II/III, 1956; M. Avi-Yonah, *Sepher Yeruschalayim,* 1956, cada uno con opiniones diversas. Cf. además y sobre todo el texto H. Donner, *o. c.,* 7-18, y ahora O. H. Steck, *Rettung und Verstockung. Exegetische Bemerkungen zu Jes. 7, 3-9*: EvTh 33 (1973) 77-90.

[18] Entre las declaradas amenazas está, según Is 7, 6, la de derrocar la dinastía davídica y poner por rey a un personaje, a quien se le llama simplemente «hijo de Tabel». Tal vez no era de sangre real y había prometido a los damascenos e israelitas aliarse con ellos contra Asiria. Cf. H. Donner, *o. c.,* 12 s. y H. Wildberger, *Jesaja,* 275 (ambos con bibliografía). La grave amenaza de la casa real pudo de todos modos inspirar a Isaías para concebir un soberano ideal para Jerusalén y para anunciar su advenimiento. Esto serviría de causa y estímulo a los pasajes «mesiánicos» Is 9, 1-6 y 11, 1-5, y tal vez también para la promesa del «Emmanuel» de Is 7, 10-17; sobre esto ahora R. Kilian, *Die Verheissung Immanuels Jes. 7, 14*: SBS 35 (1968).

esperarlo todo de la propia preparación para el combate en un momento de sumo peligro. El conflicto local de un adversario claramente superior contra el reducido estado de Judá se convierte en virtud de la palabra profética en ejemplo de proyección histórico-mundial. Se trata de uno de aquellos momentos, en los que la razón de los políticos puede tener por acertado esto o lo otro, pero en la incertidumbre del resultado y ante la premura del tiempo una actitud decidida debe acabar con todas las tensiones. El profeta puede aventurarse a frenar actividades contra las apariencias y a oponerse a la política diaria. Y esto no lo hace ni como político ni como táctico, él lo dice movido por la confianza en su Dios, por la certeza que él tiene de Dios, pero ciertamente no desprovisto de toda evaluación realística de la situación. Pero además, y desde el ángulo de mira del historiador, pudiera ser legítimo preguntar si la palabra de Isaías no pudo también estar plenamente justificada en atención a la evolución histórica. Pues era sólo cuestión de tiempo el que incluso la alianza damasceno-israelítica había de disolverse, el que toda política de coalición secretamente dirigida contra el asirio fracasaría más tarde o más temprano. Judá podía de hecho aguardar con tranquilidad esa evolución histórica; siempre le resultaría ventajoso el no tomar parte en conspiraciones antiasirias.

Sin embargo, el ulterior curso de los acontecimientos sigue siendo paradigmático. No sabemos por qué los arameos e israelitas asociados contra Jerusalén no consiguieron nada. En todo caso, Ajaz empezó a actuar. Se sometió voluntariamente al rey asirio, le envió su obsequio de pleitesía y de esta forma adoptó para con él una actitud de vasallaje (2 Re 16, 7-9). Espontáneamente Ajaz se situó bajo una dependencia que no se basaba en esa confianza, a que Isaías se refería, sino en el temor del político que, a fin de evitar el mal menor, no reparaba en pagar el más elevado precio y arriesgaba la propia libertad.

Queda por saber si lo que puso en movimiento a Teglatfalasar fue el ruego de Ajaz, manifestado en 2 Re 16, 7, para que el gran rey se dignara librarlo de su situación, o más bien el propio plan estratégico. De todos modos Teglatfalasar se puso en camino hacia el sur, e Israel se encontraba dentro de su más directa esfera de intereses. Desde luego parece que atacó al reino septentrional de Israel antes que al reino de Damasco, que no cayó el año 733, sino el 732.

Acerca de su avance sobre Israel nos informa Teglatfalasar en un epígrafe de sus anales [19]: «Una vez que en mis anteriores campañas agregué a mi

19 *Anales* 1.227 s.; AOT, 347; ANET, 283.

país todas las ciudades de Bit-Chumria..., pasé adelante y dejé libre tan sólo a Samerina (?), ellos derrocaron a *Pa-ka-ha,* su rey». Estas pocas frases perfilan de forma sorprendentemente clara la ya mencionada segunda fase de la política expansionista de los asirios. Peqaj de Israel, desde que se alió con Damasco, formó parte de los levantiscos vasallos, respecto a los cuales Teglatfalasar ya no se contentaba con una tributación. Teglatfalasar redujo el territorio de Israel y sólo dejó como residuo autónomo la capital y sus contornos. En realidad del territorio estatal israelítico que no estaba ya sometido al rey de Samaria hizo él tres provincias asirias y las llamó «Megiddo», que comprendía Galilea junto con la llanura de Jezrael, «Dor», la llanura costera en dirección sur hasta la altura aproximadamente del actual Tel Aviv, «Galad», la Transjordania perteneciente a Israel [20]. Complementariamente sabemos también por otro texto asirio [21]: «Bit Chumria, la totalidad de sus habitantes junto con sus posesiones, me los llevé a Asiria. Como ellos habían derrocado a Pakaha, su rey, nombré por rey suyo a *A-u-si-'*. De ellos recibí (como tributo) 10 talentos de oro, (x) talentos de plata». Una vez más se menciona la deportación, una vez más se menciona también el derrocamiento del rey Peqaj, pero después el nombramiento de un nuevo rey, que realizó el mismo Teglatfalasar. Se trata sin duda del rey Oseas, el último rey del estado septentrional de Israel. Este rey fue confirmado como vasallo tributario de los asirios.

Estos interesantes acontecimientos del 733, que mencionan los documentos asirios, se encuentran concisamente confirmados en 2 Re 15, 29.30. En ese pasaje se hace referencia claramente a la creación de las provincias, cuando se dice que Teglatfalasar «tomó» Ayón y Abel-Bet-Maaca y Janoaj y Quedes y Hazor y Galad y Galilea y todo el territorio de Neftalí, llevándose a sus habitantes cautivos a Asiria. Parece natural que el texto veterotestamentario hable tan sólo de regiones y no de «provincias». Pero los datos que ofrece, coinciden sustancialmente con las noticias asirias. La única diferencia consiste en que Teglatfalasar parece suponer que los israelitas derrocaron a Peqaj espontáneamente, mientras que el segundo libro de los Reyes declara que Oseas, a raíz de una conjuración, mató a Peqaj el hijo de Remalyá. Esto realmente no sería nada nuevo para Israel; la vaga expresión asiria, por otra parte, no está en abierta contradicción con tal hecho,

[20] Cf. E. Forrer, *Die Provinzeinteilung des assyrischen Reiches,* 1921, 59-69; A. Alt, *Das System der assyrischen Provinzen auf dem Boden des Reiches Israel,* 1929, en *Kl. Schr.* II, 188-205; cf. también *Kl. Schr.* II, 209-212.

[21] AOT, 347 s.; ANET, 283 s.; TGI, 58 s.

como, a la inversa, el texto veterotestamentario nada sabe de la legitimación de Oseas por medio de Teglatfalasar.

Hasta el llamado «estado incompleto de Efraím» Israel es provincia asiria. Judá permaneció intacta y, sin duda a base de tributos, pudo librarse de la directa intervención asiria. Esto había sido objeto de negociación por medio de Ajaz.

El arreglo de cuentas con Damasco tuvo lugar un año después, esto es, el 732. La ciudad fue conquistada, su territorio estatal quedó devastado. Sobre ulteriores campañas de Teglatfalasar III nada sabemos. El gran rey podía darse por satisfecho con ese resultado, puesto que de hecho se encontraba bajo su dependencia todo el puente geográfico sirio-palestinense, ya como sistema de provincias ya como sistema de leales tributarios en sus fronteras más alejadas. Entre éstos no sólo se encontraba Judá, sino también el país de los filisteos al oeste y la serie de los pequeños estados del este y sureste, Amón, Moab y Edom [22]. Esto queda también confirmado por otros documentos, que han sido descubiertos en las excavaciones realizadas en Nimrod hacia el año 1950 [23].

Teglatfalasar III murió en el año 727. Como orientación cronológica acerca de la época subsiguiente hasta el ocaso del imperio asirio, consignemos aquí yuxtapuestos sus soberanos junto a los del estado de Judá; el último rey del estado septentrional de Israel, Oseas, reinó del 730-729 al 722-721.

Judá		Asiria	
Ajaz	734-733 a 715-714	Teglatfalasar III	745-727
		Salmanasar V	727-722
		Sargón II	722-705
Ezequías	715-714 a 697-696	Senaquerib	705-681
Manasés	697-696 a 642-641	Asaradón	680-669
		Assurbanipal (Sardanápalo)	668-626
Amón	642-641 a 640-639	Aschur-etil-ilāni	625-621
Josías	640-639 a 609-608	Sin-schar-ischkun	620-612

22 AOT, 348; TGI, 59; aparece aquí como tributario el rey judaico Ajaz, y desde luego bajo la forma plena —no atestiguada en el antiguo testamento— de «Joacaz» (Iauhazi).

23 H. Donner, *Neue Quellen zur Geschichte des Staates Moab in der zweiten Hälfte des 8. Jahrh. v. Chr.*: MIO 5 (1957) 155-184.

El cambio de trono en Asiria provocó en Siria y Palestina coaliciones antiasirias. Se denegaron los tributos, incluso se esperaba apoyo del exterior, por ejemplo la ayuda de Egipto. Con palabras concisas nos dice 2 Re 17, 1-6 que el rey israelítico Oseas suspendió el pago de tributos y trató de aliarse con «So, el rey de Egipto», como allí se dice.

Tras las múltiples consideraciones que se han venido haciendo para ver en «So» el nombre propio de una persona, se ha propuesto la hipótesis obvia y tal vez incluso atinada de que se trata del nombre de la ciudad déltica de Sais. Esto, bajo el aspecto filológico, parece posible; ya que «Sais» se dice en egipcíaco *S'w* (S'au) y en asirio Sa-a-a, lo que en hebraico y según las leyes fonéticas en vez de *Sā** da o puede dar un *Sō*.

Históricamente se explica que en los años veinte del siglo VIII y bajo presión etíope se constituyera en el norte de Egipto una dinastía autónoma, cuyos soberanos residieran en Sais, en el delta oriental, la llamada XXIV dinastía de Sais. Entre 730 y 720 gobernó allí Tefnachte, primeramente como gobernador, después sin duda como rey independiente. Con él podría haber establecido contactos Oseas de Israel. Pero nada nos consta sobre un reclutamiento llevado a cabo en Egipto. La llamada de socorro por parte de Oseas habría resonado en vano.

Si realmente «So» es un nombre de lugar, sería de considerar una pequeña adición al texto hebraico, a saber *'l sw' 'l mlḵ mṣrym*, «hacia So = Sais, al rey de Egipto». El segundo *'l* podría haber desaparecido cuando se confundió el nombre de la ciudad con un supuesto nombre de faraón [24].

Según 2 Re 17, 4 los contactos de Oseas con Egipto y el cese de sus tributaciones habrían servido de motivo para detener al rey de Israel. De este modo el último residuo independiente del estado de Israel, la ciudad de Samaria con sus alrededores quedó privado de su rey. Samaria habría estado sitiada durante tres años. Se supone que Salmanasar no instaló allí permanentemente su ejército. La ciudad cayó por fin en el año 722-721. Se ha supuesto que el rey asirio que de hecho la conquistó fue Sargón II, que nos habla de ello en sus anales [25]. Se suponía que Salmanasar V debió haber muerto poco antes. Hoy se da preferencia a un pasaje de la llamada *Crónica babilónica*, que asigna ya a Salmanasar

[24] R. Borger, *Das Ende des ägyptischen Feldherren Sib'e = sw'*: JNES 19 (1960) 49-53; H. Goedicke, *The end of «So, king of Egypt»*: BASOR 171 (1963) 64-66.
[25] AOT, 348; ANET, 284; TGI¹, 53 s.

la destrucción de Samaria [26]. Sin embargo, es a Sargón II a quien debemos otras importantes noticias sobre el trato otorgado a Samaria y a sus habitantes [27].

27.280 personas habrían sido deportadas. Dice además el gran rey: «permití que habitaran en ella a gentes de los territorios, prisioneros de guerra hechos por mis manos» [28]. He aquí atestiguada la tercera y última fase de la praxis asiria al ocupar territorios, la liquidación del residuo estatal del estado antaño diezmado, amplia deportación y asentamiento de una población extraña traída de otros puntos del imperio. Esto lo confirma 2 Re 17, 6. Los deportados llegaron a Asiria, o dicho más exactamente, a Calac, además a la región del Jabor, afluente de la margen izquierda del Eufrates, en especial a la región de Gozán (junto al nacimiento del Eufrates), a Media, por lo tanto a territorios situados al norte de Mesopotamia. Estas son las últimas noticias que tenemos relativas a esa población israelítica que antes había estado establecida en Samaria y en sus contornos. Estas gentes jamás retornaron a su patria.

2 Re 17, 24 nos manifiesta quién se estableció de nuevo en el territorio de Israel, gentes procedentes de Babilonia, de la ciudad babilónica de Cuta, además de dos lugares desconocidos para nosotros, Ava y Sefarvaím, pero también procedentes del centro-sirio Jamat. Este último detalle reviste especial interés. Jamat cayó el 720, por consiguiente algún tiempo después de la conquista de Samaria. Según esto la recolonización se produjo en etapas.

Las deportaciones afectaron sobre todo a las clases altas. La gran masa de la población rural permaneció trabajando, en sus lugares respectivos. Según Jue 18, 30 fueron deportados los sacerdotes del santuario estatal de Dan. Con esto ya había amenazado Amós (Am 7, 17) al sumo sacerdote Amasyá de Bethel. Los sacerdotes pertenecían a la clase elevada, lo mismo que los funcionarios estatales y los sectores acomodados y dirigentes del país, los grandes terratenientes y los administradores de los bienes de la corona. Todos estos son sustituidos por los nuevos colonos, que como clase privilegiada tuvieron que entenderse con la población nativa que había quedado. Precisamente en esta línea se mantienen también algunas noticias contenidas en los ya citados textos de Sargón. «Puse a mis funcionarios como gobernadores sobre ellos (esto es, los nuevos inmigrantes) y les impuse tributos lo mismo que a los asirios». Así pues, los inmigrantes son los propiamente responsables de los pagos del país. En otro lugar informa Sargón: «mientras tanto hice a Samaria mayor que antes, y permití que entraran en ella habitantes

[26] AOT, 359 s.; TGI, 60 con bibliografía.

[27] Cf. especialmente el texto comunicado por C. J. Gadd: Iraq 16 (1954) 173 s. (Col. IV, 25-49); traducción TGI, 60.

[28] AOT, 348; ANET, 284; TGI[1], 54.

de territorios, que mi mano había conquistado. Pusc a generales como gobernadores suyos, y los incorporé al país de Asiria»[29]. Los inmigrados conservan sus dioses y les dan culto en la forma acostumbrada (2 Re 17, 29 s). Pero en un caso especial se pregunta por Yahvé como Dios del país. Había irrumpido una plaga de leones. Hubo de acudir en su ayuda un sacerdote de Yahvé, pues él conocía el culto (*mischpāṭ*) del Dios del país. De este modo un deportado sacerdote israelítico pudo regresar con permiso del gran rey y siguió actuando en Bethel. Por desgracia, no se nos dice con qué resultado (2 Re 17, 25-28).

Por lo que se refiere a la vida en el país son, además, instructivos algunos documentos de aquella época, que nos han llegado de Geser y Samaria. Se trata de documentos de venta, de los que se desprende que los compradores y los testigos pertinentes debían ser inmigrados, que llevan nombres babilónicos (por ejemplo, compuestos a base del nombre divino Nergal, mientras que el vendedor lleva nombre hebraico, como por ejemplo *Nātan-Ia-u*. El nuevo sector de población está en condiciones de comprar y compra a la población autóctona[30].

Es cierto que paulatinamente se llegó a una compenetración de los diversos elementos demográficos en el Israel de ocupación asiria. Pero este proceso se vio desde luego complicado por el hecho de que al correr de los tiempos fueron llegando todavía más grupos. Colonos extraños llegaron durante el reinado de Asaradón, por lo tanto en la primera mitad del siglo VII (Esd 4, 2). De los tiempos de Assurbanipal se menciona a otro grupo de esta clase (Esd 4, 10). ¿Habrá que admitir la glosa de Is 7. 8b en el sentido de que después de 65 años Efraím cesará de ser un pueblo? Contando desde el 733 se llega aproximadamente a la época de Asaradón.

En tales circunstancias es explicable que sepamos muy poco acerca de la ulterior evolución en el territorio del estado de Israel tras la caída de Samaria. El antiguo testamento guarda al respecto un silencio total. El país se encuentra privado de su autonomía y ya no cuenta en absoluto como factor político; el asentamiento de la clase superior extranjera impidió a los judíos establecer contactos oficiales con sus vecinos septentrionales. El mismo Judá, como vasallo asirio, hubo de preocuparse por el residuo de su relativa autonomía. Ha de quedar en claro que la evolución peculiar del territorio samaritano y galilaico, tal como puede observarse en el ulterior decurso de la época de los reyes hasta bien entrada la

29 TGI, 60.

30 Sobre los documentos de Geser, K. Galling: PJB 31 (1935) 81-86; sobre los documentos de Samaria, A. Alt, *Lesefrüchte aus Inschriften 4. Briefe aus der assyrischen Kolonie in Samaria*: PJB 37 (1941) 102-104.

época postexílica, tiene en definitiva sus raíces y primeros comienzos en esta época subsiguiente a la caída de Samaria. La eliminación de toda iniciativa política, la amalgama de la población con grupos inmigrados totalmente nuevos y las diversas condiciones de vida motivadas por tal situación tenían que fomentar a la larga una alienación con respecto al sur judaico, que en muchos aspectos fue más profunda que la antigua confrontación tribal en Efraím y Judá tras la ocupación del país. La posterior formación de una comunidad samaritana autónoma en contraposición a Jerusalén y la subsiguiente y peculiar fama de los «samaritanos», tal como sigue repercutiendo aún en el nuevo testamento, tiene su causa en definitiva, si prescindimos de muchas situaciones conflictivas que agudizaron el antagonismo hacia Judá en la época postexílica, en la praxis de avasallamiento propia del imperio asirio, hábilmente manejada. Ello acarreó el final del estado de Israel, y para el resto del país una ruptura política y étnica de trascendentales consecuencias.

14

JUDA HASTA LA SUBIDA AL TRONO DE JOSIAS

A la vista del hundimiento del estado de Israel, Judá estaba condenado a la inactividad, si no quería atraer inmediatamente sobre sí los más graves peligros y exponerse a la intervención de los asirios en su propia tierra. Pero no deja de ser notable el silencio del contemporáneo profeta Isaías sobre la caída de Samaria. El pudo ver ahí la triste confirmación de anteriores temores [1]. Pero por lo demás no era propio del estilo profético utilizar los acontecimientos consumados como autojustificación.

La época subsiguiente a la caída de Samaria hasta el final del siglo VIII se vio conmovida por toda una serie de movimientos levantiscos y coaliciones antiasirias, en las que finalmente también se vio complicado Ezequías de Judá. Esto movió al gran rey asirio a intervenciones, que sustancialmente se desarrollaron con éxito. Pero debió ser grande la tentación, en especial para los estados pequeños, de sumarse a coaliciones contra los asirios, y tampoco Judá se mantuvo al margen de tales seducciones. Esto lo observó y enjuició el profeta Isaías en Jerusalén desde muy cerca. El puso en guardia con decisión. Fue tal vez en esta época de gran actividad política y diplomática cuando él pronunció las famosas palabras: «la quietud y la confianza serán vuestra fuerza» (Is 30, 15). Isaías estaba profundamente convencido de que con las conspiraciones Judá no haría otra cosa sino llamar la atención y al fin nadie podría prestarle ayuda. Observamos además que Judá tenía también a su favor su situación geográfica. Se encontraba apartado de los principales escenarios bélicos, en zona montañosa, no en las llanuras costeras. Estaba lo suficientemente al sur para no despertar sospechas de hallarse implicado en la política coalicionista siria. El gran rey pudo darse por plenamente satisfecho con los tributos judaicos. De ahí que Judá quedara a salvo aun durante los levantamientos de Jamat y Gaza en el año 720 y de Asdod en 713-711; sólo cuando manifestó sus sentimientos antiasirios, hubo

[1] Cf. Is 28, 1 s.

de padecer calamidades a propósito de las sublevaciones acaecidas el año 701 en Ascalón y Ecrón.

El año 720 se sublevó el centro-sirio Jamat, o mejor dicho, el residuo estatal que había quedado tras la reducción de ese estado realizada en el año 738. Ahora ya todo el territorio pasó a formar parte del imperio asirio como provincia de «Jamat».

Además se sublevó el rey Hanún (Hanno) de Gaza, desde luego con la ayuda de los egipcios. En los textos asirios aparece a este propósito un «general en jefe del país de Egipto», evidentemente el comandante de un gran contingente de tropas egipcias al suroeste de Palestina. Se ha querido relacionar su nombre, *Sib'u/e,* con el «So, rey de Egipto» de 2 Re 17, 4; tal posibilidad queda descartada sobre todo porque, en vez de *Sib'u* o *Sib'e,* hay que leer probablemente *Re'e* [2]. El rey de Gaza en alianza con los egipcios luchó junto a Rapihu (Raphia, *tell refaḥ*), a 25 kilómetros al suroeste de Gaza, contra los asirios y fue hecho prisionero. *Re'e* consiguió escapar. Gaza se convirtió en provincia asiria [3]. Es digno de atención el hecho de que en Raphia un importante cuerpo de ejército egipcio se enfrentara por primera vez directamente con los asirios.

En los años 713-711 se produjeron otras sublevaciones, que partieron de la ciudad filistea Asdod. Asdod suspendió sus tributaciones y supo estimular a otros estados a formar coaliciones antiasirias. Nos dice Sargón que en las hostilidades también participaron «el país de Judá, el país de Edom y el país de Moab» [4]. Según esto, la agitación penetró profundamente en el interior del país. Además no cesaron los esfuerzos por ganarse a Egipto contra los asirios, ya que Egipto para defender el propio territorio debía estar interesado en detener a los asirios. El rey egipcio de esta época es el rey Schabaka, famoso también por otros documentos [5] (712-698 a. C.), que pertenecía a la XXV dinastía, conocida

[2] R. Borger: JNES 19 (1960) 49-53.
[3] Texte AOT, 348 s.; ANET, 284 s.; TGI, 62.
[4] AOT, 351; ANET, 287.
[5] De su época procede la inscripción de uno de los más importantes textos teológicos de la religión egipcia, basado probablemente en un modelo anterior del antiguo imperio. Se trata de la llamada «piedra-Schabaka», dada a conocer por A. Erman, *Ein Denkmal memphitischer Theologie*: SPAW (1911) 916-950, fue después detalladamente estudiada por K. Sethe, *Dramatische Texte zu altägyptischen Mysterienspielen,* 1928 y por H. Junker, reanalizado a la luz de la historia de las religiones, *Die Götterlehre von Memphis*: APAW (1939) 23 (1940); cf. también la traducción inglesa ANET, 4-6; un cotejo con el antiguo testamento K. Koch, *Wort und Einheit des Schöpfergottes in Memphis und Jerusalem*: ZThK 62 (1965) 251-293.

por dinastía de los «Etíopes». Eran los tiempos en que en Egipto predominaban los soberanos del lejano sur, procedentes de la región de Sudán. Al parecer, también Ezequías sintió la tentación de aliarse con esos reyes.

En Is 18, 1-6 Isaías se refiere a ciertos emisarios, que sin duda habían llegado a Jerusalén para negociar una alianza. Pero consecuentemente el profeta se dirige contra esos diplomáticos. Les lanza un «ay»: «Ay, tierra de susurro de alas (la de allende los ríos de Cus), la que envía mensajeros por el mar en naves de juncos sobre las aguas. Id, veloces mensajeros, al pueblo de elevada estatura y piel brillante, a la nación temible y lejana, a la nación fuerte y pisoteadora, cuya tierra está surcada de ríos...». He aquí una caracterización de los sudaneses, tal como Isaías pudo representárselos. Pero es algo típico el hecho de que el profeta no solamente ordene a esos mensajeros que se vuelvan, sino que con gran convicción diga que se acerca ya el momento en que con necesidad realmente natural el asirio intervendrá inexorablemente.

Así pues, en la época de la sublevación de Asdod Isaías proclamó su opinión de forma totalmente drástica, cuando él, descalzo y con la parte superior del cuerpo desnuda, correteaba de un lado para otro para indicar que el rey de los asirios se llevaría desnudos y descalzos a los egipcios y a los etíopes, precaviendo así a todos aquellos que se aprestaran a pactar con Egipto (Is 20, 1-6).

Asdod fue derrotado; su rey había huido a Egipto, pero fue entregado a los asirios [6]. Judá, Edom y Moab, a pesar de sus sentimientos hostiles, se libraron una vez más. Pero al parecer tan sólo se estaba al acecho del momento oportuno para levantarse nuevamente contra los asirios. El año 705 a. C. murió Sargón II y su hijo Senaquerib (705-681) vino a ocupar el trono. Por entonces aun el rey judaico Ezequías suspendió sus tributaciones; además, parece que eliminó también los símbolos cúlticos asirios que había en Jerusalén y que estaban ordenados a representar allí la supremacía asiria. Destrozó además otro símbolo, que hasta entonces había permanecido en Jerusalén, «la serpiente de bronce, que había fabricado Moisés», ante la cual los israelitas quemaban incienso y a la que llamaban «Nejustán» (2 Re 18, 4).

Parece que se trataba de un antiguo símbolo en forma de serpiente, que se había relacionado con la época desértica de Israel [7], pero que proba-

6 AOT, 350 s.; ANET, 286; TGI, 63 s.
7 Cf. Núm 21, 4-9.

blemente se había tomado de la tradición autóctona de los cultos cananeos [8]. Ambas acciones, la eliminación de los objetos cúlticos asirios y la del Nejustán, suelen denominarse la «reforma» del rey Ezequías, reforma que a su modo anticipó lo que más tarde realizó Josías a escala mucho más amplia. Esa opinión puede basarse en la circunstancia de que Ezequías es especialmente elogiado por el refundidor deuteronomístico de los libros de los Reyes en atención a sus medidas político-cúlticas. Ninguno de los reyes que le precedieron confió en Yahvé como él (2 Re 18, 5 s). No hay que descatar el que todo cuanto hizo el rey judaico tenía un matiz antiasirio. Ezequías parece haber desempeñado un papel rector en el movimiento contra Asiria. 2 Re 20, 12-19 informa que Ezequías había recibido una legación del rey babilónico Merodac-Baladán (Marduk-apla-iddin II), de un príncipe, que bajo Sargón II de 722-711 y más tarde una vez más bajo Senaquerib en 703 fue rey de Babilonia. Ezequías les enseña en Jerusalén a los babilonios los arsenales. También esta visita cuadra con los planes comunes contra Asiria.

Pero sobre todo se sublevaron, después de subir Senaquerib al trono, las dos ciudades filisteas de Ascalón y Ecrón. Senaquerib estuvo primeramente muy ocupado con las numerosas rebeliones acaecidas en el interior de su reino. Hasta el 701 no se puso en camino con intenciones bélicas hacia Siria y Palestina. Había ya conseguido recuperar el mando aun en Babilonia y expulsar a Merodac-Baladán (Marduk-apla-iddin II). Acerca de la campaña de Palestina poseemos mayor documentación, sobre todo procedente del mismo antiguo testamento. Entran en consideración 2 Re 18, 13-37; 19, en gran parte idéntico con Is 36.37 [9], pero también versículos de Isaías en Is 1.30 y 31; debe tratarse de manifestaciones del profeta en su fase tardía. Por lo que se refiere a noticias asirias, poseemos la inscripción del toro [10] redactada tras la sexta campaña y la amplia descripción de los hechos [11] notificada en un prisma de arcilla (el llamado «cilindro de Taylor») así como referencias tomadas de otras inscripciones [12].

[8] Cf. el art. *Schlange* (M.-L. Henry) en BHH III, 1.699-1.701; además Galling, BRL, 458 s.; RGG V, 1.419 s.

[9] Re 18, 13-19, 37 = Is 36.37 (después de 36, 1 falta 2 Re 18, 14-16); rasgos legendarios en Is 38-39, paralelamente a 1 Re 20; el «salmo de Ezequías» (Is 38, 9-20) falta en el 2 Re. Cf. L. L. Honor, *Sennacherib's invasion of Palestine,* 1966; B. S. Childs, *Isaiah and the assyrian crisis,* StBth II/3, London 1967, 69 s.; cf. también O. Eissfeldt, *Ezechiel als Zeige für Sanheribs Eingriff in Palästina,* 1931, en *Kl. Schr.* I, 239-246.

[10] D. D. Luckenbill, *The annals of Sennacherib,* Chicago 1924, 68-70.

[11] *Ibid.,* 29-34; AOT 352-354; ANET 287 s.;TGI 67-69.

[12] D. D. Luckenbill, *o. c.,* 77.86; ANET, 288.

Senaquerib recorrió rápidamente y sin resistencia digna de mención el territorio sirio-fenicio e inmediatamente se dirigió con el mayor ímpetu contra las levantiscas ciudades filisteas de Ascalón y Ecrón. Al mismo tiempo hizo su aparición desde el sur un ejército egipcio, que «los reyes de Egipto» habrían acaudillado, como dice Senaquerib, aunque probablemente se trataba tan sólo de príncipes egipcios de ciudad y de distrito. Junto a Eltheke (*Altaḳū = chirbet el-muḳanna'*) en la zona ondulada situada entre la costa y la montaña de Judá, aproximadamente a la altura de Jerusalén, Senaquerib batió a los egipcios. A continuación reprimió a las ciudades filisteas de Ascalón y Ecrón. Pero entonces el gran rey asirio no permaneció, como sus predecesores, en la llanura costera, sino que, y esto jamás había ocurrido, realizando un viraje lógico se dirigió directamente hacia el este, internándose por consiguiente en la montaña de Judá y dirigiéndose principalmente a Jerusalén. Ezequías era una de los tributarios que se resistían a pagar; su territorio fue entonces directamente atacado [13].

Senaquerib primeramente ocupó la tierra de Judá, «46 de las ciudades fuertes amuralladas y las pequeñas ciudades», como él dice. Algunas fortalezas ofrecieron resistencia, entre ellas Laquis (*tell ed-duwēr*). Senaquerib mandó representar en los relieves de Nínive el asedio y la conquista de Laquis [14]. Parece ser, por consiguiente, que en esa zona se trabaron importantes batallas. También la inscripción del prisma habla de pasadizos de tablones, máquinas de asedio, brechas y arietes, que se utilizaron en la conquista de ciudades de Judá. Como botín menciona Senaquerib 200.150 personas; este número desde luego es muy elevado y ha dado ocasión a múltiples consideraciones, aunque sin base segura [15].

Esto parece muy lógico si atendemos al modo de proceder de los asirios. Senaquerib ocupa esa zona primeramente prescindiendo de la capital, evidentemente, como podría creerse, para hacer de esa zona una provincia asiria. Pero curiosamente Senaquerib sigue entonces una política distinta. Separa esas comarcas de Jerusalén

[13] Senaquerib penetró en una comarca, en la que también se encontraba la ciudad natal del profeta Miqueas, Moreset-Gat (*tell ed-dschudēde*); Miqueas veía llegar el ataque asirio; cf. Miq 1, 8-16; sobre esto K. Elliger, *Die Heimat des Propheten Micha*: ZDPV 57 (1934) 81-152, en *Kl. Schr.*, 1966, 9-71; H. Donner, *Israel unter den Völkern,* 92-105.

[14] AOB, 137-141; ANEP 372/3; Barnett-Forman, *Palastreliefs,* 44-49.

[15] La reducción a 2.150, que hace A. Ungnad: ZAW 59 (1942-1943) 199 s., parece demasiado mecánica y es cifra demasiado baja en comparación con las 27.280 personas de Samaria: TGI, 68; cf. además W. Rudolph. *Sanherib in Palästina*: PJB 25 (1929) 59-80, espec. 67; sobre esto A. Alt, *Ibid.*, 81 (*Kl. Schr.* II, 242 s.).

y las distribuye entre los príncipes filisteos vecinos, que esta vez se han mantenido leales, a saber, los reyes de Asdod, Ecrón y Gaza [16]. En todo caso no se constituye ninguna provincia de Judá. Lo desacostumbrado de tal proceder no se explica del todo. Es posible que el gran rey mediante este afianzamiento del poder filisteo se prometiera una más eficaz protección de su reino contra Egipto, como si allí hubiera él creado una provincia asiria según un patrón totalmente propio. Tal vez no quiso él acercar demasiado hacia Egipto su sistema provincial, para no volver a provocar a los egipcios.

Quedaba Jerusalén. La ciudad con su rey Ezequías fue cercada por las tropas asirias. Drásticamente dice Senaquerib en la inscripción del prisma: «A él mismo (Ezequías) le cerqué en Jerusalén, su residencia, como a un pájaro en su jaula. Levanté fortines contra él y le hice imposible salir de las puertas de la ciudad» [17]. Esta situación totalmente aislada de Jerusalén está expresada con no menor claridad en Is 1, 4-9 cuando el profeta dice que «la hija de Sión ha quedado como cobertizo en viña, como albergue en pepinar». Se alude a la situación del restante país de Judá al decir: «vuestra tierra es desolación, vuestras ciudades, hogueras de fuego. Vuestro suelo delante de vosotros extranjeros se lo comen...». Sin embargo, Jerusalén quedó a salvo, no fue conquistada, Ezequías permaneció en el gobierno. La razón de que la ciudad se salvara es un problema especial, al que hasta hoy no se ha dado una respuesta satisfactoria, ya que el antiguo testamento contiene noticias contradictorias y el cotejo con los textos asirios no permite ninguna solución segura [18].

Es muy conocida la versión de 2 Re 19. 35-37. El ángel de Yahvé habría descargado de noche sobre el campamento de los asirios matando a muchísimos hombres. Se ha pensado generalmente en una epidemia. Que esto no hay que descartarlo ha sido probado recientemente por W. von Soden basándose en textos asirios y otros paralelos [19]. Pero además de esto el antiguo

16 A. Alt, *Die territorialgeschichtliche Bedeutung von Sanheribs Eingriff in Palästina,* 1930, en *Kl. Schr.* II, 242-249.

17 La última parte de esta frase se encuentra en la versión lógicamente acertada de W. von Soden, *Sanherib vor Jerusalem 701 v. Chr.*, en *Antike und Universalgeschichte,* 1972, 43-51, espec. 45.

18 Cf. las reflexiones y referencias, formuladas teniendo en cuenta las noticias de Herodoto (libro II, 141), en Rudolph, *o. c.*, 75-80; W. von Soden, *o. c.* y W. Baumgartner, *Herodots babylonische und assyrische Nachrichten*, en *Zum Alten Testament und seiner Umwelt. Ausgewählte Aufsätze,* Leiden 1959, 282-331, espec. 305-309.

19 W. von Soden, *o. c.*, 49-51.

testamento nos habla de un gran tributo que Ezequías pagó a Senaquerib. Este tributo se menciona también en la inscripción del prisma, pero bajo la forma extraña de que Ezequías se lo habría enviado a Nínive al rey asirio y por medio de un emisario le rindió homenaje, manifestando por consiguiente su sumisión. Estos detalles en su conjunto corresponden perfectamente al comportamiento de un vasallo, que manifiesta su subordinación y paga tributo. Pero en el presente caso eso sucede después que el rey asirio parece haberse marchado ya. La hipótesis acostumbrada de que Senaquerib se habría visto obligado a ponerse rápidamente en camino a causa de ciertos acontecimientos que habrían tenido lugar en Babilonia, no es admisible [20]. Así pues, hay que suponer de hecho que algo ocurrido en el campamento asirio junto a Jerusalén hizo necesaria la partida, lo que no es óbice para que Ezequías enviara su tributo y renovara claramente su vasallaje, cuya interrupción había motivado la intervención asiria.

Esto se les antojaría como una especie de milagro a los jerosolimitanos, quienes de pronto se vieron a salvo y pudieron mantener una relativa autonomía bajo su rey Ezequías. Los detalles del informe veterotestamentario no se pueden negar rotundamente, pues las negociaciones del alto funcionario asirio, Rabsake (*rab sākê*), quien ante los muros de Jerusalén incitaba a los habitantes de la ciudad a rendirse contra la voluntad de su rey (2 Re 18, 17-37), tienen un cierto paralelismo con otras negociaciones realizadas con los habitantes de Babilonia [21], de tal modo que aun este simple rasgo del informe veterotestamentario tiene base en las prácticas asirias.

La noticia sobre el final de Senaquerib (2 Re 19, 37) en el sentido de que éste, al parecer poco después de su campaña palestinense, fue asesinado por sus hijos, ha podido interpretarse como indicio de que alguna especial situación en la lejana Mesopotamia le obligó a regresar a su patria. Senaquerib fue ciertamente asesinado, pero sólo veinte años después, en el año 681.

Son mínimas las noticias que poseemos acerca del ulterior desarrollo de la historia de Judá después del 701 a. C. Hasta la subida del rey Josías al trono, o dicho más exactamente, hasta la realización de sus acciones cúlticas consideradas como «reforma», no disponemos de más noticias que las del capítulo 21 de 2 Re. Sustancialmente, pues, permanece para nosotros en la oscuridad el tiempo que corre entre 701 y 622, esto es, la mayor parte del siglo VII. Esto puede naturalmente estar relacionado con las especiales circunstancias que los asirios crearon en Judá. El territorio

[20] *Ibid.*, 45.

[21] Se trata de una carta asiria del año 731 relativa a negociaciones de los asirios con los habitantes de Babilonia antes del asedio de la ciudad. H. W. F. Saggs: Iraq 17 (1955) 23 s.; sobre esto W. von Soden, *o. c.*, 46-48.

de Judá, la zona estatal fuera de Jerusalén, estaba perdido y se encontraba bajo soberanía filistea. De todos modos, a lo largo del siglo VII y en alguna ocasión para nosotros desconocida, ese territorio o al menos una buena parte del mismo debió ser devuelto al dominio de los davídidas. Desde luego posteriormente volvemos a encontrarnos allí con derechos soberanos de los reyes de Jerusalén. La recuperación tuvo lugar posiblemente durante el largo reinado de Manasés, que sucedió en el trono a Ezequías [22].

2 Re 21 sólo nos dice cosas desagradables acerca de Manasés. Se nos dice que introdujo cultos extraños, derramó sangre inocente, los profetas se alzaron contra él. Todo esto se explica muy bien sobre el trasfondo de una política entregada totalmente a Asiria, que estuvo vinculada también al reconocimiento de los cultos asirios.

De la época del reinado de Josías se nos dice posteriormente que en Judá y en los alrededores de Jerusalén existieron cultos religiosos de signo asirio, que allí ejercieron sus funciones sacerdotales extranjeros, y que allí se quemaron perfumes en honor de Baal, del sol y de la luna, de los planetas y de toda la milicia celeste (2 Re 23, 5). Todo esto cuadra perfectamente con el culto astral de los asirios. Josías lo suprimió, pero también se nos dice que fueron reyes judaicos quienes lo instituyeron. Esto tuvo que ocurrir a lo largo de aquella época propiamente asiria en Judá, por consiguiente después del 701. En ello tendría Manasés una intervención esencial.

No deja de ser curiosa una noticia transmitida en 2 Crón 33, 11-13. Los asirios se habrían llevado a Manasés cargado de grillos a Babilonia (no a Asiria); pero él habría regresado posteriormente a Jerusalén. ¿Se puede ver ahí una acción punitiva por haber demostrado insubordinación?

La época de la ocupación asiria durante el siglo VII fue para Judá desde luego una época aciaga. A esta época pertenecen tal vez los capítulos finales del libro de Miqueas (Miq 6.7). Se saca la impresión de un orden que se desmorona. Se habla de la índole de Omrí y de Ajab, señal inequívoca de un incipiente cananeísmo. Quedan pocos piadosos y justos en el país. En todo caso Judá no estaba en condiciones para una política independiente; la política mundial no rozaba para nada al reducido estado vasallo de los asirios, que en esa política ya no tenía realmente la menor participación. Pero Asiria entre tanto se encaramó a la cumbre de su potencia mundial.

El hijo de Senaquerib, Asaradón, consiguió conquistar Egipto. En el año 671 fue sometido el reino del Nilo por obra del general en jefe, el *turtānu Scha-nabuschu*. El rey etíope Tirhaka fue ven-

[22] Cf. A. Alt., *Kl. Schr.* II, 248 s.

cido, Menfis fue tomada sin la más mínima lucha. Asaradón dispuso que Egipto fuera gobernado por 22 príncipes de distrito a los que adjuntó sendos gobernadores asirios. En todas las zonas del reino fueron erigidas estelas triunfales. Una de las más famosas fue hallada en Sendschirli y se encuentra actualmente en Berlín. Esta estela muestra la efigie de tamaño natural de Asaradón, que conduce atados de una soga al rey de Etiopía y al rey de Tiro [23]. Pero no tardó en nacer la resistencia en Egipto. Asaradón envió a su capitán general al país del Nilo, siguiéndole él mismo, pero con su salud ya muy quebrantada. Antes de llegar allá, murió el año 669 [24].

Su hijo y sucesor Assurbanipal no continuó la brillante política exterior de su padre. A su nombre va unida la colección de escritos, redactados en letra cuneiforme, que se contienen en su biblioteca de Nínive, a la que debemos una gran parte de la literatura mesopotámica. Conflictos de política interior paralizaron la fuerza de resistencia del imperio. Assurbanipal acaudilló una dura guerra contra Babilonia, donde actuaba de virrey su propio hermano Schamasch-schumukin. Finalmente Assurbanipal triunfó sobre Babilonia y sobre numerosas coaliciones hostiles. Sin embargo, empezó a declinar Asiria como gran potencia rectora. Egipto hubo de ser abandonado. Los reyes de la XXVI dinastía, que iniciaron para Egipto una nueva época impregnada del sentimiento del propio valer, sobre todo Psamético I de Sais, habían restablecido en Egipto la plena independencia a partir del 663 y tras el hundimiento asirio. A buen seguro que en esta época los ejércitos asirios entrarían en contacto con la zona palestinense. Pero sobre esto guardan silencio al menos las fuentes veterotestamentarias. Manasés se mantuvo adicto a Asiria hasta el final. En una enumeración de vasallos de los tiempos de Asaradón se menciona también a Manasés de Judá; le precede el rey de Tiro y le siguen los reyes de Edom y de Moab [25].

[23] AOB 143/4; ANEP 447; se duda de si entre los personajes arrodillados figura el mismo Tirhaka o su hijo Uschanachuru; igualmente se duda de si el personaje en pie es el príncipe de la ciudad de Tiro o de la ciudad de Sidón; cf. *Durch vier Jahrtausende altvorderasiatischer Kultur, Vorderasiatisches Museum der Staatlichen Museen zu Berlin,* [2]1962, 52-55.

[24] Sobre la conquista asiria de Egipto cf. las correspondientes exposiciones de la historia de los asirios y de los egipcios; remitimos en especial a H. von Zeissl, *Äthiopen und Assyrer in Ägypten*: Ägyptologische Forschungen 14 (1955); R. Borger, *Die Inschriften Asarhaddons, Königs von Assyrien*: AfO Beiheft 9 (1956); J. Yoyotte, *Les principautés du Delta*: Mélanges Maspéro 4 (1961); cf. los textos ANET, 290-297.

[25] AOT, 357 s.; TGI, 70.

A Manasés le siguió su hijo Amón (2 Re 21, 19-26), pero por muy poco tiempo. Fue víctima de una conjuración cortesana. Pero los funcionarios reales no llegaron muy lejos; ya que una vez más fue el «pueblo» quien mató a los conspiradores y forzó la sucesión del hijo de Amón, Josías, aunque éste era todavía un niño de ocho años. Ignoramos quién ejerció la regencia en su nombre. Se menciona ciertamente a su madre por su nombre, pero no se nos dice que ejerciera cargos oficiales. Es una simple conjetura el que los hijos del rey mencionados en Sof 1, 8 sean aquellos que sustituyeron a Josías durante su minoría de edad. Conjetura es también el que la caída del rey Amón estuviera relacionada con el hecho de que en la época del ya vacilante reino asirio se enfrentaron entre sí un partido amigo de los asirios y otro hostil a los mismos. Desde luego esto no se puede descartar.

Pero parece ser que el rey Josías practicó consecuentemente una política que iba dirigida a independizarse de Asiria y a seguir una línea totalmente independiente, que proporcionara un nuevo apogeo no sólo a Judá, sino tal vez también a la totalidad de Israel. En este contexto la llamada «reforma del rey Josías» es sólo una parte; lo que probablemente se proponía era una restauración interna y externa del estado en un sentido muy amplio. El hundimiento de Asiria y de su imperio prometía realmente a los estados de Siria y de Palestina una coyuntura que parecía favorable para los propios planes políticos. El que las cosas después resultaran muy distintas era algo que no se podía prever.

15

LA RESTAURACION DE JOSIAS Y EL FINAL DE LOS ASIRIOS

Los acontecimientos internacionales que tienen lugar durante el reinado de Josías (640-639 a 609-608) fueron de una extraordinaria envergadura no ya sólo para Judá y el territorio de Israel ocupado por los asirios desde 722-721, sino para todos los pueblos de aquella época implicados en tales acontecimientos. Se inició el ascenso de Babilonia hacia su última grandeza independiente, el comienzo del llamado dominio neobabilónico; en esta época se produjo el agresivo avance de los medos y de los *ummān-manda,* pueblo escita de conquistadores procedente de las zonas montañosas del norte de Mesopotamia. Ante este concentrado poder acabaría por sucumbir el imperio asirio que de todas formas ya empezaba a desmoronarse. Al mismo tiempo Egipto se había fortalecido desde el advenimiento de la XXVI dinastía de Sais, especialmente bajo sus primeros y enérgicos reyes Psamético I y Nekó II. La evolución histórica de Palestina no se puede separar de estos importantes cambios de la política exterior. Pues todas las empresas del rey Josías, de un modo voluntario o involuntario, se encontraban en relación directa o indirecta con la coyuntura de la política internacional de aquella época. Tales empresas le abrieron posibilidades para una nueva política independiente en el interior y en el exterior; pero esta política decidió al mismo tiempo la grandeza y lo trágico de este rey.

La llamada «reforma» de Josías no sólo se explica atendiendo a las circunstancias de la política interior, sino que tiene sus raíces muy principalmente en las realidades de la política internacional y en la situación cultural de la época. Conviene, pues, hablar primeramente de los grandes movimientos que se producen en el mundo internacional de entonces, antes de dirigir la mirada estrictamente hacia Judá y hacia las actuaciones del rey dentro de su jurisdicción. Y esto tanto más cuanto que la no siempre clara situación documental, sobre todo del antiguo testamento en relación con los documentos extraisraelíticos, sólo de este modo se puede esclarecer suficientemente y enjuiciar a satisfacción. Precisamente en esa época el antiguo testamento tiene necesidad de ser aclarado por las fuentes extra-israelíticas.

El imperio asirio desde Assurbanipal, pero especialmente desde Aschur-etil-ilāni y su hermano Sin-schar-ischkun, se encontraba en vías de debilitamiento y finalmente de franca decadencia. Se fue haciendo cada vez más difícil controlar el amplio sistema de provincias y sujetarlo al territorio central. Las provincias se iban desgajando o se lanzaban a acciones independientes, cuando surgía alguna iniciativa en tal sentido. Esto se manifestó de la forma más duradera en la evolución producida en Babilonia. Allí se habían establecido nuevos elementos demográficos, que procedían de una zona situada al sur de la desembocadura del Eufrates y que comúnmente se les conoce con el nombre de «caldeos». Uno de éstos, Nabopalassar (*Nabū-apla-uṣur*), logró apoderarse del trono babilónico. Fue proclamado rey el 625 antes de Cristo y está considerado como fundador del llamado imperio neobabilónico. Es el padre de Nabucodonosor, que tanto había de influir en el rumbo posterior de Judá.

Mientras Nabucodonosor pretendía la independencia de Babilonia, desde los montes iraníes los medos irrumpieron hacia la región del Tigris, acaudillados por Cyaxares, como se le llama en la tradicción griega, Umakischtar según la versión babilónica. Los medos amenazaron directamente al territorio central asirio. A éstos no hay que identificarlos con las tribus escitas de los *ummān-nanda,* que procedentes de las estepas meridionales de Rusia alcanzaron también la zona del Tigris.

El desarrollo de los hechos en particular se ha conservado con bastante detalle en la llamada «crónica de Gadd», un fragmento de crónica babilónica, que describe los acontecimientos desde el 10 hasta el 16 año de Nabopolassar, aproximadamente el período que va de 616 a 609 [1]. De ahí se desprende claramente cómo Asiria se fue debilitando con guerras anuales y cómo Babilonia de año en año se iba separando de Asiria hasta que por fin a los asirios no les quedó sino su territorio medular y algunas regiones limítrofes por el oeste. Nabopolassar como «rey de Akkad» y Cyaxares se aliaron. La misma ciudad de Asiria parece haber sido tomada y destruida tan sólo por los medos, mientras que Nínive, donde reinaba el rey Sin-schar-ischkun, sucumbió al avance conjunto de babilonios y medos. La ciudad fue destruida el 612; el rey sucumbió también. A pesar de todo, la potencia asiria todavía no estaba extinguida totalmente. En Jarán, en la Mesopotamia occidental, un cierto Aschur-uballit se elevó a rey de Asiria. Su

[1] El texto fue localizado, publicado y estudiado por D. J. Gadd el año 1923 en el museo británico; C. J. Gaad, *The fall of Niniveh. The newly discovered babylonian chronicle, 21 901 in the British Museum,* London 1923; traducciones en AOT, 362-365; ANET, 303-305; TGI[1], 59-63; TGI[2] (selección), 72-74.

reinado se sitúa ordinariamente en 611-606. Contra él se aliaron los *ummān-nanda* y el rey de Babilonia y tomaron la ciudad de Jarán. Pero Aschut-uballit pudo ponerse a salvo; poco más tarde Aschur-uballit apoyado extrañamente por los egipcios intentó reconquistar Jarán, pero los babilonios lograron mantenerse firmes en esa ciudad.

La utilización de tropas egipcias por parte de los asirios reviste un especial interés. Ya durante las campañas del año 616, mucho antes de la caída de Nínive, se mencionan tropas egipcias por parte asiria [2]. Tales tropas intentaban defender a los asirios contra los babilonios y sus aliados. Su aparición en el noroeste de Mesopotamia en alianza con su antiguo adversario presupone una prolongada evolución política y militar en la segunda mitad del siglo VII, que no podemos conocer en su totalidad. Es evidente que la decadencia del poder asirio estimuló a los faraones de la fortalecida dinastía XXVI a tomar nuevamente las posiciones que en otros tiempos ellos habían poseído. Sus miradas iban principalmente dirigidas al puente geográfico palestino-sirio, que ellos trataban de controlar no sólo por motivos de expansionismo egipcio, sino también como protección contra los asirios y contra sus nuevos adversarios, convirtiendo llegado el caso a los pequeños estados sirios en una zona intermedia.

Del largo reinado de Psamético I (664-610) poseemos algunas noticias dignas de atención en Herodoto II, 157. El rey egipcio habría asediado la ciudad de Asdod durante 29 años. El número 29 no inspira confianza. Pero es sintomático todo el proceso, el intento egipcio por conseguir posiciones firmes en la costa palestinense. Herodoto (I, 105) informa del avance de los escitas hacia Siria y Palestina. También a éstos les habría salido al encuentro Psamético I y los habría obligado a emprender la retirada junto a Ascalón. Egipto se interesa al menos por oponerse a los pueblos que presionan desde el norte y proteger contra ellos el propio territorio. Esto, desde la caída de los asirios, se convirtió en el auténtico problema existencial. Este problema desembocó al fin en el sorprendente cambio de frentes de que los egipcios, en otros tiempos enemigos de los asirios y vencidos por ellos, constituyeran ahora una común alianza para guerrear conjuntamente contra los nuevos enemigos. Ignoramos desde luego la forma concreta en que se produjo la vinculación egipcio-asiria. En todo caso en el año 616, en el primer año de que nos habla la crónica de Gadd, vemos ya a las tropas egipcias al lado de los asirios, y están todavía aliadas con Aschur-uballit para reconquistar Jarán para los asirios.

Ahora bien, este apoyo de Aschur-uballit coincide cronológicamente con la aparición, atestiguada también en el antiguo tes-

[2] Gadd, *Chron.* 10; AOT, 362; ANET, 304 (en el informe sobre el año 10): TGI[1], 60.

tamento, del faraón Nekó en Palestina. Nekó II (610-595) fue el sucesor de Psamético I. Guerreando contra él cayó en el año 609 el rey Josías de Judá. Aquí se engranan directamente noticias bíblicas con los acontecimientos de la historia universal. Los egipcios, dicho sea ya de paso, no lograron restituir el trono a Aschur-uballit. Este sucumbió a la prepotencia de los babilonios y de sus aliados. Con esto el imperio asirio, que 60 años antes representaba todavía la mayor potencia del cercano oriente, quedaba definitivamente eliminado. Pero Nekó a partir de aquel momento se consideró soberano de Siria y de Palestina. Tal es la evolución que caracterizó la época inmediatamente posterior a la muerte de Josías. Este es el marco político-internacional de la época de Josías. Estaba en marcha una extraordinaria transformación de los complejos de fuerza. En medio de esa transformación se encontraba Josías.

Es muy explicable que el rey de Judá intentara aprovechar la decadencia del poder asirio en beneficio de su propio país. A juzgar por el antiguo testamento, la emancipación de la tutela asiria se realizó principalmente en el aspecto cúltico. Tuvieron que desaparecer las extrañas divinidades, que al mismo tiempo representaban la presencia del poder extranjero. Pero esta eliminación de los cultos extraños no es lo único que constituye lo que comúnmente se entiende por reforma josiánica. De todos modos constituyó el prerrequisito para la reforma. Pero como en el marco de la reforma se suprimieron también lugares de culto, era lógico vincular estrechamente entre sí ambas acciones, emancipación y reforma, y casi confundirlas.

La descripción de 2 Re 23 hace sospechar que no siempre existió una correcta diferenciación. Todo depende desde luego de puntualizar si se trata de suprimir lugares de culto extraisraelíticos o israelíticos junto con su personal.

Bajo estos puntos de vista aparecen como acciones políticas de Josías ordenadas a la emancipación de Asiria 2 Re 23, 4-7.10-15.19.20; los versículos 16-18 son un aditamento. En cuanto al contenido se puede cotejar el fragmento 2 Crón 34, 3-7. Este pasaje no está incorporado al relato de la reforma. Parece ser que ahí se distinguió con más claridad entre emancipación y relato sobre la reforma [3]. Josías mandó primeramente purificar el tem-

[3] Cf., además de los análisis del texto en las introducciones al antiguo testamento, A. Alt, *Die Heimat des Deuteronomiums*, 1953, en *Kl. Schr.* II, 250-275 (*Grundfragen*, 392-417), quien también valora y enjuicia el antiguo estudio de Th. Oestreicher, *Das Deuteronomische Grundgesetz*, 1923; cf. además, A. Jepsen, *Die Reform des Josia*, 1959, 97-108; L. Rost, *Zur Vorgeschichte der Kultusreform des Josia*: VT 19 (1969) 113-120.

plo de todos los objetos asirios de culto y suprimió las casas en que se practicaba la prostitución cúltica. Inmediatamente suprimió todos los sacerdotes extranjeros que habían ejercido su oficio en los alrededores de Jerusalén y en las ciudades de Judá. A estos sacerdotes en 2 Re 23, 5 se les designa con el extranjerismo acádico de *k̲mrym* (acád. *kumru[m]*). El informe sobre estas amplias acciones contra los cultos extraños hace al fin un notable viraje. No se reduce a Judá sino que menciona también el altar de Bethel y la imagen que allí había de Asera, que fue quemada. Análogas acciones se llevaron a cabo en las ciudades de Samaria. Allí incluso habrían sido sacrificados y quemados todos los sacerdotes de los santuarios de los altos. Ahí se observa una extralimitación del rey interviniendo en Israel. No hay ninguna razón convincente para dudar de la exactitud de tales noticias. Josías pretendía ver realizadas también en el territorio del antiguo estado septentrional de Israel las bases de su política antiasiria. Ahora bien, eso significaba de hecho que él se disponía a ampliar también su soberanía sobre el antiguo reino septentrional. Es evidente que la administración asiria de esas regiones ya no estaba en condiciones de funcionar. Demos aquí de lado a la cuestión de hasta qué punto el rey acariciaba la idea de restablecer la antigua unión personal entre Judá e Israel. Nuestras fuentes tampoco permiten deducir la relación cronológica que guardaron entre sí cada una de esas acciones. Es muy probable que todo ello se haya realizado a través de largos períodos [4].

Ahora bien, el relato acerca de la llamada «reforma» del rey, que él llevó a cabo en lo concerniente a la reorganización del culto a Yahvé, tiene el carácter de una acción especial y única. A ello se refieren los textos de 2 Re 22, 3-23, 3; 23, 8.9.21-23.24.25; par. 2 Crón 34, 8-35, 19.

Todo este proceso se suscitó casi incidentalmente a propósito de un rutinario acto administrativo, con motivo de un arreglo de cuentas para los trabajos de reconstrucción del templo, que llevó a cabo en el templo un funcionario real. Con tal ocasión el sumo sacerdote Helcías habría manifestado que él había encontrado «el libro de la ley» (el «libro de la Torá») en la casa de Yahvé. Este libro hallado habría sido llevado en seguida al rey y se le habría dado lectura. Despertó un gran interés y motivó toda una serie de trascendentales acciones.

[4] La reconstrucción de una ordenación cronológica relativamente lógica, aun en relación al relato de la reforma, en Jepsen, *o. c.,* espec. 108; sobre las situaciones políticas de la época cf. también Cross-Freedman, *Josiah's revolt against Assyria*: JNES 12 (1953) 56-59.

Primeramente se pidió consejo a la profetisa Jolda, quien pronosticó males para Israel, pero bienes para Josías, por haberse humillado el rey ante las palabras de ese libro. Por haber caído después Josías en la batalla, se cree poder suponer que el mensaje de Jolda, de que se habla, fue el auténtico. Una formulación secundaria de su mensaje habría tenido en cuenta la posterior muerte violenta del rey.

Después de pedir consejo a Jolda, el rey se habría decidido a una especie de acción estatal, que constituyó el verdadero núcleo del acto de reforma. En una magna asamblea de los principales de Jerusalén y de Judá y de muchos habitantes de la ciudad y del campo se leyó del libro, que aquí se designa como el «libro de la alianza (*sp̄r hb̲ryt̲*)». Josías se habría acercado inmediatamente «a la columna», esto es, al lugar que le correspondía en el ámbito del templo durante las actuaciones de carácter estatal [5], y habría hecho una alianza con Yahvé, la de seguir a Yahvé y guardar sus mandamientos, sus preceptos y sus leyes, con todo su corazón y toda su alma, poniendo por obra las palabras de esta alianza escritas en el libro (2 Re 23, 1-3). Los presentes confirmaron esa alianza, se adhirieron a un acuerdo contraactual entre ellos mismos y Yahvé, en el que el rey había actuado de mediador. Toda la escena, por su estructura y realización, recuerda el estilo de los pactos sacros, tal como ya en los antiguos tiempos de Israel se realizaron o parece que se realizaron, en el monte de Dios (Ex 24, 6-8) y en la asamblea de Siquem (Jos 24, 25 s). En tal sentido, la actuación de Josías parece un acto de restauración, de restablecimiento y de revitalización de las más antiguas tradiciones de Israel. No hay que olvidar desde luego que Josías actuaba como rey, no como jefe de grupo tribal. Por lo tanto, la acción de Josías posee, además de su importancia político-cúltica, un sentido político-estatal. Cabe preguntarse cómo el rey se decidió a todo ese proceso de restauración y qué libro era en realidad el que se encontró.

Hace tiempo que se formuló la tesis de que el libro hallado debió ser el Deuteronomio [6], o dicho más exactamente, una síntesis de ese libro, que contenía las tesis fundamentales deuteronómicas. Los ya descritos detalles de la estipulación de la alianza en el templo y el sentido que encierra se acercan tan claramente y hasta literalmente al carácter y mentalidad del Deuteronomio,

[5] Cf. 2 Re 11, 14.

[6] Como padre de esta tesis se cita ordinariamente a W. M. L. de Wette, *Dissertatio critico-exegetica qua Deuteronomium a prioribus Pentateuchi libris diversum, alius eiusdam recentioris auctoris opus esse monstratur*, 1805. En este trabajo sólo incidentalmente se dice que el código hallado fue el Deuteronomio. Ya antes que de Wette manifestaron esta opinión Jerónimo, Crisóstomo, Procopio de Gaza, Hobbes y Lessing; cf. R. Smend, *Wilhelm Martin Leberecht de Wettes Arbeit am Alten und Neuen Testament*, Basel 1958, 32-36.

que este ideario ha podido ser considerado con razón como el verdadero centro de la política reformista de Josías. Pero todavía no se ha determinado con seguridad qué es lo que realmente se contenía en el «libro», de dónde procedía y por qué fue «hallado», esto es, sacado a luz de forma tan misteriosa y finalmente por qué fue puesto en práctica con tanta rapidez. Precisamente el «hallazgo» en el templo ha motivado naturalmente muchas preguntas y encontrado otras tantas respuestas [7]. En esta cuestión no vamos a profundizar más aquí. Se trata en definitiva del problema de la formación, origen y vicisitudes del Deuteronomio. La antigua opinión de que esa obra habría sido redactada en Jerusalén precisamente en orden a la reforma de Josías, en cierto modo por encargo del rey, y por consiguiente sería una creación *ad hoc*, está hoy casi totalmente abandonada. En tal caso, los propósitos del rey se hubieran puesto más claramente de relieve de lo que sucede realmente en el Deuteronomio. Predomina más bien la convicción de que en el Deuteronomio se conservan antiquísimas tradiciones de Israel, que fueron resumidas a impulsos de diversas tendencias unificadoras.

Recientemente y principalmente por A. Alt ha sido defendida con insistencia y confirmada [8] la tesis de que el Deuteronomio reúne en sí mismo tradiciones del estado septentrional de Israel, que en él se traza una especie de programa ideal, tal vez después de la caída de Samaria, y que llegó al templo de Jerusalén de una manera desconocida para nosotros [9]. Si esto es así, dispondríamos en él de una clave para valorar históricamente la obra reformadora de Josías. Aun admitiendo que este libro le hubiera sido facilitado al rey Josías o que le fuera ya conocido de antemano, lo cierto es que lo utilizó para cimentar y corroborar sus aspiraciones al Israel completo, incluyendo el territorio del estado septentrional de Israel. Los fundamentales postulados deuteronómicos no hay duda de que favorecían magníficamente los propósitos de Josías.

7 No se trató ciertamente de un embuste sacerdotal. Tampoco se puede demostrar sólidamente el influjo de modelos extraisraelíticos, según los cuales el origen divino de los libros sagrados tuviera que ser confirmado por su repentino hallazgo; cf. J. Herrmann, *Ägyptische Analogien zum Funde des Deuteronomiums*: ZAW 29 (1908) 291-302.

8 A. Alt, *Die Heimat des Deuteronomiums*, cf. recientemente las profundas reflexiones de L. Perlitt, *Bundestheologie im Alten Testament*: WMANT 36 (1969) 279-284; cf. también A. C. Welch, *The code of Deuteronomy*, 1924.

9 L. Rost: VT 19 (1969) 114 sospecha que fueron fugitivos del ya declinante estado de Israel quienes lo trajeron a Judá para ponerlo a salvo, todavía en la última fase de la lucha contra los asirios.

Ahí se contenían los fundamentos para pensar que Yahvé sólo podía recibir un culto legítimo en un solo lugar [10], y Josías vio ese único lugar en el templo de Jerusalén (en el Deuteronomio nunca se menciona ni el templo de Jerusalén ni la ciudad de Jerusalén); además: el postulado de la entrega integral al único Dios Yahvé legitimaba la supresión de todo culto extraño y la ilimitada implantación de todas las tradiciones de Yahvé; finalmente, la idea de un Israel unitario que actúa como conjunto desde los comienzos de su historia subrayaba la intención política de Josías de extender su influjo incluso al reino septentrional de Israel. Esto fue lo que se le abrió a Josías como nueva perspectiva histórica, un Israel unificado bajo el único Dios, que está dispuesto a aceptar el servicio cúltico de su pueblo en un solo santuario. He aquí también los elementos constituivos de ese plan fundamental de Josías; el rey de Jerusalén se convierte en protector de las tradiciones del antiguo estado septentrional de Israel. Jerusalén y los davídidas confieren una ilimitada obligatoriedad a los derechos de Israel; en una palabra: volver a Moisés pasando por David. Sólo ahora con el Deuteronomio y los derechos de Israel se eleva Moisés a la categoría de gran legislador. Sólo a partir de Josías las tradiciones norte-israelíticas parecen haber adquirido su ilimitada importancia en su totalidad, aun para Judá. No cabe menospreciar el alcance de este hecho, tanto por lo que se refiere al desarrollo externo como también al desarrollo interno de la historia ulterior de Judá y de Israel a partir de Josías.

Que el Deuteronomio no fue una obra *ad hoc* del rey, sino que tenía sus raíces en las auténticas tradiciones israelíticas, lo demuestra también el hecho de que algunos de sus preceptos no fueron cumplidos por Josías, sino que fueron realizados de forma distinta en virtud de las circunstancias históricas de la época. La más conocida de tales discrepancias se refiere a los derechos de los sacerdotes. Mientras que Dt 18, 1-8 otorga a los sacerdotes del país, en caso de que vengan al santuario central, los mismos derechos que a los sacerdotes que ejercen sus funciones principales en ese santuario, en 2 Re 23, 9 se restringen expresamente tales derechos. Los sacerdotes rurales no podían oficiar en el santuario jerosolimitano, sino que como levitas quedaban expresamente excluidos. Es posible que se trasluzca ahí el deseo de los sacerdotes de Jerusalén por disfrutar una posición de monopolio. La situación se hizo especialmente delicada por el hecho de que Josías, según

[10] El mismo Deuteronomio no dice con exclusividad que sólo deba haber un único santuario de Yahvé; lo que sí se exige es que Yahvé sea adorado tan sólo allí donde él mismo quiera; cf. L. Rost, *o. c.*, 115.

2 Re 23, 8a, mandó traer a Jerusalén a los sacerdotes de Judá, al mismo tiempo que, con miras a la centralización del culto en Jerusalén, suprimió los santuarios rurales. No hay que descartar la hipótesis de que los sacerdotes levíticos rurales sólo se empleaban en el santuario jerosolimitano con funciones secundarias. Esto dio pie a una trascendental evolución posterior, que tal vez no llegó a pleno efecto hasta después del exilio. Se trataba de los derechos de los levitas en el templo de Jerusalén; se pugnaba por su revalorización, por su específica integración a los derechos y obligaciones propios del servicio en el templo. De esto habla ya el llamado proyecto de estatutos de Ezequiel (en el cap. 44), este problema recorre los libros de las Crónicas. También al nuevo testamento le es familiar la distinción entre sacerdotes y levitas. Los inicios de este complejo proceso se encuentran vinculados a los actos de centralización cúltica en Jerusalén y a las secuelas de las medidas de política litúrgica que introdujo Josías.

Lo que acabamos de decir se refiere a los sacerdotes rurales de Judá. No se procedió de igual forma con los sacerdotes del antiguo estado septentrional de Israel. A juzgar por todas las señales, los versículos de 2 Re 23, 19.20 dan a entender que la mayor parte de esos sacerdotes rurales de la montaña samaritana fue exterminada. La noticia parece referirse no sólo a los sacerdotes de cultos extraños, sino también a los sacerdotes de Yahvé. Cabe confirmar estas medidas en algunas listas, listas de localidades, en las que debían residir miembros de la tribu de Leví, y por consiguiente sacerdotes: Jos 21 y 1 Crón 6, 39-66. En esas listas aparece por una parte una concentración del sacerdocio en la región del estado-ciudad de Jerusalén, mientras que entre Jerusalén y Hebrón no se menciona lugar alguno como residencia sacerdotal en el país de Judá; pero por otra parte se abre también un gran vacío entre Bethel y la llanura de Megiddo, por lo tanto exactamente en la zona medular del territorio de Israel. Se puede ver ahí con gran probabilidad una consecuencia de las medidas de Josías, que despojó de sacerdotes a las zonas rurales [11]. Ahora bien, eso está en contradicción con el Deuteronomio, que apuntaba a una proporcionada distribución de residencias levíticas en el país, no a la formación de un punto de gravedad, por ejemplo en las proximidades del santuario central.

Mencionemos también el hecho de que Josías celebró una singular fiesta de pascua en Jerusalén [12]. Esta fiesta, restringida originariamente por su carácter a la familia particular y vinculada al sacrificio de un cordero (Ex 12), se trasladó entonces al santuario central, único lugar donde estaba permitido el sacrificio de víctimas (cf. Dt 16). En consecuencia, la pascua reglamentaria

11 A. Alt, *Bemerkungen zu einigen judäischen Ortslisten im Alten Testament,* 1951, en *Kl. Schr.* II, 289-305, espec. 294 s.; Id., *Festungen und Levitenorte im Lande Juda,* 1952, en *Kl. Schr.*, 306-315.

12 Sobre este discutido relato y su paralelo en 2 Crón 35, L. Rost, *Josias Passa,* en *Theologie in Geschichte und Kunst,* 1968, 169-175.

y completa sólo se hacía posible en Jerusalén. Aquí podemos ver la raíz de las peregrinaciones a Jerusalén con ocasión de la fiesta de pascua, praxis que, como se sabe, todavía en tiempos de Jesús desempeñaba un papel importante.

Quedan ya expuestos los principales problemas de esa reforma josiánica sobre la base del Deuteronomio. Se ha planteado el interrogante de si Josías elevó el Deuteronomio al rango de constitución estatal. Alt se inclinó por esa opinión; Noth en cambio se apartó de la misma. Creía que no cabe pensar en tal cosa, ya que el Deuteronomio desde sus orígenes no era ley estatal de ningún tipo [13]. Este problema nos reconduce a la política interna de Josías en su conjunto, la cual a su vez no se puede contemplar sin las posibilidades de la política exterior. Los afanes emancipatorios de Josías frente a los asirios y la obra reformadora deuteronómica eran desde luego dos asuntos que se deben distinguir entre sí; de ahí que aquí, como en otros sitios, han sido expuestos separadamente. Pero por otra parte fueron procesos simultáneos, que se prolongaron a través de largos períodos. Esos procesos se complementaron entre sí. No anda descaminada, pues, la tradición al no describir consecuentemente emancipación y reforma una tras otra, sino alternativamente la una englobada en la otra.

En análoga situación de alternancia hay que imaginar también la realización de las aspiraciones de Josías. Las medidas emancipatorias de Josías figuraron seguramente en su programa inicial y hubieron de empezar muy pronto tras su ascenso al trono; el hallazgo del libro en su 18 año de reinado tuvo lugar en la segunda mitad de su gobierno en el año 622. Esto está en consonancia con el fortalecimiento paulatino de la estructura estatal josiánica, que iba experimentando profundas transformaciones. El programa deuteronómico favorecía además a las innovaciones en la política interior de cultos, y también apoyaba la política del rey en relación con el reino septentrional. Esto parece plausible hasta cierto punto. Sin embargo, quedan aún cuestiones pendientes, que se plantean especialmente en atención al enjuiciamiento literario de 2 Re 22.23. La elaboración deuteronomística de los libros de los Reyes, por un interés comprensible, ha resaltado la «obra reformadora» como un acto especial y ha hecho sancionar por el rey las fundamentales concepciones deuteronómicas. No hay que descartar la

[13] Cf. M. Noth, *Die Gesetze im Pentateuch*, 1940, en *Ges. Stud.*, espec. 58-67; Noth opina que la ley deuteronómica «fue considerada en seguida como ley estatal contra su auténtico contenido», *o. c.*, 67.

posibilidad de que los acontecimientos dramático-programáticos de 2 Re 22 y 23, en especial el hallazgo del libro y la ceremonia federal en el templo, fueran conscientemente revestidos de ese sentido y recompuestos escénicamente. Así como en la asamblea de Siquem la conclusión y el comienzo de un proceso se asociaban a través de escenario sacro con ceremonias federales obligatorias, así también el acto reformatorio de Josías puede basarse en una configuración consciente utilizando rasgos misteriosos, como el hallazgo del libro. El núcleo histórico sigue siendo indudablemente la aceptación de las normas fundamentales de la tradición deuteronómica y el intento de renovar así el ideal de un gran Israel. Pero la concentración del proceso en un singular acto reformatorio por motivos programáticos no debió realizarse de ese modo. Si no se aferra uno a la idea de una reforma implantada bruscamente con carácter estatal obligatorio, huelgan también las reflexiones sobre el carácter del Deuteronomio como ley constitucional del estado, huelgan las especulaciones sobre la actitud adoptada por Jeremías frente a la «reforma josiánica» y se comprende por qué en los tiempos de los sucesores de Josías, que ya tenían que habérselas con otra potencia extranjera, los recuerdos de la obra reformadora de Josías se desvanecen casi por completo y el asunto en sí mismo es arrojado paulatinamente por la borda. Finalmente, tras la muerte de Josías, con la caída de Asiria la obra reformatoria perdió su impulso antiasirio y por el horizonte apuntaron las estrellas de otra gran potencia. Esto creó, aun en el interior, una situación nueva. Fueron posiblemente los profetas Jeremías y Ezequiel quienes contribuyeron en gran medida a que los planes iniciados por Josías no perdieran vigor, pero no como frutos de una reforma dirigida, sino como realidades básicas para una nueva autointerpretación de Israel.

Característica del Deuteronomio y de la revitalización —al fin y al cabo vinculada a él— del patrimonio tradicional israelítico desde los días del rey Josías es una tendencia a las restauraciones, que se puede observar al mismo tiempo no sólo en Israel, sino también en Egipto y en Mesopotamia. También allí se recurrió a las antiguas tradiciones, se dio una nueva acogida a los antiguos textos y costumbres cúlticas. En Egipto, en las artes plásticas el lenguaje formal del antiguo imperio experimentó una especie de renacimiento; además no sólo se dio nuevo vigor a los antiguos textos, sino que fueron copiados exactamente hasta en sus detalles de ortografía. En este contexto se encuadra ya la copia de aquella mitología de Menfis, que se conoce como «monumento de teología menfítica» y que en la piedra Schabaka se designa expresamente como copia de un texto más antiguo. Algo análogo ocurre en Mesopotamia con la colección de textos cuneiformes reunida por Assurbanipal en su biblioteca de Nínive. Pero sobre todo Nabucodonosor se manifestaría en Babilonia como el gran restaurador de templos; con exactitud escrupulosa se prestaba atención a la realización de los requisitos cúlticos.

De todos modos se observa que no fue mera casualidad el que en tal época de retrospección a las tradiciones relativas a templos y cultos también Josías realizara su obra restauratoria y reformatoria, aunque sus motivos se derivaran de condicionamientos específicamente israelíticos y judaicos en una coyuntura políticamente favorable. Pero la tendencia es comparable, a saber, la reordenación intra-política unida a una restauración del culto conforme a las normas de las antiguas y antiquísimas tradiciones. Tal es el trasfondo histórico-cultural, sobre el que se puede contemplar y enjuiciar la obra de Josías.

El rey Josías cayó en una batalla con el faraón Nekó junto a Megiddo y, según la opinión general, en el año 609. Sucedía esto aproximadamente tres años después de la caída de Nínive, en aquella época en que Aschur-uballit intentó poner a salvo en Jarán un residuo de estado asirio. Con la intención de apoyarle y al mismo tiempo de conjurar en Mesopotamia otros focos de peligros, se había puesto en camino el faraón Nekó. Tanto si Josías estaba informado sobre estos planes como si no lo estaba, la presencia de tropas egipcias en Palestina tuvo que desagradarle, pues aun cuando el asirio resultara batido, los ejércitos extranjeros en las fronteras de Israel y de Judá no dejaban de constituir un peligro para la independencia de los estados sirios y palestinos. Josías podía recelar para su país que tras el final de la ocupación asiria se instalara en su lugar un predominio egipcio. Junto a Megiddo entró en contacto con las tropas faraónicas. Las noticias al respecto son sumamente lacónicas (2 Re 23, 29) e incluso han dado motivo a erróneas interpretaciones.

Entonces el rey de Egipto habría «subido» contra (*'l*) el rey de Asiria hacia (*'l*) el río Eufrates. El doble *'l* se ha venido interpretando comúnmente en sentido hostil. Ahora bien, se planteaba entonces la pregunta de por qué Josías no se unió al faraón. Esto nos lo ha aclarado bastante la crónica babilónica, que nos dice que Nekó quería aliarse con Aschur-uballit [14]. De ahí que el texto hebraico debiera tener más acertadamente, en lugar del *'l*, un *'l*; Nekó marchó «hacia el» rey de Asiria, no contra él. El relato paralelo de 2 Crón 35, 20-25 dice en forma neutral que Nekó su-

[14] AOT, 365; ANET, 305.

bió «para combatir en Carquemis a orillas del Eufrates». Esto se amolda mejor a la situación, ya que Carquemis por aquella época era una especie de base egipcia, una base de partida para ulteriores operaciones. Carquemis era ante todo el destino del faraón, sin que haya que hablar expresamente de una «batalla junto a Carquemis». En 2 Crón 35, 21 Nekó pregunta a Josías qué es lo que pretendía realmente. El, Nekó. no se proponía luchar contra Josías, sino que tenía que luchar «contra otra casa (real)». Pero Josías no se atuvo a esa declaración, sino que «se dirigió a la llanura de Megiddo a presentar batalla». Este breve diálogo entre los dos reyes se compagina mejor con la realidad histórica. Pero sigue siendo dudoso que junto a Megiddo se llegara a trabar una auténtica y gran batalla campal, como parece presuponer el relato de las Crónicas (2 Crón 35, 22) o si sólo se produjo una simple escaramuza, como lo da a entender 2 Re 23, 29 al decir que el faraón mató en Megiddo a Josías, «al verlo». Pudo ser una especie de asalto imprevisto, que podría haberse producido en aquel desfiladero. el *wādi 'āra,* en el que ya anteriormente Thutmosis III cruzó hacia Megiddo [15].

La muerte de Josías se produjo en unos momentos en los que Judá, probablemente a causa del influjo de la zona israelítica, necesitaba más que nunca una dirección enérgica. El rey había iniciado una política independiente, que en una época de cambios en las relaciones de fuerzas tenía oportunidades, con tal que a esa política fueran unidas la energía y la prudencia. Al parecer, Josías poseía ambas cosas; sus sucesores no pudieron sustituirle plenamente. El pueblo se decidió por el hijo de Josías segundo en edad, Joacaz, y le proclamó rey, tal vez porque él había prometido continuar la obra de Josías; y esto precisamente parece que le resultó fatal.

15 Sobre los caminos conducentes a Megiddo cf. A. Alt: PJB 10 (1914) 70-88. Que la «batalla de Megiddo» fue una deliberada empresa militar y política y que Nekó pretendía principalmente arrebatar a los asirios la anterior provincia de Magiddu, es lo que opina A. Malamat, *The last wars of the kingdom of Judah*: JNES 9 (1950) 218-227, repetido en J. Liver (ed.), *The military history of the land of Israel in biblical times,* Tel Aviv 1964, 296-314; cf. también S. B. Frost, *The death of Josiah: a conspiracy of silence*: JBL 87 (1968) 369-382.

16

LOS BABILONIOS Y EL FINAL DEL ESTADO DE JUDA

Tras la batalla de Megiddo, que le costó la vida a Josías, Nekó prosiguió hacia el norte, pero no pudo entronizar a Aschur-uballit en Jarán. Varios meses duraron las luchas por la ciudad, según la crónica babilónica aproximadamente desde junio hasta septiembre del año 609. «Un gran ejército egipcio» en unión de Aschur-uballit habría cruzado el Eufrates para conquistar Jarán. Las luchas con las tropas babilónicas fueron duras; pero esas tropas consiguieron mantenerse en Jarán. Nada sabemos sobre el final de Aschur-uballit; ya no vuelve a hablarse más de él.

Mientras tanto Nekó debió volverse rápidamente hacia el sur para posesionarse definitivamente de Siria y de Palestina. Ahora ya recibía en cierto modo esos países de manos asirias, una vez que se había desmoronado el último residuo de independencia asiria ante Jarán. Esa supremacía egipcia repercutiría por largo tiempo sobre la casa real jerosolimitana. Se supone que Joacaz quería continuar la política de su padre; por esa razón fue preferido a su hermano Eliaquín, dos años mayor que él. Los tres meses de su gobierno corresponden con bastante exactitud al tiempo que Nekó pasó en Mesopotamia y Siria. Entonces mandó él que Joacaz viniera a su cuartel general de Ribla inmediatamente, al norte de la llanura existente entre los dos Líbanos, y allí ordenó que lo encadenaran. Al mismo tiempo impuso al país de Judá un cuantioso tributo en plata y oro. Joacaz no pudo regresar a Jerusalén; posteriormente fue llevado a Egipto donde falleció. A este desenlace alude claramente Jer 22, 10-12, pasaje que está dedicado al rey Joacaz, a quien ahí se le da el nombre de Sallum.

Su lugar lo ocupa entonces el hijo mayor de Josías, Eliaquín, a quien Nekó confirmó en su cargo cambiando también su nombre en el de «Joaquim». Esta acción demostraba una vez más el absoluto derecho de soberanía del rey egipcio. Joaquim reunió el tributo exigido a base de una capitación, como había hecho anteriormente Menajem de Israel, pero no imponiendo una suma fija, sino ordenando que cada ciudadano contribuyese conforme a su fortuna [1]. Pero esto no pudo durar mucho tiempo, ya que nuevos acontecimientos internacionales se perfilaban por el horizonte.

Tras su victoria sobre los asirios, medos y babilonios se repartieron las comarcas que antaño habían sido de soberanía asiria; por cuanto sabemos, los medos reclamaron la antigua comarca originariamente asiria y las comarcas montañosas que limitaban por el norte. Los babilonios dominaron el resto de Mesopotamia y no tardaron en interesarse también por Siria y Palestina. Esto, dada la situación, significaba un nuevo conflicto con los egipcios.

En el año 605 se llegó a la lucha en Carquemis entre babilonios y egipcios. El resultado fue que los egipcios hubieron de abandonar Carquemis y ceder por fin también Siria y Palestina a los babilonios. Sobre los acontecimientos de Carquemis hasta hace poco tiempo hemos estado insuficientemente documentados, debido sobre todo a una debatida noticia en Jer 46, 2 y observaciones contenidas en las *Antigüedades* de Josefo. Pero desde el año 1956 nos es conocido otro fragmento de la crónica babilónica, que ha publicado D. J. Wiseman y que nos suministra valioso material precisamente relativo a los años 608-595, material que conecta directamente con la crónica de Gadd con sus datos relativos a los años 616-609 [2]. De esa «crónica de Wiseman» se deduce claramente que Nabopolassar, tras su victoria sobre el último asirio Aschur-uballit en el año 609, luchó con éxito contra los pueblos norteños de la montaña. De este modo quedó ya libre para realizar sus planeadas empresas contra los egipcios en Carquemis. Estas campañas ocuparon los años 609-607. Ya el 606 se produjeron encuentros con los egipcios en la amplia comarca de Carquemis, que venía a ser una especie de cabeza de puente egipcia. De momento los babilonios tuvieron poca suerte para establecerse en el Eufrates superior. Entre tanto Nabopolassar había envejecido y enfermado. Traspasó al príncipe Nabucodonosor el mando supremo del ejército, que avanzó inmediatamente hacia Carquemis y sorprendió a los egipcios. La crónica de Wiseman dice que Nabucodonosor «marchó hacia Carquemis, que está situado a orillas del Eufrates, y (contra el ejército de Egipto), que se encontraba en Carquemis, cruzó el río y lucharon entre sí. Y el ejército de Egipto retrocedió y él le infligió una derrota aniquiladora. Al resto del

[1] Cf. 2 Re 15, 20 y 20, 35 cotejándolos entre sí.

[2] D. J. Wiseman, *Chronicles of chaldaean kings (626-556 a. C.) in the British Museum,* London 1956 (^{2}1961); cf. traducciones parciales en ANET Suppl.; especialmente E. Vogt, *Die neubabylonische Chronik über die Schlacht bei Karkemisch und die Einnahme von Jerusalem*: VTSuppl. 4 (1957) 67-96.

ejército (egipcio) (...que) había escapado a la derrota (tan rápidamente, que) no hubo arma capaz de darles alcance, lo vencieron las tropas babilónicas en el distrito de Jamat y de tal modo le batieron, que ni un solo hombre regresó a su patria» [8].

Estos claros datos hacen posible una objetiva interpretación de Jer 46, 2. Nabucodonosor habría batido en Carquemis al faraón Nekó, y esto en el cuarto año de Joaquim. Sería exactamente el año 605, como exige la crónica babilónica. Se ve que la breve noticia de Jeremías hubo de permanecer ininteligible mientras se trataba de ver ahí acontecimientos del año 609, principalmente sobre la base de 2 Crón 35, 20, donde tal vez por error se menciona a Carquemis como lugar de la batalla del año 609. Sin embargo, si en Jer 46, 2 se trata inequívocamente del año 605, entonces se hace comprensible ya todo el pasaje acerca de Egipto de Jer 46, 3-12, que habla de una rápida ayuda procedente de Egipto hacia el norte y de una gran derrota egipcia. Está claro que en Palestina siguieron esos acontecimientos no sin satisfacción, ya que iban dirigidos contra el que desde 609 era nuevo soberano egipcio. Se confirma también la noticia por Josefo, *Ant.* X 11, 1, donde entre otras cosas se dice que Nabucodonosor se encargó de la dirección del ejército mientras su padre yacía enfermo y triunfó sobre los egipcios cuando él mismo todavía no era rey. Con desacostumbrada exactitud se completan las noticias bíblicas, Josefo y la crónica babilónica.

A modo de síntesis consignemos aquí brevemente el contenido de cada una de las tablas de la crónica neobabilónica, tal como se nos muestra después de estudiar Wiseman los documentos:

1. Tabla: Crónica Wiseman 626-623, año inicial hasta el tercero de Nabopolassar, 41 líneas. Tras una laguna de 6 años (622-617) sigue la
2. Tabla: crónica de Gadd 616-609, décimo a decimoséptimo año de Nabopolassar, 78 líneas.
3. Tabla: crónica Wiseman 608 a 606-605, decimooctavo a vigésimo año de Nabopolassar, 28 líneas.
4. Tabla: crónica Wiseman 605 a 595-594, vigesimoprimer año de Nabopolassar y año inicial hasta el décimo de Nabucodonosor, 47 líneas. Sigue una laguna de 37 años (595-557); por tanto no vuelve a confirmarse la destrucción de Jerusalén (587-586).
5. Tabla: crónica Wiseman 557-556, tercer año de Neriglissar, 27 líneas.
6. Tabla: crónica de Nabonid 555-539, año inicial hasta año decimoséptimo año de Nabonid, 42 líneas con lagunas.

[8] D. J. Wiseman, *o. c.*, 67-69; E. Vogt, *o. c.*, 74; TGI, 73.

Tras su victoria en Carquemis se les franqueó a los babilonios el camino hacia el sur y conquistaron sin tardar Siria y Palestina. La soberanía egipcia, que allí se había consolidado al menos desde Nekó, se derrumbó totalmente. 2 Re 24, 7 carateriza la nueva situación con nitidez insuperable: «No volvió a salir de su tierra el rey de Egipto, porque el rey de Babilonia había conquistado, desde el arroyo de Egipto hasta el río Eufrates, todo cuanto era del rey de Egipto». Ahí queda ciertamente reflejado el resultado final, pero no se nos da noticia de ningún verdadero proceso histórico. Aquí nos sigue prestando su ayuda la crónica babilónica en las partes publicadas por Wiseman. Después de la batalla de Carquemis prosigue así el texto: «Al resto del ejército (egipcio) (... que) había escapado a la derrota (tan rápidamente, que) no había arma que pudiera darle alcance, le alcanzaron las tropas babilónicas en la región de Jamat y los batieron de tal modo que nadie (regresó) a su tierra. Por este tiempo Nabucodonosor conquistó todo el país de Hattu». Los egipcios huyeron directamente desde el sur de Carquemis, a través de la fértil región norte-siria al sur de Alepo, hacia Jamat. Allí les dieron alcance los babilonios. Nabucodonosor conquistó «todo el país de Hattu», pero sin duda no de un tirón, ya que Ascalón no cayó hasta el 604 y el mismo Judá lo más pronto que se rindió fue en ese mismo año. «Hattu» designa principalmente la Siria septentrional y los babilonios avanzaron de momento seguramente hasta Ribla, donde Nekó tuvo su cuartel general y donde posteriormente lo abrió Nabucodonosor. Todavía se encontraba éste en Siria cuando le llegó la noticia de la muerte de su padre, Nabopolassar. Según la crónica de Wiseman, la fecha exacta de la muerte fue el 8 Ab de su vigésimo primer año de reinado, por consiguiente el 16 de agosto del 605. Nabucodonosor marchó inmediatamente a Babilonia y ocupó el trono a principios de septiembre, el 1 Ulul (7 de septiembre).

Nabucodonosor gobernó Babilonia casi por espacio de medio siglo y las regiones que le estaban sometidas (605-562). Su nombre, en la forma usual «Nabucodonosor» (*nḇzḵḏn'ṣr*) no corresponde exactamente al babilónico *Nabū-kudurri-uṣur*. Por eso parece mejor la forma «Nebukadressar» (*nḇzḵḏr' ṣr*) [4], atestiguada también en el antiguo testamento. A poco de subir al trono, regresó a Siria. Por la crónica de Wiseman sabemos que en los años siguientes, desde el primero hasta el undécimo año (con la excepción del año quinto y noveno), emprendió campañas con regularidad hacia Siria y Palestina. Sus territorios los tenía bien sujetos, pero de vez en

[4] La forma Nabucodonosor se basa en la traducción griega.

cuando tenía necesidad de defenderse contra las amenazas y rebeliones. Destacan sobre todo dos acontecimientos, la toma de Ascalón y la toma de Jerusalén en el año 597 junto con la primera deportación que entonces tuvo lugar. Pero entre ambas conquistas se produjo una derrota de los egipcios.

En el año 604 «todos los reyes de Hattu se presentaron ante él», cuando Nabucodonosor se presentó en Siria y «pagaron cuantioso tributo». Ascalón cayó definitivamente tras un ataque en manos de los babilonios, probablemente en diciembre. La ciudad fue destruida, su rey fue hecho prisionero. Nabucodonosor permaneció en Hattu probablemente hasta febrero del 603. No sin razón se sospecha que fue en aquel tiempo cuando se dirigió también contra Jerusalén o al menos exigió la sumisión de su rey Joaquim. Ahí se ha situado hasta ahora una noticia de difícil datación que se encuentra en 2 Re 24, 1. Conforme a esa noticia Nabucodonosor habría «subido» y Joaquim le habría estado sometido durante tres años, pero al cabo de tres años se habría independizado nuevamente. Se ha venido creyendo que ése fue precisamente el momento que motivó la intervención de Nabucodonosor del 597. Sin embargo, esto no es del todo seguro. Se explicaría mejor la declaración de vasallaje de Joaquim después de la victoria de los babilonios sobre Ascalón; y la defección al cabo de tres años estaría relacionada con la derrota del rey babilónico en Egipto, que tuvo lugar a principios del año 600.

Esta expedición a Egipto debió prepararla Nabucodonosor por espacio de varios años, hasta que el 601 se decidió a realizarla. La crónica de Wiseman dice a este respecto [5]: «En el año (601) el rey de Akkad convocó a su ejército y se dirigió hacia Hattu. Atravesó Hattu con gran potencia. En kisleu (noviembre-diciembre 601) se puso a la cabeza de sus tropas y marchó hacia Egipto. Lo oyó el rey de Egipto y reclutó sus tropas, y en una batalla campal llegaron a las manos y se infligieron recíprocamente grandes pérdidas. El rey de Akkad y su ejército dieron la vuelta y regresaron a Babilonia». Esta derrota babilónica pudiera haber sido aquel momento de debilidad, que Joaquim aprovechó para apartarse nuevamente de Nabucodonosor después de haber sido vasallo suyo durante tres años (2 Re 24, 1). Sobre todo por los relatos del libro de Jeremías conocemos el comportamiento frívolo y orgulloso de Joaquim, que en aquella época pudo haberse intensificado. Bajo su gobierno la situación en Judá y en Jerusalén no fueron las mejores. Joaquim habría derramado mucha sangre inocente (2 Re 24, 4); Jeremías le ataca como rey brutal, injusto y fastuoso (Jer 22, 13-19). Es

[5] D. J. Wiseman, *Chronicles,* 70; ANET Suppl. 564; TGI, 74.

sobre todo conocida la escena del palacio real, Jer 36, la lectura del rollo con oráculos de Jeremías, que Joaquim hace añicos y quema. Las palabras proféticas no le hacen la menor impresión. ¡De qué forma tan distinta reaccionó su padre Josías en semejante situación!

Nabucodonosor debió recibir un duro golpe por parte de los egipcios, ya que necesitó casi dos años para reorganizar y armar de nuevo a su ejército, sobre todo a sus tropas de carros de combate: «En el quinto año (permaneció) el rey de Akkad en su país y reunió gran cantidad de carros y de caballos» [6]. Desde diciembre del 599 hasta aproximadamente marzo del 598, sin embargo, ya estaba él de nuevo de Hattu. Durante este tiempo realizó expediciones en una dirección totalmente distinta, a saber, contra las tribus del desierto arábigo (designadas aquí con la palabra aramaica «madbari»). Se debía tratar de grupos demográficos y de tribus de las comarcas desérticas y esteparias, que vivían al este de Siria y de Palestina. Un eco de tales expediciones puede percibirse en uno de los oráculos de Jeremías dirigidos contra los pueblos extranjeros, Jer 49, 28-23. Se habla allí de Cedar y de los reinos de Jasor, que Nabucodonosor habría batido. Cedar pertenece a esas zonas del desierto noroccidental de Arabia [7]; Jasor difícilmente es el centro urbano galilaico, sino que seguramente se refiere a las seminómadas aldeas de tiendas (*ḥṣrym*) de esa zona. Con toda probabilidad Nabucodonosor pretendía un afianzamiento del territorio sirio-palestinense por la parte oriental. Como consecuencia, de esa manera envolvía a los vasallos de la costa fenicio-palestinense, todavía levantiscos y versátiles tras la derrota de Egipto. Esas empresas iban también indirectamente contra Judá.

Bajo este contexto también podría explicarse mejor 2 Re 24, 2. En tiempos de Joaquim se habrían dirigido contra Judá patrullas móviles, que estaban compuestas de caldeos, arameos, moabitas y amonitas. Esas patrullas habrían devastado Judá. Suena esto a una coalición de fuerzas precisamente de aquella zona situada al este y al norte de Palestina, donde Nabucodonosor desplegó su actividad por los años 599-598. Parece que realmente la meta próxima era entonces la misma Palestina. Desde marzo del 598 hasta diciembre permaneció él una vez más en Babilonia. Entonces se puso nuevamente en camino hacia Hattu, Pero fijándose esta vez como destino principal a Jerusalén: «En el séptimo año en el mes kisleu el rey de Akkad reclutó sus tropas y marchó al país de

6 D. J. Wiseman, *o. c.;* ANET Suppl. 564; TGI, 74.
7 Cf. también Is 42, 11.

Hattu. Levantó un campamento frente a la ciudad de Judá, y en el mes adar el segundo día tomó la ciudad. Hizo prisionero al rey. Colocó en esa ciudad a un rey según su corazón. Recibió su cuantioso tributo y ordenó llevarlo a Babilonia» [8]. La marcha del rey en el mes kisleu cae en el tiempo que va de diciembre del 598 hasta enero del 597. La toma de Jerusalén el 2. adar del séptimo año (de Nabucodonosor) se ha fijado exactamente en el 16 de marzo del 597. Esto significa que el asedio de la ciudad comenzó lo más pronto a finales de enero y la rendición tuvo lugar a las pocas semanas.

Conforme a este relato de la crónica babilónica Jerusalén cayó en manos de los babilonios sin notables dificultades. No se nos habla de resistencia ni destrucción. Sí, en cambio, se nos dice que el rey fue hecho prisionero y sustituido por un hombre según el corazón del rey babilónico. En este cambio de trono puede verse uno de los principales propósitos de toda esa campaña [9].

El texto babilónico deja sin puntualizar de qué reyes de Jerusalén se trataba. No se mencionan nombres. Algo parecen declarar los pasajes 2 Re 24, 10-17 y 2 Crón 36, 10. Según tales pasajes el rey que gobernaba en el tiempo de la toma de Jerusalén era ya el sucesor del rey Joaquim (*yhwyḳym*), el hijo Joaquín (*yhwyḳym*). Joaquim murió al parecer de muerte natural en el mes de enero del 597. Inmediatamente subió al trono Joaquín; reinó durante tres meses, por lo tanto hasta la toma de la ciudad en marzo. Pero también cayó en el mes de enero del 597 la partida de Nabucodonosor de Babilonia, en una época del año realmente desacostumbrada, ya que era una campaña invernal la que él emprendía. Parece por todas las señales que lo que realmente movió a Nabucodonosor a salir para Palestina antes que otras veces fue la sorprendente muerte de Joaquim. De ahí que, como supuso Noth, el propósito de Nabucodonosor pudo ser realmente la institución de un nuevo soberano en Jerusalén, de un hombre «según su corazón». Se duda, sin embargo, de que la muerte del relativamente insignificante vasallo Joaquim fuera de hecho razón suficiente para tan prematura partida del rey babilónico.

A. Malamat [10], fundándose en sus consideraciones cronológicas, ha puesto en duda la tesis de Noth. El período de algo más de tres meses entre la

[8] D. J. Wiseman, *o. c.*, 72; ANET Suppl. 564; TGI, 74; sobre los problemas cronológicos cf. espec. R. A. Parker-W. H. Dubberstein, *Babylonian chronology 626 B. C. - A. D. 75*, Providence 1956.

[9] Así M. Noth, *Die Einnahme von Jerusalem im Jahre 597 v. Chr.*, 1958, en *Aufsätze* I, 111-132.

[10] A. Malamat, *The last kings of Judah and the fall of Jerusalem*: IEJ 18 (1968) 137-156, espec. 144, nota 15.

entronización de Joaquín y su deposición le parece demasiado breve para que la noticia de la muerte de Joaquim haya podido llegar a Babilonia, reclutar allí las tropas y a lo largo de un invierno lluvioso recorrer los aproximadamente 1.600 kilómetros que hay hasta Jerusalén. Supone por consiguiente que Nabucodonosor se habría puesto en camino para reprimir una rebelión de Joaquim. Ante esta tesis cabe preguntarse si en un momento crítico era realmente necesario llevar todo el ejército de Babilonia o si, al menos en la fase inicial de una crisis, no podían reclutarse tropas en las guarniciones más próximas.

No cabe duda de que Nabucodonosor, entronizando a un nuevo personaje, trataba de hacer valer sus derechos soberanos sobre Jerusalén. No está claro cuáles fueron las objeciones que presentó contra Joaquín. Parece que no intentó vincularle como vasallo; se lo llevó consigo inmediatamente. No pasa de mera conjetura el que él no quisiera que gobernara Jerusalén un hijo del levantisco Joaquim. Todos los detalles de 2 Re 24, 10 s corroboran la rápida rendición de la ciudad. Joaquín habría «salido» con su familia y sus servidores, el rey de Babilonia le habría «prendido» (*zyqḥ*). Esto permite deducir una auténtica rendición de la ciudad.

El cuantioso tributo, de que habla la crónica babilónica, tampoco lo silencia el antiguo testamento, los tesoros del templo y del palacio real. En efecto, en 2 Re 24, 13 se nos habla de importantes saqueos efectuados en el templo. Nabucodonosor se habría llevado o habría destrozado «todos» los tesoros y utensilios del templo. Realmente tuvo que producirse un saqueo tal como el que cabe deducir de Jer 27, 18 s; pero es muy difícil suponer que el templo fuera realmente «vaciado», ya que durante la última tribulación de la ciudad en el año 587-586 según 2 Re 25, 13-17 el templo volvió a ser saqueado otra vez.

Más importante y trascendental fue la intervención en la plantilla de funcionarios jerosolimitanos y en la misma población. Fueron deportados a Babilonia el rey Joaquín, su madre, sus mujeres y los funcionarios del palacio real, además los notables del país que allí ejercían funciones de autoridad, así como 7.000 hombres aptos para el servicio militar, además de herreros y obreros metalúrgicos como especialistas artesanos en número de 1.000. Frente a estos minuciosos datos, el número de 10.000 deportados de que nos habla 2 Re 24, 14 parece demasiado elevado. Con esa cifra así redondeada tal vez se pretendía decir «la crema» de la sociedad y de esa forma se referiría no sólo a los jerosolimitanos, sino también a núcleos sustanciales de los sectores dirigentes de todo el país.

Para la reconstrucción del número de 10.000 tal vez ofrece un punto de apoyo la lista de deportados que figura en Jer 52, 28-30. Esa lista menciona como deportados del año 597 un total de 3.023 habitantes de Judá. Pudieron ser gentes de los contornos de Jerusalén, terratenientes y funcionarios, mientras que se quedó la población trabajadora, la «gente pobre del país» (*d̠lt 'm-h' rṣ*), como se dice en 2 Re 24, 14. Esto significaría que del mismo Jerusalén serían deportados unos 7.000 y unos 3.000 de Judá, cifra que en tales dimensiones es perfectamente admisible.

Entre los jerosolimitanos deportados estaba también el sacerdote y posterior profeta Ezequiel. El contó, desde el momento del apresamiento de Joaquín, los años del exilio. Es evidente que en él se veía al último representante legítimo de la casa de David que entonces permanecía entre los exiliados. Esta circunstancia podía reforzar entre ellos la convicción de que ellos, los exiliados, eran los auténticos portadores de las tradiciones israelítico-judaicas, que algún día podrían poner nuevamente en vigor. En estos círculos pudo germinar la esperanza de retorno y la autoconciencia del pueblo de Yahvé.

En lugar de Joaquín puso Nabucodonosor a un hombre por nombre Matanías, según 2 Re 24, 17 tío de Joaquín, y por lo tanto hijo de Josías y hermano de Joacaz y de Joaquim. De todos modos no fue el hermano de Joaquín como erróneamente dice 2 Crón 36, 10 [11]. A este Matanías, como expresión de su poder soberano, le dio Nabucodonosor el nuevo nombre de Sedecías, con el que ha pasado a la historia como último rey en el trono de Judá, como último davídida, que hasta la caída de Jerusalén en el año 587-586, reinó «en Judá y Jerusalén», como hace constar 2 Crón 36, 10 con correcta expresión jurídica. Los exiliados en Babilonia ya no volvieron a tomarle en serio.

Consignemos aquí en exacto orden cronológico a los últimos reyes de Judá:

Josías	640-639 a 609-608
Joacaz	609-608
Joaquim	609-608 a 598-597
Joaquín	598-597
Sedecías	598-597 a 587-586

11 Cf. Noth, *o. c.*, 118, nota 24.

Con respecto a la historia de Judá en tiempos de Sedecías no disponemos de documentos completos. La crónica babilónica bajo la forma en que se nos ha conservado llega tan sólo hasta el 595, pero ya no vuelve a decir nada sobre Judá. En el 596 desempeña un papel importante una expedición de los babilonios hacia Elam. Esto puede tal vez esclarecer algo el oráculo contra Elam, Jer 49, 34-39 [12]. Siendo el antiguo testamento la fuente principal, los libros históricos también nos brindan noticias muy importantes en cuanto al ambiente de la época los libros de los profetas Jeremías y Ezequiel.

En esta época Jeremías tuvo no pocos conflictos en Jerusalén, especialmente con aquellos que estaban firmemente convencidos de que la ciudad se salvaría y los babilonios no podrían representar a la larga ningún peligro serio. Los relatos del libro de Jeremías nos informan al respecto de una forma que hace suponer que esos relatos recibieron su última configuración bajo la impresión de la catástrofe que más tarde tuvo lugar, pero en el fondo no dejan de remontarse a vivencias que reflejan auténticamente la actitud del profeta. Jeremías se alzó contra los confiados anuncios de Ananías a quien suele considerarse como prototipo de «falso» profeta (Jer 28), escribió una carta a los desterrados babilónicos, en la que los exhortaba a prepararse para más largo tiempo (Jer 29). Recomendó a sus compatriotas y al rey rendir sus cervices al yugo del rey de Babilonia y servirle a él y a su pueblo; ya que sólo de ese modo era posible sobrevivir (Jer 27, 12). Se trataba desde luego de mensajes que hacían muy poca gracia a la autoconciencia de los jerosolimitanos; incluso se llegó a barruntar en Jeremías a un traidor, que hacía causa común con los babilonios. Pero en realidad veía él con toda claridad que en una situación tan atribulada para el estado no podía haber cosa mejor para Jerusalén sino guardar silencio y esperar. Se comprende, pues, que en tales circunstancias el poco independiente rey Sedecías le pidiera consejo a Jeremías, aunque muchas veces lo hacía secretamente (Jer 37, 17-21; 38, 14-27).

Ezequiel vivió en el exilio entre los desterrados al oriente de Babilonia junto a uno de los canales que sin duda también entonces servían para regar las tierras; ese lugar lleva el nombre de Tel-Abib (Ez 3, 15) [13]. Allí tenía la posibilidad de reunir a los ancianos de Judá y hablar con ellos [14]. Desde luego los exiliados vivían muy unidos entre sí, no estaban tan dispersos entre la población nativa como habían vivido los deportados del antiguo

[12] Desde luego la lectura «Elam» no es segura, B. M. 21. 946, Rev. 17; D. J. Wiseman, *o. c.*, 72. Para la exégesis de Jeremías el oráculo contra Elam ha sido enigmático hasta el presente. En todo caso, esa posible amenaza de Babilonia por parte de los elamitas no podía conmover al imperio en sí mismo.

[13] Este nombre sirvió de modelo para el Tel Aviv fundado el 1909, la capital actual del estado de Israel.

[14] Cf. Ez 14, 1-11; 20; 33, 10-20.

estado septentrional de Israel en las regiones ocupadas por los asirios. El exilio babilónico les pareció de momento a los deportados del 597 como una especie de internamiento provisional; y esto precisamente era lo que alimentaba sus esperanzas de retornar a Jerusalén en fecha no lejana. Y esto era lo que negaban decididamente Jeremías y Ezequiel; Ezequiel describió de muchas formas la próxima y definitiva ruina de Jerusalén y subrayó su convicción con acciones portentosas. La razón profunda de su vocación en el año 593 [15] no fueron las circunstancias de su ambiente en el exilio, sino el curso de los acontecimientos en Jerusalén y Judá.

Sedecías entronizado en principio como hombre según el corazón del rey babilónico, no se mostró como tal. Fue lo suficientemente insensato para separarse por fin de los babilonios y atraer sobre sí las iras de Nabucodonosor. Cómo se pudo llegar a tal situación es algo que no se puede explicar satisfactoriamente. Suponiendo que el año 597 fue deportada una gran parte de la clase superior, debieron quedar vacantes bastantes puestos de funcionarios y de administrativos, y por consiguiente tuvo que producirse una transformación más o menos profunda en el país y en su administración. De la observación de Jer 13, 18.19 «las ciudades del Negueb están cercadas y no hay quien las abra», han querido deducir, sobre todo Alt y Noth, que ya en 597 se perdieron las partes meridionales del país [16]. Según esto, la frontera meridional de Judá discurría algo al norte del Hebrón lo mismo que la frontera meridional de la posterior provincia de Judá en el período persa. La región meridional se les había dejado a los edomitas. Pero esto no ha podido ser confirmado por las noticias de la crónica de Wiseman; hay que contar con que Judá conservó en un principio su antigua extensión y sólo hacia el final del reinado de Sedecías o incluso más tarde algunas ciudades de Judá fueron separadas de la jurisdicción jerosolimitana.

A buen seguro que Sedecías arriesgó la defección no por una iniciativa totalmente personal, sino estimulado y tal vez incluso apoyado por hechos que le eran conocidos. Había disturbios en Tiro y en Sidón. Por otra parte se presentían avances egipcios. Psamético II (595-589) hizo acto de presencia en Palestina por lo menos una vez, sin que por lo demás tengamos informes exactos

[15] Suponiendo que la toma de Jerusalén tuvo lugar el 16 de marzo del 597, según este cálculo la vocación de Ezequiel cae exactamente en el 31 de julio del 593 partiendo de la fecha de Ez 1, 1; cf. W. Zimmerli, *Ezechiel,* BK 18, 15.

[16] A. Alt, *Kl. Schr.* II, 280 s.; M. Noth, *Geschichte Israels,* 256.

sobre tal hecho [17]. Tampoco sabemos mucho sobre una expedición de Sedecías a Babilonia, que él habría realizado en su cuarto año de reinado (Jer 51, 59), tal vez con el propósito de acallar ciertas sospechas del gran rey babilónico. Lo más probable es que Sedecías tenía puesta su confianza en el apoyo de los egipcios (Jer 37, 5-11).

Fue en el año noveno de su reinado cuando Sedecías rehusó lealtad a Nabucodonosor. Los babilonios se presentaron con un ejército a las puertas de Jerusalén y comenzaron el asedio de la ciudad (2 Re 25, 1). Este asedio habría durado hasta el undécimo año del reinado de Sedecías, por lo tanto hasta el año 787-86 [18]. Se supone generalmente que el asedio no tuvo la misma intensidad durante todo el tiempo de su duración. Sería deseable disponer de documentos más concretos; el relato bíblico de 2 Re 25 se atiene a los últimos días de Jerusalén y especialmente a la destrucción del palacio y del templo.

De ahí la importancia que reviste el que un hallazgo afortunado nos permita saber, muy limitadamente pero de forma auténtica, algo sobre otros acontecimientos de la época. Se trata de fragmentos de arcilla con inscripciones (*óstraka*). que fueron hallados en la instalación de las puertas de la fortaleza judaica de Laquis (*tell ed-duuēr*) y que ordinariamente se conocen por «cartas de Laquis» [19]. Tales cartas iban dirigidas sin duda al comandante de Laquis y nos trasladan a la batalla final del estado de Judá. Los remitentes son centinelas avanzados de las cercanías de Laquis, quienes dan noticias referentes al avance de las tropas babilónicas y tratan de ofrecer una impresión de la situación al comandante de Laquis como una de las principales fortalezas del país. Los 21 fragmentos de arcilla no presentan igual estado de conservación y no se pueden interpretar todos ellos con seguridad. Además de verdaderas cartas, y por consiguiente escritos de contenido coherente, existen también simples listas de nombres de empleados y posiblemen-

[17] Sabemos solamente que la campaña tuvo lugar en su cuarto año; tal vez duró dos años; el rey enfermó después y falleció en su séptimo año de reinado; cf. W. Helck, *Geschichte des Alten Ägypten*, Leiden 1968, 254.

[18] Los problemas cronológicos los trata, teniendo en cuenta otras propuestas de datación, A. Malamat, *The last kings*, espec. 150-156. Sitúa él la subida al trono de Sedecías no en nisán del 597 ó 596, sino en tisrí de 597 y fija la irrupción babilónica en la fortaleza de Jerusalén en el 18 de julio del 586, la destrucción del templo en el 14 ó 17 de agosto del 586.

[19] Las cartas fueron editadas por H. Torczyner, *Lachish I* (*The Lachish letters*), 1938; bibliografía y modernísima versión textual: D. Diringer, en Tufnell-Murray-Diringer, *Lachish* III/1, 1953, 21-23; 331-339; traducciones de los más importantes *óstraca*: ANET, 321 s. (cf. también ANEP, 279); TGI, 75-78 (TGI[1], 63-65 ofrece tan sólo texto hebraico); KAI 192-199; especialmente remitimos a K. Elliger, *Die Ostraka von Lachis*: PJB 34 (1938) 30-58.

te mensajeros comisionados [20]. Una de las noticias concretas más instructivas y frecuentemente citadas se encuentra en la carta IV, 10-12, dirigida al comandante de Laquis: «Y ha de saber (mi señor) que prestamos atención a las señales de Laquis, (que actuamos) conforme a todas las señales que da mi señor, pues (ya) no vemos las (señales) de Azeca». Azeca es una de las fortalezas del nordeste de Laquis, identificada con *tell ez-zakarīje*. La breve noticia indica cómo funcionaban las cosas. Mientras las tropas babilónicas se iban aproximando, las fortalezas se daban señales entre sí o enviaban mensajeros, si esto era posible. Azeca, situada mucho más al norte, parece haber sido ya alcanzada por el enemigo, de tal manera que el autor de la carta, que probablemente se encontraba entre Laquis y Azeca, sólo podía ya orientarse por Laquis. Estas circunstancias se han de cotejar con Jer 34, 7. Habla allí Jeremías con Sedecías cuando el ejército del rey de Babilonia luchaba ya contra Jerusalén «y contra todas las ciudades de Judá que quedaban, contra Laquis y Azeca, pues estas dos plazas fuertes habían quedado de todas las ciudades de Judá». Por consiguiente Laquis y Azeca constituyeron realmente en el país los últimos focos serios de resistencia. Así pues, las cartas de Laquis pertenecen seguramente a la primera fase del asedio de Jerusalén por parte de los babilonios; ordinariamente se acepta el año 588.

También merece mención la carta VI sobre la situación en Jerusalén con noticias que debieron llegarle al autor de la carta desde la ciudad sitiada, desde círculos allegados al rey y a los funcionarios. Habría personas en la ciudad «que aflojan (*lrp̄ṯ*) y dejan caer las manos del país y de la ciudad». Con esto se ha de comparar Jer 38, 4. Son precisamente los funcionarios quienes se quejan de Jeremías ante el rey, y lo hacen con palabras que suenan casi igual que las ya citadas. Jeremías debería morir, porque afloja (*mrp̄'*) las manos de los guerreros que quedan en esta ciudad y las de todo el pueblo. Esta acusación originó la detención de Jeremías, a quien echaron en una cisterna. Se puede concluir que en Jerusalén había un grupo de personas que consideraban insensato seguir ofreciendo resistencia a los babilonios, lo decían y de este modo debilitaban el poder de resistencia. El tenor casi coincidente entre la carta de Laquis y el texto de Jeremías señala las tendencias divididas de la ciudad. Cabía preguntarse si a la larga se podía realmente presentar una victoriosa resistencia al babilonio.

Por el *óstrakon* III de Laquis sabemos que un *śr hṣḇ'*, por lo tanto un alto oficial del ejército de Judá, fue enviado a Egipto. No se concreta la misión que llevaba; pero se trataría de negociar una ayuda para la ciudad de Jerusalén. Según Jer 37, 5 se acercó

[20] Cf. la lista de nombres publicada en Galling, TGI[1], 63, que contiene algunos nombres de persona característicos de aquel tiempo, entre ellos también el nombre «Jeremías» y el nombre «Guemarías» atestiguado en Jer 29, 3 y 36, 10-12.25.

realmente un ejército egipcio, sin que sepamos su magnitud; al menos temporalmente ese ejército debió obligar a los babilonios a interrumpir el asedio. El socorro egipcio no duró mucho tiempo; posiblemente reinaba ya por entonces en Egipto el sucesor de Psamético II, el faraón Apries (589-570), quien en Jer 44, 30 es denominado «Hofra».

Los babilonios no desistían en su empeño de tomar la ciudad. Esta debió rendirse por fin forzada por el hambre (2 Re 25, 3). Probablemente en el verano del año 586 consiguieron los babilonios abrir una brecha en la ciudad. Irrumpieron en el interior de la misma. Sedecías y sus más allegados habrían conseguido salir de la ciudad durante la noche, huyendo de momento hacia el desierto de Judá en dirección al valle del Jordán. Pero junto a Jericó le dieron alcance los babilonios y le hicieron prisionero. Fue conducido inmediatamente a presencia de Nabucodonosor, quien se encontraba entonces en su cuartel general de Ribla en la Siria central.

El destino que le aguardaba en Ribla a Sedecías es de una espantosa crueldad y la razón de tal dureza está en que él, el soberano instituido por Nabucodonosor, durante largos años se había opuesto inflexiblemente al dominio babilónico en Jerusalén. En Ribla y en presencia suya fueron matados sus hijos, a él mismo le sacaron los ojos, fue encadenado y llevado a Babilonia. Hubiera sido preferible que hubiera muerto entonces. Ya no volvemos a saber nada de él.

Mientras tanto, Jerusalén fue saqueada y en gran parte destruida.

Merece atención el hecho de que la destrucción del palacio real y del templo según 2 Re 25, 8-17 no se produjo hasta aproximadamente un mes después de la toma de la ciudad, y por intervención de un alto oficial babilónico, Nebuzardán, que había ido a Jerusalén con esa misión concreta. Actuó así por orden del gran rey.

Gran parte de la ciudad fue reducida a cenizas; aun la muralla fue derribada y con ello Jerusalén perdió su carácter de fortaleza. Se llevaron también a Babilonia sobre todo los utensilios del templo y algunos elementos arquitectónicos, las columnas de bronce de la casa de Yahvé, la sillería y el llamado mar de bronce, una gran pila destinada a las purificaciones. Es curioso que en este contexto no se mencione el arca de la alianza; pero es de suponer que también ésta fue entonces destruida o llevada a Babilonia.

Nuevamente fue deportada a Babilonia una gran parte de la población; fue la «segunda deportación», como se dice ordinariamente. Los datos respectivos de 2 Re 25 no están claros. En el versículo 11 se habla muy genéricamente de un residuo del pueblo de Jerusalén, que le correspondió al rey de Babilonia, y del resto de la gente que fue deportado por Nebuzardán. En cambio ese oficial habría dejado allí algunos pobres (*dlt ḥ' rṣ*) como viñadores y labradores (v. 12). Pero otros individuos, funcionarios, sacerdotes, porteros, secretarios, etc., que fueron aprehendidos en Jerusalén, los condujo Nebuzardán ante Nabucodonosor a Ribla, donde fueron ejecutados (2 Re. 25, 18-21).

No es posible, pues, hacerse una idea clara de las deportaciones; pero lo que sí está claro es que la clase alta, realmente dirigente, fue castigada con dureza y que una buena parte de los habitantes de Jerusalén tuvo que marchar al destierro. Pero en el país quedaron labradores útiles para el trabajo, de tal manera que un sector bastante amplio de la población nativa permaneció en el país. La mejor fuente sobre cifras de deportados que poseemos, a saber, Jer 52, 28-30, dice que después de la destrucción de Jerusalén fueron deportados tan sólo 832 jerosolimitanos. Esto no parece mucho; pero precisamente esa modesta cifra merece más confianza que otras cifras mucho más elevadas. Hay que contar con que la intervención en la población autóctona de Judá fue más reducida que la que realizaron los asirios en el reino septentrional de Israel. Estas cifras son de importancia en orden a enjuiciar los ulteriores desarrollos históricos en el país de Judá bajo la hegemonía babilónica.

La caída de Jerusalén significa el final de propia nacionalidad para Judá, es el provisional punto final de una historia políticamente independiente tal como se había desarrollado desde los días de la conquista del país tomando forma constitucional en los estados de Israel y de Judá. Los reyes fueron derrocados, las capitales fueron en gran parte destruidas, los terrenos fueron entregados a una administración extranjera, los santuarios fueron arrasados, el culto se convirtió en problema, las clases dirigentes vivieron fuera de su patria. El estado se había hundido por completo, pero, como quiera que sea, subsistió el pueblo que había sido abatido, este pueblo no se dispersó tanto ni fue entregado de tal modo al capricho del conquistador que su sustancia resultara amenazada de muerte. No puede uno imaginarse en toda su trascendencia la totalidad de la catástrofe de Judá con la caída de Jerusalén. Pero para el enjuiciamiento de la historia de Israel es una cuestión de capital importancia la de evaluar hasta qué punto caló realmente esa catástrofe en la conciencia de Israel. Pues todas las conocidas tradiciones pre-exílicas de la fe en Yahvé se nos han conservado y han sido capaces de determinar la vida de Israel aun en épocas muy posteriores. ¿Cómo se mantuvieron esas tradiciones, dónde y de qué forma fueron conservadas? ¿Sucedió eso, como se ha creído durante largo tiempo, sólo en el exilio, o tuvo ahí parte también la madre patria? ¿Acaso las principales tradiciones históricas de la época pre-exílica han sido custodiadas y consignadas por escrito no sólo en Babilonia, sino igualmente en la Palestina del período postexílico?

Así pues, aun la moderna investigación ha de enfrentarse con problemas decisivos con respecto a la época del exilio y a las épocas subsiguientes. Aunque a la caída de Jerusalén se la pueda calificar como una de las fechas más trascendentales de la historia de Israel, aunque se pueda marcar el exilio como una profunda cesura y aunque se vea la época subsiguiente bajo una luz distinta de la de la definitivamente conclusa época de los reyes, esa catástrofe «nacional» no acarreó el final de «Israel»; contribuyó a una transformación de su estructura y de su carácter, que tal vez sólo a partir de ese momento alcanzó aquellas anchuras y profundidades, que hicieron del «judaísmo» y, con él, del antiguo testamento el universal paradigma del pueblo de Dios y de su experiencia de Dios. En el dominio de la historia en alianza con su Dios culminan lo trágico y lo grandioso de ese pueblo.

III

Israel en manos de las grandes potencias

17

LA EPOCA DEL EXILIO BABILONICO

El exilio babilónico, dura realidad para una parte de la población jerosolimitano-judaica ya desde la primera deportación en el año 597 a. C., se considera y valora en toda su envergadura histórica ordinariamente a partir del momento de la caída de Jerusalén. Por eso no es fácil determinar un punto final del exilio, ya que con la caída de Babilonia en el año 539 no fue unido también un inmediato retorno de los judíos deportados. Al contrario, la cuestión del retorno de miembros de familias anteriormente deportadas a Babilonia plantea un problema especial, que, a falta de fuentes seguras, es de difícil solución. En todo caso fue lo más tarde en los años veinte de ese siglo VI cuando se les hizo posible a los residentes en Jerusalén y alrededores construir una propia comunidad, hasta tal punto que se pudo pensar ya en la reconstrucción del templo como punto céntrico de los allí domiciliados. Estrictamente hablando, la «época del exilio babilónico» abarca más que la fase final de la dominación babilónica; sus límites son más amplios e incluyo aquellos conatos que pueden considerarse como las primeras medidas ordenadas o la reconstitución de la comunidad jerosolimitana de culto y templo. Respecto al término «época» se ha de tener en cuenta que ese tiempo no se ha de considerar tan sólo partiendo de los judíos deportados a Babilonia, sino que en su estudio se deben incluir también las partes de población que habían quedado en Judá.

Los pasados investigadores sostenían corrientemente la opinión de que la auténtica vida de Israel se continuó en el exilio, no en la misma Palestina, la cual habría quedado casi totalmente despoblada y devastada. Así pues, los grupos de exiliados habrían sido los genuinos portadores y conservadores de la tradición israelítica. Pero, por múltiples razones, no es verosímil que la vida en la tierra materna de Palestina sufriera una total paralización. Ya Rudolf Kittel había advertido que no hay que imaginarse a la tierra palestinense durante el exilio como una *tabula rasa* [1]. Recientemente van sien-

[1] R. Kittel, *Geschichte des Volkes Israel* III/1, 1927, espec. 66-78, pero

do ya bastantes los que piensan que la misma Palestina tuvo durante el exilio una evolución peculiar, aunque no podamos tener idea cabal de la misma [2].

Teniendo en cuenta cuanto se acaba de decir es importante preguntar de qué fuentes documentales se dispone en lo concerniente a la época del exilio. Las noticias veterotestamentarias se encuentran diseminadas y es preciso recogerlas en diversas obras literarias. La obra histórica deuteronomística finaliza con la caída de Jerusalén 587-586 y roza tan sólo la ulterior evolución de Judá, sin seguirla en serio (2 Re 25, 22-26); totalmente al final se encuentra la mención de una especie de indulto del rey de Judá, Joaquín, que vivía en el exilio y logró obtener ciertos privilegios del gran rey babilónico (2 Re 25, 27-30). Sucedía esto hacia el año 560 a. C., por lo tanto muy avanzada ya la época exílica, pero para nosotros no deja de ser un acontecimiento aislado, que sin duda el escritor deuteronomístico consignó conscientemente como grata conclusión de su obra.

La obra histórica cronística no dice nada del exilio. En 2 Crón 36, 20-23 se pone el máximo interés en describir ese período como un tiempo oscuro, que no terminó hasta la aparición del persa Ciro; con su decisión de reconstruir el templo de Jerusalén puso él un signo de esperanza.

Casi paralelamente al conciso relato de 2 Re 25, 22-26 discurren los capítulos en prosa del libro de Jeremías (Jer 39-44). Tratan de acontecimientos en Judá tras la caída de Jerusalén, pero se centran principalmente en el destino del profeta Jeremías hasta que fue conducido a Egipto. Las llamadas «lamentaciones» de Jeremías suelen relacionarse sin razón con ese profeta, pero describen igualmente situaciones subsiguientes a la destrucción del templo e ilustran muy objetivamente las circunstancias del país, especialmente en la 2, 4 y 5 lamentaciones [3].

Hasta muy adentrada la época exílica nos conducen los oráculos del profeta Ezequiel, que debió morir hacia el año 570 a. C. en el exilio; pero estos documentos apenas permiten sacar conclusiones referentes a determinados acontecimientos históricos. El indulto de Joaquín hacia el 560 constituye un *terminus a quo* para la redacción de la obra histórica deuterono-

dedica tres amplios capítulos a los «personajes conspicuos en Babilonia», entre los cuales también aparece «el círculo deuteronomístico».

[2] M. Noth, *Geschichte Israels*, [6]1966, 264: «...así pues, el centro de la historia israelítica y de la vida israelítica permaneció indudablemente en las tribus que habían quedado en el país. Para ellas lo ocurrido el año 587 a. C. de ningún modo significó el final». Cf. además E. Janssen, *Juda in der Exilszeit. Ein Beitrag zur Frage der Entstehung des Judentums*: FRLANT 69 (1956); S. Herrmann, *Prophetie und Wirklichkeit in der Epoche des babylonischen Exils, Arbeiten zur Theologie* I, 32, 1967.

[3] Especialmente según la reciente exégesis de H. J. Kraus, *Klagelieder*, [3]1968, tras esos cánticos debe encontrarse el lamento sobre la destrucción del templo de Jerusalén y por lo tanto sobre el tradicional centro de la vida cúltica.

mística, que según convicción moderna no recibió su forma definitiva durante el exilio, sino en Judá [4]. De ahí que las cuestiones teológicas fundamentales de esa obra han de entenderse como una expresión de la polémica que allí se produjo en la segunda mitad de la época exílica, cuando se intentó enfocar el propio momento actual a la luz del pasado [5]. Hay que suponer que paralelamente a la formación de la obra histórica deuteronomística, por pocas que sean las fechas exactas de que se disponga, también al menos se dio comienzo a las redacciones definitivas de algunos libros proféticos [6].

En los años cincuenta del siglo VI (559-529) de la casa soberana de los aqueménidas surgió la gran potencia persa, cuya importancia para los judíos exiliados fue reconocida por aquel profeta, cuyas tradiciones se encuentran redactadas en el libro de Isaías cap. 40-55, quien según la teoría tradicional actuó en el exilio y a quien se conoce bajo el seudónimo de «Deuteroisaías». Pero queda por saber si llegó a presenciar la caída de Babilonia en el año 539.

Acerca del reinado del último y especialmente discutido rey babilónico Nabonid (*Nabū-nā'id*) y la caída de Babilonia poseemos una serie de documentos extra-veterotestamentarios de diversos géneros y tendencias. Se trata principalmente de la ya mencionada crónica babilónica para los años 555-539, la llamada crónica de Nabonid [7]; un poema insultante contra Nabonid (redactado hacia el 538) [8]; la inscripción del cilindro arcilloso sobre Ciro [9]; además, algunos documentos más, que pueden esclarecer la historia de Nabonid, pero que para la historia de Israel poseen tan sólo un valor indirecto [10].

Para comprender los acontecimientos de Judá tras la caída de Jerusalén parece necesario mencionar una vez más la lista de Jer

[4] M. Noth, *Überlieferungsgeschichtliche Studien,* ²1957, 97. 110, nota 1; E. Janssen, *o. c.,* 12-18.

[5] H. W. Wolff, *Das Kerygma des deuteronomistischen Geschichtswerkes,* 1961, en *Ges. Stud.*, 308-324.

[6] Entran en consideración sobre todo aquellas colecciones de oráculos proféticos, que especialmente en sus partes finales manifiestan el influjo del lenguaje deuteronomístico, pero también por otro lado muestran el carácter de una polémica que permite deducir una posterior elaboración del material documental. Esto es especialmente claro en el libro de Jeremías, sobre todo en la composición de las partes en prosa, pero también en algunos fragmentos del libro de Ezequiel. Sobre Amós cf. W. H. Schmidt, *Die deuteronomistische Redaktion des Amosbuches*: ZAW 77 (1965) 168-192.

[7] AOT, 366-368; ANET, 305-307; breve extracto en TGI, 81 s.

[8] ANET, 312-315; TGI¹, 66-70.

[9] AOT, 368-370; ANET, 315 s.

[10] C. J. Gadd, *The Harran inscriptions of Nabonidus,* London 1958; ANET Suppl., 560-563 y la bibliografía que allí se consigna; además R. Meyer, *Das Gebet des Nabonid* 1962, espec. 53-81; K. Galling, *Studien zur Geschichte Israels im persischen Zeitalter,* 1964.

52, 28-30, que por lo que se refiere al año de la caída de la ciudad menciona como deportados a 832 jerosolimitanos, pero añade que en el año 23 de Nabucodonosor, por lo tanto el 582, 745 judíos habrían sido deportados por Nebuzardán como comisionado del rey. Sea lo que sea de las cifras concretas que se dan, la noticia no deja de ser sintomática. Hay que suponer que aun después de la caída de Jerusalén otras cantidades de población fueron deportadas a intervalos y por grupos, sin que todavía conozcamos claramente los motivos y el sistema de tales medidas. Pero en general se puede decir que la praxis empleada por los babilonios para sus deportaciones fue menos radical que la de los asirios. Es de suponer que los deportados permanecieron juntos; en cambio no sabemos qué poblaciones extranjeras se afincaron sistemáticamente en Judá. Unas ilimitadas deportaciones son poco probables por el simple hecho de que en todo caso se quería mantener en el país una población campesina útil para el trabajo. El motivo de las deportaciones pudo consistir en los reiterados brotes de movimientos de resistencia.

En ningún sitio se dice expresamente que Judá fuera convertida en una auténtica provincia babilónica. Se le confió el país a un funcionario nativo de Judá por nombre Guedalyá, que ya en tiempo de los reyes Josías y Joaquim parece haber desempeñado un papel importante (2 Re 22, 12.14; Jer 26, 24). De 2 Re 25, 24 se deduce que fue adicto a los babilonios y les recomendó eso mismo a sus compatriotas. Escogió Mispá como sede del gobierno, tal vez en lugar de la destruida Jerusalén. A una serie de militares, jefes de tropas y otros personajes de Judá, que parece se mostraron dispuestos a reconocer su nombramiento por parte del rey babilónico, les hizo un juramento y les exhortó a estar sumisos a los babilonios. A esta política se opuso, supuestamente incluso con el apoyo del rey de los amonitas (Jer 40, 14), un hombre de linaje real, Ismael, hijo de Natanías, quien reúne a otros hombres para matar a Guedalyá. Aun cuando le habían prevenido, Guedalyá recibe a Ismael y a sus hombres en Mispá. Durante el banquete se produce un baño de sangre. Ismael con sus acompañantes asesina no sólo a Guedalyá, sino también a todos los comensales judaicos y babilónicos.

Pero no para aquí la cosa. Al día siguiente del asesinato de Guedalyá 80 hombres procedentes de la región del antiguo estado septentrional de Israel llegan a Mispá, para llevar ofrendas e incienso «a la casa de Yahvé», por lo tanto iban sin duda camino de Jerusalén. Según esto, en esos distritos septentrionales existían grupos que reconocían el santuario jerosolimitano y a él peregrinaban. No se nos dice si esto lo hacían a impulsos de la ley reformatoria de Josías, no sabemos cómo esas gentes pudieron desconocer la destrucción del templo. Cabría pensar, desde luego, también en una continuación del culto en Jerusalén a escala reducida. En Mispá tratan de hablar con Guedalyá, pero caen en manos de Ismael, quien los mata al instante. Sólo consiguen salvarse diez hombres, que se muestran dispuestos a descubrir los escondrijos en los que habían guardado víveres (Jer 41, 8). La situación es característica de la inseguridad jurídica y la pobreza propias de un país después de la catástrofe. Quien ofrece algo de comer, se mantiene vivo.

Después Ismael hizo prisioneros a todo el resto del pueblo, que quedaba en Mispá, y también a algunas princesas que el jefe de la guardia, Nebuzardán, había encomendado a Guedalyá. Es de suponer que en Mispá se encontraba también el profeta Jeremías, que después de haber sido liberado por los babilonios se había marchado voluntariamente con Guedalyá (Jer 40, 1-6). Con todas las gentes, de que se había apoderado, intentó Ismael pasar a la región amonítica. Pero ese plan fracasó. En Judá meridional se habían reunido en torno a Yojanán, hijo de Caréaj, los hombres que se habían enterado de los crímenes de Ismael. Estos, aunando sus fuerzas, avanzaron y encontraron al grupo de Ismael junto a Guibeón (Jer 41, 12). Lo que ocurrió fue sorprendente, pero explicable. Los hombres que Ismael había apresado en Mispá se pasaron al momento a Yojanán y a sus gentes, mientras que Ismael, acompañado de tan sólo ocho correligionarios, pudo escapar a Transjordania rumbo a los amonitas.

Yojanán y el grupo de Mispá deliberaron en la comarca de Belén sobre otras posibles medidas. Se temía a los babilonios, ya que Guedalyá había sido asesinado por un judío. Se le pide su opinión a Jeremías, y éste, tras diez días de reflexión, recomienda permanecer en el país (Jer 42). Pero a éste le increparon, pues la emigración a Egipto parece ser que era ya algo decidido. Allá se dirigieron, llevándose también a Jeremías y a su compañero Baruc. Llegaron a Tafnis, fortaleza de la frontera egipcia al este del delta del Nilo junto a Pelusium [11]. Las ulteriores vicisitudes de esos

[11] Jer 43, 7; sobre Tafnis A. Alt, *Taphnaein und Taphnas*: ZDPV 66 (1943) 64-68; W. F. Albright, en *Bertholet-Festschrift*, 1950, 13 s. Jer 44, 1 menciona toda una serie de localidades del alto Egipto donde al correr del tiempo se establecieron judíos, Migdal, Noph (= Menfis) como de modo general el país de Patros, que sustancialmente se identificaría con el alto Egipto. Así pues, los emigrantes judíos se fueron dispersando paulatinamente por un territorio cada vez más extenso, de acuerdo tal vez con las posibilidades de ocupación.

emigrantes se desconocen. Se supone que Jeremías moriría allí en Egipto.

Otras gentes de Judá, en especial de las clases superiores, siguieron probablemente al grupo de Yojanán, sin que tengamos sobre esto noticias ciertas. El país quedaba así expuesto a una lenta despoblación. La deportación del año 582, que conocemos por Jer 52, constituye la última noticia que tenemos después del asesinato de Guedalyá o en conexión con éste. Se ignora quién le sucedió en el cargo, así como todas las demás medidas adoptadas para la administración del país. Posiblemente Judá quedó sometida a la ciudad de Samaria y a sus autoridades. Casi todas las personas, que hubieran sido las más indicadas para hacerse cargo de la dirección, habían emigrado o habían sido deportadas. Con ellas también se habían extinguido las fuerzas activas para la resistencia. La situación empezó a normalizarse cada vez más. Llegó un tiempo en que en Judá pudieron brotar esperanzas, que miraban a la reconstrucción del país, la reedificación de las ciudades, la fertilidad del terreno y el acrecentamiento de la población, como se puede leer en algunos capítulos del libro de Ezequiel, de matiz deuteronomístico, cuyo autor no hay que verlo forzosamente en el mismo gran profeta del exilio [12]. Nada tiene de extraño que en medio de ese ambiente surgiera una composición como la de Jer 30.31 y que esa composición fuera coronada con la esperanza en una nueva alianza y en una restauración de la ciudad de Jerusalén [13]. Esos pensamientos recibieron tal vez un nuevo impulso sobre todo cuando, tras la muerte de Nabucodonosor en el año 562, ocuparon el trono babilónico una serie de mediocres soberanos que alimentaron las esperanzas en un cambio repentino.

Los estados vecinos al este y sureste de Judá parece que gozaban aún de una relativa autonomía cuando se produjo la caída de Jerusalén. El rey

12 Sobre todo Ez 34-37; se trata aquí precisamente de textos cuyo origen puede explicarse mucho mejor en la misma Palestina que en simple contemplación visionaria en la lejana Babilonia; ciertas dificultades presenta desde luego Ez 37, 1-14, la visión de los huesos en la llanura, cuya interpretación en los v. 11-14 se basa desde luego en una concepción dirigida a «toda la casa de Israel», que manifiesta en todo caso una primera redacción deuteronomística. Más difícil es saber si en ese período central del exilio se crearon también los condicionamientos para el llamado «proyecto constitucional de Ezequiel» (Ez 40-48) y dónde sucedió tal cosa; cf. ahora W. Zimmerli, *Planungen für den Wiederaufbau nach der Katastrophe von 587*: VT 18 (1968) 229-255; G. Ch. Macholz, *Noch einmal: Planungen für den Wiederaufbau nach der Katastrophe von 587*: VT 19 (1969) 322-352.

13 Jer 31, 31-40.

amonítico estaba posiblemente implicado en el asesinato de Guedalyá; entre los amonitas se habían refugiado, huyendo de los babilonios, los habitantes de Judá, que durante el reinado de Guedalyá retornaron a su tierra (Jer 40, 11 s). Sin embargo, al correr del tiempo incluso esos estados debieron ser sometidos por los babilonios. Josefo nos dice que Nabucodonosor en el año 23 de su reinado (582) sometió a los amonitas y moabitas con ocasión de una campaña que realizó a Egipto [14]. Pero sobre esto no tenemos más noticias.

¿Cuáles fueron las vicisitudes de los judíos durante el exilio babilónico? Se encontraba allí en primer lugar la clase alta del país de Judá, la casa real con Joaquín a la cabeza, los grandes terratenientes, altos funcionarios del estado, sacerdotes. A Ezequiel, el sacerdote y profeta, se le intima repetidas veces para que se ponga al habla con los «ancianos de Israel», por lo tanto con personalidades de primera fila (Ez 14, 1-11; 20, 1 s; 33, 10-20). En Ezequiel se encuentra el término especial para designar el grupo llevado al exilio, la palabra *gola* (*ḡwlh*) [15]. Sobre las circunstancias concretas de su vida es poco lo que sabemos. Se formaron tal vez colonias enteras de judíos, en las que los deportados convivían y con las que también era posible comunicarse epistolarmente (cf. Jer 29). Conocido es el nombre de Tel-Abib (Ez 3, 15) para designar una de esas colonias, y tal vez era la versión hebraica de un toponímico indígena [16]. Otros nombres de colonias de deportados pueden leerse en Esd 2, 59 = Neh 7, 61. En sus proximidades se encontraba el «río Kebar» = *nāru kabaru* (tal vez «gran río, canal»), probablemente uno de los afluentes orientales del Eufrates [17].

Por lo que se refiere al abastecimiento de los exiliados es interesante aquella lista de la corte babilónica, que también menciona a Joaquín y le llama «rey de la tierra de Judá (*Ja-a-hu-du*)». No hay duda ninguna sobre a quién se refiere, y se trata de una de esas raras y felices coincidencias, en las que por una fuente extraña se hace posible confirmar un detalle de la información veterotestamentaria. La lista procede del año 13 de Nabucodono-

14 Josefo, *Ant. Jud.* X 9, 7 § 181 s. (edición Niese).

15 Ez 1, 1; 3, 11.15; 11, 24 s; 12, 4 cf. también Jer 28, 6; 29, 1.4.20. 31; Zac 6, 10, etc.

16 En el año 1909, sesenta familias judías fundaron al nordeste de Jaffa una colonia judía y le dieron el nombre de Tel Aviv en recuerdo de la antigua localidad del exilio babilónico.

17 Se piensa ordinariamente en el *schaṭṭ en-nīl* en la región de Nippur; W. Zimmerli, *Ezechiel,* BK 13, 24.39 s.

sor (592 a. C.) y habla especialmente de suministros de aceite, que se entregaron a Joaquín, a cinco de sus hijos y a otros judíos [18]. Pero fue el sucesor de Nabucodonosor, el rey Evil-Merodac (Abel-Marduk), quien gobernó tan sólo de 562-560, el que se decidió a dar un trato privilegiado al rey de Judá (2 Re 25, 27-30). En el año 37 después de su deportación, Joaquín fue liberado de su internamiento y se le otorgó el derecho a comer en la corte babilónica. De ahí se deduce al menos el tiempo que hubo de pasar todavía Joaquín en el destierro, después de haberse visto obligado a abandonar Jerusalén el 597. Se desconoce desde luego el año de su muerte. De todos modos durante tan largo tiempo pudieron cifrarse en ese davídida esperanzas que apuntaban al restablecimiento de la situación normal en Judá. Por él se contaron los años del exilio, o por lo menos así lo hizo el libro de Ezequiel, ya fuera redactado en el exilio ya en Judá. El rey, tanto en un sitio como en otro, fue tal vez considerado como garantía de una restitución de Judá [19]. Sin embargo, el cambio de situación vino por otro lado. Durante los años cincuenta y paralelamente a la decadencia de Babilonia comenzó a perfilarse el incontenible auge de la gran potencia persa.

A Nabucodonosor le siguieron en el trono babilónico varios soberanos de corto reinado. El ya mencionado Abel-Marduk (Evil-Merodac), 562-560, fue eliminado violentamente; de la época del reinado de su sucesor *Nergal-šar-uṣur* (Neriglissar), 559-556, poseemos un breve fragmento de crónica babilónica para el año 557-556 [20]. Con su hijo Labaschi-Marduk (556-555) se interrumpe la familia de soberanos. Tuvo que producirse una gran revolución interna. Después de él subió al trono el último rey del imperio babilónico, Nabonid (*Nabū-nāʾid*), que procedía del Jarán de la Mesopotamia superior y era hijo de una sacerdotisa del dios lunar Sin. Desde el año 555 hasta la caída de Babilonia logra llevar las riendas del reino, a pesar de algunas dificultades en su política interior y de una peculiar concepción en política exterior, practicada con tenacidad. Tuvo que enfrentarse con los sacerdotes de Marduk en Babilonia al intentar elevar al dios lunar Sin a la

[18] E. F. Weidner, *Jojachin, König von Juda, in babylonischen Keilschrifttexten,* en *Mélanges Syriens offerts à M. R. Dussaud* II, Paris 1939, 923-935; ANET, 308, TGI, 78 s.

[19] R. Meyer habla de una especie de «dinastía exílica», que habría fundado Joaquín y ahí ve los inicios de una «tradición davídico-legitimística, que en el judaísmo babilónico en conexión con el cargo de exilarca (*rēsch gālūṯā*) se puede seguir hasta el siglo X d. C. (!)». R. Meyer, *Das Gebet des Nabonid,* 1962, 68.

[20] D. J. Wiseman, *Chronicles of chaldaean kings (626-556 B. C.) in the British Museum,* London 1956 (²1961).

categoría de dios del imperio, tal vez por complacer a los grupos de población aramea que había en el estado. En política exterior son dignas de mención las guerras del rey contra tribus árabes en los desiertos meridionales; durante diez años permaneció en la ciudad oásica de Tema, centro comercial y de comunicaciones en el norte de Arabia. Mientras tanto dejó el gobierno de Babilonia en manos de su hijo Belsassar [21].

El hecho de que este obstinado soberano no fuera eliminado pudo deberse sobre todo a la situación general de la política exterior que pudo inspirar temores y esperanzas a los círculos dirigentes de Babilonia. La expansión de la potencia persa por el norte y por el oeste auguraba amenazadoras perspectivas para Mesopotamia. Al comienzo de su reinado Nabonid se alió con el rey persa Ciro, que subió al trono el 559 y derrocó al rey de los medos, Astiages. El reino de los medos se había extendido hasta Asia menor y constituía, tanto para los persas como para los babilonios, una peligrosa vecindad por el oeste. En Ecbatana, capital de los medos, Ciro se hizo soberano sobre un gran imperio persa. La alianza de Nabonid con Ciro mantuvo alejada la amenaza persa al menos temporalmente. De momento Ciro buscó expansión por el oeste. Creso de Lidia, rey proverbialmente famoso por sus riquezas, atacó a Ciro, pero fue batido por éste de forma aplastante en el año 546; de este modo la potencia persa llegó hasta la costa occidental del Asia menor. En la segunda mitad de los años cuarenta Ciro redondeó también su poder por el lado oriental de su imperio al apoderarse de las altiplanicies situadas al noroeste de Babilonia. Ya no quedaba sino el sur, el reino de Nabonid.

El zarpazo al reino neobabilónico hubo de parecerle seductor a Ciro. Pues con él no sólo adquiría Mesopotamia, sino al mismo tiempo el territorio sirio-palestinense y tal vez también zonas del desierto arábigo de las que se había adueñado Nabonid. El puente geográfico sirio-palestinense le brindaba también la posibilidad de hacerse con Egipto, logrando así la soberanía universal según la mentalidad de entonces. Ciro fue consecuente en llevar adelante sus planes; pero fue su hijo y sucesor Cambises quien en el año 525 venció a Egipto en la batalla de Pelusium.

El derrocamiento del imperio babilónico lo esperarían en la misma Babilonia con más o menos certeza y confianza. Sentían confianza principalmente los estados y grupos dependientes de los babilonios, entre ellos los exiliados judíos. No hay dificultad ninguna para situar la actividad del Deuteroisaías en los años cuarenta del siglo VI. Los pronósticos de este profeta tuvieron su

[21] Cf. los dos textos TGI, 79-81. Belsassar aparece en legendaria metamorfosis también en Dan 5, 1-6, 1, pero allí se llama rey de Babilonia y se considera como predecesor de Darío.

más sólida y concreta expresión en su idea de que Yahvé haría de Ciro un instrumento suyo a quien colmaría de éxitos. Deuteroisaías menciona a Ciro por su nombre y le llama soberano de un pueblo extranjero, «su (de Yahvé) ungido» (Is 45, 1), su «pastor» (Is 44, 28). Se describe inequívocamente la ruina de Babilonia (Is 47).

La victoria sobre Babilonia no le costó a Ciro mucho trabajo. Por lo pronto el rey no apareció personalmente ni siquiera una vez. En el año 539 ordenó a su general Gobryas que atacara a Nabonid; éste sucumbió. Babilonia cayó prácticamente en manos de los persas sin mediar batalla ninguna. Todo hace pensar que los sacerdotes de Marduk acogieron a los conquistadores como liberadores, pues terminaban con el reinado de Nabonid. Finalmente el mismo Ciro hizo una entrada triunfal en la ciudad.

Sobre la caída de Babilonia, si prescindimos de las breves noticias de la crónica babilónica [22], poseemos dos descripciones, que desde luego son tendenciosas. Uno de los textos, por desgracia bastante deteriorado en el margen, se encuentra enmarcado en un «poema difamatorio» contra Nabonid. Lo más probable es que se trate del informe de un sacerdote babilónico, que saludaba a Ciro como soberano elegido y al mismo tiempo condenaba duramente los crímenes de Nabonid. Suele prestarse especial atención al hecho de que Ciro devolvió su prestigio a los antiguos cultos de los tiempos de Nabucodonosor [23]: «A los dioses de Babilonia, masculinos y femeninos, los devuelve él a sus celdas, (a los dioses, que) habían abandonado sus capillas, los restituye él a sus santuarios». (Contra Nabonid:) «...borra sus actos... (las obras de su) reinado... las extermina... (en todos los santuarios) borra las inscripciones de su nombre... (Para los habitantes de Babilonia) reina la alegría, (a los presos) se les sueltan las cadenas, (quedan libres los débiles) que estaban oprimidos por los (poderosos)... todos miran (alegres) a su majestad». Atención a los dioses por parte de Ciro, aniquilamiento de los residuos del gobierno de Nabonid; tales son los motivos predominantes de ese texto. Semejante descripción es muy explicable como obra de un sacerdote de Marduk. Más importante es aún el hecho de que el mismo Ciro se consideró como servidor de Marduk y de los dioses babilónicos y pretendió actuar en nombre suyo. Ciro aprovechó la polémica contra Nabonid, para poner más claramente de relieve su propia misión. Y lo hizo sobre un cilindro arcilloso transmitido en escritura cuneiforme, cuyo texto conservado comienza con un enjuiciamiento peyorativo de Nabonid, pero después

[22] Se trata del año 17 de la crónica de Nabonid; AOT, 367 s.; ANET, 306; TGI, 81 s.

[23] Cf. *supra,* nota 8.

se presenta a Marduk buscando un soberano idóneo, que naturalmente se encuentra en Ciro [24]: «Examinó todos los países, rebuscó entre sus amigos, escogió de propia mano un príncipe justo según su corazón: a Ciro, el rey de Anschan, lo llamó, nombró su nombre para mandar sobre todo el universo». En consecuencia Ciro se designó a sí mismo como «eterno vástago de la monarquía, cuya dinastía fue grata a Bel y a Nabu, cuyo reino desearon para regocijo de sus corazones» [25]. Ciro recibió su soberanía de las manos de los dioses babilónicos y de este modo se incorporó a la sucesión legal de los soberanos babilónicos. Aunque se quiera ver ahí una forma especial del estilo cortesano y de la propaganda persa, no paraba ahí todo. En el fondo se observa en definitiva de qué modo los persas trataban y dominaban a los pueblos sometidos.

Ciro y sus sucesores procuraron gobernar y conservar el imperio de forma distinta a la de los asirios y babilonios, no eliminando los antiguos ordenamientos e intercambiando poblaciones nativas, sino conservando y restableciendo los derechos observados desde antiguo en aquellos países y las instituciones en ellos nacidas. La política imperial de los persas se apoyó en las estructuras administrativas autóctonas y procuró restablecerlas allí donde esas estructuras, ya violentamente ya por la acción del tiempo, habían llegado a sucumbir. Especial atención se dedicó a las normas del culto y al cuidado de los santuarios. Sobre este trasfondo hay que considerar la forma en que Ciro quiso que se interpretara su propio dominio sobre Babilonia. Ese dominio había de acatar la voluntad de los dioses del país. De forma análoga procedió más tarde Cambises en Egipto, quien adoptó allí títulos regios egipcios, de tal forma que los reyes persas en Egipto pudieron ser considerados como sucesores legítimos de los faraones y fueron contados como dinastías autónomas (XXVII y XXXI dinastía).

Es obvio que este cambio de organización imperial, esta praxis administrativa persa atenta a la conservación y a la reorganización trajera consigo necesariamente sus amplias consecuencias aun para los judíos babilónicos y no menos para la población palestinense. Pues también los habitantes de la tierra materna, tras la caída del poder babilónico, habían quedado sometidos, lo mismo que los exiliados, a la misma soberanía persa. De este modo se habían creado ya las condiciones necesarias para una restauración de la situación en Judá. Los problemas que forzosamente se

[24] AOT, 369; ANET, 315; TGI, 83.
[25] *Ibid.*

planteaban entonces eran éstos: ¿podían los judíos exiliados regresar a Palestina? ¿Era posible en el mismo Jerusalén la restauración de la ciudad y del templo y el restablecimiento del culto? Estos problemas centrales ocuparon al menos el próximo siglo de historia judaica después de la caída de Babilonia.

18

LOS PRIMEROS DECENIOS DE SOBERANIA PERSA. EL TEMPLO POSTEXILICO

La victoria de Ciro sobre Babilonia y la sumisión de los territorios babilónicos, incluyendo a Siria y a Palestina, no produjo unas inmediatas consecuencias efectivas para los judíos del exilio y de la patria en los primeros años de soberanía persa. No se sabe que se iniciara inmediatamente una repatriación desde Babilonia, y dada la situación no cabía esperar que para los jerosolimitanos y para los judíos de Palestina se iniciara a corto plazo un giro fundamental. Es muy de lamentar que precisamente de Siria y Palestina no poseamos documento alguno que nos dé datos más concretos sobre la transición del dominio babilónico al dominio persa en esas regiones. Esto al fin y al cabo no es de extrañar, si se considera de qué forma tan distinta procedía la administración persa y qué pocas ocasiones para las resistencias y las situaciones dramáticas debieron producirse.

Los persas gobernaron Siria y Palestina durante más de dos siglos. Fueron relevados por Alejandro Magno, quien después de la batalla de Isos (333 a. C.) se dirigió hacia el sur para apoderarse finalmente también de Egipto. Por lo que respecta al prolongado período de dominación persa en Palestina, no disponemos en modo alguno de documentos suficientes. Sobre todo la segunda parte de su soberanía, aproximadamente entre 440 y 333, pero incluso más allá todavía, constituye en la historia del judaísmo palestinense una época francamente oscura. Mejor informados estamos sobre una serie de acontecimientos que tuvieron lugar entre 538 y aproximadamente 440 a. C. Pero con respecto a ellos carecemos de relatos coherentes, que permitan captar el desarrollo de los hechos. Esto sucede también por desgracia con los principales documentos de la época postexílica procedentes del antiguo testamento, los libros de Esdras y de Nehemías, además algunas partes de los libros proféticos de Ageo, Zacarías y «Malaquías» [1].

1 No se sabe si el *mal'ākī* que se encuentra en Mal 1, 1 significa el nombre propio del profeta o si habría que traducirlo por «mi mensajero». Cf. los comentarios e introducciones al antiguo testamento.

Es cierto que, dentro del marco de la «obra histórica cronística», los libros de Esdras y de Nehemías conectan directamente con el segundo libro de las Crónicas, pero no son desde luego expositivamente perfectos. Da la impresión de materiales brutos para completar la obra cronística, pero en su actual estado ofrecen solamente una yuxtaposición de diversos fragmentos documentales sin prestar gran atención a los contextos cronológicos y fácticos [2]. En Esd 4, 8-6, 18 y 7, 12-26 incluso se conserva probablemente el lenguaje de originales textos aramaicos [3]. Utilizan el llamado «arameo imperial», que entonces se convirtió en lengua oficial y corriente del noroeste de Mesopotamia, de Siria y de Palestina. También el fomento de los idiomas autóctonos formaba parte de la praxis administrativa de los persas.

El arameo a más tardar desde la época del exilio, y en forma de conatos tal vez ya desde tiempos anteriores [4], fue avanzando más y más en Palestina hasta desplazar poco a poco incluso al hebreo como lengua hablada. A partir de entonces el arameo se impuso en todo el ámbito de la cuenca oriental del Mediterráneo, pero al mismo tiempo se diferenció en numerosos dialectos locales. Una variante del «arameo imperial» como lenguaje oficial se encuentra en el antiguo testamento en las partes arameas del libro de Daniel (Dan 2, 4b-7, 28). Este arameo bíblico de los libros de Esdras y Daniel [5] debe distinguirse de otros muchos matices que adoptó el arameo, por ejemplo en Siria y en los escritos de los miembros de la colonia militar de Elefantina en el siglo V en Egipto. El ulterior desarrollo produjo idiomas que deben considerarse autónomos. Mientras que el arameo palestinense debe considerarse como arameo occidental, se formó, como rama lingüística aramaico-oriental, el mandeo y la lengua del Talmud babilónico. El arameo finalmente hizo desaparecer también al acádico, que en una forma «tardíobabilónica» pudo mantenerse sustancialmente como lenguaje escrito y erudito hasta el primer siglo precristiano. El arameo prevaleció.

Este proceso histórico-lingüístico unificador, pero en sí diferenciado, fue favorecido de forma esencial por la formación del imperio persa. De esto dan elocuente testimonio los documentos arameos del antiguo testamento.

Uno de los principales propósitos de los libros cronísticos veterotestamentarios es el de resaltar la importancia del templo de

[2] Cf., además de los comentarios e introducciones al antiguo testamento, M. Noth, *Überlieferungsgeschichtliche Studien*, [2]1957, 110-180; S. Mowinckel, *«Ich» und «Er» in der Ezrageschichte*, en *Verbannung und Heimkehr*, 1961, 211-233; P. R. Ackroyd, *Exile and restoration*, London 1968; cf. ahora también Id., *I & II Chronicles, Ezra, Nehemiah, Torch Bible Commentaries*, London 1973.

[3] Por la autenticidad de los documentos se inclinó ya E. Meyer, *Die Entstehung des Judentums*, 1896 (reimpresión 1965).

[4] Cf. espec. 2 Re 18, 26, donde el arameo sirve de lengua diplomática.

[5] H. Bauer-P. Leander, *Grammatik des Biblisch-Aramäischen*, 1927.

Jerusalén y de su culto. De forma parecida aparece también en primer plano el problema del templo en Esdras 1, que compositivamente conecta con el final del segundo libro de las Crónicas. Ciro manda anunciar que Yahvé, el Dios del cielo, le ha encomendado la misión de edificarse una casa en Jerusalén. Por eso aquellos que pertenecen al pueblo de ese Dios deben subir a Jerusalén y levantar el templo a sus expensas. De este modo Esdras 1 une programáticamente diversos factores. Ciro aparece personalmente como supremo arquitecto del templo, que actúa por encargo de Yahvé. Las cargas de la construcción recaen sobre los judíos, que a tal fin deben ser liberados de su cautividad y pueden regresar. Estos habrían preparado de hecho su retorno en seguida (Esd 1, 5). Ciro hizo más todavía. Devolvió los utensilios de la casa de Yahvé que en otros tiempos Nabucodonosor había llevado de Jerusalén, pero no se los entregó inmediatamente a los mismos judíos, sino que se los confió a un funcionario babilónico por nombre Sesbasar, que es designado aquí como *hnśy' lyhwḏh* en el sentido de un comisario gubernamental persa para Judá (Esd 1, 7-11). Hasta aquí las noticias de Esdras 1 [6]. Tenemos aquí de hecho una síntesis de los principales problemas de los judíos después de la caída de Babilonia: 1) el mismo Ciro, leal para con todos los cultos autóctonos, da orden de construir el templo, de reedificar el santuario jerosolimitano; 2) los deportados obtienen permiso para la repatriación, esencialmente con el fin de levantar de nuevo el templo; 3) Ciro devuelve los utensilios del templo jerosolimitano sustraídos anteriormente por los babilonios. Decididamente este cuadro sencillo del primer capítulo de Esdras es fascinante, y desde luego era inevitable el que, popularmente simplificada, la evolución postexílica para Judá fuera concebida de ese modo, como gozosa repatriación de los deportados y una rápida reconstrucción del templo.

Pero ya el simple hecho de que el templo no fuera construido de inmediato, el que transcurrieran decenios hasta su reinauguración, da que pensar. Desde luego hay otros cuantos documentos del mismo libro de Esdras que delatan un desarrollo distinto de los acontecimientos. En Esd 6, 3-5 se da noticia, dentro de la primera gran sección de texto aramaico, de un documento, que según Esd 6, 2 estuvo guardado en el palacio real de la capital meda

[6] Sus problemas los trata concretamente K. Galling, *Die Proklamation des Kyros in Esra 1,* en K. Galling, *Studien zur Geschichte Israels im persischen Zeitalter,* 1964, 61-77; Id., *Das Protokoll über Rückgabe der Tempelgeräte, Ibid.*, 78-88.

Ecbatana. Se le conoce ordinariamente como «decreto de Ciro» o «edicto de Ciro» por la ciencia moderna [7].

Ese documento es del siguiente tenor: «El año primero del rey Ciro ha dado el rey Ciro esta orden respecto a la casa de Dios en Jerusalén: que la casa sea reconstruida para ser un lugar en que se ofrezcan (?) sacrificios y 'holocaustos', tendrá 60 codos de alto, 60 de ancho y tres hiladas de piedra tallada y una de madera, siendo abonado el importe por la casa del rey. Además, los utensilios de oro y plata que Nabucodonosor sacó del templo de Jerusalén, trayéndolos a Babilonia, serán devueltos y llevados al templo de Jerusalén, al lugar donde estaban, y depositados en la casa de Dios».

El «año primero del rey Ciro» sólo puede referirse al primer año de su dominio sobre el imperio babilónico (538 a. C.).

El contenido más ponderado de este documento frente a Esdras 1 y las especiales circunstancias en que va englobada su noticia, descartan cualquier duda sobre su autenticidad. Según Esd 5, 6-6, 12 el edicto de Ciro desempeñó un papel decisivo, cuando el sátrapa de Siria-Palestina, probablemente desde su residencia oficial de Damasco, hizo una serie de investigaciones de carácter estrictamente oficial. Este alto funcionario persa, cuyo radio de acción se designa con la expresión *'b̲r nhr'*, «al otro lado del río (Eufrates)» («Transéufrates») [8], actuó desde luego bajo el rey Darío I, por lo tanto después del 521 a. C., unos veinte años bien cumplidos después del edicto de Ciro. En aquella época había comprobado él que en Jerusalén se estaba construyendo con toda diligencia un templo sin su conocimiento, y por eso preguntó con qué derecho se realizaba aquello. La respuesta de Jerusalén fue la de que eso obedecía a una orden del rey Ciro. Esa indicación la aprovechó el sátrapa para enviar una comunicación al gran rey Darío. Este dio orden de rebuscar en los archivos, y fue hallado precisamente el susodicho edicto de Ciro. De esto recibió comunicación oficial el sátrapa de Transéufrates, y al mismo tiempo se le hizo saber que también Darío daba su aprobación a la continuación de los trabajos de Jerusalén, y que incluso pretendía darles un mayor impulso.

Estos contextos, por más que en la exposición del libro de Esdras se encuentren abreviados y simplificados, no hay duda de que contienen datos objetivos, toda vez que cuadran magnífica-

[7] Cf. L. Rost, *Erwägungen zum Kyroserlass*, en *Verbannung und Heimkehr*, 1961, 301-307.

[8] Hablando desde Mesopotamia.

mente con el procedimiento persa respecto al fomento de las tradiciones y los cultos nativos. En todo caso, el informe de los tiempos de Darío deja sin resolver la pregunta aquí más interesante, a saber, cómo se explica el que, tan sólo un año después de la caída de Babilonia, Ciro promulgara un edicto semejante en relación con el relativamente pequeño y remoto templo de Jerusalén. No sin razón se sospecha que pudieron ser miembros del grupo de exiliados judíos quienes desde Babilonia llamaran la atención del gran rey sobre ese templo y merecieran ser escuchados.

Concretamente el edicto dispone la reconstrucción del templo de acuerdo con determinados principios. Se dan las medidas y se añaden normas relativas a la calidad de los cimientos: tres hiladas de piedra, una hilada de madera; no era preciso especificar que el resto del muro se hiciera de barro. Es posible que sirviera de modelo el estilo arquitectónico del templo de Salomón. Se ordena además la devolución de los utensilios del templo, pero también que los gastos para la reconstrucción sean «abonados por la casa del rey», por consiguiente a base de recursos del estado. Desde luego en opinión de Esdras 1 tales gastos correrían de cuenta de los mismos judíos. Las razones de tal divergencia en cuanto al sostenimiento de los gastos sólo podemos conjeturarlas. Probablemente opinaba el cronista que la aportación de una potencia extranjera para la construcción del templo no debía trascender públicamente. De forma análoga, en el segundo libro de las Crónicas se disimuló también la participación de artesanos fenicios en la edificación del templo salomónico.

Pero sobre otro punto guarda un silencio completo el edicto de Ciro, punto que para Esdras 1 era importantísimo: la repatriación de los deportados desde Babilonia. Tal vez pueda decirse que el edicto no estaba llamado a decidir sobre eso y tal vez ni siquiera quiso tomar semejante decisión. Se trataba de un asunto distinto. En realidad hay que dar por descontado que las repatriaciones no se produjeron de momento, que más bien el cronista de Esdras 1 antefechó acontecimientos posteriores y no los relacionó adecuadamente con el edicto de Ciro. En principio, Ciro no podía estar interesado en retener por más tiempo a los judíos en Babilonia. El sector de familias judías que allí vivía podía ser considerado precisamente en su patria como muy indicado para garantizar una reorganización en Jerusalén y en sus contornos. A buen seguro que allí no se descartaría la posibilidad de un retorno. Pero, después de tanto tiempo, ¿quién estaba dispuesto a ello? Una gran parte de la generación de deportados del 597 y 587-586 ya había muerto; muchos jóvenes tal vez no sentían el íntimo anhelo de marchar a la Palestina que ellos desconocían, aun cuando se les presentara como la tierra de sus antepasados.

El problema de la repatriación de ordinario se asocia estrechamente con otra problemática, con la cuestión de por qué la reconstrucción del templo no se realizó inmediatamente, si ya en el año 538 había sido promulgado el edicto de Ciro. Debieron existir no pocas dificultades en la misma Judá. Desde luego aquí nos movemos entre meras hipótesis. Parece aceptable lo que dice el mismo libro de Esdras, esto es, que la construcción del templo no fue posible mientras no se disponía de las fuerzas suficientes para ello. Los repatriados eran necesarios para poner en marcha los trabajos de la edificación del templo. Ahora bien, como de hecho no se dio comienzo a la construcción antes de subir al trono el rey Darío en el año 521, era obvio deducir que la repatriación definitiva sólo tuvo lugar en el decurso o hacia el final de los años veinte. Es probable que la campaña que el rey persa Cambises hizo a Egipto el año 525 sirviera de ocasión concreta para repatriar numerosos grupos de deportados. Es de suponer que los persas, para la realización de tal empresa, desearan una cierta seguridad y consolidación de las circunstancias en Palestina. También es posible que en tal situación las reiteradas tentativas de los deportados obtuvieron una mayor atención por parte del gobierno estatal persa.

Pero esta tesis, la de trasladar la repatriación a los años veinte del siglo VI, tampoco ofrece una solución fundamental a las dificultades. Cuando quiera que se realizaran las repatriaciones, es un hecho lo que dice el profeta Ageo en la segunda mitad del año 520 sobre la situación en Jerusalén. Allí se habría extendido la opinión de que: «no ha venido aún el tiempo de reedificar la casa de Yahvé» (Ag 1, 2). Pero al mismo tiempo tiene que comprobar con amargura que hay bastante gente, que mora en casas vistosas y «artesonadas», mientras que la casa de Dios sigue todavía en ruinas (Ag 1, 4). Cada uno se preocupa de sus propios intereses y no piensa en edificar la casa de Yahvé (Ag 1, 9). Esto no da a entender que en Jerusalén se careciera de hombres y de materiales para edificar el templo, sino que lo que ante todo faltaba era una seria voluntad para acometer las obras. De repatriación de deportados no se hace la menor mención. Tampoco se pronostica su llegada, para espolear los ánimos. Dígase lo mismo de los oráculos del profeta Zacarías, casi contemporáneo de Ageo (Zac 1-8), que en ningún pasaje de su libro hace mención de desterrados que hayan sido repatriados o a quienes se esté esperando. De ahí parece deducirse con bastante seguridad que todavía no se había producido una repatriación de deportados o de sus descendientes desde Babilonia a Jerusalén, al menos bajo la forma de una operación compacta.

Naturalmente, frente a esta hipótesis sigue todavía en pie el problema de cómo han de interpretarse en tal caso las listas de supuestos deportados, que con el mismo tenor se encuentran en Esdras 2 y Neh 7 [9]. Sobre esas listas se han hecho muchas elucubraciones. No es que esas listas sean invención del cronista, pero desde luego tampoco son ningún cuadro estadístico de la población de la provincia de Judá en tiempos de Nehemías y de Esdras (Wellhausen, Albright, etc.). Lo más admisible es ver ahí miembros de la comunidad jerosolimitana, que vivían allí después del 538, ya sea que hubieran regresado de hecho de Babilonia todos juntos o en diversos turnos, ya se trate de una lista municipal, que en alguna ocasión determinada se confeccionara por algún motivo que no se ha consignado. Así por ejemplo Galling querría ver ahí una lista municipal, que entre el 520 y el 515, por consiguiente mientras los años de construcción del templo, habría sido confeccionada en alguna ocasión y presentada después al sátrapa persa Tatnai, cuando éste visitó Jerusalén (Esd 5, 3 s) [10].

Queda, pues, en claro que el posible retorno de familias deportadas a Jerusalén, prescindiendo del tiempo en que se produjera, no tuvo un influjo sustancial ni decisivo sobre la construcción del templo. Hay que tener en cuenta otros elementos que por fin en un tiempo relativamente corto pusieron en marcha las obras de la reedificación del templo y que consiguieron darles remate con bastante rapidez. De momento, sin una justificación interna esos elementos no deben relacionarse con la aparición de los dos profetas Ageo y Zacarías en Jerusalén, que tuvo que ser sintomática de una nueva situación. Pues no fue propia iniciativa lo que impulsó a actuar a esos personajes, sino que muy probablemente les movió una ocasión externa.

Los libros de ambos profetas poseen una datación exacta. Ageo hizo su aparición en el segundo año del rey Darío (se trata de Darío I Hystaspes, 521-486 a. C.), desde el mes sexto hasta el noveno (aproximadamente finales de agosto hasta noviembre del 520). Zacarías actuó principalmente entre el mes octavo y el undécimo del mismo año, por lo tanto aproximadamente entre octubre-noviembre del 520 y enero-febrero del 519 [11]. La subida al

[9] K. Galling, *Die Listen der aus dem Exil Heimgekehrten*, en *Studien*, 1964, 89-108.

[10] *Ibid.*, cf. también 56-60.

[11] En Zac 7, 1 tenemos una fecha aún más tardía del cuarto año de Darío.

trono del rey Darío significó una cierta conmoción para el mundo de entonces. Cambises, el conquistador de Egipto, había muerto el 522, sin dejar como sucesor a su hijo. Darío procedía de otra línea de la casa soberana de los aqueménidas y tuvo que defenderse contra diversos rivales y contra el peligro de un antirreinado. Pudo superar estas dificultades durante el primer año de su reinado [12]. Pero de estas agitaciones en la cumbre del imperio persa se derivaron diversos movimientos, que llevaron la inquietud incluso a las provincias lejanas. Ciertamente, no estamos informados con exactitud sobre la situación en Judá en aquel momento, pero hay que suponer que los movimientos de la gran política fomentaron también en el pequeño estado aspiraciones y esperanzas, que no se calificarían en seguida con los pretenciosos conceptos de «mesiánicas» o «teocráticas», pero que apuntaban a la reconstitución de Jerusalén como un centro político y espiritual en conexión con las tradiciones pre-exílicas. Había que movilizar aquellas fuerzas, que estaban convencidas de que no era en la *gola,* sino en el mismo Jerusalén donde debía realizarse de forma duradera la renovación del pueblo, de su estructura estatal y de su fe. Jerusalén había de retornar a su honor y recuperar su misión dominante. Mientras que Ageo dirige sus miradas casi exclusivamente a la política interior, en el libro de Zacarías se abre camino un mundo de pensamientos y de imágenes que viene a ser un anticipo de las formas apocalípticas y contempla el ancho campo de la historia y de la política mundial. Ageo en su primer capítulo habla de sequía y de malas cosechas. Esto pudo haber contribuido a paralizar las energías. Ageo saca de ahí la conclusión de que se trata sencillamente de un castigo por no estar todavía construido el templo. Más importante es el hecho de que Ageo dirija la palabra a dos hombres que pertenecían a lo más selecto de Jerusalén, Zorobabel, el «gobernador de Judá», y Josué, el «sumo sacerdote» (*hkhn hgdwl*), Ag 1, 1. Esos personajes constituyen, por lo demás también en Zacarías, una primera autoridad temporal y otra espiritual; lo que no está claro es si desde el principio ostentaban un rango igual o si inicialmente se encontraban en una relativa situación de dependencia.

12 Cambises había hecho matar, como peligroso rival, a su hermano más joven Esmerdis, que había nacido reinando aún Ciro. Sin embargo, tras la muerte de Cambises, se presentó un tal Gaumata bajo el nombre de Esmerdis y reivindicó la sucesión al trono. Como gozaba de gran prestigio en amplias regiones del imperio, Darío hubo de sostener durante un año duras batallas para derrocar a sus adversarios y para someter de nuevo a las provincias levantiscas; cf. P. J. Junge, *Dareios I, König der Perser,* 1944.

Zorobabel tenía ciertamente un nombre babilónico (*Zēr-bābili*), pero era de origen judío. Incluso era nieto de Joaquín, el rey davídico deportado el 597 e indultado hacia el 560 [13]. Probablemente le nombraron los persas funcionario provincial. Cabe pensar que se crió en el exilio y posteriormente, como pariente próximo del rehabilitado rey judaico, obtuvo un privilegiado puesto oficial, que finalmente motivó que se le considerara idóneo para desempeñar una posición directiva en su patria. Su origen de la familia de David no carecía ciertamente de importancia, ya que podía suscitar ciertas simpatías y esperanzas sobre todo en Judá.

Por eso Ageo le dedicó también un oráculo de muy altos vuelos (Ag 2, 23): «Aquel día —oráculo de Yahvé Sebaot— te tomaré a ti, Zorobabel, hijo de Salatiel, siervo mío y te pondré como anillo de sello, porque a ti te he elegido». Esta elección especial de Zorobabel podría también ocultarse en otro pasaje, textualmente difícil, a saber, Zac 4, 9: «Las manos de Zorobabel echaron el cimiento a esta casa y sus manos la acabarán». El texto parece genuino, pero se le suele impugnar. Pues según la fuente aramaica del libro de Esdras (Esd 5, 16) la primera piedra la habría colocado Sesbasar, por lo tanto aquel personaje, a quien según Esdras 1, pero también según Esdras 5, 14.15, le habrían sido entregados los utensilios del templo. Ahora bien, en Esdras no hay nada sobre la colocación de la primera piedra. K. Galling sostiene con la mayor decisión que Zorobabel fue el personaje principal que en su tiempo echó el cimiento y probablemente presenció también la conclusión del templo [14]. No hay que exagerar el papel de Sesbasar; pero por otra parte también cabe pensar que la tradición cronística se haya interesado en rebajar a Sesbasar en favor de Zorobabel, a fin de atribuir la fundación del nuevo templo a un judío auténtico y distinguido por su origen. Sesbasar desde luego no era judío. Su nombre es totalmente babilónico (*Schamasch-apla-uṣur*). Pudo ocurrir que él, inicialmente y en virtud del edicto de Ciro, reuniera en su persona todos los poderes como una especie de «alto comisario», pero al correr del tiempo delegara sus funciones en otros funcionarios, entre los cuales Zorobabel desempeñó un papel predominante. Este debía conocer mucho mejor las circunstancias de Judá. Junto a él, y como segunda e importante personalidad, se encontraba el sumo sacerdote Josué. Ciertamente es significativo el que a la cabeza de las listas de repatriados en Esd 2 y Neh 7 figuren los nombres de Zorobabel y Jeschua

[13] Como hijo de Salatiel (cf. Esd 3, 2; Neh 12, 1; Ag 1, 1 con 1 Crón 3, 17); si el Pedaya mencionado en 1 Crón 3, 19, hermano de Salatiel, era su padre, no es seguro. Parece ser que hubo dos personajes por nombre Zorobabel.

[14] K. Galling, *Serubbabel und der Hohepriester beim Wiederaufbau des Tempels in Jerusalem*, en *Studien*, 127-148.

(*sic*). Esta circunstancia podría apoyar la sospecha de que se trataba de listas municipales de los tiempos de Ageo y de Zacarías; en tal caso era natural que figuraban en primer lugar las personas más conspicuas. Pero no convendría perder de vista el hecho de que, cuando Zorobabel con poderes del gobierno central persa se iba a encargar de los negocios en Jerusalén, llegó de Babilonia un grupo de repatriados. De este modo, pues, y en plan meramente hipotético podrían coordinarse entre sí por razones funcionales las dos interpretaciones, lista de deportados y lista municipal.

Uniendo todo esto, cambio de gobierno en el imperio persa, una nueva constelación intra-política en Jerusalén constituida por Zorobabel y por el sumo sacerdote Josué y además la aparición de Ageo y Zacarías relacionada con los dos acontecimientos anteriores, se puede trazar un cuadro aceptable, en el que todo se ensambla convenientemente. El favor de una coyuntura política alimentó en Jerusalén una reprimida esperanza nacionalística, que aunaba tensamente aspiraciones políticas (Zorobabel) y exigencias de política cultual (el sumo sacerdote Josué), pero hacía también necesaria la intervención profética (Ageo, Zacarías). Pues las circunstancias no eran fáciles desde luego, y tal vez amagaban ya conflictos jurisdiccionales, especialmente entre Zorobabel y Josué. Esto lo atestiguan los exegéticamente difíciles «rostros nocturnos» al principio del libro de Zacarías (Zac 1-6), que, junto a la irrupción de las grandes potencias, reflejan también con bastante claridad dificultades en política interior. El sumo sacerdote Josué aparece un tanto problemático, si bien al final todo se explica [15]. Pero esos capítulos también se ocupan de la futura configuración de la comunidad jerosolimitana, en la que los cargos de Zorobabel y del sumo sacerdote fueron sublimados a la categoría de tipos ideales y en ellos se cifraron esperanzas para el futuro. De hecho las primeras autoridades en el orden temporal y espiritual continuarían determinando en Jerusalén la escena intra-política, pero también dificultándola.

Dentro de este marco de limitada emancipación político-sacra se explica que el sátrapa de Transéufrates no tuviera de momento noticia ninguna sobre la construcción del templo. Sólo su visita a Jerusalén le proporcionó una idea clara de la situación (Esd 5,

[15] Cf. sobre todo Zac 3. Por los dos «hijos del óleo» (Zac 4, 14) se entiende sin duda a Zorobabel y a Josué. Sobre la problemática de los rostros nocturnos cf. los comentarios, la amplia monografía de L. G. Rignell, *Die Nachtgesichte des Sacharia,* Lund 1950, como también la peculiar interpretación de K. Galling, *Die Exilswende in der Sicht des Propheten Sacharja,* en *Studien,* 109-126; cf. también L. Rost, *Erwägungen zum Kyroserlass.*

6-6, 12), dándole ocasión para presentar ante el gran rey la ya mencionada consulta, que terminó al fin con la constatación del edicto de Ciro. En la continuación del relato de Esdras 6 se nos dice que las obras de la construcción del templo van adelante. La casa habría sido concluida por fin e inaugurada el tercer día del mes adar, en el sexto año de Darío, por lo tanto en la primavera del 515 a. C. No se nos dice si estuvo presente Zorobabel; por lo demás ya no se nos vuelve a hablar nada de él. Esto ha dado base a múltiples hipótesis. Podría, según la praxis ordinaria, haber sido relevado de su cargo después de haberlo ejercido durante cierto tiempo, también podría haber muerto; no entremos aquí en si fue estrictamente destituido, porque su origen regio llevara consigo el peligro de una ilimitada ampliación de sus atribuciones por el apoyo de las fuerzas locales.

A partir del año 515 Jerusalén poseía nuevamente un templo. El santuario de Yahvé había vuelto a levantarse en su antiguo emplazamiento. Sobre el aspecto de la nueva construcción no disponemos de descripciones ni de representaciones gráficas. Tal vez era una modesta construcción en comparación de la salomónica, pero se amoldaba sin duda en sus líneas fundamentales al plano salomónico. Esto puede deducirse con cierta seguridad de la estructura del posterior templo herodiano. Sin embargo, en comparación con el templo salomónico se derivaron otros problemas que afectaban a la situación jurídica del resurgido santuario. El antiguo templo era un lugar regio, había surgido en directa conexión con el palacio real, y sus protectores eran reyes. Después del exilio no fue restaurada la monarquía. ¿En quién residía la suprema autoridad temporal-espiritual sobre el nuevo santuario? A tal respecto se explican las esperanzas que pudieron cifrarse en Zorobabel, se comprende que los funcionarios persas reclamaran una especie de supervisión. Ahora bien, es perfectamente explicable que en este ámbito jurisdiccional, que no podía apoyarse ya ampliamente en las tradiciones, una nueva figura pudiera reivindicar derechos con cierto carácter inevitable, la figura del sumo sacerdote. Este, a medida que fue pasando el tiempo, y a falta de monarquía, pudo llegar al convencimiento de que la función sacerdotal debe ir unida a la dignidad real. Esto lo demuestra claramente la unción de los sacerdotes de la que existen pruebas en la época postexílica [16]. Pero el arranque de esta evolución se perfila ya en el

[16] M. Noth, *Amt und Berufung im Alten Testament,* 1958, en *Ges. Stud.,* 309-333, espec. 316-319.

libro de Zacarías (Zac 6, 9-15). Ahí se habla de una auténtica coronación de Josué.

Llegan emisarios de Babilonia y entregan ofrendas de oro y plata, con las que se habrá de confeccionar una corona destinada a Josué. Mejor dicho, ahí se habla de «coronas»; pero sólo se menciona a Josué como futuro portador de la corona. Es conjetura muy difundida, propugnada especialmente por J. Wellhausen [17], la de que ahí no fue coronado Josué, el sacerdote, sino Zorobabel, el gobernador. El nombre de Zorobabel habría sido posteriormente sustituido por el nombre de Josué, ya que Zorobabel se supone que no presenció la terminación del templo. Pero no hay razones suficientes que obliguen a aceptar ese intercambio de nombres. Mucho más lógico es suponer, teniendo presente el un tanto extraño plural «coronas», que no se hizo mención de una simultánea coronación de Zorobabel, con el fin de atribuir la dignidad solamente al sumo sacerdote. Aunque esto sea una mera hipótesis, subraya la categoría regia del sumo sacerdote en la época postexílica. Queda tan sólo por saber si y cómo los sumos sacerdotes trataron después de influir, además de en el santuario, en la política.

El templo surgió de nuevo, pero desde hacía mucho tiempo estaba todavía sin consolidar la comunidad política; no sólo era preciso fortalecer por igual la tradición y el derecho, sino que la misma ciudad de Jerusalén seguía aún sin defensas, sus muros permanecían aún demolidos. Pasarían todavía decenios hasta que finalizara esa época de inseguridad exterior y se iniciara un profundo cambio de situación.

[17] J. Wellhausen, *Die kleinen Propheten,* [3]1898; cf. también B. Duhm, *Anmerkungen zu den Zwölf Propheten,* separata de ZAW, 1911, 84.

19

LA RECONSTRUCCION DEL JERUSALEN POSTEXILICO. ESDRAS Y NEHEMIAS

Quedan para nosotros sumidos en la oscuridad los años subsiguientes a la inauguración del templo acaecida en el año 515 a. C. Ninguna fuente documental nos informa sobre esa época. Pero los acontecimientos debieron seguir un curso diferente al que se esperaba. Lo que caracterizó la situación no fue la consolidación de la comunidad política, el orden interior y la progresiva ampliación de la ciudad de Jerusalén, sino un excesivo aumento de autonomía y de libertades, de que se hizo uso aun en el trato con los pueblos vecinos. A los hombres de más estricta y tradicional observancia les parecía eso una peligrosa aberración, una desviación del camino mandado. La presencia en Jerusalén de personalidades oriundas de familias de deportados, Esdras y Nehemías, impuso estrictos límites a esa evolución hacia la mitad del siglo V, pero desde luego también creó las bases para una permanencia suficientemente asegurada de la existencia israelítico-judaica por largos siglos.

Se supone ordinariamente que ya antes de Esdras y Nehemías hizo acto de presencia aquel profeta, cuyos oráculos han llegado hasta nosotros en el breve libro de «Malaquías». Se saca de ahí una idea aproximada de las diversas situaciones del país, que debieron sucederse en los decenios posteriores a la terminación del templo. Figura en primer lugar una práctica inadecuada del culto. Se utilizan para el sacrificio animales mancillados, animales ciegos y cojos (Mal 1, 6-14). Las ofrendas para el santuario no se realizan debidamente; se llega a verdaderos fraudes (Mal 3, 7-12). Pero hay otro reproche que destaca aún más en el libro de Malaquías. Hay que lamentar matrimonios mixtos, matrimonios contraídos con mujeres oriundas de los pueblos vecinos (Mal 2, 10-12), mientras que se divorcian frívolamente de las israelitas (Mal 2, 13-16). El problema de los matrimonios mixtos dio también después bastante que hacer a Esdras y Nehemías [1]. Eran sobre

[1] Esd 9.10; Neh 6, 18; 10, 31; 13, 4 s; 13, 23 s.

todo los sectores elevados los que contraían tales matrimonios, estaban ahí implicados sacerdotes y levitas, ya menos los labriegos avecindados en el campo. Se ocultaba ahí una especie de interés político-demográfico, se intentaba mejorar la propia clase superior, trabando relaciones con los correspondientes círculos de los pueblos vecinos. Aun cuando sólo se fuera a Samaria con tales intenciones, ya se salía uno de los límites de la propia nacionalidad. Pues también allí los sectores dirigentes se componían de individuos importados, entre los cuales había sin duda muy pocos israelitas. No se puede demostrar, pero se concibe fácilmente que en el fondo de esos matrimonios se ocultara una especie de mentalidad internacional-liberal, que fue fomentada o al menos no fue radicalmente impedida, por la presencia de la administración extranjera, pero al mismo tiempo tolerante. Lo que ante todo temían gentes como aquellos autores, que se expresan en el libro de Malaquías, era una amenaza de la propia vida específicamente israelítica, era el peligro que llevaba consigo una radical autoalienación. No hay que llamarse a engaño; ahí se depositó el germen, que fue preparando posteriores escisiones de la comunidad jerosolimitano-judaica. Nos encontramos a las puertas de una época tardía, que se caracteriza por la diferenciación de los espíritus y por el consciente forcejeo hacia la propia autocomprensión.

El próximo acontecimiento que, de acuerdo con la redacción de los oráculos de «Malaquías», podemos fechar con alguna seguridad es un memorial de los funcionarios de la administración provincial de Samaria. Se dirigen al gobierno central persa haciéndole saber que en Jerusalén están comenzando a levantar murallas y a fortificar la ciudad. La respuesta no se hace esperar. Es preciso prohibir esa construcción de murallas y ordenar con energía que cesen las obras. El memorial junto con el escrito de respuesta se encuentra en lugar disperso en el libro de Esdras (Esd 4, 7-22) y pertenece a la sección aramaica, en la que también en los capítulos 5 y 6 se da cuenta de la consulta motivada por el edicto de Ciro. Esta sección reúne diversos documentos oficiales, que quedaron en arameo, pero por desgracia no agrupados con el debido orden cronológico. El memorial de los funcionarios samaritanos se sitúa en el reinado de Arthachschastha, como en el antiguo testamento se nombra a Artajerjes. Debe tratarse del comienzo del reinado de Artajerjes I Longimano (465-424). El problema samaritano se insinúa ya en algunos pasajes de los libros de Ageo y de Zacarías. Se temía en Samaria por la autonomía de la ciudad, tal vez incluso por la seguridad de toda la agrupación provincial, dado que por entonces Jerusalén era de hecho parte integrante y estable de la provincia de Samaria. Pero sobre todo de un Jerusalén fortificado y dotado de un templo se derivaba una no despreciable pérdida de prestigio, que podría poner en tela de juicio el rango preeminente de Samaria. De momento se suspendió desde luego la construcción de las murallas en Jerusalén, o al menos sus primeros preparativos; en esa época de gobierno persa los problemas de la seguridad interior revestían una especial importancia. Sabemos de un sátrapa de Transéufrates por nombre Megabyzos, que hacia mediados del siglo V suscitó una rebelión. Sobre esta base se comprenden mejor las medidas del gobierno persa.

El cambio decisivo de la situación en Jerusalén y en Judá se produce tan sólo por obra de Esdras y Nehemías. Ambos procedían de familias deportadas a Babilonia, ambos ostentaron en el extranjero cargos relevantes, al menos en el marco de su sector social fueron personalidades destacadas, como lo demuestran también las misiones que se les encomendaron. Pues los dos llegaron a Jerusalén con el conocimiento y en gran parte también por encargo del gobierno estatal persa. Se discute desde luego quién de los dos llegó primero y en qué orden se sucedieron las medidas que adoptaron. Esto es difícil de dictaminar, dado que las únicas fuentes que sobre el particular poseemos en los libros de Esdras y Nehemías no conocen un orden cronológico totalmente fidedigno, y por otra parte no todos los testimonios poseen un grado de verosimilitud que nos merezca igual confianza. Hay que dar por supuesta la reelaboración de los materiales por parte del autor de la obra histórica cronística o en algunos casos concretos por parte de redactores desconocidos para nosotros. Como es natural, estos textos han sido muy analizados, pero también se les ha enjuiciado de diversos modos [2].

[2] Entre la abundante bibliografía mencionemos aquí a E. Meyer, *Die Entstehung des Judentums,* 1896 (reimpresión 1965); Ch. C. Torrey, *The composition and historical value of Ezra-Nehemiah*: BZAW 2 (1896); Id., *Ezra Studies,* Chicago 1910; S. Mowinckel, *Ezra den skriftlaerde,* Kristiania (Oslo) 1916; Id., *Statholderen Nehemia,* Kristiania 1916; W. F. Albright, *The date and personality of the chronicler*: JBL 40 (1921) 104-124; G. Hölscher, *Die Bücher Esra und Nehemia,* en HSAT II, ^{4}1923, 491-562; M. Haller, *Das Judentum,* SAT II, 1925; M. Noth, *Überlieferungsgeschichtliche Studien,* 1943 (^{2}1957), 110-180; A. Kapelrud, *The question of the authorship in the Ezra-narrative, a lexical investigation,* Oslo 1944; W. F. Albright, *A brief history of Judah from the days of Josiah to Alexander the Great*: BA 9 (1946) 1-16; W. Rudolph, *Esra und Nehemia,* HAT 20, 1949; H. H. Rowley, *The chronological order of Ezra and Nehemiah,* en *The servant of the lord and other essays on the old testament,* London 1952, 129 s.; H. Cazelles, *La mission d'Esdras*: VT 4 (1954) 113-140; K. Galling, *Die Bücher Chronik, Esra, Nehemia,* ATD 12, 1958; S. Mowinckel, *«Ich» und «Er» in*

De todo el acervo tradicional entran principalmente en consideración como testimonios independientes: 1) la designación oficial a favor de Esdras (Esd 7, 12-26); 2) el llamado informe de Nehemías (memorias de Nehemías) en Neh 1, 1b-7, 5 (redactado en primera persona), al que hay que añadir, de la última parte del libro de Nehemías, Neh 11, 1-2 + 12, 27-13, 31. Es difícil de entender sobre todo la tradición-Esdras en Esd 7-10, con la que se encuentran en muy estrecha conexión Neh 8.9. De esta ordenación de los materiales se deriva de momento que Esdras llegó el primero a Jerusalén, que Nehemías, con una misión distinta, llegó más tarde, pero luego Esdras tuvo una vez más la posibilidad de destacarse por una labor eficaz (Neh 8.9). Que fuera precisamente éste el curso real de los acontecimientos, no se puede demostrar ni se afirma tampoco en los libros de Esdras-Nehemías; la movediza ordenación de los documentos tampoco la tuvieron que entender como una estricta sucesión cronológica los redactores del texto definitivo que se nos ha transmitido. Sin inclinarnos hacia una determinada teoría, se intenta aquí seguir el curso de los acontecimientos en lo posible, tal como sugiere el orden que siguen las fuentes en su forma actual, suponiendo que los redactores no habrán entremezclado totalmente los hechos.

Según Esdras 7, en el séptimo año del rey Artajerjes, por consiguiente el 458 a. C.[3], llegó a Jerusalén Esdras con un grupo de judíos revestidos de poderes especiales por parte del rey persa, y desde luego procedentes de la «provincia de Babilonia» (Esd 7, 16). El mismo Esdras era sacerdote (7, 12); se hace remontar su genealogía hasta Aarón (7, 1-5). Así pues, podría descender de una familia de deportados, tal vez incluso era de origen sadoquídico. Además de su título sacerdotal ostentaba un importante segundo título, que se nos notifica en redacción aramaica: «escriba *spr* de la ley del Dios del cielo».

La expresión «Dios del cielo» es la usual para referirse al Dios de Israel en los documentos de la época persa. Por «escriba» se ha de entender un funcionario con atribuciones especiales, no ya el autor o el intérprete de ciertos documentos. Esdras era, digámoslo con reserva, funcionario de negocios en lo concerniente a la «ley del Dios del cielo», por consiguiente la per-

der Ezrageschichte, en *Verbannung und Heimkehr,* 1961, 211-233; Id., *Studien zu dem Buche Ezra-Nehemia I, II,* Oslo 1964; III, 1965; K. Galling, *Studien zur Geschichte Israels im persischen Zeitalter,* 1964; U. Kellermann, *Nehemia. Quellen, Überlieferung und Geschichte*: BZAW 102 (1967) (véase allí la amplia bibliografía en torno a Nehemías, 205-219); Id., *Erwägungen zum Problem der Esradatierung*: ZAW 80 (1968) 55-87; *Erwägungen zum Esragesetz, Ibid.,* 373-385; Id., *Messias und Gesetz*: Bibl. Stud. 61 (1971).

[3] En el supuesto de que se trate realmente de Artajerjes I Longimano y esa datación merezca confianza.

sona que en la administración estatal persa tenía a su cargo las cuestiones relativas a la religión de Israel. Si tenemos en cuenta la especial política de los persas en las cuestiones de religión y cultos, ese cargo parece posible y explicable. No hay duda de que Esdras conocía muy bien la situación jurídica de los israelitas. En Egipto el gobierno persa ordenó codificar especialmente el derecho común, a fin de poder organizar la administración de esa provincia adecuadamente de conformidad con los principios del país. No hay que descartar el que Esdras recibiera atribuciones en tal sentido; lo que no sabemos es hasta dónde llegaban esas atribuciones como tampoco si el mismo Esdras tomó parte en la recopilación o incluso codificación del derecho israelítico. Que pudo ocurrir esto último lo sugiere sobre todo la perífrasis hebraica del título de Esdras en Esd 7, 6; ahí se le llama a Esdras un «escriba muy versado en la ley de Moisés, dada por Yahvé, Dios de Israel». Después en forma abreviada se le llama simplemente «Esdras el escriba» (Esd 7, 11; Neh 8, 1 s). Es muy posible que ya en esos pasajes se desconozca el concepto estricto de «escriba» y que esa palabra haya sido empleada no simplemente en el sentido de un título de funcionario; no es, pues, de extrañar que la figura de Esdras al correr del tiempo haya sido interpretada de un modo totalmente distinto, hasta hacer de Esdras un escriba en el sentido de «versado en la sagrada escritura» [4].

Sin pretender ahondar demasiado en Esdras, se puede sostener que éste, como funcionario con un determinado campo de actividades, recibió una misión especial para Jerusalén. Artajerjes mandó entregarle un escrito, cuyo texto puede leerse en lengua aramea en Esd 7, 12-26. Puede llevarse consigo a un grupo de personas, que estén dispuestas a regresar a su tierra. Pero sobre todo ha de realizar una investigación de la situación jurídica dentro de la comunidad judaico-jerosolimitana, y ello, como se dice expresamente, «según la norma de la ley de tu Dios, que está entre tus manos» (Esd 7, 14). Recibe, además, una donación real a favor del templo de Jerusalén y de su culto. Se le da autoridad para exigir más recursos, y a los tesoreros de Transéufrates se les ordena que correspondan a los deseos de Esdras. Este ha de nombrar nuevos jueces y funcionarios y velar para que se cumpla tanto la ley de Dios como la ley del rey.

La autenticidad del documento ha sido a veces puesta en duda. Aunque en algunos pasajes esté reelaborado, prescindiendo del hecho de habérsenos transmitido en arameo, en sustancia cuadra perfectamente con la situación, se encuentra en una cierta rela-

[4] Cf. sobre esto concretamente H. H. Schaeder, *Esra der Schreiber*, 1930.

ción con aquellos males que hubo de lamentar «Malaquías». No entremos aquí en la cuestión de si tiene base la hipótesis de que algunos círculos de los deportados residentes en Babilonia habrían solicitado una verdadera revisión de las circunstancias de su patria y tal vez incluso habrían propuesto para ello al mismo Esdras. Esto supondría desde luego una muy estrecha y continua toma de contacto entre Babilonia y Jerusalén. Es digno de atención el hecho de que las instrucciones, que recibe Esdras, no apuntan a una reforma de amplias proporciones, sino que, a pesar de la importancia que se atribuye a los detalles, tienen fundamentalmente el carácter de un concreto esclarecimiento de la situación sobre el terreno. Para esto desde luego ha de ser de importancia decisiva el derecho del Dios de Israel y ha de ser dado a conocer allí donde hasta ahora no se conocía (7, 25).

Lo que hizo Esdras después de llegar a Jerusalén estuvo aproximadamente de acuerdo con las instrucciones recibidas. En el templo hizo entrega del donativo regio, y se celebró un sacrificio de los repatriados. A continuación se informó sobre la situación del país, y se le dieron detalles acerca del problema de los matrimonios mixtos. Esdras estaba fuera de sí. Esto es al menos lo que se nos dice. Ordena indagar los casos concretos y da poderes a los jefes de las comunidades locales, que llegan incluso a autorizar el divorcio.

Nada sabemos sobre otras medidas de Esdras, por ejemplo el nombramiento de nuevos funcionarios. El relato de su actividad concluye provisionalmente en Esd 10, pero continúa en Neh 8 con una gran acción. Se intercalan las memorias de Nehemías (Neh 1, 1b-7, 5). Ya sea que el texto de Nehemías haya sido colocado en ese lugar en plan meramente compositivo, para introducir la figura de Nehemías, a quien posteriormente se ha solido recordar unido a Esdras, ya sea que realmente Nehemías llegó a Jerusalén cuando Esdras ya había realizado los primeros sondeos, pero sin haber concluido todavía toda su misión, al llegar aquí se impone hablar sobre Nehemías, de acuerdo con el relato bíblico.

El relato de Nehemías redactado en primera persona no carece de imágenes y escenas impresionantes, que tienen un evidente interés narrativo y en su sustancia no parecen una simple invención. Nehemías, descendiente de una antigua familia de deportados, había llegado a ser copero en la corte del gran rey persa en Susa [5]. Cierto día se presenta en la corte un grupo de judíos.

[5] El ascenso de distinguidos judíos a los círculos cortesanos puede tener base histórica y haber ocurrido repetidas veces. Desde luego las viven-

Nehemías les pregunta con interés sobre las circunstancias en que se encuentra su patria. Se entera con sorpresa de que la ciudad sigue sin fortificar; que sus muros permanecen todavía demolidos. Estando sentado a la mesa real, Nehemías aprovecha la ocasión para explicar al gran rey la situación de Jerusalén. Solicita y recibe al fin poderes que le facultan para llevar a efecto, con el apoyo del gran rey, el amurallamiento de Jerusalén.

Aunque todo esto contenga una gran carga literaria y haya sido atribuido a posteriores méritos de Nehemías, con todo no carece de un cierto colorido en detalles propios de la época, que no hay que cargar a cuenta solamente de la fábula. Cuando en Jerusalén había que hacer algo, es evidente que los círculos nativos no estaban capacitados para ello; el impulso inicial tenía que venir de fuera, hacían falta autorizaciones; no era fácil conseguirlas; se precisaban intermediarios, personalidades enérgicas, que supieran interponer sus conocimientos y sus relaciones, para convencer a las autoridades y para conseguir los oportunos papeles, sin los cuales tampoco entonces marchaban las cosas. Esto lo sabe muy bien el pueblo que ha vivido la ocupación y los altos comisarios, independientemente del color de los mismos.

Nehemías recibió facultades y papeles. Se le entregó un escrito dirigido al negociado competente próximamente inferior, al satrapa de Transéufrates, una especie de pasaporte, que le garantizaría un viaje sin dificultades hasta Judá. Recibió además un escrito para un administrador de dominios reales, quien le proveería de madera para las edificaciones necesarias. Recibió también una escolta militar para su viaje y de este modo llegó a Jerusalén rodeado de no poco atractivo. Sucedía esto en el año 20 del rey Artajerjes, por consiguiente en el año 445, y, si estamos bien informados, trece años después de la llegada de Esdras.

Pero, curiosamente, parece ser que Nehemías ocultó de momento sus planes en Jerusalén. Durante la noche sale cabalgando de la ciudad y contempla las brechas de la muralla [6]. A continuación manifiesta que es necesario emprender las obras de reconstrucción de la muralla, obteniendo para ello el apoyo necesario, y

cias concretas de esos hombres fueron después exornadas narrativamente. Un testimonio de los tópicos literarios nos lo ofrece también la figura de Daniel y de sus hombres en Dan 1-6, que desde luego están mucho más rodeadas de los ornamentos de la narración didáctica que lo que ocurre con Nehemías.

[6] Sobre los detalles A. Alt, *Das Taltor von Jerusalem,* en *Kl. Schr.* III, 326-347, espec. 340-347; cf. la distinta teoría de J. Simons, *Jerusalem in the old testament,* Leiden 1952, 437 s.

desde luego no sin alegar las facultades que se le han otorgado. Parece que se consiguió preparar la construcción de la muralla e incluso llevarla adelante gracias a una rígida organización.

Nehemías distribuyó en varias secciones el anillo de la muralla y encomendó su reconstrucción y ampliación a la responsabilidad de diversas familias jerosolimitanas, que a su vez estaban bajo la dependencia de jefes de distrito judíos. Con esos jefes de distrito llegaron otras personas de Judá, de tal modo que se dispuso de personal suficiente para acometer toda la empresa. Los jerosolimitanos hubieran sido desde luego demasiado pocos. Neh 3, 1-32 da exacta noticia sobre los que intervinieron en esas obras.

Con todo, se presentaron numerosas dificultades, obstáculos de dentro y de fuera. Esos obstáculos procedían sobre todo del seno de la comunidad jerosolimitana. Había quienes se quejaban de que se les exigieran prestaciones personales (Neh 5, 1-13). Lo consideraban como un perjuicio para la propia economía. Alegaban que estaban endeudados y obligados a pagar contribuciones al gobierno persa. Nehemías consiguió una remisión de deudas dentro de la comunidad; además se mostró dispuesto a sacrificarse personalmente renunciando por su parte a las elevadas dotaciones que le correspondían (Neh 5, 14-19).

Mucho más amenazadoras eran las dificultades provenientes del exterior. Los elementos dirigentes de la vecindad observaban con recelo la afanosa construcción de la muralla. Tres son sobre todo los individuos a los que se menciona frecuentemente por su actitud hostil contra Jerusalén y contra Nehemías; el gobernador de Samaria, Sambalat, quien evidentemente temía una escisión de la provincia de Samaria, además Tobías, sin duda el gobernador de la vecina provincia de Amón, y finalmente Guésem, el árabe, quien parece que amenazaba desde el sur. Empezaron por burlarse de la construcción de la muralla (Neh 2, 10; 2, 19.20). Pero después Sambalat amotinó a la gente principal de Samaria (3, 33 s). Finalmente, cuando las obras habían adelantado de tal modo que ya no cabía la menor duda de su terminación, pasaron a la resistencia activa (Neh 4, 1 s).

Sambalat, Tobías, grupos meridionales designados como «árabes», amonitas y asdoditas se coligaron e intentaron cercar a Jerusalén y atacarla por sorpresa. Parece que después se renunció al ataque. Pero se dio una señal de alarma. Nehemías se vio obligado a proteger militarmente las obras. Se pusieron centinelas y se armó convenientemente para la propia defensa a cuantos intervenían en las obras. Certeramente dice Neh 4, 11: «con una mano cuidaba cada uno de su trabajo, con la otra empuñaba el arma». También dio orden de que las gentes de los pueblos se quedaran por la noche en la ciudad. Se organizó especialmente el servicio de guardia. Nehemías y sus más allegados no se quitaban la ropa ni se lavaban (Neh 4, 17).

Los fracasos de los enemigos provocaron entre ellos planes criminales. Intentaron apoderarse de Nehemías (Neh 6). Con taimada intención propusieron celebrar negociaciones fuera de la ciudad de Jerusalén, que en su mayor parte ya estaba amurallada. Nehemías se negó a ello resueltamente. Rechazó a cuatro legaciones; una quinta legación le trajo una carta que contenía acusaciones políticas, en ella se decía que Nehemías, mediante la construcción de las murallas, trataba de ir preparando una independización del rey y convertirse él mismo en rey. Habría convocado profetas que le proclamarían rey. Nehemías supo rechazar todo eso como pura invención. Finalmente parece ser que incluso se tramó un atentado contra él (Neh 6, 10-14).

Nehemías con admirable tenacidad hizo frente en unión de sus jerosolimitanos y judíos a todas esas amenazas. En el período relativamente corto de 52 días estuvo terminada la construcción de la muralla de Jerusalén. Jerusalén se había convertido nuevamente en una ciudad fortificada, capaz de defenderse, una ciudad en el sentido pleno. Nehemías puso la ciudad y sus puertas bajo la autoridad de un *śr hb̲yrh,* un «comandante de plaza» [7], como diríamos nosotros. Nehemías dictó un ordenamiento permanente en relación con las puertas y la vigilancia. Pues los peligros no habían desaparecido y eran imprevisibles. El problema de los matrimonios mixtos presentaba ahora un aspecto difícil y peligroso. Las relaciones familiares fomentaban, provocaban y dificultaban los contactos con la vecindad, contactos que por otra parte, como compromisos consolidados que eran, no se podían suprimir totalmente.

A Nehemías se le presentaban ahora unos problemas totalmente distintos. La misma ciudad adolecía de escasez de población. Es cierto que la ciudad era grande y amplia, pero todavía vivía en ella poca gente y tenía escasez de edificios (Neh 7, 4). Nehemías dispuso que la décima parte de las familias que residían en el campo se trasladara a Jerusalén. Cuando no había suficientes ofrecimientos voluntarios, se recurría a echar suertes (7, 4.5; 11, 1.2). Análogos cambios de residencia se hicieron ya en la antigua Grecia y dieron allí lugar al nacimiento de nuevos centros urbanos. En el *synoikismós,* como suena la expresión técnica griega, los así reunidos se acostumbraban a sentirse como una nueva unidad política. Esto tuvo para Jerusalén el favorable e

[7] Lo que antes se llamaba «capitán de castillo»; así también M. Noth, *Geschichte Israels,* 293.

importante efecto secundario de que ciudad y tierra de Judá constituyeran más fuertemente que nunca un conjunto *per se* y ensamblado también por medio de la administración y de los lazos familiares, y que paulatinamente se fuera relativizando ese antiguo y callado antagonismo entre campo y ciudad residencial, entre «hombre de Jerusalén» y «hombre de Judá».

Cabe preguntar si esta organización interior que se hizo necesaria, esta creación de una «estructura» totalmente nueva para Jerusalén y Judá, formaba parte de la misión que originariamente se le encomendó a Nehemías. Pero se puede sostener que no fue así. Nehemías se introduciría, por no decir que lo introducirían, poco a poco y sobre el terreno en todo ese ámbito de problemas; llegado el caso, se hacían necesarias nuevas facultades para poder continuar sin despertar sospechas en el gobierno central. En Neh 5, 14 se le llama a Nehemías verdadero «gobernador» (*pḥh*) de la tierra de Judá, y en 8, 9 y 10, 2 parece que incluso se le da el título de funcionario persa (*htršṯ'*). Estos datos no permiten obtener una idea exacta sobre la situación jurídica de Nehemías, pero sí demuestran que Nehemías permaneció en Jerusalén y en Judá no como un simple mandatario con carácter provisional. El período de su permanencia se fija en Neh 5, 14 desde el año 20 hasta el 32 de Artajerjes, que serían los años comprendidos entre el 445 y el 433. Esto parece confirmarlo Neh 13, 6; Nehemías habría vuelto al gran rey, pero después habría hecho un nuevo viaje a Jerusalén, a fin de arreglar ciertos abusos que se habían producido allí.

La opinión de Noth [8] es que Nehemías habría tenido el cargo de gobernador de la provincia de Judá desde el principio. Pero, ¿es eso verosímil? ¿Cómo se explicarían entonces las rivalidades de los vecinos, sobre todo de Sambalat de Samaria, si Nehemías era de hecho un análogo funcionario del gobierno central persa? De ahí que sea más probable que al correr del tiempo y a la vista de sus dificultades, pero también de sus éxitos, fortalecido con ulteriores facultades, adquiriera una autoridad personal, que posteriormente le elevó a las funciones y cargo de un gobernador, ya sea que esta designación oficial se le diera realmente o que solamente se le haya atribuido.

Entre las noticias sobre la terminación de la muralla Neh 7, 1-5 por una parte y el *synoikismós* y la solemne inauguración de la muralla urbana por otra parte en Neh 11 y 12, se intercalaron

[8] Apoyándose en la observación general de Neh 5, 14; M. Noth, *Geschichte*, 290.

amplias descripciones de un proceso histórico coherente en sí mismo, en cuyo centro se encuentra no Nehemías, sino nuevamente Esdras. Durante una magna asamblea popular delante de la puerta de las Aguas en Jerusalén, Esdras lee «el libro de la ley de Moisés, dada por Yahvé a Israel» (8, 1). El mismo Esdras estaba sobre un estrado especial de madera, una especie de gran púlpito, mientras que a su derecha e izquierda se habían situado destacados representantes del pueblo. Mediante la aclamación «amén, amén» la misma asamblea responde a la lectura. Finalmente son Nehemías y los levitas quienes ponen de relieve la importancia de ese día y manifiestan que se trata de un día santo para Yahvé. Con la solemne lectura se une finalmente la celebración de la fiesta de los tabernáculos, acompañada igualmente de lecturas. Siete días dura la fiesta, y al octavo día tiene lugar una asamblea final. Neh 9 nos habla de un magno acto de confesión, una oración de Esdras en la que menciona por extenso las culpas pasadas de Israel. Neh 10 presenta a continuación un acto de compromiso. El pueblo presente se compromete mediante juramento a observar la ley dada por Moisés. Se consignan los firmantes de un documento especial de alianza, a cuya cabeza figura Nehemías. En Neh 10, 33-40 se resumen algunas disposiciones especiales relativas al culto. Neh 13 da noticia de otras medidas, sin que éstas se encuentren en clara conexión con la ley leída por Esdras (Neh 8-10).

Hasta aquí se puede seguir la tradición de los acontecimientos contenida en los libros de Esdras y Nehemías. Ya hemos hecho mención de ciertos problemas, especialmente los que se refieren a la ordenación de las materias y a la subsiguiente dificultad para una exacta reconstrucción cronológica. No sabemos si sería conveniente considerar ciertas tradiciones como acciones en sí independientes y plantear como posible otro curso cronológico de los hechos.

Esta última solución es la que consecuentemente ha adoptado M. Noth en su *Geschichte Israels*[9]. El colocó a Nehemías antes que Esdras y pensó que primeramente Nehemías hubo de preocuparse en Jerusalén por el restablecimiento de la comunidad en su aspecto externo, antes de que Esdras pudiera emprender la renovación interior mediante la vinculación a la ley[10].

9 *Ibid.*, 286-304.

10 A. van Hoonacker, *Néhémie et Esdras, une nouvelle hypothèse sur la chronologie de l'époque de la restauration*: Le Muséon 9 (1890) 151-184. 317-351.389-401 ha intentado probar por vez primera que Esdras llegó a Jerusalén después que Nehemías y desde luego bajo Artajerjes II. A la opinión de que la aparición de Esdras tuvo lugar en la época de la segunda

Noth no se muestra del todo consecuente en cuanto que por una parte considera la aramaica designación oficial a favor de Esdras en Esd 7, 12-26 como la únicamente fidedigna tradición-Esdras, pero por otra parte atribuye notable importancia a la escena del compromiso en Neh 8-10, muy reelaborada cronísticamente, en orden a la subsistencia y a la ulterior evolución interna de la comunidad judaica. Así que por una parte hay una elevada credibilidad a favor de Esdras 7 tan sólo, pero por otra parte una sobrevaloración de la tradición-Esdras cronísticamente influenciada en Neh 8-10.

Desde luego también para Noth es cierto que el Artajerjes mencionado en Esd 7, 12 tiene que ser idéntico con Artajerjes I Longimano, de ningún modo con Artajerjes II Mnemon (403-358 a. C.) ni con Artajerjes III Ocos (358-337). La reorganización de la comunidad de Jerusalén en sus principales aspectos no se puede fijar más tarde de mediados del siglo V a. C. De ahí que Noth tiene también por seguro que Nehemías llegó por primera vez a Jerusalén el año 445. Pero por otra parte Noth considera en gran parte el relato-Esdras como una obra del cronista, y sobre todo sería cronística la combinación Esdras-Nehemías. Pero la fechación de la llegada de Esdras a Jerusalén en el año séptimo de Artajerjes I, y por lo tanto el 458 a. C., supone una gran dificultad, ya que se presupone claramente una anterior aparición de Esdras. Pero Noth no considera fidedignas las fechas referentes a Esdras y declara: «Desconocemos todavía la razón por la que posteriormente se fijó la datación exacta de la misión de Esdras precisamente en el año séptimo de Artajerjes». Y añade después: «Pero si el documento-Esdras aramaico y según él también la obra cronística sitúa a Esdras de un modo general en la época de Artajerjes (I), queda totalmente pendiente la cuestión de su relación cronológica con Nehemías. Tenemos ciertamente la opinión del cronista en el sentido de que Esdras llegó a Jerusalén antes que Nehemías; pero se nos hace muy difícil admitir que esa opinión se base en una auténtica tradición»[11]. Para probarlo, Noth recurre a una serie de reflexiones objetivas. El cronista habría colocado primeramente a Esdras porque su misión le pareció la más importante. Y que por otra parte hay que observar que Nehemías se encontró en Jerusalén con una situación bastante desordenada y por consiguiente es poco probable que Esdras hubiera conseguido ya algo mediante su ley. Ahora bien, es una cuestión difícilmente controlable el grado de intervención del cronista en la redacción de los libros de Esdras y de Nehemías, y Noth por su parte recalca expresamente «que no se puede tomar una decisión segura, ya que no

estancia de Nehemías en Jerusalén, por lo tanto después del 433 a. C., se inclinó H. Guthe en su *Geschichte des Volkes Israel,* [3]1914, 292; suponiendo que Esdras 7, 7 se refiere al séptimo año de Artajerjes II, Galling da por seguro que para la misión de Esdras entra en consideración el lapso comprendido entre el 400 y el 397; Galling, *Studien,* 158-161.

[11] M. Noth, *Geschichte,* 289.

existen argumentos claros y de confianza y lo más que existe es una limitada probabilidad» [12].

Sin pretender poner en tela de juicio la colaboración redaccional en los libros de Esdras y Nehemías, a la vista del contenido total de esos textos, con el mismo derecho con que Noth defendió el orden cronológico que él tenía por probable, se puede decir también que en principio es correcto el desarrollo de los acontecimientos en su forma actual, a saber, que la actividad de Esdras y de Nehemías no se produjo en una neta sucesión cronológica, sino que muy probablemente se entrecruzaron ambas. En este sentido ya supuso Alt [13] que Esdras muy probablemente no consiguió sus propósitos mediante sus primeras medidas. Para esto no era él el hombre más indicado, y además le faltaban los necesarios prerrequisitos técnico-administrativos y organizatorios. También es posible que Esdras, al recibir su designación, no tuviera ya el propósito de analizar a fondo las circunstancias y mitigar en lo posible los abusos. Nehemías se presentó de antemano con una misión más amplia y con mayores facultades. Esto también facilitó en definitiva la actuación de Esdras.

Es necesario someter la obra de ambos personajes a una valoración final.

Fueron los babilonios quienes después de la toma de Jerusalén en el año 587-586 a. C. incorporaron por primera vez a Judá al contexto de una administración provincial, que estuvo bajo la vigilancia de un imperio. Los persas como herederos del reino babilónico parece ser que sustancialmente se adhirieron a las tradicionales unidades administrativas neobabilónicas. Esto ocurrió también con Samaria como sede de un gobernador. Ahora bien, el territorio de Judá según Neh 3, 1-32 tuvo que estar más dividido en la época de Nehemías; aparece la palabra *plḵ*, que está relacionada con el acádico *pilku*, «distrito». Tales distritos se constituyeron en torno a las ciudades de Jerusalén, Bet-Sur (*chirbet eṭ-ṭubēḳa*) en las cercanías de Hebrón por el norte, y Queilá más al

[12] *Ibid.*, 290.

[13] Así Alt en la conferencia *Geschichte des Volkes Israel in der Spätzeit* (*meine Kollegnachschrift aus dem Sommersemester*, 1948). Consideraba él el año 444 a. C. (por lo tanto el año después de la llegada de Nehemías a Jerusalén) como el «año natal de la comunidad judía» en y en torno a Jerusalén. Análogamente H. Guthe, *Geschichte*, 293, que desde luego vio sólo en el 430 el año decisivo para la «formación de la comunidad judía postexílica». R. Kittel, *Geschichte des Volkes Israel* III/2 1929, 607 s., sostiene que Esdras fracasó aun antes de aparecer Nehemías.

oeste; además en torno a Beth-Cherem (probablemente al oeste de Jerusalén, si coincide con *'ēn kārim*) y Mispá. De aquí hay que deducir que en la época de Nehemías el territorio de Judá era muy limitado, ya que ni siquiera llegaba hasta Hebrón en dirección sur y hasta Bethel en dirección norte. Fue un espacio microjudaico, el que Nehemías abarcó, más reducido aún que el antiguo reino de Judá. En todo caso parece que el sur ya después del año 587 fue a parar a los edomitas, que se indemnizaron a base de territorios de Judá.

La estrechez espacial, en cierto modo familiar, que se respira en las tradiciones-Esdras-Nehemías, se explica muy bien por esa reducida base territorial en que descansaba la nueva comunidad, que va tan estrechamente vinculada al nombre de Jerusalén; eso explica también la necesidad de la población rural de una más estrecha vinculación a la ciudad. También se hacía posible, en tan reducido espacio geográfico, acometer prioritariamente cuestiones tan delicadas como el problema de los matrimonios mixtos. Por lo demás parece ser que Nehemías instó ya menos al divorcio; tan sólo pretendió evitar en adelante los matrimonios entre judíos y gentes de Moab y de Amón (Neh 13, 23-27). Nehemías también tuvo que preocuparse del santuario y también allí se encontró con problemas específicos. Algunos levitas no pudieron permanecer en el templo, porque el aprovisionamiento no era suficiente, y habían abandonado el santuario. No se habían entregado ofrendas en suficiente cantidad. Nehemías tuvo que nombrar una comisión especial, para organizar una más justa distribución de las ofrendas que llegaban al santuario (Neh 13, 10-14).

Algunos sacerdotes habían simpatizado con la vecindad y reclamaban derechos especiales. El sacerdote Eliasib, pariente del hostil amonita Tobías, había reservado para éste estancias en el ámbito del templo contra todo derecho y Nehemías tuvo que quitárselas (13, 4-9). Un sumo sacerdote fue incluso yerno de Sambalat de Samaria. Breve y concisamente nos dice Nehemías: «le arrojé para deshacerme de él» (Neh 13, 28). En este caso Nehemías arregló un problema de matrimonio mixto que tal vez hubiera podido acarrear incluso consecuencias políticas.

Otra disposición de Nehemías fue su «ordenamiento del mercado» (Neh 13, 15-23). Está relacionada con la observancia del precepto sabático, que en la época postexílica adquirió una especial importancia. Nehemías hubo de comprobar que se trabaja los sábados y que sobre todo gentes del campo judaico y pescadores tirios ofrecían sus mercancías en Jerusalén incluso en sábado. Nehemías ordenó sin tardar el cierre y la vigilancia de las puertas de la ciudad. Sin embargo, toda clase de gentes se quedaron fuera de la muralla y parece que manifestaron una especie de protesta abierta. Nehemías les advirtió que no volvieran en sábado.

Estos sucesos y estas medidas especiales cuadran claramente con la imagen compleja de la época; pero precisamente lo cotidia no necesitaba ser regulado hasta en sus detalles. Esdras y Nehemías debieron consolidar de forma decisiva para varias generaciones las situación postexílica de Jerusalén-Judá. A esto contribuyó no poco la lectura de la ley por parte de Esdras. Si no se exagera este acontecimiento y se le contempla dentro de los estrechos límites de la nueva comunidad, entonces la lectura de Esdras en forma solemne fue la readmisión de la tradición vinculante, fue el intento de regular el culto, pero también las formas de convivencia en el más amplio sentido mediante la ley legitimada por Yahvé. Lo que Esdras pudo haber leído entonces concretamente es una cuestión intrigante pero de difícil solución. Cabe pensar en breves recopilaciones jurídicas, como las que se consignaron en el Pentateuco, por ejemplo la «ley de la santidad» (Lev 17-26) o también partes del derecho antiguo como el decálogo y el libro de la alianza (Ex 20-23); difícilmente se trataba de leyes meramente cúlticas como Lev 1-7, sino de textos que iban dirigidos al mismo tiempo al comportamiento individual.

No pudo faltar el empeño por convertir a Esdras no ya sólo en un observante y promotor de los libros legales israelíticos, sino por erigirle a él mismo en autor o al menos en redactor de los escritos pentatéuquicos. Notemos de paso que nada menos que Spinoza en su *Tractatus theologicus-politicus* del año 1670 en los capítulos 7 y 8 desarrolló una teoría literaria propia relacionándola con Esdras. Según esa teoría todo el Pentateuco junto con los libros siguientes hasta 2 Re habría sido compuesto por el mismo Esdras como una gran obra histórica. Esdras habría utilizado para ello fuentes de diversa naturaleza, pero al mismo tiempo las habría reelaborado y adaptado a las necesidades de su época. La teoría de Spinoza es digna de atención porque realmente hay que suponer que para la selección de una parte de la tradición pentatéuquica fueron determinantes la tradición postexílica y los intereses postexílicos, especialmente dentro de ese estrato documental al que en el Pentateuco se designa como «escrito sacerdotal». Pero naturalmente ya no se puede constatar en modo alguno la posible participación de Esdras en esa actividad literaria.

Es desde luego correcto imaginarse la actuación de Esdras y de Nehemías en un ambiente complejo y dominado por múltiples y antagónicos intereses [14]. Tensiones dentro de la comunidad judaico-jerosolimitana fueron las consecuencias de una autoafirmación durante décadas en el interior y frente a las poblaciones vecinas; al no existir una rígida autoridad directiva, se desembocó en rivalidades y conflictos, que dificultaron a Nehemías llevar adelante la obra común de la fortificación de la ciudad y de la organización provincial. Fue inevitable que interviniera en los derechos de la población urbana y campesina, como también intentó ejercer un decisivo influjo en los asuntos del santuario y de sus funcionarios, sacerdotes y levitas. La tradición manifiesta esas tensiones más aludiendo a ellas que describiéndolas y razonándolas en concreto, pero esas tensiones desde luego no pueden borrar el perdurable mérito de la independiente personalidad de Nehemías, a cuya sombra se hizo posible la actuación de Esdras. Sobre el final de su mandato sólo se pueden hacer conjeturas. Desgraciadamente no se puede probar con documentos que Nehemías, después de doce años de actividad oficial, fue relevado de su cargo (Neh 5, 14) por haber emprendido en unión de un grupo de personas un rumbo demasiado radical, que no contribuyó a la pacificación y que probablemente le hizo perder el favor del gran rey [15]. No se podrá sostener con certeza que su obra finalmente «fracasó de modo trágico por la exaltación de su propio partido y por la resistencia de la teocrática clase elevada» [16]. Pues la tradición a lo largo del tiempo le ha contemplado de otro modo y ha sabido evaluar su obra de modo distinto. Y con razón. Lo que legó la limitada actividad de un Esdras y un Nehemías descuella en una época tan pobre de documentos como fue la del gobierno persa sobre Palestina. Nehemías había dado a Judá una nueva ordenación administrativa, había ampliado y fortificado

[14] U. Kellermann, *Nehemia*: BZAW 102 (1967), espec. el esbozo histórico, 192-204. Despierta escepticismo la autoseguridad con que Kellermann concreta partidos y tendencias en la época de Nehemías y en especial querría distinguir entre una línea de tradición orientada en sentido sionístico-asmoneo, que presentaría una imagen de Nehemías con los rasgos de Zorobabel, y otra línea de tradición, que, partiendo de la teología cronística, presenta a Nehemías como un simple comisario persa para la construcción de la muralla, y que «no tuvo significación ninguna en los asuntos peculiares de la comunidad cúltica» (*o. c.,* 174 s.). Como hipótesis debe considerarse el origen de Nehemías de una línea colateral de los davídidas, del que Kellermann está convencido (*o. c.,* 158.182). También es mera hipótesis una frase como ésta: «Hay que dar por seguro que Nehemías se convirtió en la víctima del conflicto entre sionismo y teocracia» (*o. c.,* 190).

[15] U. Kellermann, *o. c.,* 203.

[16] *Ibid.*,

Jerusalén, si bien de una forma modesta [17], en unión de la obra de Esdras había proclamado un ordenamiento jurídico sobre el cual se podía seguir construyendo. Es de lamentar que por falta de noticias permanezcan ocultas para nosotros las repercusiones inmediatas de esa breve época. Así pues, la obra de Esdras y de Nehemías se desarrolla en el marco de un breve y despejado período durante un largo proceso, en el que el casi insignificante Jerusalén-Judá hubo de reencontrarse a sí mismo en un entorno cuajado de tensiones, pero gracias a sus conductores no erró el camino de la tradición, camino que en definitiva fundamentó y garantizó la vitalidad de esa reducida comunidad humana.

[17] Sobre los hallazgos arqueológicos de las excavaciones realizadas en los años sesenta K. M. Kenyon, *Jerusalem. Die heilige Stadt von David bis zu den Krezzügen. Ausgrabungen 1961-1967* (*Jerusalem. Excavating 3000 years of history*), 1968, 139-144; cf. también Id., *Archäologie im Heiligen Land,* 1967, 283 s.

20

LA SEGUNDA MITAD DE LA EPOCA PERSA Y LA APARICION DE LOS GRIEGOS EN EL CERCANO ORIENTE

Para el tiempo desde la actividad de Esdras y de Nehemías, a mediados del siglo V a. C., hasta el reinado del príncipe seléucida Antíoco IV Epífanes (175-164 a. C.) apenas tenemos fuentes veterotestamentarias que nos informen directamente de los avatares externos de Jerusalén-Judá. Suponiendo que el canon de los libros proféticos del antiguo testamento no quedó concluido hasta el siglo III a. C. [1], existe al menos la posibilidad de relacionar algunos textos proféticos con acontecimientos destacados de estos siglos, en cuanto afectaron también al ámbito judeo-samaritano. Uno de ellos sería la campaña de Alejandro Magno y sus ejércitos al avanzar desde Siria hacia Egipto, utilizando principalmente, sin embargo, la llanura de la costa y efectuando, al parecer, sólo operaciones limitadas en el interior montañoso [2]. Pero, en definitiva, existe una gran probabilidad de que durante el dominio persa,

[1] O. Eissfeldt, *Einleitung in das Alte Testament,* Tübingen ³1964, 765; J. A. Soggin, *Introduction,* London 1976, 16; R. Smend, *Die Entstehung des Alten Testaments,* Stuttgart 1978, 18.

[2] B. Duhm, *Das Buch Habakuk. Text, Übersetzung und Erklärung,* 1906, 21-23 supone como transfondo de los cap. 1 y 2 del libro de Habacuc la campaña de Alejandro a través de Siria y Palestina hacia Egipto. En 1, 6 quiso leer «kittim», que cuadra con los griegos, en vez de la palabra «caldeos». Pero, incluso independientemente de esta conjetura, se puede justificar la posibilidad de que detrás del pueblo descrito como el que marcha «a lo ancho del mundo» se vea realmente a los griegos. También a la marcha de Alejandro se pueden referir algunos detalles de Zac 9, 1-8: cf. K. Elliger, *Ein Zeugnis aus der jüdischen Gemeinde im Alexanderjahr 332 v. Chr. Eine territorialgeschichtliche Studie zu Sach. 9, 1-8*: ZAW 62 (1950) 63-115; M. Delcor, *Les allusions à Alexandre le Grand dans Zach 9, 1-8:* VT 1 (1951) 110-124. La referencia del texto de Zacarías a la marcha de Alejandro no es, por supuesto, contundente: cf. A. Malamat, *The historical setting of two biblical prophecies on the nations:* IEJ 1 (1950/51) 149-159 (p. 149-154); J. G. Baldwin, *Haggai, Zechariah, Malachi* (Tyndale Old Testament Commentaries), Leicester 1972/1976, 157-162; la tesis de Elliger ha sido acogida positivamente por Ina Willi-Plein, *Prophetie am Ende* (BBB 42), Bonn 1974, 105-108.

en el siglo siguiente a Esdras y Nehemías, concretamente antes de la secesión de los samaritanos como comunidad cúltica independiente, no sólo el Pentateuco consiguió su forma definitiva en Jerusalén, sino que, al mismo tiempo, fue elaborado aquel complicado sistema de normas y prescripciones cúlticas, como el consignado en los libros de las Crónicas [3]. Difícilmente se pueden aclarar, por desgracia, muchos detalles de estos textos de las Crónicas. Muy poco conocemos de los motivos y circunstancias inmediatas que ocasionaron las diferentes disposiciones. En muchas ocasiones bien pueden estar encontradas la praxis cúltica y las exigencias teóricas. Según las Crónicas, la constitución y la función de las clases de los sacerdotes y levitas en el templo de Jerusalén quedaron determinadas y fijadas, de una vez para siempre, en el tiempo de David. El mismo rey proyectó el modelo del santuario (1 Crón 28, 11-21), de cuya realización fue encargado Salomón. Es la historia de Judá la que las Crónicas desarrollan, pero de tal forma que las pretensiones y necesidades actuales aparecen con el ropaje clasicista de una aparente antiquísima tradición. El autor elaboró fuentes muy diversas: conoció la obra histórica deuteronomística (Jos hasta 2 Re), pero eliminó todas las partes que trataban de Israel, el reino del norte, sustituyó la época antigua de Israel por un material ampliamente desarrollado de listas de las tribus y su composición y sólo comenzó la presentación histórica con la muerte de Saúl (1 Crón 10). El peso recae sobre David y los reyes de Judá [4].

3 La conclusión de la obra histórica cronística (1 y 2 Crón, Esd, Neh) se calcula en torno al año 300 a. C., sin contar las añadiduras posteriores, que pudieron efectuarse aún en la época macabea: M. Noth, *Überlieferungsgeschichtliche Studien I*, 1943, 150-155; con una comprensión diferente en puntos concretos W. Rudolph, *Chronikbücher* (HAT 21), Tübingen 1955, X; K. Galling, *Die Bücher der Chronik/Esra, Nehemia* (ATD 12), Göttingen 1958, 14-17; P. R. Ackroyd, *I. II Chronicles, Ezra, Nehemiah* (Torch Bible Paperbacks), London 1973, 24-29. Cf. además las Introducciones al antiguo testamento.

4 La dificultad metodológica en el aprovechamiento histórico de la obra histórica cronística está en la separación de fuentes históricas y reelaboración posterior, que se efectuó con miras a ligar etiológicamente problemas contemporáneos con el testimonio antiguo. Así, se tiene que leer la presentación de la época de los reyes en el reino de Judá, e incluso también el material de los libros de Esdras y Nehemías, con los ojos de un autor que escribe hacia fines del siglo IV a. C. Sobre las diferentes matizaciones en el juicio sobre estas cuestiones difícilmente solucionables, cf. los libros de Tr. Willi, *Die Chronik als Auslegung* (FRLANT 106), Göttingen 1972 (defiende una amplia reelaboración de los textos de Sam y Re paralelos a las Crónicas) y P. Welten, *Geschichte und Geschichtsdarstellung in den Chronikbüchern* (WMANT 42), Neukirchen/Vluyn 1973 (nueva confor-

Todo esto significa que las Crónicas comprenden y legitiman a Jerusalén y su templo como el centro histórico y cúltico de Israel. La reconstrucción del templo después del exilio y la actividad de Esdras y Nehemías habían creado los presupuestos para tal comprensión. Según nuestros conocimientos, los santuarios fuera de Jerusalén, al menos en el ámbito de Judá, permanecían fuera de servicio desde los tiempos de Josías. Además, faltaba personal que los atendiera. Estos lugares de culto no encontraron ninguna renovación en el tiempo después del exilio, no en último término en atención a las exigencias de centralización del Deuteronomio. Esta concepción se había impuesto ya absolutamente. Jerusalén debía permanecer como el único lugar legítimo para sacrificar en Israel. El gobierno central persa había aprobado la reconstrucción del templo: era, por tanto, un santuario ratificado y con todos los privilegios. Su posición de monopolio parecía indiscutible. Sin embargo, existían aquellas rivalidades entre Jerusalén y Samaría suscitadas desde los tiempos de Esdras y Nehemías o probablemente antes aún, es decir, existía la oposición del antiguo reino del norte contra su vecino del sur. Las tendencias autonómicas y de independencia cúltica en las antiguas provincias asirias de Megiddo y Samaría tuvieron que ir en aumento, sobre todo desde el tiempo de Nehemías, al presentarse más consolidada, también políticamente, la posición de Judá. Megiddo y Samaría continuaron existiendo bajo los persas probablemente como provincias (hiparquías)[5], mientras que Judá fue constituida como hiparquía independiente y dotada de derechos propios tan sólo a raíz de las medidas tomadas por Nehemías[6]. La separación de Samaría de Jerusalén, consumada definitivamente en el llamado «cisma samaritano», en la constitución de una comunidad cúltica independiente samaritana, de seguro aún antes de aparecer Alejandro Magno en Siria, era el resultado ya ineludible de un proceso largo tiempo preparado. Que fuera promovida y animada con ardor por parte de personalidades particulares samaritanas es algo que sólo podemos suponer, sin tener pruebas exactas documentales.

mación del material antiguo por parte del cronista). Cf. además P. R. Ackroyd, *The age of the Chronicler* (Suppl. to Colloquium - The Australian and New Zealand Theological Review) 1970; G. von Rad, *Das Geschichtsbild des chronistischen Werkes* (BWAN T54), Leipzig 1930.

5 Sobre la provincia asiria de Megiddo y su destino posterior, cf. A. Alt, *Kleine Schriften II*, 374-384; además K. Galling, en PJB 34 (1938) 74 s.

6 A. Alt, *Die Rolle Samarias bei der Entstehung des Judentums*, en *Kl. Schriften II*, 316-337 (= *Grundfragen*, 418-439).

El marco de este proceso judeo-samaritano lo configura la situación estatal y política del imperio persa. El antiguo testamento no da ninguna información sobre ello; podemos llegar, sin embargo, a algunas conclusiones sobre la situación siria y samaritana-judea a base de fuentes extraisraelitas. Para poder fijar cronológicamente los acontecimientos, presentamos aquí la lista de los reyes persas con las fechas de sus reinados:

Ciro II	558-530
Cambises	530-522
Gaumata	522
Darío I	522-486
Jerjes I	486-465
Artajerjes I Longimano	465-424
Jerjes II	424
Sogdiano	424
Darío II Noto	424-405
Artajerjes II Mnemon	404-358
Artajerjes III Ocos	358-337
Arses	337-336
Darío III Codomano	336-331

En paralelismo a esto, conviene saber que una parte de estos soberanos figura también en la lista de los faraones egipcios [7]. La XXVII dinastía la forman «ocho reyes persas», comenzando por Cambises hasta Darío II. Después de Jerjes I se introduce un tal Artabano, que nunca reinó. Jerjes II y Sogdiano fueron víctimas de las luchas por el trono, y así, no tuvieron importancia.

En este tiempo los egipcios se sublevaron muchas veces contra los persas. Después de anteriores intentos fallidos [8], hacia fines del siglo V, Amirteo de Sais consiguió arrebatar el poder durante seis años, mientras Artajerjes II estaba enredado en la

7 Instructiva visión de conjunto en W. Wolf, *Das alte Ägypten* (dtv 3201) 1971, 249-251.

8 Detalles concretos en E. Otto, *Ägypten - der Weg des Pharaonenreiches*, [4]1966, 246-250; W. Helck, *Geschichte des alten Ägypten*, en HdO I. 1, 3, 1968, p. 258-268.

lucha contra su hermano Ciro. Amirteo de Sais[9] forma él solo la «XXVIII dinastía» (404-399). A los jefes egipcios de la revuelta les faltaba planificación y acuerdo. Luchaban por la supremacía. Amirteo fue relevado por cuatro reyes, que forman la XXIX dinastía y en conjunto gobernaron aproximadamente 20 años (399-380), apoyados fundamentalmente por pactos con Atenas y Esparta. Estos cuatro reyes (Neferites I, Psammutis, Akoris y Neferites II) procedían de Mendes en el delta.

A ellos siguió la XXX dinastía, con tres reyes de Sebenitos. Su primer soberano, Nektanebo I (380-363) consiguió una reorganización económica del país y la entrega del gobierno a su hijo Teo (Tako). Este, durante su corto reinado (362-361), formó con la ayuda de mercenarios griegos un considerable ejército y avanzó con él hasta Siria[10]. Pero su sobrino con su gente le abandonó y, con el nombre de Nektanebo II (360-343), fue el último soberano al final de las famosas 30 dinastías egipcias. El mismo Teo huyó a los persas. El año 343 Artajerjes III Ocos pudo poner de nuevo a Egipto bajo la mano persa. En época cristiana se añadieron a la lista de reyes de Manetho, como XXXI dinastía, los tres últimos reyes persas Artajerjes III, Arses y Darío III. El año 332 Alejandro Magno conquistaba Egipto.

Las últimas dinastías egipcias quedan compendiadas así en el siguiente cuadro:

XXVII dinastía:	Los «ocho reyes persas»:	
	Cambises	525-522
	Darío I	522-486
	Jerjes I	486-465
	Artabano	—
	Artajerjes I	465-424
	Jerjes II	424
	Sogdiano	424
	Darío II	424-405
XXVIII dinastía:	Amirteo de Sais	404-399
XXIX dinastía:	«Cuatro reyes de Mendes»:	
	Neferites I	399-393
	Psammutis	393

9 Para más detalles sobre este acontecimiento y el tiempo siguiente, cf.: F. K. Kienitz, *Die politische Geschichte Ägyptens vom 7. bis zum 4. Jahrhundert v. d. Z.*, 1953, 76-112; *Fischer Weltgeschichte 5: Griechen und Perser*, 1965, 318-329.

10 W. Helck, *o. c.*, 266; F. K. Kienitz, *o. c.*, 96 s; *Fischer Weltgeschichte 5*, 326 s.

	Akoris	393-380
	Neferites II	380
XXX dinastía:	«Tres reyes de Sebenitos»:	
	Nektanebo I	380-363
	Teo (Tako)	362-361
	Nektanebo II	360-343
XXXI dinastía:	Artajerjes III Ocos	343-337
	Arses	337-336
	Darío III Codomano	336-332

Es posible fijar ahora, dentro de este marco cronológico, algunos acontecimientos y documentos que arrojan alguna luz al menos sobre los grupos judíos y sus vicisitudes fuera y dentro de Palestina. En primer lugar, hay que nombrar aquí los llamados «papiros de Elefantina», una serie de manuscritos en arameo, cuyos fragmentos han sido hallados en las ruinas de la isla del Nilo Elefantina (en arameo *jēb,* en egipcio *'bw*), junto a Asuán en el alto Egipto. La mayor parte de los textos se descubrió en las excavaciones efectuadas allí sistemáticamente durante los años 1906-1908 [11]. Se trataba en Elefantina [12] de una «colonia militar judía», como se acostumbra a nombrarla, en donde estaban asentados mercenarios judíos, que, junto con otras tropas de diferente origen étnico, habían sido instaladas durante la época persa probablemente para la custodia de la frontera sur de Egipto. Estos judíos del sur de Egipto de ningún modo, sin embargo, vivían ais-

11 Ed. Sachau, *Aramäische Papyri und Ostraka aus einer jüdischen Militärkolonie zu Elephantine,* 1911; A. Cowley, *Aramaic papyri of the fifth century, b. C.,* 1923; publicó nuevos documentos E. G. Kraeling, *The Brooklyn Museum Aramaic papyri,* 1953. Traducción de algunos textos en: AOT, 450-462; ANET, 222 s. 491 s; ANET Suppl., 633; TGI, 84-88. Literatura importante: E. Meyer, *Der Papyrusfund von Elephantine,* 1912; A. Vincent, *La religion des Judéo-Araméens d'Elephantine,* 1937; K. Galling, *Studien,* 1964, 149-184; un informe panorámico junto con una descripción del lugar y unas fotografías hechas por él mismo nos lo ofrece H. Bardtke, *Elephantine un die jüdische Gemeinde der Perserzeit:* en *Das Altertum* 6, 1960, 13-31; Id., *Zu beiden Seiten des Jordans,* 1958, 89. Más bibliografía en RGG 2 (³1958), 415-418. En un marco más amplio trata los papiros de Elefantina P. Grelot, *Documents araméens d'Egypte,* Paris 1972; para la comprensión de la praxis administrativa persa, cf. además G. R. Driver, *Aramaic documents of the fifth century b. C.,* Oxford ²1965.

12 Así traduce Herodoto el nombre de la isla (libro II, 9.17 s. 28-31.69. 175; III, 19 s), que significa tanto como «ciudad de elefantes», porque allí había un emporio del marfil nubio.

lados y separados de la tierra madre. Mantenían contactos con otros grupos judíos en Egipto y se dirigían, según se puede comprobar, a Jerusalén y Samaría en asuntos cúlticos, para conseguir de los gobernadores y personalidades dirigentes de allí información y autorización. Esto es lo que hace interesante la cuestión por el sentido y origen de este grupo judío.

Muy probablemente, los persas se encontraron ya con esta colonia. Existen indicios de que desde el siglo VII lo más pronto, pero ciertamente desde el VI, posiblemente como consecuencia de la ocupación asiria y babilónica de Palestina, israelitas y judíos se marcharon al extranjero, en parte voluntariamente y en parte por la fuerza. En la ley deuteronómica sobre el rey, Dt 17, 16, se habla de que se percibían de Egipto caballos a cambio de hombres. No hay que descartar que con tales intercambios ya algunos del territorio israelita fuesen a Egipto como soldados. Especialmente después del 586 a. C. hay que contar con que los judíos no permanecieron exclusivamente en el bajo Egipto, como aquel grupo en torno a Jeremías, sino que terminaron por habitar diseminados por todo el territorio egipcio.

Los escritos de Elefantina están fechados. La fecha más antigua es el año 27 de Darío I, es decir, el año 495 a. C., la más reciente se ha calculado como la del 1 de octubre del 399. El contenido de los documentos es muy heterogéneo. La mayor parte de los documentos es de carácter jurídico privado: contratos matrimoniales, transmisiones de propiedad, contratos de préstamo, liberaciones de esclavos. Desde diversos datos de los papiros se ha calculado que hacia el año 420-19 el grupo llegaba hasta las 150 personas, mujeres y niños incluidos. Los documentos más interesantes son los que informan del culto de la comunidad y permiten conocer algo de sus especiales vicisitudes.

El grupo poseía un templo propio, el templo de Yahu (*yhw*), «del Dios en la fortaleza de Yeb», «del Señor del cielo» [13]. Está fuera de duda que era un templo de Yahvé [14]. Fue destruido hacia el 410 a. C. a instigación de sacerdotes egipcios con el complot del gobernador competente, que aprovecharon, al parecer, la ausencia momentánea del sátrapa superior [15]. Pero poco tiempo

[13] AOT, 450 s; ANET, 491 s; TGI², 84-87; Grelot, *o. c.*, 406-415.

[14] La escritura y la pronunciación del nombre divino «Yahwe» son objeto de permanente discusión científica. Sobre su escritura en los papiros de Elefantina cf. básicamente ya E. Meyer, *o. c.*, 35; cf. ahora las declaraciones de M. Rose, *Jahwe. Zum Streit um den alttestamentlichen Gottesnamen*, en *Theol. Studien* 122 (1978) 16-22.

[15] Se trata del también en otras partes bien testificado funcionario persa de nombre Arsam: cf. los documentos y testimonios tratados por Driver, *o. c.*, 88-96.

después el templo pudo ser reconstruido [16]. Los pormenores de estos sucesos se desprenden de una amplia solicitud en la que se pide al gobernador de Jerusalén Bagohi (Bagoas) autorización y apoyo para la obra [17]. Los judíos de Elefantina aducen que Cambises encontró ya su templo cuando entró en Egipto. Los templos de los dioses egipcios fueron entonces, sin excepción, arrasados, pero no este templo judío. Quizá fue precisamente este trato de preferencia lo que excitó a los egipcios y lo que provocó la destrucción del templo extranjero: los judíos de Elefantina eran considerados como personas privilegiadas, ante todo porque estaban al servicio de los persas. Pero ellos mismos no se sentían, en absoluto, independientes y soberanos en todos los asuntos. En todo caso, en cuestión de culto no sólo consideraban necesaria una consulta a Jerusalén: de ella esperaban aprobación y autorización. Y no sólo de Jerusalén, pues al final de su solicitud a Bagohi indican los autores: «También hemos expuesto todo este asunto en una carta a nuestro nombre dirigida a Delaja y Schelemja, hijos de Sinuballit, gobernador de Samaría».

Aquí se abre una interesante perspectiva. Muy probablemente, Sinuballit es idéntico al Sambalat del libro de Nehemías, que aparece allí como enérgico adversario de todas las iniciativas de Jerusalén. Ahora están sus hijos en el poder, y también a ellos se dirigen los judíos de Elefantina, sin ser conscientes, al parecer, de las tensiones entre Jerusalén y Samaría. Evidentemente, consideraban también a las autoridades de Samaría con competencia. En todo caso, se llegó a un acuerdo entre Bagohi y Delaja, que se consignó por escrito y se envió al sátrapa de Egipto Arsam [18]. Se autorizó la construcción del templo lo mismo que su culto en la forma acostumbrada. Se mencionan sólo, sin embargo, ofrendas de alimentos y de incienso, pero no holocaustos y víctimas, cuya oblación presumiblemente quedaba reservada a Jerusalén. Todo este proceso no sólo tiene importancia en cuanto paradigma de las relaciones de los grupos judíos de la diáspora con la madre patria, sino que también confirma la posibilidad de acuerdos, incluso en asuntos cúlticos, entre Samaría y Jerusalén hacia fines del siglo V.

Existe un documento paralelo en cuanto al carácter de esa decisión. Ya el año 419 a. C. Darío II había autorizado a los

[16] Probablemente hacia el año 405 a. C.: cf. Kraeling, *o. c.;* TGI², 88.
[17] Cf. *supra,* nota 13 y K. Galling, *Studien,* 149-184.
[18] AOT, 452; ANET, 492; TGI², 88 (con la indicación de más detalles). Grelot, *o. c.,* 415-417.

judíos de Elefantina la fiesta de los *massot* [19]. Esta fiesta de los «panes ácimos» formaba parte, como es sabido, de la celebración de pascua. A la comida de los *massot* precedía desde luego, según Ex 12, la matanza del cordero pascual, un sacrificio que, por lo visto, no les estaba permitido realizar a los judíos de la diáspora. Los sacrificios cruentos estaban permitidos únicamente en el santuario jerosolimitano. Aquí se demuestra el carácter vinculante del concepto deuteronómico de un único lugar central de culto y de sacrificio en el país, que ahora, en la época postexílica, se hizo extensivo también a la diáspora. En ninguna otra parte fuera de Jerusalén se podía sacrificar el cordero pascual.

Queda en la oscuridad el final de la colonia militar de Elefantina. El último documento procede del año 399, el mismo en que Amirteo de Sais fue relevado por los soberanos de la XXIX dinastía. Se podría pensar, pero es una simple suposición, que estos acontecimientos internos de Egipto condujeran a la supresión o al traslado de la colonia militar. ¿Fue ésta, al final, la víctima de ulteriores persecuciones? [20].

La oposición contra los persas se hizo cada vez más fuerte en Egipto. Siria se convirtió en avanzada de las operaciones persas contra Egipto, pero ella misma fue escenario de numerosas acciones antipersas. Allí intentaron los reyes egipcios de las XXIX y XXX dinastías, que habían conseguido ya una cierta independencia, enfrentarse a los persas y debilitarlos militarmente. Lo consiguieron de hecho para un período limitado de tiempo, pero al fin sin éxito decisivo. Después de que fracasara el intento de Artajerjes II Mnemon, los años 389-387, de poner de nuevo a Egipto bajo el dominio persa dieron comienzo desde el 380 nu-

[19] La llamada «carta de pascua» de Darío II: AOT, 453; ANET, 491; TGI, 1.ª ed., 1950, 73 (sólo el texto arameo); reproducción comentada en Grelot, *o. c.*, 378-386. El contenido del mensaje real es transmitido por un mediador judío de nombre Hananías. No se conoce una ocasión inmediata del mensaje.

[20] No se puede ofrecer aquí una exposición detallada de todos los detalles que contienen los documentos de Elefantina. En el aspecto histórico-religioso ha provocado siempre una especial atención una lista de los impuestos del templo (AOT, 453 s; ANET, 491; Grelot, *o. c.*, 363), en la que junto a Yahu (Yahwe) aparecen también los nombres *'schm*-Bethel y Anath-Bethel y en otro lugar (Grelot, 93) Cherem-Bethel. Tal vez se trata de la pervivencia de un sincretismo religioso como el que en otros tiempos desempeñó un papel importante en el estado del norte, Israel, y al fin fue combatido estrictamente en Judá desde la reforma de Josías. Cf. Grelot, *o. c.*, 365 s. Difícilmente eran las mencionadas divinidades hipóstasis del Dios Yahvé (contra W. F. Albright, *Die Religion Israels im Lichte der archäologischen Ausgrabungen*, 1956, 185 s).

merosas medidas militares de los persas. Farnabazos, uno de sus generales, concentró un ejército junto a Acó, pero sólo en el año 374 se llegó a un ataque contra Egipto, que no tuvo éxito. Las operaciones tuvieron que ser interrumpidas. El éxito más notable, sin duda, lo consiguió el rey egipcio Teo (Tako), que de hecho conquistó el año 361 la costa sur de Siria, pero quedó tan debilitado por la deserción del ejército de su sobrino Nektanebo que buscó refugio en los persas. Este sobrino se convirtió en su sucesor, como Nektanebo II, posiblemente con el apoyo del que sería más tarde Artajerjes III Ocos (358-337). Con todo, éste se vio obligado el año 353 a una nueva campaña militar contra Egipto, cuyo fracaso estimuló a la rebelión a las ciudades fenicias especialmente a Sidón en el año 351. El no pequeño éxito de estas sublevaciones indujo a Ocos el año 348 a una campaña militar contra Siria. Sidón cayó por causa de la traición de su propio rey Tennes, las demás ciudades fenicias se sometieron voluntariamente. El camino hacia Egipto parecía abrirse de nuevo a los persas. Pero la ofensiva del año 346 se estancó aún antes de alcanzar el delta del Nilo. El lago Sirbónico, lugar en otro tiempo, probablemente, del milagro del mar al salir las tribus israelitas de Egipto, demostraba de nuevo su peligrosidad. Una gran parte del ejército persa pereció allí. Por fin, el año 343 consiguió Ocos el definitivo sometimiento de Egipto.

¿Pasaron estos enfrentamientos sin dejar huella en los judíos de Samaría y de Judá? ¿Se dieron también entre ellos actividades antipersas? No hay que excluirlas. Existen algunos indicios de ello. Si bien es cierto que tanto las escasas noticias literarias como los testimonios arqueológicos se escapan a una interpretación concreta segura. La conquista y destrucción de Jericó, en donde judíos se habían congregado y alzado contra los persas, pueden estar en conexión con la segunda campaña de Ocos el año 353 contra Egipto. Esto estaría relacionado incluso con una deportación de judíos a Babilonia y a Hircania en el mar Caspio [21]. Estas noticias de escritores posteriores se fundan en fuentes más antiguas, desconocidas por nosotros [22], pero recientemente se han

[21] Eusebio, *Chronicon,* ed. Schöne, II, 112.113; Solino 35, 4; Orosio, *Adversus paganos* III. 7, 6 s; sobre la interpretación de los acontecimientos cf. ahora G. Widengren, en *Israelite and Judaean history* (ed. Hayes/Miller), London 1977, 500.

[22] Josefo, *Contra Apionem* I, 194 remite a Hekateo de Abdera al afirmar que en la época persa sucedieron deportaciones de judíos a Babilonia. Un jefe de las tropas persas habría sido Orofernes (Diodoro 31, 19). Es dudoso que éste fuera el que prestó su nombre al Holofernes del libro de Judit. Cf. H. Guthe, *Geschichte des Volkes Israel,* [3]1914, 309.

relacionado con la rebelión de las ciudades fenicias de la costa, particularmente con la de Sidón del año 351. Se ha expresado la sospecha [23] de que, a mediados del siglo IV a. C., Judá y también Samaría y Galilea se hubiesen unido al movimiento de rebelión antipersa, y que así se explicaría una serie de vestigios de destrucción, demostrables arqueológicamente en Hazor, Megiddo, Athlit, Laquis y Jericó [24]. Pero una comprensión así, de un tan amplio movimiento de rebelión, debe quedar totalmente como hipótesis, y las destrucciones indicadas bien pueden deberse a acontecimientos locales, con diversas motivaciones en cada caso [25].

En época reciente se ha prestado, con razón, especial atención a la cuestión de la administración de Judá y Samaría durante el tiempo persa. De esto depende no sólo el juicio sobre la obra de Esdras y Nehemías. Las vehementes y al parecer insalvables tensiones entre Jerusalén y Samaría tuvieron que tener su motivación, y ésta habrá que buscarla, no en último término, en cuestiones político-demográficas y jurídico-administrativas. La deportación por los asirios de la mayor parte de la población del antiguo estado septentrional, Israel, y el asentamiento de nuevos grupos no israelitas (2 Re 17, 24) contribuyó, de seguro, a profundizar la oposición entre los habitantes del antiguo estado del norte y los de Judá [26]. La distribución provincial de los asirios fue asumida en gran medida por los babilonios y, en principio, los persas no la cambiaron. Pero como, al caer Jerusalén y Judá víctimas de los babilonios, la capital se hundió en escombros y el gobernador Gedalías se asentó en Mispá, pareció natural entonces que bajo el dominio persa la adecuada capital de provincia de este territorio no pudiese ser Jerusalén, ni menos la insignificante Mispá, sino que Judá junto con Jerusalén se agregasen, como subdistrito, a la provincia persa gobernada desde Samaría. Pero el conflicto comenzó cuando, después del exilio, los jerosolimitanos obtuvieron de Ciro el permiso para la reconstrucción

[23] D. Barag, *The effects of the Tennes rebellion on Palestine:* BASOR 183 (1966) 6-12.

[24] El material arqueológico que hay que asignar a la época persa lo trata E. Stern, *Eretz-Israel in the Persian period, Quadmoniot II,* 1969, 110-124 (en hebreo); Id., *The material culture of the land of the Bible in the Persian period, 538-332 BCE,* Jerusalem 1973 (en hebreo).

[25] Para los detalles cf. los argumentos y puntos de vista aportados por G. Widengren, *o. c.,* 501 s.

[26] Esta es la interpretación ampliamente aceptada, pero con muchas diferencias en los detalles. R. J. Coggins, *Samaritans and Jews. The origins of Samaritanism reconsidered,* Oxford 1975; cf. también G. Widengren, *o. c.,* 511-514.

del templo y así, conscientes de su propia importancia, acometieron de hecho la empresa. Desde su posición como capital de provincia, Samaría intentó influir en los asuntos jerosolimitanos, pero topó con una decidida oposición. Jerusalén hizo valer, en cuanto a la erección del templo, derechos tradicionales y exclusivos. Los samaritanos debían quedar excluidos de su reconstrucción. Los derechos cúlticos de Jerusalén y la tensión administrativa de Samaría entraron entonces en una tensión difícilmente solucionable.

Ya desde hace tiempo se ha expresado la tesis de que con Nehemías se introdujo un cambio en la situación [27]. Se designaba a sí mismo como el gobernador «en el país de Judá» (Neh 5, 14), constituido como tal por el gran rey [28]. Esto supone que los amplios poderes con que Nehemías vino a Jerusalén tuvieron que llevar a la independencia política de Jerusalén-Judá, y esto quiere decir, en el contexto de las posibilidades entonces existentes, a la erección de Judá como provincia independiente. Como confirmación de este nuevo status podrían considerarse aquellas monedas y asas de jarras, cuyo número ha ido creciendo con los hallazgos de estos años, con la inscripción *jhd* («Judá»), *jršlm* («Jerusalén»), o incluso «Judá-el gobernador», y que fundamentalmente se han de remitir al siglo IV [29]. Testifican el rango de Judá como provincia independiente, evidentemente con derecho propio para acuñar moneda. Después de la delimitación de sus respectivas competencias políticas, parece ser que la relación competitiva entre Jerusalén y Samaría se fue distensionando paulatinamente, como lo muestra la reacción a la consulta de los judíos de Elefantina el año 408. Los gobernadores de Samaría y Jerusa-

27 A. Alt, *Kl. Schriften II,* especialmente p. 332 s.

28 En Neh 5, 14 se ha de leer *pähah* en vez de *pähas.*

29 Hallazgos más antiguos: E. L. Sukenik, en JPOS 14 (1934) 182-184; 15 (1935) 341-343; W. F. Albright, en BASOR 52 (1933) 20; 53 (1934) 20-22; también K. Galling, en PJB 34 (1938 75 s. Como especialmente ricos se mostraron más tarde los hallazgos en Ramat-Rahel al sur de Jerusalén, en donde, junto a las asas de jarras de tipo ya conocido, se encontraron también algunas con la inscripción *jhd* (o también en escritura plena *jhwd*) *pḥw'* (Judá el gobernador»), alguna vez incluso con la indicación de un nombre judeo, lo que nos hace concluir que en el siglo IV a. C. estaban al frente de la provincia judeos, y no persas. Y. Aharoni, en BA 24 (1961) 108-112; cf. también K. Galling, *Studien zur Geschichte Israels im persischen Zeitalter,* 1964, 192 s; BRL², 233 s. Recientemente L. Mildenberg, *Yehud: A preliminary study of the provincial coinage of Judaea,* en *Greek numismatics and archaeology. Essays in honor of M. Thompson,* Wetteren 1979, 183-196 y las fotografías 21.22 (agradezco al Dr. Th. Fischer por la amable indicación de este artículo).

lén consultados pueden ponerse de acuerdo sin dificultad alguna aparente [30].

Las dimensiones territoriales de Judá tuvieron que permanecer, ciertamente, inalteradas hasta el fin de la poca persa. No existe, en efecto, indicio alguno de que los distritos ya mencionados del tiempo de Nehemías [31] fueran suprimidos o cambiados [32]. Según esto, la frontera seguía discurriendo en el sur entre Beth-Sur y Hebrón, mientras que en el norte Mispá y Bethel continuaban aún en Judá, lo mismo que Jericó en el este y Kegila al oeste. En diferente situación se encontraba Laquis, en donde se han hallado restos, no insignificantes por cierto, de un palacio persa (fines del siglo V o comienzos del IV) [33]. Laquis, anteriormente una de las importantes fortalezas de la Judá occidental, pertenecía ahora a la provincia de Edom y era uno de sus centros administrativos, si no era incluso sede de un gobernador persa [34].

Pero volvamos a las relaciones entre Jerusalén-Judá y Samaría. Con la erección de Judá en provincia independiente Samaría perdió todas las posibilidades de influir políticamente en Jerusalén, lo que, sin embargo, dejaba abierta la cuestión de la importancia cúltica de Jerusalén y su templo. La independización cúltica de la comunidad samaritana era sólo una cuestión de tiempo, consecuencia necesaria de la independización política de Jerusalén. Esta no tuvo lugar, en contra de alguna opinión anterior, únicamente a raíz de la venida de Alejandro Magno. Su preparación más bien, según más o menos podemos alcanzar a ver, se efectuó ya al menos desde el tiempo de Nehemías. La transición del poder persa al griego parece ser que lo único que hizo fue completar la escisión [35].

30 Cf. *supra,* p. 417 s.

31 Cf. *supra,* p. 405.

32 Cf. el mapa 8, y además la visión de conjunto de los distritos en Y. Aharoni, *The land of the Bible,* 364; E. Meyer, *Die Entstehung des Judentums,* Halle 1896 (Hildesheim 1965), 105-108.

33 W. F. Albright, *Archäologie in Palästina,* 1962, 143 s (con un compendio); para éste y para otros hallazgos de la época persa, cf. K. M. Kenyon, *Archäologie,* 284-289.

34 Esta provincia era el vecino meridional de Judá y abarcaba zonas que en otro tiempo pertenecieron también al territorio de Judá, a la altura del extremo sur del mar Muerto e incluso al otro lado del Arabá: cf. M. Noth, *Eine palästinische Lokalüberlieferung in 2. Chron. 20:* ZDPV 67 (1943/45) 45-71 (especialmente p. 62 s); también Kenyon, *o. c.,* 284-286.

35 Se debería considerar, como aquí se ha intentado, el poblema jurídico estatal de la separación de Samaría de Jerusalén y Judá, relacionado con el origen de la provincia de Judá, como el presupuesto de las consecuencias cúlticas que más tarde de ahí se derivaron. La formación de la

De hecho, la preparación del llamado «cisma samaritano» hasta el establecimiento de un santuario propio samaritano en el monte Garizim, al sur de Siquen, está en conexión con un proceso cuyo desarrollo podemos descifrar, a base de diferentes fuentes, únicamente con una relativa probabilidad. Una cierta posición clave en el libro de Nehemías la ocupa Neh 13, 28: allí se informa que Manasés, el hijo del sumo sacerdote Yóyada, se casó con una hija de Sambalat (I) y que por eso fue expulsado de Jerusalén. El caso se consideraba un matrimonio mixto; pero, al mismo tiempo, pudo estar detrás el temor de que, a causa de ese matrimonio, las pretensiones de Samaría a privilegios en Jerusalén pudieran llegar a ser inevitables.

El informe de Josefo en *Ant.* XI, 8 sobre este asunto es incomparablemente más detallado. Explota los sucesos personales entre las familias dirigentes sin tener en cuenta las posibilidades cronológicas, y consigue así una única composición dramática. Sambalat (I) le promete a ese Manasés expulsado del tiempo de Nehemías la edificación de un santuario sobre el Garizim. Este mismo Sambalat habría pedido a Alejandro Magno, cuando le prestaba ayuda en el asedio de Tiro, autorización para esa construcción del templo. De hecho, tuvo que tratarse en ese caso de Sambalat III, y no del gobernador con el mismo nombre de cien años antes. Pero entonces la oferta a Manasés queda excluida totalmente. Lo único que podemos considerar como histórico es que los señores de Samaría solicitaron de los griegos un reconocimiento oficial de su propio culto. Pero con eso aún no se ha conseguido ninguna certeza sobre la historia del origen de ese culto. Recientemente se ha buscado detrás de la expulsión de Manasés en Neh 13, 28 un fenómeno típico, y se ha conjeturado que se trata de grupos completos de sacerdotes que fueron obligados o quisieron abandonar Jerusalén. Habrían ido a Siquem y allí habrían fundado el culto de Garizim. Se trata, por supuesto, de una hipótesis sin apoyo seguro [36].

Ante una situación histórica como ésta, tan difícil de aclarar, el descubrimiento de nuevos documentos es de un gran valor. Los así llamados «papiros de Samaría» del siglo IV, hallados en 1962, nos han posibilitado confirmar y completar la lista de los

llamada comunidad samaritana fue un largo proceso, que no se limitó sólo a la época persa. R. J. Coggins, *Samaritans and Jews,* 164 juzga así: «toda la evidencia sugiere que el período decisivo de formación del samaritanismo fue la época que abarca desde el siglo III a. C. hasta el comienzo de la era cristiana... No existen pruebas de que algún acontecimiento decisivo jugase un papel especial en la apertura de la brecha entre judíos y samaritanos».

36 H. G. Kippenberg, *Garizim und Synagoge* (Religionsgeschichtliche Versuche und Vorarbeiten 30), 1971.

gobernadores de Samaría [37]. Esto a su vez ha permitido revisar la lista fijada anteriormente de los sumos sacerdotes de Jerusalén contemporáneos suyos.

La reconstrucción de los nombres de la lista samaritana efectuada y defendida por F. M. Cross cuenta con el principio de la paponimia en la imposición del nombre de los gobernadores, es decir, que el hijo recibiera el nombre del abuelo. A un Sambalat seguía Delaya, a éste un nuevo Sambalat, después hijo de X, seguido de nuevo de un Sambalat. La laguna entre el segundo y el tercer Sambalat pudo ser rellenada, a base del hallazgo, con el nombre de Hananías [38]. Con estos presupuestos, la lista de los gobernadores de Samaría fijada por Cross, añadiéndole las fechas hipotéticas de nacimiento, queda así [39]:

Sambalat I	hacia el 485 a. C.
Delaja	hacia el 460 a. C.
Sambalat II	hacia el 435 a. C.
Hananías	hacia el 410 a. C.
Sambalat III	hacia el 385 a. C.

La comparación de esta lista con las personalidades y acontecimientos contemporáneos conocidos hasta ahora confirma su fundamental utilidad. Sambalat I sería el contemporáneo de Nehemías, Delaja, el gobernador

[37] Se trata de unos 20 papiros y muchos fragmentos de una cueva en el *wadi ed-daliyeh,* a unos 14 km. al norte de Jericó y 4 km. al suroeste de *chirbet fasajil* en un terreno rocoso de difícil acceso, aproximadamente a 450 metros sobre el Jordán. El descubrimiento se debe a los beduinos ta'amire, los mismos que en 1947 encontraron también las cuevas de Qumran. Estos ofrecieron en Jerusalén fragmentos de papiro. Al ser conocido el lugar del hallazgo, las American Schools of Oriental Researches realizaron en 1963 y 1964 investigaciones sistemáticas de la cueva bajo la dirección de P. W. Lapp: P. W. Lapp and Nancy L. Papp, *Discoveries in the Wâdi ed-Dâliyeh:* AASOR 41 (1974); sobre los papiros cf. F. M. Cross, *Ibid.,* 17-29; Id., *The discovery of the Samaria papyri:* BA 26 (1963) 110-121 (con fotografías); Id., *Papyri of the fourth century b. C. from Dâliyeh. A preliminary report on their discovery and significance,* en *New directions in biblical archaeology* (ed. Freedman and Greenfield), Garden City/New York 1969, 41-42; sobre las consecuencias históricas cf. F. M. Cross, *Aspects of Samaritan and Jewish history in late Persian and Hellenistic times:* HThR 59 (1966) 201-211; Id., *A reconstruction of the Judean restoration*: JBL 94 (1975) 4-18. Los textos arameos fueron escritos en Samaría y todos ellos son documentos jurídicos de carácter privado o administrativo. Probablemente proceden de habitantes de Samaría que se pusieron a salvo de las tropas de Alejandro Magno, pero que fueron descubiertos en la cueva, ya que en ella se encontraron sus esqueletos junto con los papiros.

[38] Papiro 8: cf. F. M. Cross, en *New directions,* 43 y nota 4.

[39] F. M. Cross, en JBL 94 (1975) 17.

mencionado en los papiros de Elefantina, Sambalat III, el contemporáneo de Alejandro Magno. Así parece, con cierta seguridad, que hay que interpretarla ahora.

Cross ha intentado del mismo modo, según el principio de la paponimia, completar la lista de los sumos sacerdotes de Jerusalén que ya anteriormente [40] se había reconstruido. Pero aquí se encuentra, a pesar de las referencias a otros paralelos de fuera de Jerusalén [41], en terreno muy hipotético [42]. Se presenta a continuación esa lista, junto con las fechas de nacimiento inferidas; se ponen entre corchetes las personas añadidas por Cross:

Cross:	Guthe:
1. Yosadak, antes del 587	
2. Yeshua, apr. el 570	Yosua ben Yosadak (Ag 1, 1)
3. Yoyakim, apr. el 545	Yoyakim ben Yosua (Neh 12, 10 s)
[4. Eliasib I, apr. 545 hermano del anterior]	
[5. Yohanan I, apr. 520]	
6. Eliasib II, apr. 495	Eliasib ben Yoyakim (Neh 3, 1)
7. Yoyada I, apr. 470	Yoyada ben Eliasib (Neh 13, 28)?
8. Yohanan II, apr. 445	Yohanan (Neh 12, 22) ben Yoyada: bajo Darío II (424-405) según los papiros de Elefantina, bajo Artajerjes III según la indicación errónea de Josefo, *Ant.* XI, 7, 1
9. Yaddua II, apr. 420	Yaddua ben Yohanan; bajo Alejandro Magno según Josefo, *Ant.* XI, 8, 2-5.7, pero hay que colocarlo antes.
[10. Yohanan III, apr. 395]	
[11. Yaddua III, apr. 370]	
12. Onías I, apr. 345	Onías I, hijo de Yaddua (Josefo, *Ant.* XI, 8, 7)
13. Simón I, apr. 320	Simón I el Justo (Josefo, *Ant.* XII, 2, 5) (hacia el 250)

40 Comparar la visión de conjunto, fundada en el antiguo testamento y Flavio Josefo, de H. Guthe, *Geschichte des Volkes Israel,* ^{3}1914, 317 s con Cross, *o. c.,* 17.

41 F. M. Cross, *o. c.,* 6 s.

42 Sobre esto cf. ahora las observaciones críticas de G. Widengren, *o. c.,* 506-509, que considera los supuestos de la reconstrucción de Cross como metódicamente consecuentes, pero dudosos desde el punto de vista histórico (508).

Si se compara y se relaciona el material aquí presentado con las noticias del libro de Nehemías, de los papiros de Elefantina y con la presentación dramatizada y concentrada de Josefo, se consigue, siempre dentro de las dificultades de detalle, establecer algunos criterios, al menos, para un marco cronológico apropiado aproximativo, en el que podemos fijar, ante todo, la preparación paulatina del «cisma samaritano» y también la culminación de esta escisión en el tiempo de Alejandro.

Ya se ha dicho que el relato de Josefo sobre la aparición de Alejandro en Siria y en los países vecinos del sur se ha de leer con cuidado [43]. La presentación está estrechamente entrelazada con las ambiciones de Sambalat de Samaría y tiende, en definitiva, a la aparición del rey macedonio en Jerusalén. El antiguo testamento no sabe nada, por supuesto, de una tal visita de Alejandro a Jerusalén. Su historicidad se pone en duda. En general esto es lo que se tiene por seguro: después de su victoria sobre Darío III Codomano junto a Isos, en el extremo noroeste de Siria, en el año 333 a. C., Alejandro se dirigió hacia el sur a lo largo de la costa, con la intención de alcanzar Egipto. Siete meses debió de estar acampado ante la ciudad insular de Tiro, en la costa fenicia. Por fin, tomó la ciudad, después de haber levantado desde tierra firme un dique, existente aún hoy, aunque ya grandemente ensanchado, que le abrió el acceso a la ciudad. También en Gaza se le presentó resistencia. Dos meses duró el asedio. Entonces, el camino a través del desierto del Sinaí le condujo directamente a Egipto. Este proceder es convincente. El rey hizo la marcha por la llanura de la costa, sin preocuparse él mismo de la zona del interior. Eso se lo encomendó a su general Parmenio. Este tomó Samaría por la fuerza, mientras que Jerusalén se rindió posiblemente por propia voluntad.

Diferente y más desarrollado es el informe de Josefo, según el cual Alejandro, inmediatamente después de la toma de Gaza, se habría dirigido a Jerusalén (por lo tanto, ¡de nuevo un poco hacia el norte!) y habría recibido allí el homenaje del sumo sacerdote (Yaddua) que salió a su encuentro, o mejor dicho, para él mismo rendir homenaje al sumo sacerdote, al Dios de Israel y al templo. Sambalat, por el contrario, habría muerto repentinamente después de la toma de Gaza. Según una información de Q. Curtio Rufo [44], los habitantes de Samaría habrían quemado vivo a An-

[43] Josefo, *Ant.* XI, 317-345; sobre esto cf. el apéndice C *Alexander the Great and the Jews,* en Josefo (ed. R. Marcus), VI, 512-532.

[44] *Biografía de Alejandro* IV, 8.9-11.

dromaco, el prefecto establecido por los macedonios. Alejandro, a su vuelta de Egipto, habría nombrado a Menón [45]. Además, los samaritanos habrían sido castigados con el asentamiento de macedonios bajo la dirección de Perdikkas.

Estas noticias permiten concluir que Samaría, a causa de su considerable oposición a la ocupación griega, fue respetada menos que Jerusalén, más dócil que ella. La evolución posterior parece confirmar esto. Samaría se convirtió en una ciudad helenista. El centro de los samaritanos fieles a la ley se trasladó a Siquem. Se relaciona con esto el hecho, quizá demostrable también arqueológicamente, de que hacia el año 330 a. C. la ciudad de Siquem conoció el inicio de una amplia renovación [46]. Y también en este tiempo, y no antes, la comunidad constituida en Siquem tuvo que construir el santuario sobre el Garizim. Posiblemente los restos encontrados en *tell er-râs* en el Garizim proceden de la construcción de un templo samaritano de este tiempo temprano [47]. En Siquem misma no se ha encontrado ningún templo de la época helenista. La importancia central que así ganó Siquem queda reflejada también en Josefo [48].

Los samaritanos aceptaron como su escritura sagrada el Pentateuco, probablemente la única parte conclusa hasta entonces del canon veterotestamentario. Asombrosamente, la comunidad de los samaritanos se ha conservado a través de los tiempos hasta el día de hoy, cierto que con un número reducido de miembros y limitada fundamentalmente al ámbito de Siquem, la moderna Nablus [49].

La redacción del Pentateuco samaritano según el manuscrito descubierto en Damasco el año 1616 sigue teniendo importancia para la crítica tex-

[45] Cf. Josefo (ed. R. Marcus) VI, 523 (cf. *supra,* nota 43).

[46] G. E. Wright, *Shechem,* London 1965, 170 s; Id., *Archaeology and old testament study* (ed. W. Thomas), 355-370; C. J. Coggins, *Samaritans,* 1975, 104-111.

[47] R. J. Bull, *An archaeological context for understanding John 4, 20:* BA 38 (1975) 54-59.

[48] Josefo, *Ant.* XI, 340-345.

[49] Sobre las tradiciones de los samaritanos de tiempo posterior, las así llamadas «crónicas» (especialmente la «crónica II» según la cuenta de J. Macdonald) y el Pentateuco samaritano, cf. R. J. Coggins, *o. c.,* 116-161 (con ulterior bibliografía); hay que hacer referencia también a J. Jeremias, *Die Passahfeier der Samaritaner,* 1932. Fotografías de miembros dirigentes de la comunidad se pueden encontrar en algunas obras gráficas modernas: cf., por ejemplo, G. Eichholz, *Landschaften der Bibel,* Neukirchen 1963, 52 s; Chr. Hollis/R. Brownrigg, *Heilige Stätten im heiligen Land,* 1969, 43.47.

tual veterotestamentaria. En 6.000 casos difiere del texto masorético, si bien la mayor parte son sólo diferencias en detalles ortográficos. Pero en 1.900 casos el texto coincide con el griego frente al texto masorético. El Pentateuco samaritano es así un testigo muy antiguo del texto, y hay que considerarlo como independiente de nuestro texto corriente masorético. Algunas de sus lecciones están testificadas, además de en la traducción griega de los Setenta, en los textos de Qumran, en el nuevo testamento y en textos judíos que no han sido redactados según el texto masorético [50].

No resulta fácil esbozar la imagen de la situación en la segunda época persa, la que tuvo, en primer lugar, la comunidad judea en torno a Jerusalén y la que se desarrolló también en una diáspora cada vez más amplia. En el tiempo de los macabeos, es decir, en la segunda mitad del siglo II a. C., se da una considerable diáspora judía en Galilea y en Transjordania. Es poco probable que estos grupos se formasen allí por primera vez en la época helenista; sus comienzos, más bien, tienen que remontarse a la época persa. Una confirmación indirecta de esto nos la ofrecen algunas noticias de las Crónicas que suponen una relación de la comunidad de Jerusalén con grupos galileos: con gente de Aser, Manasés y Zabulón (cf. 2 Crón 30 y 15, 9-15). En todo caso, es interesante que en estos textos el concepto de los *gerim* («extranjeros») juegue un papel y que la fe judía fuera aceptada también por no judíos de origen. Esto podría significar que esta diáspora se fue ampliando poco a poco desde unos comienzos exiguos. La situación de la época persa no tuvo que impedir un tal crecimiento.

En general, es adecuado el juicio de Hermann Guthe de que «la época desde Nehemías hasta Alejandro Magno fue un tiempo de crecimiento para la comunidad judía» [51]. Esto estuvo ligado a su afianzamiento y consolidación, con la elaboración y fijación definitiva de las tradiciones históricas y cúlticas. Pues en este tiempo tuvo que recibir el Pentateuco su forma definitiva. Muchas de las ordenaciones fijadas en el así llamado «código sacerdotal», el estrato más reciente del Pentateuco, fueron reconocidas en la

[50] E. Würthwein, *Der Text des Alten Testaments,* [2]1963, 46-48; O. Eissfeldt, *Einleitung in das Alte Testament,* [3]1964, 942 s; J. D. Purvis, *The Samaritan Pentateuch and the origin of the Samaritan text,* Harvard Univ. Press 1968; P. Sacchi, *Studi Samaritani I:* Rivista di Storia e di Letteratura Religiosa (RSLR) 5 (1969) 413-440; Coggins, *o. c.,* 148-155. Edición del texto: A. von Gall, *Der hebräische Pentateuch der Samaritaner,* Giessen 1914-1918 (reimpresión: Berlín 1960).

[51] Guthe, *Geschichte,* [3]1914, 309.

época persa como derecho vigente. La práctica del culto fue creciendo en importancia. Lo mismo que también el convencimiento de que la pertenencia a la comunidad judía no podía estar orientada primariamente a la ordenación política-administrativa, sino a la vinculación comunitaria cúltica-legal; ésta solamente es la que creó la auténtica «comunidad» (*kāhāl*)[52].

La vinculación a la ordenación sacral garantizaba la consistencia del pueblo independientemente de las fuerzas militares y políticas a las que se estaba entregado. El concepto de «pueblo de Dios» no se disolvió con el final de la soberanía estatal. Bajo dominio extranjero se encontró en la vinculación cúltica-legal el instrumento para presentarse como pueblo de Dios, en la ejecución práctica de las ordenaciones litúrgicas lo mismo que en el reconocimiento de los principios normativos de la vida comunitaria. Se puede designar esto como el «anquilosamiento de la comunidad postexílica en la piedad de la ley», como la corrupción de la fe viva en una práctica mecánica. Pero se malentendería así ciertamente algo esencial. La ley no significa el anquilosamiento de la fe, sino el medio, en la irrupción del poder extranjero y ante la tentación de entregarse a él, de conservar lo propio y de protegerse de la disolución. En la fijación y ejercicio de las prescripciones cúlticas, esta comunidad postexílica realizó una obra de índole extraordinaria. Ligó la entrega al Dios de Israel a unas formas fijas de validez duradera, y creó así los presupuestos para que la fe de Israel pudiese mantenerse firme ante todos los embates que, de continuo y de todo tipo, vinieron sobre aquella comunidad estatalmente insignificante, pero religiosamente cada vez más decisiva. El canon de juicio en este contexto no debe ser, en modo alguno la desconfianza protestante profundamente arraigada contra la ley, como tampoco la máxima, tomada de la concepción evolucionista, de que una época tardía apunta a una decadencia y estancamiento de la dinámica original. Ya que tam-

[52] La palabra *kahal* predomina en la época persa y es especialmente frecuente en los libros de las Crónicas (32 veces). Desde su significado básico «proclama», «convocación a una asamblea», experimentó, sobre todo desde el Deuteronomio, una teologización en el sentido de «asamblea cúltica», y por fin, junto a este uso especial, su significado se amplió refiriéndose a todos los que tenían derecho a participar en la asamblea en el nombre de Dios. Puede así de hecho en los libros de las Crónicas ligarse a la palabra *kahal* la representación modélica de la «asamblea plenaria de la comunidad cúltica judía»: L. Rost, *Die Vorstufen von Kirche und Synagoge im Alten Testament. Eine wortgeschichtliche Untersuchung* (BWANT 76), 1938, 11-32; con algunas diferencias THAT II (1976) 609-619 (H.-P. Müller).

bién en la conservación y custodia de contenidos esenciales de la tradición recibida se manifiesta, ante la amenaza del espíritu del tiempo y de la pérdida de las raíces, la fuerza de la recepción creadora y de la remodelación. La época persa aportó, a pesar de las tensiones internas en la comunidad judía y de los conflictos en la formación de grupos, aquella consolidación de la ley y de las convicciones religiosas, que fueron suficientemente fuertes ante el asalto de las nuevas ideas y costumbres de la época helenista, instaurada con Alejandro. Aunque este proceso no se deja exactamente fijar y delimitar cronológicamente, se puede afirmar que después de Alejandro Judá se vio enfrentada a nuevos retos y serios conflictos, que obligaron al judaísmo a una pugna y defensa más que a encontrar tiempo y fuerzas para reflexionar sobre la tradición y delimitarla en conceptos fijos, como sucedió en el Pentateuco y en la obra histórica cronística. No es casualidad que el Pentateuco, cuya forma canónica terminó de fijarse en la época persa, se convirtiese en el documento base del judaísmo y en el baluarte frente a toda pérdida de identidad de la fe judía.

A este contexto pertenece también la cuestión, aún hoy no aclarada con precisión, sobre el origen de la sinagoga, cuyos inicios se remontan de seguro a la época persa [53]. Sus presupuestos están en la centralización cúltica prescrita por el Deuteronomio y que llegó a imponerse en el tiempo del postexilio, y precisamente en el sentido como se entendió desde Josías. Jerusalén debía ser el único lugar legítimo de culto sacrificial, allí estaba el santuario del pueblo. Con la conclusión del Pentateuco tuvo que ganar terreno, al mismo tiempo, el pensamiento, arraigado también en el Deuteronomio (31, 9-13), de las lecturas periódicas de la thora. En el culto divino de la palabra y de la lectura se encontraron las formas cúlticas independientes de la liturgia sacrificial: su centro no era ya el altar de los sacrificios, sino la presentación del libro sagrado en forma de rollos, que más tarde encontraron acogida en el cofre de la thora. La asamblea en torno

[53] Sobre la sinagoga y el culto sinagogal, fundamentalmente, por supuesto, de tiempos posteriores a la época persa, cf.: S. Krauss, *Synagogale Altertümer*, 1922, 2 s; E. Schürer, *Geschichte des jüdischen Volkes im Zeitalter Jesu Christi II*, 1907 (reimpresión 1964), 497-544; E. Meyer, *Ursprung und Anfänge des Christentums* II, 1921, 26-28; K. Hruby, *Die Synagoge. Geschichtliche Entwicklung einer Institution*, 1971; M. Hengel, *Proseuche und Synagoge. Jüdische Gemeinde, Gotteshaus und Gottesdienst in der Diaspora und in Palästina*, en *Tradition und Glaube. Festgabe für K. G. Kuhn*, 1971, 157-184; J. Maier/J. Schreiner (ed.), *Literatur und Religion des Frühjudentums*, 1973, 391-413 (P. Schäfer); Sh. Safrai, en *The world history of the Jewish people I, 8*, Jerusalem 1977, 65-98.

a la ley se convirtió, junto con el sabbat y la circuncisión, en uno de los distintivos esenciales de la vida judía no sólo en Palestina, sino también y sobre todo en la diáspora. Con estas tres instituciones el judaísmo se procuró aquellas formas de vida religiosa independientes del templo que podían practicarse en cualquier parte; éstas fueron las que fortalecieron a la comunidad y dificultaron o impidieron la asimilación al medio ambiente, particularmente tan potente en la diáspora helenista posterior. Aún hoy no se puede decir si las primeras sinagogas se erigieron en la diáspora, quizá en la babilónica, o si esto sucedió ya en Judea o Galilea [54].

La consecuencia de la centralización cúltica y de la diáspora fue el desarrollo de las peregrinaciones a Jerusalén y, ligada a esto, la elaboración de las celebraciones festivas en el templo. El cumplimiento del calendario de fiestas contribuyó a la profundización de la autoconciencia religiosa; sin embargo, después de la centralización cúltica, el cordero pascual ya no podía ser sacrificado dentro del círculo familiar. Pascua se convirtió en el eje de las peregrinaciones. No se debería pasar por alto el influjo recíproco implantado en el postexilio entre el santuario central y la diáspora. El peregrino que deseaba ofrecer su sacrificio, bien en una de las fiestas anuales o bien incluso independientemente de ellas, necesitaba la instrucción sobre la cualidad y el tiempo de los sacrificios. El refinamiento y fijación de las prescripciones cúlticas resultaban en parte de la necesidad de precisar exactamente los derechos y obligaciones con respecto al santuario central, de hacer vinculante la thora sacerdotal y también de impactar así al peregrino forastero y extranjero.

La amplificación ocasional por parte de las Crónicas con respecto a leyes y costumbres fijadas en el Pentateuco, como es el caso, por ejemplo, de la descripción de la pascua en 2 Crón 30, 13-26 y 35, 1-19, se comprende, por un lado, desde el aumento del aparato cúltico, ante todo por los levitas, tan realzados en las Crónicas y por otra parte, desde la regulación progresiva del culto.

La fijación y elaboración de las leyes y de las prescripciones cúlticas y el consiguiente «magisterio de los escribas» no son el

[54] Los más antiguos testimonios de erección de sinagogas los ofrecen inscripciones de Egipto del siglo III a. C. La inscripción más antigua es del tiempo de Ptolomeo Euergetes (246-221 a. C.): en ella se transfiere el derecho de asilo a una sinagoga. Sh. Safrai, *o. c.,* 69 y la ilustración de p. 128. En Schürer, *o. c.,* 499 s se puede encontrar la enumeración de otras inscripciones y papiros.

producto de una «piedad» hacia dentro postexílica en una comunidad privada de su autonomía política. Ayudaron, más bien, a la nueva constitución de esa comunidad y al afianzamiento de aquella autoridad que Jerusalén siempre tuvo a los ojos de la diáspora. La consulta de los judíos de Elefantina arroja un significativo golpe de luz sobre ese proceso. La impotencia política de la pequeña Judá no impidió la ascendente autoridad de Jerusalén, del templo y de sus hombres dirigentes, que se fortalecieron en la conciencia de que realmente de Sión salía la thora. Este tiempo postexílico de la época persa, no lo podemos entender de otro modo, fue el que salvó y enriqueció lo que Israel poseía de tradiciones y el que puso la base para la creación de un judaísmo que pudo mantenerse firme frente al helenismo. Con la redacción definitiva del Pentateuco y su aceptación como documento vinculante este tiempo erigió un monumento para todos los tiempos.

La fuerza configuradora de tradición precisamente de esta época se grabó de un modo especial en la conciencia judía y ocasionó el que se aceptase entre los últimos profetas y los más antiguos escribas, conocidos por sus nombres, una institución independiente, un colegio de hombres al que fueron confiadas la ley y la tradición, la así llamada «gran sinagoga», exactamente «los hombres de la gran sinagoga» [55]. La existencia histórica de esta institución se pone por lo general en duda. Su punto de partida histórico se vio en la gran asamblea del pueblo de Neh 8-10, que más tarde se entendió de otro modo, como una asamblea de escribas, y así éstos se convirtieron en los auténticos transmisores de la tradición. La autoridad espiritual de la gran sinagoga fue asumida principalmente por los fariseos y se convirtió en parte integrante de su tradición. Trátese o no de algo histórico, la idea de la gran sinagoga testifica la conciencia de que en el decurso de la época persa, como consecuencia de la obra de un Esdras y Nehemías, sucedió algo decisivo para salvar y proteger la tradición y para asegurarla también institucionalmente en lo posible. En este sentido se puede entender el juicio de H. D. Mantel [56]: «el significado de los hombres de la gran sinagoga en la historia del judaísmo se deriva de su éxito en acelerar el proceso, comenzado por Esdras, de limitar primero y de abolir después la autoridad religiosa del sacerdocio hereditario».

55 El más antiguo y conocido testimonio está en la Misná, tratado Abot («padres») I, 1.

56 H. D. Mantel, en *The world history* I, 8, p. 48. Sobre la gran sinagoga cf. *Ibid.*, 44-52 y además S. Kuenen, *Über die Männer der grossen Synagoge,* en Kuenen, *Ges. Abh. zur bibl. Wissenschaft,* 1894, 125-160; E. Schürer, *o. c.*, 414-420.

21

EL REINADO DE LOS PTOLOMEOS Y LOS SELEUCIDAS HASTA ANTIOCO IV

Resulta imposible encontrarle un perfil propio a la historia política de Israel en el período entre Alejandro Magno y el príncipe seléucida Antíoco IV Epífanes, primera mitad del siglo II a. C. El territorio de Judá y Samaría y las comarcas al otro lado del Jordán [1] se vieron envueltos en las luchas por el poder entre los sucesores de Alejandro: los diadocos de Egipto y Siria, que pusieron el país bajo el poder ptolomeo y sirio sucesivamente. La diáspora judía se fue expandiendo. Llegó hasta Alejandría de Egipto. Creó focos de vida propia fuera de la madre patria, en Alejandría de Egipto y en Antioquía de Siria. Pero en Jerusalén arreciaron las rivalidades entre las familias dirigentes, y hay que considerar como uno de los hechos singulares de esta época que el culto religioso y la vida judía se mantuvieran en lo fundamental incontaminados de la influencia helenística, presente en todas partes. El antiguo testamento es casi la única fuente independiente para este tiempo. Las escasas noticias contenidas en las *Antiquitates* de Flavio Josefo (XII, 1-4) no representan una exposición histórica estricta y deben acogerse con sentido crítico. Por eso hay que acudir principalmente a fuentes extrajudaicas para perfilar el cuadro de la época y poder calibrar las repercusiones de los diversos acontecimientos en los miembros del pueblo israelítico-judío [2].

1 Es difícil encontrar una denominación exacta para las formaciones estatales de Israel y Judá en esta época. Los documentos ptolomeicos hablan de Siria y Fenicia. Herodoto III, 91, menciona, a propósito de la división persa en satrapías, la «quinta provincia» de Fenicia, Palestina de Siria y Chipre. Aquí aparece por primera vez el término «Palestina», incluyendo «Filistea» o llanura costera y todo el antiguo territorio estatal israelítico-judío, pero como una designación primariamente geográfica, sin una clara delimitación político-administrativa. Y. Aharoni, *The land of the Bible*, London 1967, 357 s; Ben-Sasson (ed.), *Geschichte des judischen Volkes* I, 1978, 232 s.

2 Para este y los siguientes capítulos hay que tener en cuenta principalmente las obras de algunos autores antiguos: Apiano (s. II a. C.); Po-

He aquí una tabla cronológica de los reinados de los Ptolomeos y los Seléucidas que servirá para enmarcar los avatares políticos subsiguientes a la muerte de Alejandro:

Ptolomeos:

Ptolomeo I lágida (Soter)	
sátrapa de Egipto	323-305
rey	305-285
Ptolomeo II Filadelfo	285-246
Ptolomeo III Euergetes	246-221
Ptolomeo IV Filopátor	221-204
Ptolomeo V Epífanes	204-181
Ptolomeo VI Filométor	181-145

Seléucidas:

Seleuco I Nicátor	312-281
Antíoco I Soter	281-261
Antíoco II Teos (Deus)	261-246
Seleuco II Calinico	246-226
Seleuco III	226-223
Antíoco III el Grande	223-187
Seleuco IV Filopátor	187-175
Antíoco IV Epífanes	175-164
Antíoco V Eupátor	164-162
Demetrio I Soter	162-150
Alejandro I Balas	153-145

Suele considerarse la muerte de Alejandro Magno en 325 como el inicio de la era del helenismo. El fenómeno se caracteriza por una creciente impregnación de la vida mediooriental, y más tarde también romana, por la civilización, la arquitectura, la lengua y la filosofía griegas [3]. Alejandro, en efecto, con sus grandes

libio de Megalópolis en Arcadia (s. II a. C.); Estrabón de Amasya (s. I a. C. - s. II d. C.); Nicolás de Damasco (s. I a. C.), especialmente utilizado por Josefo como fuente, conservado sólo en fragmentos. Cf. también la gran colección de fuentes en E. Schürer, *Geschichte* I, 31-109; M. Stern, *Greek and latin authors on Jews and Judaism* I, 1974; G. Hölscher, *Die Quellen des Josephus für die Zeit von Exil bis zum Jüdischen Krieg,* 1904; M. Hengel, *Judentum und Hellenismus,* ³1973; IJH (ed. Hayes/Miller), 539-549.

[3] W. Tarn, *Die Kultur der hellenistischen Welt,* ³1966, con numerosas indicaciones bibliográficas, esp. 431-435; *Fischer Weltgeschichte* 6: *Der Hellenismus und der Aufstieg Roms,* 1965; M. Cary, *A history of the Greek World 323 to 146 BC,* London ²1951 (última impresión 1977, con bibliografía reciente). V. Tcherikover, *Hellenistic civilization and the Jews,* 1969; sobre las influencias griegas en Palestina antes de Alejandro: D. Auscher, *Les relations entre la Grèce et la Palestine avant la conquête d'Alexandre*: VT 17 (1967) 8-30.

campañas bélicas, que le llevaron hasta el Indo y el actual Pakistán occidental [4], había sentado las bases para esta expansión helena. Elementos de sus tropas, soldados y oficiales, pero también colonos macedonios que seguían a éstos, se establecieron en numerosas ciudades de los países conquistados, ampliándolas, cambiándolas de nombre y edificando nuevos poblados. El término «veteranos de Alejandro» pasó a ser una designación usual a la hora de describir la fundación o la historia más remota de algunas poblaciones. Son muchas las ciudades que recibieron el nombre de «Alejandría» en honor del gran conquistador. Entre ellas destacaría Alejandría de Egipto, al oeste del delta, ciudad que ha quedado como testigo viviente de aquella época hasta nuestros días [5].

La fundación de Alejandría de Egipto está directamente relacionada con la persona de Alejandro Magno. Su situación privilegiada fue un factor decisivo del gran auge que cobró con el tiempo. Enlazaba con el Nilo a través de un canal navegable desde el lago de Mareotis, una extensa superficie acuática en la parte meridional. Su puerto estaba protegido del enarenamiento, contrariamente a las antiguas ciudades portuarias del litoral oriental de las desembocaduras del Nilo, gracias a las corrientes marítimas. Esto favoreció su florecimiento bajo lo ptolomeos, convirtiendo la ciudad en un centro comercial y de tráfico, y ya bajo el primer gobernador Ptolometo I lágida (Soter) y sus sucesores, Ptolomeo Filadelfo y Euergetes, también en un lugar de afluencia de artistas y sabios. Esto propició la fundación de la Academia (*Museion*) de Alejandría para las ciencias y las artes, a la que estuvo ligada la famosa biblioteca alejandrina [6]. La ciudad se convirtió tam-

[4] Exposición clásica de J. G. Droysen, *Geschichte Alexanders des Grossen,* 1833; varias reediciones desde esta fecha; sobre la conquista del imperio persa por Alejandro, H. Bengtson en *Fischer Weltgeschichte* 5, 1965, 283-310; Id., *Griechische Geschichte,* ⁵1977; recientemente P. Jouget, *Alexander the Great and the Hellenistic World. Macedonian imperialism and the hellenization of the east,* Chicago 1979.

[5] Con inclusión de Alejandría de Egipto, se cuentan diez ciudades con este nombre. Sobre Alejandría de Egipto cf. la somera orientación de E. Brunner-Traut - V. Hell, *Ägypten,* ³1978, 284-306; más bibliografía y documentos más antiguos en *LdA* I, 134 s; impresionantes fotografías de antigüedades con breve introducción a la historia de la ciudad por K. Michalowski, *Alexandria,* Leipzig 1971.

[6] Fue destruida por las llamas en el sitio y conquista de Alejandría por Julio César, cuando casi contaba un millón de rollos, pero pudo rehacerse parcialmente con la biblioteca pergamea de 200.000 rollos donada por Cleopatra. Su destrucción total se produjo en tiempo de Teodosio el Grande por obra del arzobispo Teófilo el año 389. El *Museion* ofrecía alojamiento a los sabios más prestigiosos. Fue destruido con ocasión de las operaciones bélicas del emperador Aureliano (270-275) contra Alejandría.

bién en uno de los centros más importantes de la diáspora judía. Los inicios de la versión griega del Pentateuco se sitúan en esta ciudad, que conservó su gran importancia en la época cristiana, ya que Alejandría fue un centro de espiritualidad y formación cristianas [7].

La penetración del espíritu griego en el espacio fenicio-palestino no se produce de modo uniforme, y en un principio apenas afecta al antiguo núcleo israelita de las montañas de Samaría y de Judá. La helenización partió de Fenicia y se extendió hacia la llanura de la costa meridional, donde se abrieron a las nuevas corrientes algunas ciudades como Acó (Tolemaida), Dor y Jafa, pero sobre todo Gaza y Ascalón, al sur. Por lo demás, el espíritu griego tuvo focos especiales de irradiación en los distintos lugares. En la Cisjordania, Samaría estuvo ocupada por recaudadores griegos. Más tarde se desarrolló en Transjordania la «Decápolis», una serie de ciudades situadas principalmente al sur y al suroeste del mar de Tiberíades, entre las que destacó Gadara. La sucesora del antiguo Rabbat-Ammón fue la ciudad de Filadelfia (de Ptolomeo Filadelfo, 285-246). Las ciudades de Transjordania mantuvieron relaciones con el antiguo Beth-Sean, rebautizada con el nombre griego de Escitópolis. Las impresionantes construcciones de Gerasa y Bosra tuvieron su origen preferentemente en la época romana [8].

En el siglo siguiente a Alejandro, la posesión del espacio palestino-fenicio fue objeto de dura lucha. El reparto del territorio sometido por Alejandro tuvo lugar después de su muerte como resultado de los enfrentamientos entre los distintos gobernadores de provincias: Ptolomeo I Soter administró Egipto; Se-

[7] La capital actual del país, El Cairo, fue fundada en las cercanías de las antiguas fortalezas egipcias el año 641 d. C. por los propagadores del islam como una nueva capital, libre de elementos cristianos, en contraposición a Alejandría.

[8] La fundación de Gerasa remonta a la época de Alejandro. En el período seléucida la ciudad era conocida con el nombre de Antioquía de Chrysorhoos, alusión a uno de los riachuelos que corría en las cercanías. Alejandro Janneo la conquistó el año 84 a. C. y Pompeyo la anexionó en 63 a. C. a la Decápolis. Cf. la breve exposición de la historia de la ciudad y sus edificios en G. L. Harding, *Auf biblischem Boden,* 1961, 85-115; exposición completa en C. H. Kraeling, *Gerasa, city of the Decapolis,* 1938; cf. M. Avi-Yonah (ed.), *Encyclopedia of archaeological excavations in the holy land* (EAE) II, London 1976, 417-428. Bosra (*bosra eski scham*), de la que hay testimonio ya en el siglo II a. C. (Negev, *Arch. Lexikon zur Bibel,* 1972, 107), prosperó cuando fue elevada a capital de la provincia de Arabia (106 d. C.). Cf. las instructivas exposiciones de H. Guthe, *Griechische und römische Städte des Ostjordanlandes,* 1918; Id. Gerasa 1919.

leuco, la satrapía de Babilonia; Antígono, la mayor parte del Asia menor; Antípater, el último de los generales de Filipo II, retuvo Macedonia y Grecia. Ya en el año de la muerte de Alejandro, Ptolomeo había expulsado al lugarteniente sirio Laomedonte y llegó a apoderarse de Palestina y Fenicia. Según relato de Josefo [9], el propio Ptolomeo habría aparecido en Jerusalén el año 320, un sábado, con el pretexto de llevar una ofrenda al templo. En esta ocasión, se habría apoderado de la ciudad, prendiendo a numerosos judíos y deportándolos a Alejandría. El relato intenta dar al menos una explicación de los inicios de la colonia judía en Alejandría, tan numerosa posteriormente.

Toda la comarca sirio-palestina fue en los años siguientes escenario de frecuentes luchas que suelen calificarse de «luchas de los diadocos» tras la muerte de Alejandro. Esto acrecentó el poder de Antígono, residente en Asia menor, y de su hijo Demetrio Poliorcetes. Se aliaron contra él, entre otros, Egipto bajo Ptolomeo I y Seleuco como gobernador de Babilonia. Las luchas se agudizaron entre 315 y 301. El año 312 Demetrio fue vencido en Gaza. Ptolomeo siguió avanzando hacia Siria, pero hubo de ceder ante Antígono. Seleuco pudo aprovechar estas circunstancias para reforzar su posición en Babilonia. Su retorno pasó a ser la fecha fundacional del imperio seléucida, y esto en un doble sentido. No sólo se afirmó el poder de Seleuco de modo decisivo. El año 312 a. C. comenzó un calendario que va mucho más allá del reinado de los seléucidas: la era seléucida [10], que junto con el cómputo de las Olimpíadas fue una de las cronologías más conocidas de la antigüedad [11].

La sospecha de que Antígono aspirase a la hegemonía sobre toda la herencia de Alejandro movió a Ptolomeo, a Lisímaco, general de Alejandro, y a Casandro, hijo de Antípater, a coaligarse con Seleuco en contra de Antígono. La batalla de Ipso en Frigia (301 a. C.) dirimió las diferencias. Antígono fue derrotado y muerto. Seleuco adquirió la mayor parte de Siria y Mesopotamia y reconstruyó la ciudad de Antioquía como ciudad residencial. La Siria meridional, es decir, todo el espacio al sur del

9 Josefo, *Ant.* XII, 1.

10 F. Finegan, *Handbook of biblical chronology,* Princeton, 1964, 117-123. Según el calendario macedonio, la era seléucida comenzó el 7 de octubre del 312; según el calendario babilónico y teniendo en cuenta el día de año nuevo, 1 de Nisan, el 3 de abril de 311. Cf. también H. Lietzmann, *Zeitrechnung,* Göschen Bd. 1085, 1946, 6 s y tablas.

11 La cronología seléucida estuvo vigente hasta una época poscristiana y se utiliza aún actualmente entre los cristianos sirios, del Líbano.

Líbano con inclusión de los antiguos territorios israelítico-judíos, siguió bajo la soberanía de los ptolomeos. Pero la pacificación no fue definitiva. Los ptolomeos y los seléucidas lucharon encarnizadamente por la posesión de todo el territorio sirio-palestino.

Mencionemos aquí algunas de las acciones bélicas más importantes. El ataque de Ptolomeo II Filadelfo a Siria el año 275 no tuvo éxito y él hubo de retirarse. Después del traspaso del gobierno de Antíoco I a Antíoco II, los seléucidas contraatacaron el año 261. Sólo en 252 se llegó a un tratado de paz entre las dos partes combatientes, en virtud del cual Antíoco II tomaba por esposa a Berenice, hija de Ptolomeo II y de la reina Arsinoe. A este acontecimiento alude, según la interpretación general, Dan 11, 6 con las siguientes palabras: «Después los dos harán una alianza; la hija del rey del sur acudirá al rey del norte para hacer las paces» [12].

La gran visión de Dan 11, 2-45 evoca los acontecimientos históricos que tienen lugar desde la época de los persas, alude a Alejandro y narra, sumariamente al principio y de modo más pormenorizado en lo concerniente al tiempo próximo a Antíoco IV Epífanes, los turbulentos sucesos que se producen entre los ptolomeos y los seléucidas. La visión contempla también el episodio del casamiento de Antíoco II con Berenice, episodio que se lee como el libreto de un melodrama. Para hacer viable el casamiento, Antíoco II había despedido a su esposa Laodice. Esta se vengó ferozmente, en beneficio de su hijo Seleuco. El año 246 hace envenenar a Antíoco II y liquidar a Berenice. Así queda despejado el camino para su hijo Seleuco, que sube al trono el mismo año como Seleuco II Calinico. Poco después falleció el padre de Berenice, Ptolomeo II. Su sucesor Ptolomeo Euergetes intentó castigar a los asesinos de su hermana. Invadió Siria, rebasó Damasco y se apoderó de un copioso botín, pero hubo de interrumpir la campaña a causa de una rebelión en Egipto. Un contraataque posterior de Seleuco II fue rechazado.

El libro de Daniel refiere también estos sucesos en el pasaje citado: «De sus raíces se alzará un retoño que saldrá a luchar (alusión a Ptolomeo III Euergetes), penetrará en la fortaleza del rey del norte y los tratará como vencedor» (Dan 11, 7-9). El v. 8 alude probablemente al avance de los egipcios hasta Antioquía: «Se llevará a Egipto sus dioses e ídolos y el ajuar

[12] O. Plöger, *Das Buch Daniel,* KAT 18, 1965, 152.158 s; A. A. Di Lella, en: *The book of Daniel,* The Anchor Bible 23, 1978, 257.289. A Lacocque, *The book of Daniel,* London 1979, 214-218.

precioso de oro y plata, y por unos años dejará en paz al rey del norte». Añade (v. 9): «Este último invadirá el reino del rey del sur, pero se volverá a su territorio». Alusión al fracasado contraataque de Seleuco II.

Seleuco III Cerauno, que le sucedió en 226, fue envenenado tres años después (223). Ocupó el trono su hermano Antíoco II (223-187), denominado el Grande. Logró, en efecto, expulsar a los egipcios de Siria meridional: Fenicia y Palestina, y anexionar Jerusalén/Judá a la soberanía de los seléucidas. Esto no significó sólo un cambio, sino también una mejora de la situación en Jerusalén.

Antíoco avanzó el año 218 hacia la costa meridional y conquistó algunas ciudades en la antigua Fenicia y en la llanura costera palestina, pero fue derrotado el año 217 en Raphia, vertiente nororiental de la península sinaítica, por los egipcios bajo Ptolomeo IV Filopátor. Este arrebató a Antíoco los territorios conquistados y parece ser que con esta ocasión entró en Jerusalén. Este acontecimiento, cuya historicidad no cabe descartar, está mezclado de elementos legendarios que se recogen en el denominado tercer libro de los Macabeos [13]. Al rey Ptolomeo, según tales textos, no se le permite la entrada en el templo. Tras algunos sucesos milagrosos, el rey vuelve a Alejandría e intenta allí vengarse en la colonia judía. Los encierra en el hipódromo e intenta hacerlos aplastar por los elefantes. Esto no se lleva a efecto gracias a la intervención de dos ángeles. El rey cambia de parecer y permite a los judíos celebrar una fiesta de siete días, que deciden conmemorar cada año (3 Mac 6, 22-41). Muchos detalles de este texto recuerdan las narraciones sobre persecuciones contra los judíos, especialmente el libro de Ester, que tuvo su origen en comunidades judías orientales y que habla al final sobre la institución de la fiesta de Purim. Cabe preguntar si el relato del tercer libro de los Macabeos representa la versión occidental de la fiesta oriental del Purim. Pero el tercer libro de los Macabeos es una composición muy artificial que maneja diversos elementos, presentes también en el escrito *Contra Apion* de Josefo, sobre todo la supuesta orden del rey de hacer aplastar a los judíos por los elefantes (*Contra*

13 El libro nada tiene que ver de hecho con los macabeos. Pero el término «macabeo» se aplicó posteriormente en una forma muy general a todos los luchadores en pro de la fe judía frente a los griegos y demás adversarios extranjeros, también a los judíos de la época premacabea. El texto griego forma parte del canon alejandrino de los Setenta, pero no fue admitido en el canon católico de la Vulgata. Traducción alemana en Kautzsch, *Die Apokriphen und Pseudoepigraphen* I, 119-135; Riessler, *Altjüdisches Schriftum,* 1928, 682-699; más bibliografía en Eissfeldt, *Einleitung,* [3]1964, 788 s; Soggin, *Introduction,* 1976, 471.473.

Ap. II, 5, 53-55). Por eso hay que dejar abierta la cuestión de si la colonia judía de Egipto estuvo realmente sometida a una grave amenaza [14].

Antíoco el Grande no osó emprender nuevas campañas contra el sur en vida de Ptolomeo IV; sólo el año 201, después de su muerte, atacó a su sucesor Ptolomeo V Epífanes, puso sitio a Gaza y la conquistó. La victoria no fue definitiva. El general ptolomeico Escopas avanzó en 198 en el territorio de las fuentes del Jordán superior. El contingente de tropas egipcias a su mando venció a Antíoco en Paneas (*bānjās*). La batalla marcó un hito. Los egipcios fueron derrotados definitivamente. Toda «Siria» cayó en manos de los seléucidas, incluidos Fenicia y los países a ambos lados del Jordán. Ya Seleuco I había repartido su reino en 72 satrapías, que eran más reducidas que las circunscripciones establecidas antiguamente por los persas. Los territorios ahora conquistados fueron adscritos a la satrapía de Celesiria [15]. La acogida dispensada a los seléucidas en Jerusalén fue bastante amistosa. Había reinado gran descontento bajo los egipcios. Antíoco IV renovó los privilegios para la ciudad y el templo, haciéndolo contar así en un decreto especial.

Este decreto está recogido en Josefo [16]; la letra y la autenticidad del documento han sido objeto de múltiples estudios y se han puesto en tela de juicio [17]. Al margen de la cuestión de si se trata de un solo decreto o de dos decretos refundidos por Josefo, la primera parte del texto (§ 138/139. 143/144) dispone medidas a corto plazo concernientes a la ciudad de Jerusalén, a su reconstrucción y a su población. Dice así:

[14] H. Ewald, *Geschichte des Volkes Israel* ³IV, 611 s infiere la conclusión contraria según la cual «el autor quiso demostrar con su relato que los judíos fueron siempre buenos súbditos en Egipto y por eso recibieron muchos honores, derechos y libertades de los ptolomeos».

[15] La expresión «Celesiria» (*he koile Syria*) designa propiamente la Siria llana o baja y Estrabón fijó sus límites entre los dos Líbanos. Pero el término abarca también otros territorios de Siria meridional; en sentido más estricto, la región que circunda las montañas del Líbano; en sentido amplio podía incluir también las satrapías de Idumea, Samaria y Fenicia y la Celesiria propiamente dicha bajo la denominación general de «Celesiria». G. Hölscher, *Palästina in der persischen und hellenistischen Zeit,* 1902, 6-12, 51-55.

[16] Josefo, *Ant.* XII, 3.3 (138-144).

[17] Cf. Appendix D en R. Marcus, *Josephus VII* (Loeb Class. Library) 743-764; diálogo con la literatura antigua. Dos redacciones del decreto refundidas observó A. Alt: ZAW 57 (1939) 283-285. Texto en K. Galling, TGI, 1950, 76 s (sólo en griego); ²1968, 89 s (en alemán, sin texto griego).

«(138) El Rey Antíoco saluda a Ptolemaios [18]. Considerando que los judíos mostraron su ya conocido celo por obsequiarnos espléndidamente a nuestra llegada a su ciudad y nos salieron al encuentro con el senado (*yerousía*) [19] en pleno, suministraron abundantes víveres al ejército y a los elefantes y colaboraron en la captura de la guarnición egipcia de la acrópolis (*ákra*) [20], (139) estimamos justo y equitativo por nuestra parte gratificar su ayuda reconstruyendo la ciudad destruida por las acciones bélicas y permitiendo a los habitantes dispersos el regreso y la residencia en ella (143). Pero, a fin de que la ciudad sea poblada con mayor celeridad, otorgo a los actuales habitantes y a todos aquellos que regresen hasta el mes de Hyperberetaios [21] la exención de impuestos durante tres años. (144) Y para el futuro los eximimos de un tercio del tributo a fin de ahorrarles sacrificios. Declaramos libres a todos los deportados de la ciudad y llevados como esclavos, lo mismo que a sus decendientes, y ordenamos que se les restituyan sus bienes».

No hay que olvidar que se trata de medidas dictadas inmediatamente después de finalizar la guerra. Así se explicaría no sólo la notable condonación fiscal, sino también la disposición —similar a la de la época de Nehemías— de repoblar la ciudad con los habitantes de los lugares circunvecinos. En cualquier caso, los tributos a largo plazo sólo se reducen en un tercio.

A estas medidas inmediatas acompañan las disposiciones sobre el templo y el culto, que parecen destinadas a un plazo más largo; este texto, que posiblemente es un decreto independiente, va inserto en otras disposiciones en la redacción de Josefo, § 140-142:

«(140) Decidimos, movidos de piedad, concederles para el culto una aportación de animales para el sacrificio, vino, aceite e incienso: 20.000

18 Este Ptolemaios es un egipcio introducido entre los seléucidas que era experto en asuntos de la satrapía de Celesiria y Fenicia.

19 Este «consejo de ancianos» es un organismo sometido al sumo sacerdote cuyo equivalente posterior fue el Sanedrín. Cf. E. Schürer, *Geschichte* I, 1901, 181-183.

20 El *akra* designa el «castillo» de Jerusalén. El *akra* de Antíoco el Grande aquí mencionada se hallaba al norte del emplazamiento del templo y fue ampliada por los asmoneos y por Herodes. En tiempo de éste llevó el nombre de Torre Antonia. Según una antigua tesis ya defendida por G. A. Smith, Schürer y recientemente Simons, no debe confundirse con el *akra* que construyó Antíoco IV Epífanes, que estaría situada al suroeste del templo, posiblemente en un lugar sobre el que actualmente se levanta la plataforma del templo herodiano. E. Schürer, *Geschichte* I, 198, nota 37; consideraciones recientes en este sentido en Y. Tsafrir, *The location of the Seleucid Akra in Jerusalem,* en *Jerusalem revealed*, Jerusalem 1975, 85 s; cf. también J. Simons, *Jerusalem in the old testament,* 1952, 148 s.

21 Equivalente al mes de *tisrí* (sept.-oct.) del calendario israelítico-judío; J. Finegan, *Handbook of biblical chronology,* 1964, 72.

dracmas de plata[22]; en harina fina, artabes santas[23] según el derecho vigente del país; en trigo, 1.460 medimnos; y, además, 375 medimnos de sal[24]. (141) Yo mismo dispongo que todo se ejecute con arreglo a mi mandato, y también que se lleven a término los trabajos en el templo, esto es, en los pórticos y en todo lo que necesite renovación. El material en madera debe suministrarse de Judea, de otros pueblos y del Líbano, sin que suban los impuestos con este fin. Lo mismo rige en cuanto a los materiales que sean necesarios para el embellecimiento del templo».

Los pormenores de este texto que se ocupan de las dependencias del templo, sobre todo de lo referente a los pórticos, no son verificables actualmente. Todas las obras de aquella época, en efecto, fueron sustituidas muy probablemente por el diseño del templo herodiano, mucho más espléndido. Se hace mención de la madera como material noble, que servía sobre todo para la techumbre[25]. Pero la última sección de las disposiciones merece particular atención:

«(142) Todos los miembros integrantes del pueblo deben vivir con arreglo a las leyes de sus antepasados. El senado, los sacerdotes, los escribas y los cantores del templo deben quedar exentos de lo que habían de pagar en impuestos personales y del impuesto coronario y de la sal».

La exigencia de vivir con arreglo a las leyes tradicionales parece afectar a los que están sometidos a las autoridades tanto judías como no judías de Jerusalén, las cuales han de permitir y garantizar el culto israelita sin restricciones. Entre los grupos exentos del impuesto del templo aparecen especialmente los «escribas del templo», cuya designación como *grammateis* aparece aquí por primera vez. Pero es difícil identificarlos con los «escribas de la ley», aunque el término se aplicó más tarde, también en la tradición neotestamentaria, a los expertos en la Escritura y en la tradición. Aquí se trata más bien de «escribas del santuario», un grupo profesional dedicado principalmente a la organización del templo. El «impuesto coronario» podría ser un donativo en homenaje al soberano correspondiente[26].

Estas importantes concesiones materiales al culto y al santuario son análogas a los grandes privilegios que el régimen persa había otorgado en su

[22] Tal es el valor de los géneros antes mencionados.

[23] La artabe era una medida egipcia, originariamente persa, de unos 40 litros; correspondía, pues, al efá veterotestamentario. El calificativo de «sagrada» hace referencia, quizá, a las unidades de medida empleadas en el templo.

[24] El medimno, antigua medida griega, era bastante utilizado, pero difería de una ciudad a otra. Valor orientador, 50 litros aproximadamente.

[25] Nada sabemos sobre la existencia de un edificio al estilo de la casa salomónica, con columnas de madera en el interior, quizá también con revestimiento de madera.

[26] Mencionado con frecuencia desde Alejandro (Arriano I, 12, 1). Este donativo obligatorio se llama en el mundo romano *aurum coronarium*. Cf. Th. Klauser, *Röm. Mitteilungen* 59, 1944-46, 129 s.

tiempo. Es verdad que los seléucida adoptaron algunas prácticas administrativas persas. Pero las medidas de este decreto de Antíoco III parecen estar determinadas en buena parte por la personalidad de este soberano. Sus sucesores se comportaron de otro modo.

Después de asegurar su dominio en el sur, Antíoco trató de afirmar y ampliar sus posiciones en Asia menor. Los acontecimientos se complicaron, Asia menor pertenecía también al área de intereses de Filipo V de Macedonia. Este se había aliado en la segunda guerra púnica con Aníbal. Por eso, tras la derrota de Aníbal en Zama el año 202, los romanos marcharon a oriente, lucharon en Grecia y atacaron también a Antíoco. Este había llegado en 192 a Grecia, donde sometió algunos territorios, y ahora hubo de enfrentarse con el poder militar de Roma. Los romanos le pusieron en fuga en el famoso paso de las Termópilas, donde un día los espartanos, bajo Leónidas (480 a. C.), derrotaron a los persas. En Asia menor, adonde se había extendido la guerra, infligieron una grave derrota a Antíoco en Magnesia el año 190 a. C. Los romanos estaban al mando de Lucio Cornelio Escipión, conocido por el sobrenombre de Asiaticus, que le distinguiría de su hermano homónimo, vencedor de Aníbal en Zama y que entró en la historia como Africanus. Antíoco hubo de doblegarse en la paz de Apamea, Siria, a las condiciones romanas (188 a. C.). Perdió todas las posesiones al oeste del Taurus y tuvo que pagar 15.000 talentos. Desde aquel momento comenzó la decadencia del poder seléucida. Las exigencias romanas pesaron gravemente sobre Siria y sobre el régimen seléucida; las importantes provincias septentrionales de Partia y Bactria dejaron de ser tributarias de los seléucidas. La recaudación de dinero constituyó a partir de entonces una de las primeras exigencias de la administración siria y determinó también las empresas militares de los seléucidas. Antíoco III emprendió una campaña hasta los territorios del lejano Elam para saquear el templo y requisar sus tesoros. Murió el 187 a. C.

Seleuco IV Filopátor (187-175) afrontó las deudas de su padre. Su rigurosa política fiscal afectó también a Celesiria, Judea incluida. El resumen histórico de Dan 11, 20 dice muy acertadamente:

> «Un sucesor suyo (de Antíoco III) despachará a un exactor de su majestad a requisar el tesoro del templo; en pocos días será liquidado sin riñas ni peleas».

Las últimas palabras de este texto insólito, pero claro, sugieren ya el desarrollo de los acontecimientos: el asesinato alevoso de Seleuco IV, por el recaudador de impuestos y ministro de finanzas Heliodoro.

Conviene considerar aquí la situación interna de Jerusalén, donde las dos familias sacerdotales de los Oníades y los Tobíades, como se las suele llamar, rivalizaban entre sí [27]. Los Oníades constituían el sacerdocio sadoqueo, aquellos que reclamaban para sí la dignidad del sumo sacerdocio en sucesión directa. He aquí su lista reconstruible para este período:

Yadua, hijo de Juan, supuesto contemporáneo de Alejandro Magno. Jos. *Ant*. XI, 8, 2-5.7, pero en realidad anterior a él.

Onías I, hijo de Yadua, Jos. *Ant*. XI, 8, 7.

Simón I el Justo, hijo de Onías I, Jos. *Ant*. XII, 2, 4, probablemente alrededor de 250.

Eleazar, hijo de Onías I, Jos. *Ant*. XII, 2, 4 s, contemporáneo de Ptolomeo II Filadelfo (?)

Manasés, tío de Eleazar, Jos. *Ant*. XII, 4, 1, cronología incierta.

Onías II, hijo de Simón I el Justo, según Jos. *Ant*. XII, 4, 1-20 contemporáneo de Ptolomeo IV Filopátor (221-204), Ptolomeo V Epifanes (204-181) y Antíoco III (223-187).

Simón II, hijo de Onías II, Jos. *Ant*. XII, 4, 10 s; (¿idéntico con el tobíade Simón de 2 Mac 3, 4?).

Onías III, hijo de Simón II, posiblemente idéntico con Onías II y muerto al comienzo del reinado de Antíoco IV Epifanes 175/4. Jos. *Ant*. XII, 4, 10; 5, 1; fue el último sumo sacerdote legítimo (Dan 9, 25).

Jasón, hijo de Simón II (?) 175-173; sustituido por Antíoco IV, que nombra a Onías (Menelao), hijo de Simón II, 173-164, Jos. *Ant*. XII, 5, 1.

Alcimo, nombrado por Antíoco V Eupátor 163, Jos. *Ant*. XX, 10, 1; m. 159.

A diferencia de esta familia sadoquea, que se mantuvo en una posición bastante fuerte y, aparte supuestas oscilaciones, pudo seguir durante mucho tiempo en el poder, los tobíades sólo alcanzaron cargos administrativos en la organización del templo. Su nombre deriva de Tobías el Amonita, que fue antaño uno de los grandes adversarios de Nehemías, después de relacionarse mediante matrimonio con los círculos más importantes de Jerusalén.

[27] Bibliografía selecta sobre estas familias sacerdotales en la edición de Josefo (trad. R. Marcus) vol. VII, Appendix E, 767 s; cf. también *The Hellenistic age* (ed. Schalit), en WHJP I, 6, London 1976, 96-105; IJH, 242-244.

Uno de sus sucesores de igual nombre, Tobías, fue en la época de Ptolomeo Filadelfo (285-246) capitán de una colonia militar compuesta de elementos internacionales en Ammón; mantuvo relaciones directas con la corte egipcia y estaba casado con una hermana del sumo sacerdote de Jerusalén Onías (II). Pertenecía a los hombres influyentes de la casa Tobías, que utilizaron a los egipcios para afirmar su poder en el área de Transjordania.

La actividad de este Tobías fue superada por su hijo José, que supo explotar las tensiones que se originaron entre Onías (II) y las autoridades egipcias. Fue, por encargo del gobierno egipcio, arrendador de impuestos para Judea y tuvo competencias para Samaría y para las ciudades de población mayoritaria griega. Sus relaciones con Alejandría, su influencia en la situación interna de Cisjordania y Transjordania y su capacidad en las cuestiones financieras hicieron de él una figura clave en la vida económica de Judea y más allá de sus fronteras. Dado que sólo una parte de la población obtenía ventajas de su rigurosa política fiscal, se produjeron duros enfrentamientos y hostilidades, especialmente con la población no judía del país.

La ascensión de los tobíades limitó de modo sensible la influencia del sumo sacerdote. Pero en el seno de la familia de José se produjeron al final graves tensiones. Su hijo menor Hircano tomó partido por el sumo sacerdote Onías (II), en tanto que sus hermanos querían deponerle. En 2 Mac 3, 4-40 se relata un hecho que es ya de la época de Seleuco V Filopátor (187-175), pero que tiene relación con estas disputas:

El inspector de la administración del templo, llamado Simón, otro hijo del tobíade José, se enemistó con Onías por asuntos de supervisión del mercado urbano de la ciudad. Simón nada podía hacer contra Onías. Entonces el tobíade se dirigió a Apolonio, gobernador de Celesiria y Fenicia, afirmando que en el templo de Jerusalén se guardaban inmensos tesoros. Apolonio lo contó al rey; éste, muy interesado en el asunto ante las exigencias romanas de nuevas fuentes de ingresos, envió inmediatamente a su ministro Heliodoro a Jerusalén. Pero allí el sumo sacerdote le hizo saber que se trataba de dinero reservado para viudas y huérfanos, más una suma que era de un hombre muy importante llamado Hircano de Tobías. Pero Heliodoro, siguiendo la orden del rey, exigió el dinero y entró en la tesorería del templo; esto desencadenó una conmoción popular. Entonces Heliodoro tuvo una repentina visión en el recinto del templo y quedó inmóvil, tendido en el suelo. El sumo sacerdote logró reanimarlo. Heliodoro renunció a sus pretensiones y contó más tarde al rey que «en aquel lugar había un poder divino».

El relato, evidentemente tendencioso, refleja sin embargo la compleja situación. La perfidia entre familias sacerdotales desavenidas desencadenó el incidente; las autoridades seléucidas buscaban con avidez todo lo que prometiera alguna ganancia. Los sacerdotes jerosolimitanos debían ingeniarse para ocultar el dinero y evitar pesquisas desagradables. El relato dice que Onías decidió al fin visitar personalmente al rey en Antioquía. Llegó tarde. Heliodoro había liquidado a Seleuco IV.

El asesinato tuvo grandes consecuencias, también para Judea y Jerusalén. Su motivo había sido elevar, con ayuda romana, a otro hombre muy diferente, Antíoco, que llevaba ya doce años viviendo en Roma como rehén. Pero, a causa de los pagos atrasados, las autoridades romanas exigieron que el otro hijo de Seleuco, Demetrio, permaneciera en Roma. En el interregno abierto con el paréntesis de las negociaciones, Heliodoro intentó asegurarse el dominio en Siria. Pero Antíoco, ya liberado en Roma, logró reducir a Heliodoro con el apoyo de las tropas del rey Eumenes II. Ocupó el trono sirio con el nombre de Antíoco IV Epífanes. Sus objetivos políticos eran ambiciosos. Quería, al parecer, hacer olvidar la ominosa paz de Apamea y por eso procedió con más decisión y dureza que sus predecesores. Para Judea y Jerusalén amaneció una nueva época, nada halagüeña, que iba a despertar allí unas fuerzas insospechadas.

Hasta la subida al trono de Antíoco IV, que intervino de modo inaudito en los asuntos de la vida judía, el país había conocido una cierta prosperidad, a pesar de las numerosas vicisitudes bélicas y tensiones internas que se sucedieron desde Alejandro Magno. Ptolomeos y sirios habían impulsado en los países al sur del Líbano el auge económico, que se vio favorecido en el período helenístico por el tráfico internacional y la apertura de vías comerciales. Los cereales sirios llegaban en barco a Egipto; y el preciado aceite se transportaba desde puertos fenicios y palestinos a Alejandría y de allí al interior de Egipto. Un producto de exportación era también el asfalto como aglutinante y agente de conservación, que abundaba sobre todo en la zona del mar Muerto. Se importaba, en cambio, a las poblaciones griegas de Sirio-Fenicia y Palestina vino del Egeo, como demuestran las asas de ánforas que se han descubierto en Bet-Sur, Geser, Samaría y otros lugares. Siria y Palestina fueron zona de tránsito para numerosas mercancías de áreas orientales y surorientales; una importante ruta comercial discurría desde Arabia meridional, pasando por la posterior Petra de los nabateos hacia Gaza. Desde allí se podían transportar las mercancías, por tierra o por barco, a Egipto.

Junto a los enlaces económicos, los ptolomeos y los seléucidas aplicaron medidas militares y de técnica administrativa. El área sirio-palestina reunió, además de soldados indígenas, unidades mercenarias que a veces vivían formando colonias militares. En tiempos de paz trabajaban en haciendas que el gobierno central les adjudicaba o que estaban bajo su vigilancia y administración directa.

Un ejemplo interesante de práctica administrativa de los ptolomeos lo ofrecen los papiros de Zenón [28]. En la época de Ptolomeo II Filadelfo (285-246) surgió en Egipto, a orillas del gran oasis *fajjum,* al suroeste del Delta del Nilo, la colonia militar Philadelpheia mediante prestación de parcelas de tierra a mercenarios. En su desarrollo tomó parte el ministro de finanzas del rey, Apolonio (261-246), que encargó de la administración de su hacienda a un hombre llamado Zenón, originario de Karien. Su correspondencia con Apolonio fue hallada el año 1905 en las ruinas de Philadelpheia. De especial interés son también los papiros referentes a las haciendas situadas al oeste y al este del Jordán y que el rey puso probablemente a disposición de Apolonio. Esta correspondencia no aclara del todo la proporción de fincas y tierras adjudicadas, pero aparecen series de nombres que a veces se han podido identificar como pertenecientes a Transjordania, pero también a Judea, Galilea y las llanuras costeras [29]. Zenón recorrió estas zonas ya en los años 261-258 por encargo de Apolonio. Dichos papiros hablan de compra de productos del país por los egipcios, sobre todo aceite, vino, también esclavos, y del nombramiento de funcionarios griegos que trabajaban especialmente en las ciudades para la administración ptolomeica. Es interesante notar que entre los agentes locales de Zenón hubo un tal Tobías, del que se dice que heredó unas tierras en las proximidades de Jericó y en la ribera oriental del Jordán y que se había estableci-

28 M. Rostovtzeff, *A large estate in Egypt in the third century B.C.,* University of Wisconsin Studies in the Social Sciences and History, n. 6, 1922; publicación de los papiros: V. A. Tcherikover - A. Fuks, *Corpus Papyrorum Judaicarum* (CPJ) I, Harvard University Press 1957; publicaciones más antiguas y un breve análisis en J. Herz: PJB 24 (1928) 105-109; cf. también F.-M. Abel, *Histoire de la Palestine* I, Paris 1952, 65-71; IJH, 571-573; buena reproducción de un papiro en M. Avi-Yonah (ed.), *Geschichte des Heiligen Landes,* 1971, 115.

29 Panorámica significativa en J. Herz *l.c.;* más pormenores topográficos en S. Mittmann, *Zenon im Ostjordanland,* en *Archäologie und Altes Testament* (*Festschrift Galling*), 1970, 199-210.

do con griegos y con nativos. Este Tobías era sin duda uno de los influyentes «tobíades».

Los papiros de Zenón sólo ilustran la situación de los propietarios extranjeros. Nada dicen acerca de los nativos. Pero es de suponer que los pequeños agricultores estuvieran en desventaja frente a los grandes propietarios; por lo demás, pudieron coexistir formas de posesión muy diversas, como ocurrió ya en el período persa.

Después de la toma del poder por los seléucidas, Celesiria y Fenicia estuvieron sometidas a un gobernador con el rango de *strategos* [30], con competencias tanto civiles como militares. Es muy probable que Acó (Ptolemaida) fuera la sede principal de su administración. Un cambio de régimen gubernativo y administrativo tuvo lugar con los asmoneos.

La influencia del helenismo en Celesiria se reforzó hacia el año 200 a. C., aunque con carácter desigual. Determinó la vida en las ciudades de las llanuras costeras y en los lugares del interior poblados por colonos griegos. Judea se mantuvo, extrañamente, ajena a dicha influencia. Es verdad que los nombres griegos fueron cada vez más frecuentes en los círculos judíos, pero no parece que se impusiera la lengua griega, que sólo cobraba relevancia en el ámbito administrativo. Judea y Jerusalén, que eran los verdaderos centros de la antigua tradición israelita, resistieron con éxito la irrupción del helenismo. Esto no significa que el espíritu griego y un talante vital abierto al mismo fuese totalmente ajeno a los círculos judíos. Pero la resistencia y el enfrentamiento fueron en ellos mucho más serios y vigorosos que en otras partes. Como testimonios de finales del siglo III y principios del II pueden aducirse el libro del Predicador o Eclesistés (Qohelet) y el libro de Jesús Sirá (Ben Sirá), cuyo texto original fue sin duda hebreo [31]. Ambas obras aparecieron sobre el fondo de aquella época, antes de la rebelión macabea. Ambas polemizan con la fe tradicional; el Eclesiastés, lamentando el orden presuntamente injusto

30 Usualmente con significado de «general», pero en este caso designación de un alto cargo administrativo.

31 Sobre el Qohelet cf. A. Lauha, *Kohelet,* BK 19, 1978, 3. Sobre Jesús Sirá, cf. las introducciones al antiguo testamento desde Eissfeldt, ³1964, 807-812. Sab 50, 27-29 nombra como autor del texto hebreo a Jesús Ben-Eleazar ben Sirá. Su nieto tradujo en Egipto la obra al griego (después de 117 a. C.). Soggin, *Introduction,* 1976, 450-457 (con bibliografía reciente); con atención a los textos y traducciones en hebreo, griego, latino y siríaco, F. Vattioni, *Ecclesiastico,* Napoli 1968. Amplios fragmentos de un texto hebreo se encontraron el año 1896 en la *guenizá* de la sinagoga Esdras de El Cairo; su autenticidad fue discutida. Pero algunos fragmentos del Sirá

del mundo [32]; y Jesús Sirá, hablando de una humanidad universal y de una sabiduría que es, sin embargo, indisociable del Dios de Israel, el cual habló a su pueblo en la ley y por medio de los antepasados.

En el libro de Jesús Sirá se indica que un nieto del autor lo tradujo al griego en Egipto, con destino a los judíos allí residentes. A esto hay que añadir que en el curso del siglo III comienza en Alejandría la versión griega del Pentateuco. La comunidad judía había aumentado allí considerablemente, no sólo con los numerosos inmigrantes de la madre patria, sino también con la recepción de personas que al margen de su pertenencia étnica se sometían a la «ley». Estos «agregados» (*prosélytoi* = prosélitos) no entendían generalmente el hebreo ni el arameo, pero asistían a las lecturas ordinarias de la *thora.* Con destino a ellos se inició la traducción del Pentateuco; sólo posteriormente, y en el curso de la fijación canónica, se tradujeron otros escritos veterotestamentarios.

Parece, pues, que esta actividad traductora tuvo su origen en la práctica litúrgica, y posiblemente se elaboraron versiones muy diferentes. La idea de que la traducción del Pentateuco fue obra de una empresa única en la que 72 personas, trabajando a puertas cerradas, elaboraron en texto literalmente coincidente es una bonita leyenda que quedó consignada en la parte final de la carta de Aristeas, un escrito pseudoepigráfico de la segunda mitad del siglo II a. C.; su fin era muy probablemente reforzar la autoridad del texto griego o al menos la de la versión preparada en Alejandría, y presentarla como obra de inspiración divina [33].

Según la carta de Aristeas, Ptolomeo II (Filadelfo (285-246) se interesó por el judaísmo y sus escrituras, que él deseaba acoger en la gran biblioteca de Alejandría, pero que en opinión de Demetrio de Falero, director de la biblioteca real, necesitaban una traducción. Un funcionario de la corte llamado Aristeas fue enviado a Jerusalén. El sumo sacerdote le asignó seis ancianos de cada tribu de Israel; 72 hombres en total. Estos recibieron el encargo de traducir al griego en Alejandría, en el plazo de 72 días, toda la *thora,* es decir, el Pentateuco. Una gran empresa que, según la carta,

hebreo hallados en Qumran, que muestran las coincidencias con el texto de El Cairo, aportaron luz a la cuestión de una transmisión continuada del texto hebreo. No está claro, sin embargo, si este texto hebreo tiene relación directa con la versión original del autor a principios del siglo II a. C.

32 Lauha *l.c.* juzga así: «Kohelet, en medio de su singularidad, mantiene algunas ideas bíblicas fundamentales».

33 La carta de Aristeas en alemán: Kauzsch, *Apokr. und Pseudoepigr.* II, 1-31; Riessler, *Altjüdische Schriftum,* 1928, 193-233; 1277-1279.

se llevó a cabo en la isla de Faros, frente a Alejandría: «Los reunió (Demetrio) en una casa construida junto a la playa, magnífica y silenciosa, y pidió a aquellos hombres que llevasen a cabo la versión, ya que estaba preparado todo lo necesario para aquel trabajo. Y ellos realizaron el trabajo contrastando sus versiones hasta convenir en un texto idéntico. El resultado de aquella coincidencia de pareceres fue lo que registró Demetrio».

Conviene hacer notar que la coincidencia en el texto no se consiguió «milagrosamente», según se afirma a veces, como si todos los traductores llegaran en solitario a la misma versión, sino mediante cotejo y contraste de los distintos trabajos. La denominación de los «Setenta» aplicada a la traducción griega de todo el antiguo testamento descansa en esta leyenda sobre los 70 (72) sabios trabajando en común, que sólo vertieron el Pentateuco. Las circunstancias históricas que señala la carta de Aristeas son ficticias, incluida la afirmación de que fueron judíos de Jerusalén o de Judea los autores de la versión. Fueron sin duda judíos de Alejandría. No cabe excluir *a priori* que se reunieran en la isla de Faros para trabajar en comisión, pero falta toda prueba fiable de que así ocurriera. El hecho coincidente con la leyenda es que en el siglo III dio comienzo en Alejandría la traducción del Pentateuco. El canon de los profetas del antiguo testamento, con inclusión de los libros históricos, se tradujo en el curso del siglo I a. C.[34].

Todos estos testimonios indican que las Escrituras y el culto fueron en la poca ptolomeica el verdadero lazo de unión para el judaísmo de la madre patria y de la diáspora e incluso pudieron ejercer una influencia en su entorno, atrayendo a prosélitos que se comprometían al cumplimiento de la ley. El proceso tiene su importancia. En una época de progresiva helenización, de cambio radical en casi todos los órdenes de la vida espiritual y cotidiana, el espíritu y el ideal de vida, particularmente la religión del pueblo de Israel, se afirmaron en un talante universal. Pese a las múltiples transformaciones producidas en la diáspora, y lejos del centro religioso que era Jerusalén, las ideas religiosas de Israel

[34] Sobre la cuestión del texto primitivo de los Setenta y su reconstrucción cf. P. Kahle, *Die Septuaginta. Prinzipielle Erwägungen*, en *Festschrift O. Eissfeldt zum 60. Geburtstag,* 1947, 161-180; más reciente F. M. Cross, *The ancient library of Qumran,* rev. ed., 1961, cap. IV; *Die Bedeutung der Septuagintaforschung für die Theologie,* reflexiones de R. Hanhart en *Drei Studien zum Judentum, Theologische Existenz heute:* NF 140 (1967) 38-64; sobre la aportación de Egipto S. Morenz, *Ägyptische Spuren in den Septuaginta,* 1964, ahora en: S. Morenz, *Religion und Geschichte des alten Ägypten,* 1975, 417-428; M. Görg, *Ptolemäische Theologie in der Septuaginta,* en *Das ptolemaische Ägypten, Akten des internat. Simposions Berlin 1976,* ed. por H. Maehler y V. M. Strocka, 1978, 177-185.

pudieron concurrir con las de los otros pueblos y religiones sin dejarse asimilar por ellos en su núcleo esencial, y esto se debió en buena parte a la lengua griega como vehículo de la tradición israelítico-judía. El intento de los seléucidas, en la primera mitad del siglo II de someter la metrópoli de Jerusalén al espíritu griego fracasó sustancialmente. La empresa de Antíoco IV chocó con la resistencia de Jerusalén y despertó el espíritu combativo de los macabeos.

22

ANTIOCO IV Y LOS MACABEOS

Ya después de la muerte de Antíoco III el Grande (187 a. C.), el mundo mediterráneo oriental sometido a la influencia griega entró en un período de crisis y de inseguridad. Roma empezaba a extender su acción a oriente. Al finalizar la segunda guerra púnica, dictó la paz a los cartagineses el año 201 a. C. y se convirtió en la primera potencia militar, pasando a ser la dueña del Mediterráneo occidental. Entonces comenzó el avance hacia el este, primero a Macedonia y posteriormente a Asia menor y Siria. La alianza de Roma con Egipto constituyó una amenaza para los seléucidas, de Siria. Pero aquí reinaba ya Antíoco IV, un soberano tan ambicioso como falto de escrúpulos, que para afianzar y acrecentar su poder no dudó en traspasar unas fronteras que ningún seléucida había osado franquear. Intentó imponer el helenismo en Jerusalén y Judá mediante la violencia política y militar, haciendo pasar a los judíos por la prueba más dura desde el destierro de Babilonia.

Entonces empezaron las disensiones internas. Bajo la fuerte presión de las nuevas circunstancias, una parte de los judíos se mostró dispuesta a abrirse a la influencia helenística. Esto constituyó un reto para los fieles a la ley, que decidieron oponer una fuerte resistencia. Los Macabeos encabezaron la rebelión y se convirtieron para toda la época en un símbolo de lucha a ultranza, una lucha que, pese a sus éxitos y dada la relación de fuerzas, ocasionó tensiones y la formación de diversos grupos y tendencias. Así esta época sienta las bases de la compleja estructura que presentará el judaísmo en el siglo I a. C. Junto a los representantes de la ortodoxia, encarnados en el fariseísmo, aparece el grupo de los saduceos, más flexibles en lo político y en lo espiritual y partidarios del compromiso, como también otros grupos especiales, entre ellos el de la comunidad de Qumran, en una relación aún sin aclarar con los esenios, otra tendencia que se afirma en este período. Pero tales temas exceden de los límites del presente capítulo.

Sobre la época de Antíoco IV poseemos una mejor información que sobre el tiempo anterior. La fuente principal para conocer la situación de Judea es el primer libro de los Macabeos, redactado originariamente en hebreo, pero que sólo se conserva en griego [1]. El libro relata los acontecimientos que tuvieron lugar entre la subida al trono de Antíoco IV en el año 175 y la muerte del asmoneo Simón el 134 a. C., en una sucesión cronológica, sobre una base bastante fiable de fuentes contemporáneas [2]. El libro segundo de los Macabeos presenta otra perspectiva. Aborda sólo el espacio de tiempo entre 175 y 161 a. C., y desde 2,19 es un extracto de la obra histórica de Jasón de Cirene, que no conocemos. Jasón procedía de círculos de la diáspora helenística y parece ser que escribió su obra en griego. El valor documental del libro segundo de los Macabeos es desigual a causa de los numerosos elementos legendarios que incluye en su texto [3]. Los dos libros de los Macabeos catalogados como apócrifos ponen especial empeño en resaltar los méritos del movimiento de los macabeos en su fidelidad a la ley. Entre los escritores cuyos informes son relevantes para este período cabe mencionar especialmente a Josefo y Polibio [4].

1 El libro sigue de cerca los acontecimientos y quedó concluido muy probablemente en Jerusalén, a tenor de sus palabras finales 1 Mac 16, 23 s, en la época del asmoneo Hircano o poco después de su muerte (134-104 a. C.). Cf. para más información las introducciones al antiguo testamento y el breve sumario de IJH, 541-544.

2 K.-D. Schunck, *Die Quellen des I. und II. Makkabäerbuches,* Halle/S. 1954, intenta demostrar la existencia de varias líneas de tradición contemporánea; crítica a esta tesis en G. O. Neuhaus, *Quellen im I Makkabäerbuch? Eine Entgegnung auf die Analyse von K.-D. Schunck*: JSJ 5 (1974) 162-175.

3 A la exposición histórica preceden dos cartas (2 Mac 1, 1-9; 1, 10-2, 18) cuya autenticidad es muy discutida. La conclusión de todo el libro data del siglo I a. C. Sobre las fuentes de la obra cf. Schunck, *ibid.;* J. G. Bunge, *Untersuchungen zum Zweiten Makkabäerbuch,* tesis doctoral, Bonn 1971. Cf. también J. R. Bartlett, *The first and second books of the Maccabees,* en *Cambridge Bible Commentary,* London 1973; F.-M. Abel - J. Starcky, *Les livres des Maccabées,* La Sainte Bible 27, Paris 1961.

4 De las *Antiquitates* de Josefo hay que destacar algunas partes de los libros 12 y 13, y del *Bellum Judaicum* el comienzo del libro 1, que arranca de Antíoco IV Epífanes. La exposición de la historia romana por Polibio en 40 libros (sólo los cinco primeros completos, el resto en fragmentos) comienza a hablar de Antíoco Epífanes en el libro 26. Polibio, *The histories* V. VI (texto griego con trad. inglesa de W. R. Paton), Loeb Series, London 1927 (reimpreso en 1975). Cf. también la panorámica sobre el material de fuentes literarias y arqueológicas en IJH, 538-559; cf. asimismo E. Bickermann, *Der Gott der Makkabäer,* 1937, 143-154.

No es fácil la exposición del curso histórico de los acontecimientos que tuvieron lugar en Judea, dada la complejidad de los diversos factores y su interferencia con las ideas de política exterior y las amenazas de los seléucidas. Ya el predecesor de Antíoco IV, Seleuco IV Filopátor (187-175), que fue la víctima de Heliodoro, intentó abolir la autonomía económica del santuario de Jerusalén, que le había sido ratificada en su tiempo por Antíoco III. Antíoco IV apeló sin escrúpulo a otros medios para hacer frente a las contribuciones extraordinarias que Roma le imponía. Ofreció el cargo de sumo sacerdote al mejor postor entre los candidatos. Así se sucedieron en Jerusalén los sumos sacerdotes a un ritmo acelerado. Antíoco IV depuso primero a Onías III(alrededor de 175 a. C.) para sustituirlo por su hermano Jasón, porque éste no sólo le prometió elevadas sumas, sino la imposición del helenismo en Jerusalén. Pero ya el año 173 un rival del sumo sacerdote llamado Menelao [5], perteneciente quizá a los tobíades, hizo al rey mejores ofertas y fue elevado al sumo sacerdocio. Menelao ostentó el cargo hasta el año 164 con una breve interrupción durante la primera campaña de Antíoco IV en Egipto el año 169, cuando Jasón intentó expulsarle. Para poder cumplir las promesas económicas hechas a los sirios, Menelao no dudó en vender algunos utensilios del templo [6].

Desde el año 170, Antíoco entró en graves conflictos con los egipcios. Estos hicieron valer de nuevo sus pretensiones sobre Celesiria. Pero Antíoco se anticipó al ataque y obtuvo notables éxitos en dos acciones bélicas emprendidas contra Egipto. Se hizo proclamar rey por sus tropas y fue coronado como faraón en Menfis. Pero los romanos ganaron entretanto la batalla de Pidna (168 a. C.) en la tercera guerra macedónica y observaron con gran recelo la entrada de Antíoco en Egipto; por eso obligaron al seléucida a abandonar este país y proclamaron sus propias preten-

[5] Según Josefo, *Ant.* XII, 5, 1, era hijo de Simón (¿II?) y hermano de Jasón. El nombre originario de Menelao sería Onías.

[6] Según 2 Mac 4, 32-38, esto llegó a oídos de Onías III, que se había retirado a las proximidades de Antioquía. Onías habría expresado amargas quejas. Por eso Menelao le hizo liquidar por el gobernador Andrónico. Las circunstancias concretas del hecho se desconocen; también las noticias sobre el supuesto lugar de huida, donde se supone que se consumó el asesinato, carecen de verosimilitud. I. L. Seeligmann, *The septuagint version of Isaiah. A discussion of its problems,* Leiden 1948, aborda en un apéndice algunos problemas de la fase final de la vida de Onías III; sobre el supuesto exilio sirio de Onías III cf. *ibid.,* 93 s. Los pormenores de un informe de Diodoro (30.7.2) al hijo de Seleuco IV sobre el asesinato fueron comunicados probablemente por Andrónico a Onías III. Así estimó ya Wellhausen, al que remite Seeligmann, *o. c.*

siones sobre el mismo. Antíoco hubo de ceder a la prepotencia romana. Esto ocasionó revueltas en diversos puntos del área de poder seléucida, incluida Jerusalén.

Ya en otoño de 169 [7], cuando Antíoco regresó de su primera campaña egipcia, se había presentado en Jerusalén para entrar en el templo y despojarlo de sus tesoros, como hiciera en otras partes con santuarios de su vasta área de poder. Durante su segunda operación en Egipto, el año 168, hubo de abandonar Egipto definitivamente bajo la presión de los romanos; entonces se produjeron revueltas en Jerusalén, circunstancia que aprovechó, como queda dicho, el expulsado sumo sacerdote Jasón para asumir de nuevo esta dignidad; pero su facción fue derrotada y él hubo de emprender la huida. Permaneció primero en Transjordania y más tarde llegó a Egipto. Menelao fue repuesto en su cargo bajo la protección de las armas sirias. Antíoco no se dejó ver personalmente en Jerusalén. Envió a su «oficial del fisco» Apolonio (1 Mac 1, 29; cf. 2 Mac 5, 24) para helenizar la ciudad y tomar las medidas necesarias para su seguridad militar [8]. Al hilo de estos acontecimientos se reconstruyó o se erigió quizá de nueva planta el *akra* de Jerusalén para la guarnición seléucida [9]. Con esta

7 La cronología de los reyes seléucidas, y en relación con ella, la de la época de los Macabeos se ha podido establecer con gran precisión desde el hallazgo de la «lista de los seléucidas» en el British Museum. Traducciones en ANET, 566 s; Biblica 36, 1955, 261 s. Publicación del texto: A. J. Sachs - D. J. Wiseman, *A Babylonian king list of the hellenistic period:* Iraq 16 (1954) 202-211. Sobre la valoración, F. Schaumberger, *Die neue Seleukidenliste BM 35 603 und die makkabäische Chronologie:* Biblica 36 (1955) 423-435; ampliamente R. Hanhart, *Zur Zeitrechnung des I. und II. Makkabäerbuches,* en A. Jepsen - R. Hanhart, *Untersuchungen zur israelitisch-jüdischen Chronologie:* BZAW 88 (1964) 49-96.

8 Las causas y los efectos de los acontecimientos aquí descritos son objeto de discusión. Esto se debe a las diferentes exposiciones de 1 Mac 1, 20-23; 2 Mac 5, 1-26; Josefo, *Bellum* I. 1, 1 (31-33); *Ant.* XII, 5, 1-4 (237-256); Dan 11, 28-31. Se discute si Antíoco apareció por segunda vez personalmente en Jerusalén y, por tanto, si se presentó allí después de la segunda campaña de Egipto o si la segunda vez envió a Apolonio. Y en relación con ello se discute también la época de la rebelión de Jasón, si fue el año 169 o un año después, de forma que la intervención en los asuntos de Jerusalén después de la segunda campaña de Egipto pueda enlazar causalmente con la rebelión de Jasón. P. Schäfer resume las diferentes opiniones con sus respectivos defensores en IJH, 564-566. La presente exposición parte del presupuesto de que la posesión de Jerusalén y de su templo y la helenización de la ciudad y de Judea formaban parte de los objetivos de los seléucidas y, en consecuencia, los diversos factores desencadenantes de que habla la tradición son de importancia secundaria.

9 Sobre la situación exacta del *akra* erigida por los seléucidas, Y. Tsafrir en: *Jerusalem revealed,* Jerusalem 1975, 85 s. El autor supone que el lugar se encuentra en la vertiente suroriental del emplazamiento del templo.

ocupación seléucida de Jerusalén, calculada para largo plazo, quedaron prácticamente abolidos todos los privilegios que Antíoco III había otorgado a la ciudad. Todo el proceso presenta cierta analogía con la colonización de Samaría por inmigrantes macedonios después que la ciudad se levantara contra Alejandro Magno. Apolonio hizo ocupar Jerusalén, no sólo con una guarnición siria, sino también con judíos helenizados de probada adhesión. El libro primero de los Macabeos los calfica de «pueblo impío» [10].

Antíoco prohibió con diversos decretos, tras la construcción del *akra,* los sacrificios en el templo. Prohibió asimismo la circuncisión y distintos actos cutuales. Pero lo más monstruoso fue que en el propio santuario se introdujo el culto a Júpiter Olímpico (167 a. C.) y se le adjudicó un altar propio. Este altar de Júpiter Olímpico es el que recibirá en el libro de Daniel (Dan 9, 27) el calificativo siniestro y suficientemente claro de «atrocidad abominable» [11]. Se erigieron además, en los campos de Judea, altares donde podían ofrecer sacrificios los fieles de cualquier religión. La fidelidad al culto judío y a la religión de los antepasados fue sancionada con la pena de muerte. Esta sanción se aplicaba principalmente a la observancia del sábado y otras festividades [12]. Antíoco castigaba con tales medidas los usos y ritos

Otra hipótesis, la de que el *akra* de los seléucidas debe buscarse, en correspondencia con el palacio de los asmoneos, al nordeste del barrio judío, aparece expresada por M. Avi-Yonah en EAE II, London 1976, 603. A juicio de K. M. Kenyon, el *akra* se encontraba sobre la colina occidental, en el área de la ciudadela construida posteriormente por Herodes; K. M. Kenyon, *Jerusalem. Die heilige Stadt von David bis zu den Kreuzzügen,* 1968. Cf. también p. 441, nota 20.

[10] 1 Mac 1, 34.

[11] Sobre «abominación de la desolación», cf. principalmente la forma griega en 1 Mac 1, 54 (cit. en Mc 13, 14; Mt 24, 15); sobre el contenido mismo cf. también 2 Mac 6, 2. Hartmann - Di Lella, *The book of Daniel* (Anchor Bible, 23), 1978; A. Lacocque, *The book of Daniel,* London 1979, 198 s.

[12] La razón de las duras medidas aquí descritas contra la religión del pueblo judío es controvertida; Bickermann defendió la tesis de que los sirios habían decidido apoyar un partido helenista activo en la propia Jerusalén, quizá bajo la dirección de Menelao. De otra opinión es Tcherikover, que explica las medidas como una reacción contra los hasideos, que se rebelaron contra el *akra* y contra la transformación de Jerusalén en polis. Una opinión intermedia defiende Bunge, que considera la recusación del sacrificio establecido para el rey tras la erección del altar de Zeus como el momento desencadenante de las medidas seléucidas. E. Bickermann, *Der Gott der Makkabäer. Untersuchungen über Sinn und Ursprung der makkaäischen Erhebung,* 1937; V. Tcherikover, *Hellenistic civilization and the Jews,* 1959; J. G. Bunge, *Untersuchungen zum Zweiten Makkabäerbuch,* tesis doctoral, Bonn 1971. Breve exposición de las opiniones en IJH, 562-564.

judíos como un delito político, como rebelión contra la soberanía seléucida. Venía a abolir de hecho la *thora,* que desde la dependencia política de Judea tras el éxilio ningún poder extranjero había osado tocar. No es fácil comprender el alcance de los conflictos a que esto daba lugar en Jerusalén y sus alrededores. Los conflictos eran inevitables. El dilema era desobedecer al rey seléucida exponiéndose a la persecución, o renegar de la religión de los antepasados, lo cual equivalía a una traición a la causa más sagrada y propia, la renuncia a la fuerza religiosa decisiva que había sustentado hasta entonces la independencia política. El conflicto tenía que estallar.

Estos acontecimientos externos de la historia desde la subida al trono de Antíoco IV se ven agravados por la helenización sistemática emprendida por este seléucida, una helenización que no se limitaba al ámbito del culto. La erección del altar de Zeus en el santuario de Jerusalén fue sin duda el más monstruoso sacrilegio conocido desde la existencia del templo. Un soberano extranjero emplazaba en el solar del templo el lugar de culto de una divinidad extraña. La indignación por este hecho se encuentra descrita con viveza en los libros de los Macabeos. En realidad casi todos estaban de acuerdo en que el hecho constituía un sacrilegio. Pero esto no supuso sin más la rebelión contra el modo de vida helenístico. Incluso una parte del sacerdocio no se mostró del todo hostil al proceso de helenización. El libro primero de los Macabeos describe la situación en términos que se pueden considerar como expresión del estado de ánimo general, aunque se refieran concretamente a los seguidores de la ley (1 Mac 1, 11): «Por entonces hubo unos israelitas apóstatas que convencieron a muchos: vamos a hacer un pacto con las naciones vecinas, pues desde que nos hemos aislado nos han venido muchas desgracias». El texto sigue diciendo que algunos del pueblo pidieron autorización al rey para construir un gimnasio en Jerusalén al estilo de los griegos y trataron de disimular la circuncisión (1, 12-14). El gimnasio, donde se hacían los ejercicios con el cuerpo desnudo, según la usanza griega, constituía precisamente el símbolo y la base de modo de vida helenístico y era estimado de modo particular por los jóvenes. Todas las competiciones deportivas se sometían a la protección de los dioses y se practicaban en su honor; así iban ligados forzosamente con el culto de Heracles o de Hermes, o recababan para sí la legitimación divina del soberano reinante. Se comprende así que en este punto encontrase la mayoría de los judíos el obstáculo para abrirse a la civilización helenística. A este respecto es aleccionador un episodio que se narra en 2 Mac 4, 18-20. Un grupo de judíos helenistas viajó como delegación de Jerusalén a Tiro con motivo de la celebración de unos juegos. El sumo sacerdote Jasón les entregó dinero para la ofrenda a Heracles. Pero aquellos hombres pidieron que al dinero se le diera otro destino, pues «no les parecía bien» su empleo para la ofrenda a Heracles.

El relato ofrece un doble interés. Muestra la falta de escrúpulos de un sumo sacerdote, pero también la conciencia fuertemente arraigada de aquellos representantes sobre «lo que es decente» o no. Cabe preguntar ante tales hechos cómo puede ocurrir que una parte de los sacerdotes hiciera concesiones, no sólo en el plano político, sino incluso en lo relacionado con el culto religioso. No había que olvidar la tradición, pero ellos querían sin duda aproximar la religión de Israel al helenismo dentro de lo posible, considerándola, al estilo griego, como educadora en orden a una cultura general de la humanidad. El proceso, enormemente complejo, de la helenización de Judea tuvo lugar en un clima político muy tenso. Las pretensiones de una asimilación forzosa por parte del soberano seléucida, movido por la mentalidad de la época y ciego para comprender la peculiaridad y rigor de la mentalidad judía, tenían que escandalizar a muchos y despertar las fuerzas de la oposición. Es de suponer que los helenistas declarados fuesen una minoría, pero residían en Jerusalén, mientras que las gentes de los alrededores contemplaban el cambio con desconfianza.

La reacción, en efecto, vino de los medios rurales. Brotó en un pequeño lugar situado entre Beth Horon y Lida, al noroeste de Jerusalén: Modín. Allí apareció, según el relato, un funcionario sirio, exigiendo a la población que participara en el culto extranjero. Un hombre de familia sacerdotal, llamado Matatías [13], opuso resistencia: liquidó al funcionario y ejecutó también a un judío que se presentó a ofrecer sacrificios (1 Mac 2, 15-28).

Matatías huyó con sus cinco hijos a una comarca solitaria de la vertiente oriental de la montaña de Judea, donde congregó a

[13] Formaba parte de la familia de Yoarib (1 Mac 2, 1) y era, por tanto, miembro del orden sacerdotal llamado Yoarib, el primero de los órdenes indicados en 1 Crón 24, 7 s. Probablemente fue su abuelo o su bisabuelo el que llevó el nombre de Asmón (cf. las indicaciones de en Josephus, *Ant.* XII, 6, 1 [265] con *Bellum* I, 1, 3 [36]). Por eso suele denominarse a toda la familia «asmoneos» (en sentido estricto, la designación de «asmoneos» es aplicada por Simón a los portadores de la dignidad dinástica, frente a los «macabeos», hijos de Matatías). A ellos se añadieron los hasideos (en hebreo *hasidim,* los «piadosos» (1 Mac 2, 42), que ya debían de ser un grupo independiente antes del alzamiento macabeo.

otros compañeros en ideales. Estas gentes partieron a destruir los altares erigidos por los seléucidas, dieron muerte a los judíos adictos al espíritu helenístico y al culto extranjero y circuncidaron a los niños que aún estaban incircuncisos. Parece ser que en la primera época sólo libraron pequeños combates con las tropas seléucidas. Estas atacaban principalmente en día de sábado porque en tal día los fieles no oponían resistencia. Matatías hubo de permitir al fin la lucha en sábado, a fin de organizar debidamente la defensa.

Matatías murió en 166, tras los primeros meses de combate por la ley de Israel contra el espíritu de extranjerización, y uno de sus hijos, Judas, de sobrenombre Makkabi, «el martillo» (griego *makkabios*), que entró en la historia como Judas Macabeo (Judas Maccabaeus), continuó la lucha; su sobrenombre se popularizó hasta el punto de denominarse la sublevación de los adictos a la ley «sublevación macabea». Con Judas, en efecto, la lucha se extendió notablemente, ya que intervinieron en ella grandes contingentes de tropas sirias.

Judas obtuvo la primera victoria en Bet-Horon, cerca de Modín, y más tarde al suroeste del poblado, en las proximidades de Emaús [14]. Estas acciones bélicas alarmaron a las autoridades seléucidas. Así quedó encargado el gobernador Lisias para atacar a los insurrectos. El combate se libró en Bet-Sur, unos 30 kilómetros al sur de Jerusalén, y Judas con los suyos obtuvo una nueva victoria (1 Mac 4, 26-35). Lisias intentó entrar en negociaciones de paz con los judíos de Bet-Sur. Esto se debió a que Antíoco IV luchaba en oriente contra los partos y no cabía destacar grandes contingentes de tropas contra los rebeldes judíos. El armisticio se llevó a cabo y resultó favorable para el vencedor, aunque dentro de ciertos límites. Según el segundo libro de los Macabeos (11, 19), Lisias exigió de los judíos acatamiento al gobierno central sirio. Al mismo tiempo estaba en camino una embajada romana para entrevistarse con el rey en Antioquía y mediar en favor de los judíos (2 Mac 11, 34-38) [15]. Parece ser que el propio sumo sacerdote Menelao se presentó ante el rey con ánimo

[14] 1 Mac 3, 1-4, 25. Los adversarios de Judas eran Apolonio, cuya función exacta se desconoce (quizá se identificaba con el recaudador de 2 Mac 5, 24), Serón, el comandante supremo de Celesiria, y Gorgias, un general al servicio de Lisias.

[15] Los contactos entre judíos y romanos en el s. II a. C. se enjuician de modo dispar en cuanto a su historicidad y su intensidad. Sobre el presente tema, cf. T. Liebmann-Frankfort, *Rome et le conflict judéeo-syrien (164-161 avant notre ère)*: L'Antiquité Classique 38 (1969) 101-120; Bunge *o. c.*, 392-395, 421 s.

conciliador (2 Mac 11, 29), reconociendo que los piadosos, pero combativos judíos, que eran sus adversarios, habían sido los vencedores.

Antíoco IV hubo de ceder ante estos éxitos de los Macabeos. Un real decreto, reproducido en 2 Mac 11, 27-31 y cuyo contenido puede considerarse como fiable, promete la impunidad a todos los que estén dispuestos a volver a sus casas dentro de un plazo fijado. Se hace constar expresamente que los judíos podrán seguir sus usos alimenticios y guardar sus leyes como antes. Esto significaba de hecho el fin de las persecuciones y la capitulación del rey ante el intento de imponer por la violencia la cultura y el estilo de vida helenísticos en Jerusalén. Aún no se resolvía el problema central: el culto en Jerusalén y su ejercicio exclusivo en honor del Dios de Israel. Menelao seguía siendo sumo sacerdote. Por eso Judas decidió expulsarle por la violencia a él y a los sacerdotes helenizantes de Jerusalén (1 Mac 4, 36-61). En diciembre de 164 ocupó la ciudad, purificó el templo de todas las innovaciones de tipo helenístico y realizó cambios en el sacerdocio. Logró además tener en jaque a la guarnición seléucida y la población adicta a la misma en la acrópolis. El acontecimiento anhelado por los leales tuvo lugar el 14 de diciembre (25 Kislev) del 164, tres años después de la profanación del templo[16]: la nueva consagración, con un altar purificado para el Dios de Israel (1 Mac 4, 36-61; 2 Mac 10, 1-8; Josefo, *Ant.* XII, 7, 6-7 = 316-326). Los fieles celebraron la fiesta durante ocho días y 1 Mac 4, 59 dispone su conmemoración anual. Se trata de la actual fiesta de *hanukka,* que perpetúa el recuerdo de aquellos acontecimientos.

La restauración del culto israelita en Jerusalén movió a numerosas poblaciones vecinas, de Judea según el relato de 1 Mac 5, a atacar a los judíos que vivían en ellas e incluso a liquidarlos. Por eso Judas y su hermano Simón libraron una serie de combates hasta vencer a los edomitas y moabitas de Transjordania. Los leales pudieron ayudar también a los habitantes oprimidos de Galaad y de Galilea, bajo el caudillaje de Judas y de Simón. Las luchas se extendieron hasta la llanura costera y hacia Judea. Se conquistó Hebrón y Maresá, al oeste de Hebrón, en dirección

16 El espacio de tiempo de tres años puede ser acertado. Pero no es probable que el templo fuese consagrado de nuevo el día exacto en que fue profanado tres años antes (cf. 1 Mac 1, 54 con 4, 52-54), teniendo en cuenta Dan 8, 14; 12, 11.12. La profanación del santuario debió de producirse ya en el verano del año 167. R. Hanhart, *o. c.,* 83 s. El texto de 2 Mac 10, 3-5 reduce los años a dos; sobre la problemática global en Hanhart, *o. c.*, 76-84.

a la costa. Es muy probable que el relato englobe cierto número de operaciones aisladas en una campaña única. No constan las fechas en que pudieron producirse las distintas acciones bélicas [17].

Pocos días después de la consagración del templo [18], Antíoco IV murió en una campaña contra los partos. Su hijo de ocho años, Antíoco V, luego denominado Eupátor, no tenía capacidad para reinar; por eso parece ser que ya en vida del rey fue nombrado el general Filipo para hacerse cargo del gobierno. Esta situación provisional en la sucesión al trono favoreció a Jerusalén y a Judas Macabeo. Este atacó de nuevo la acrópolis, y su guarnición hubo de pedir ayuda al rey sirio. Lisias, que custodiaba al joven Antíoco V, acudió en auxilio de la plaza sitiada. Judas hubo de ceder y se aprestó a la lucha en Bet-Zacarías, a diez kilómetros al suroeste de Belén, y fue derrotado. A pesar de ello logró huir a Jerusalén, ciudad fortificada. Lisias le persiguió y puso sitio a la ciudad. La situación para los cercados fue muy comprometida; Judas y Simón parecían perdidos fatalmente. Entonces llegó a Lisias la noticia de que Antíoco IV no le había nombrado a él, sino a Filipo para hacerse cargo del gobierno. Este se encaminaba a Antioquía para asumir todos los poderes de gobierno. Así cambió la situación (1 Mac 6, 55-63). Lisias hubo de regresar apresuradamente y se avino a una negociación (163 a. C.). Restituyó el templo a los partidarios de la ley y permitió de nuevo la práctica de la religión tradicional.

Un documento oficial del rey en forma de carta a Lisias aparece recogido en 2 Mac 11, 22-26. En él se habla de que «los judíos no estaban conformes con la introducción de novedades griegas, como fue deseo de nuestro padre», y el rey se muestra dispuesto a restituirles sus antiguos derechos. Así parecía quedar cancelada la afrenta que Antíoco IV infligió a los judíos y a Jerusalén. La ciudad recuperó su posición independiente, aunque con ciertas limitaciones, como se comprobaría luego. Inesperadamente y en contra de lo dispuesto, Lisias hizo destruir las fortificaciones, liquidó a sesenta de los antiguos rebeldes judíos e in-

[17] Este relato de 1 Mac 5 distingue además con claridad la descripción de la consagración del templo (cap. 4) y los acontecimientos en torno a la muerte de Antíoco IV (cap. 6), hechos que debieron de producirse a escasa distancia temporal uno de otro. Cf. Hanhart, *o. c.,* 82. Sobre los problemas históricos y geográficos de 1 Mac 5, K. Galling, *Judäa, Galiläa und der Osten im Jahre 164/3 v. Chr.*: PJB 36 (1940) 43-77.

[18] 1 Mac 6, 1-17; 2 Mac 9; lista de seléucidas v. 14. A pesar de algunas imprecisiones, cabe suponer con gran probabilidad que ya el 18 de diciembre de 164 se había difundido la noticia de la muerte del rey en Babilonia. Hanhart, *o. c.,* 79 s.

cluso hizo ejecutar al depuesto sumo sacerdote Menelao. Lisias declaró que éste había sido el causante de todos los males (2 Mac 13, 4).

Josefo (*Ant.* XII, 9, 7) hace notar que Menelao había sugerido al padre del rey forzar a los judíos a renegar del Dios de sus padres. Aunque este juicio parezca extraño y contradictorio con los hechos, puede constituir el testimonio histórico de una táctica de justificación política. Quisieron desviar la culpa de los sucesos ocurridos bajo Antíoco IV, transfiriéndola a un responsable del propio pueblo judío. Los sirios trataron de demostrar al menos de ese modo su disposición a cambiar el rumbo de los acontecimientos.

Fue nombrado sumo sacerdote Alcimo, un hombre de la estirpe sadoquea aceptado también por los seguidores de la ley [19]. El nombramiento vino de Demetrio I Soter (162-150 a. C.), después del asesinato de Antíoco V y de Lisias en Antioquía. Se trata de aquel Demetrio, hijo de Seleuco IV, que viviera antaño en Roma como rehén. Pero el aparente cambio de la situación en Jerusalén no condujo a una pacificación general. Quedó una guarnición siria en la acrópolis, y en el templo se seguían ofreciendo sacrificios por el soberano seléucida (1 Mac 7, 33). Judas Macabeo no había participado en el reparto del poder en los nuevos estados y observó con desconfianza el desarrollo de los acontecimientos. Se retiró de nuevo a la montaña de Judea, acompañado de muchos descontentos. La situación se fue agravando.

Alcimo, apoyado inicialmente con la fuerza de las armas por el gobernador sirio Báquides, se sintió amenazado tras su remoción por Judas y sus partidarios. Buscó ayuda en Demetrio I. Este encargó a su general Nicanor partir para Jerusalén y que-

19 Alcimo es la forma helenizada del nombre hebreo Jakim. En lugar de Alcimo debía haber sido sumo sacerdote Onías, un sobrino de Menelao e hijo de Onías III. Pero este Onías IV huyó a Egipto después del nombramiento de Alcimo. Allí Ptolomeo VI Filométor le permitió erigir en el distrito de Heliópolis un templo para el Dios de Israel. Así refiere al menos Josefo en *Antiquitates* XII, 9, 7 (387 s); XIII, 3, 1-3 (62-73). Pero en *Bellum* I. 1, 1 (33) y VII 10, 2-3 (423-432) opina que no fue Onías IV, sino ya Onías III el que fundó este templo después de huir a Egipto bajo la impresión del nombramiento de Menelao como sumo sacerdote (alrededor de 173 a. C.). I. L. Seeligmann, *o. c.,* 91-93 atribuye una mayor credibilidad a la última exposición; lo mismo opina Bunge, *o. c.,* 561-566; Id., *Zur Geschichte und Chronologie des Untergangs der Oniaden und des Aufstiegs der Hasmonäer*: JSJ 6 (1975) 9-11. Según Seeligmann fueron posiblemente tendencias de Jerusalén dirigidas contra los oníades las que determinaron la otra exposición de *Antiquitates.* Cf. también la observación en tal sentido de *Bellum* VII 10, 3 (431), donde a Onías se le suponen intenciones aviesas, dirigidas contra Jerusalén.

brantar el poder de Judas. El resultado de la empresa fue sorprendente. Ya antes de llegar a las puertas de la ciudad se libró el combate, en un punto situado entre Bet-Horon y Adasa, y Nicanor encontró la muerte. Judas ocupó Jerusalén y declaró día festivo la jornada de su victoria sobre Nicanor (13 Adar = 27 de marzo de 161). Los sirios intervinieron de nuevo a petición de Alcimo, esta vez bajo la dirección de Báquides (1 Mac 9, 1-22). Este hecho se estimó bastante relevante, ya que según 1 Mac 8, 17-32 Judas buscó una alianza con Roma [20]. Pero murió en el cambate contra Báquides. Presumiblemente cerca de Bet-Horon, en Elasa (cuyo emplazamiento exacto se ignora), el Macabeo sucumbió al gran poderío sirio (160/0 a. C.).

Así acabó la trayectoria de un hombre decidido y valiente. Tras la restauración del culto en Jerusalén, que fue al parecer su verdadero objetivo, ¿siguió luchando por mero afán de poder, como se ha dicho a menudo, hasta terminar en el fracaso? ¿O se percató de que Alcimo, aliado con los sirios, representaba una constante amenaza contra la ciudad y el templo? Vale la pena reproducir el juicio de Rudolf Kittel a este respecto [21]:

> «Con Judas Macabeo cayó el último grande de Israel... Sin Judas el "martillador", el judaísmo hubiera sucumbido a la violencia en la patria y luego en las ciudades griegas de la diáspora. Los pequeños círculos de fieles hubieran seguido ocultos en reductos apartados. A él se debe que la obra de Nehemías pudiera sobrevivir durante siglos. Aunque al final fue derrotado, su vida no fue vana».

A Judas sucedió Jonatán, su hermano menor. El y sus partidarios fueron perseguidos y sólo pudieron mantenerse en el desierto de Judea y de Thekoa. Báquides dominó el país, Alcimo retuvo su cargo y el culto permaneció en toda su pureza. Pero Jonatán y su gente constituían una considerable fuerza de resistencia. Alcimo murió en 159 y su cargo quedó vacante. Al fin Báquides no pudo doblegar a Jonatán y le hizo una oferta de paz (157 a. C.). Jonatán se estableció, con la aprobación de los seléucidas, en Michmás, al nordeste de Jerusalén, que en tiempos fue benjaminita, a unos 12 kilómetros de la ciudad. Allí ejerció un «cargo judicial» y una especie de gobierno paralelo, actuando so-

20 Sobre la autenticidad y el carácter jurídico del documento aquí consignado, cf. D. Timpe, *Der römische Vertrag mit den Juden von 161 v. Chr.*: Chiron 4 (1974) 133-152. Sobre las relaciones judeo-romanas cf. también *infra*.

21 R. Kittel, *Gestalten und Gedanken in Israel,* Leipzig 1925, 481.

bre todo contra los simpatizantes de los griegos y contra sus tendencias helenísticas. Parece ser, sin embargo, que la mayoría de los judíos estaban de su lado. Así se comprende que Jonatán emprendiera en el momento justo [22] una empresa inesperada e insólita.

Demetrio I, amenazado en 153 por el pretendiente al trono Alejandro Balas, supuesto hijo de Antíoco IV, selló un pacto con Jonatán y le otorgó el derecho a poseer su propia tropa armada. Jonatán se dirigió con ella a Jerusalén, fortificó de nuevo el monte del templo y encerró la guarnición siria en la acrópolis. Entonces Alejandro Balas nombró a Jonatán sumo sacerdote (152 a. C.). Este, al parecer, no vaciló en cambiar de aliado: aceptó el cargo y se puso del bando de Alejandro. No le fallaron los cálculos. Demetrio murió en el campo de batalla y Alejandro, el nuevo soberano, quedó agradecido a Jonatán. Le invitó a su boda con Cleopatra, una hija de Ptolomeo VI Filométor, en Ptolemaida (Acó), y allí le nombró *strategos* y *meridarjes* de Celesiria, es decir, «general y semisoberano»; obtuvo de hecho el puesto de un gobernador de provincia, con competencias militares y civiles. Quedaba obligado a prestar ayuda militar a los sirios. Jonatán hizo frente con éxito, en la llanura costera meridional, entre Jafa y Ascalón, a las tropas de Demetrio II, que se había erigido en antirrey. Alejandro Balas le adjudicó la ciudad de Ecrón con su territorio.

Una serie de sucesos turbulentos, en los que se vio envuelto Ptolomeo Filométor (181-145 a. C.), que había enviado para apoyo de Demetrio un contingente de tropas a Siria, obligó finalmente a Alejandro Balas a huir a Arabia y ayudó a Demetrio II Nicátor, tras la muerte del Ptolomeo en el mismo año, a ocupar el trono (145-139). La audacia de Jonatán, que asedió de nuevo la acrópolis de Jerusalén, provocó las iras del nuevo soberano. Le hizo presentarse en Ptolemaida, mas parece ser que Jonatán logró apaciguar al rey, que accedió a sus deseos. Estos concernían a la ampliación territorial de Judea hacia el norte, incluyendo tres distritos de la provincia de Samaría [23], que obtuvieron además una amplia exención de tributos y gravámenes (1 Mac 11, 34-36).

[22] Sobre los acontecimientos de la época entre 157 y 152 a. C. nada dice 1 Mac, porque no cambió la situación en que se encontraba implicado Jonatán.

[23] Eran distritos fieles al santuario de Jerusalén y ajenos al culto samaritano de Garizim: Afairema (presumiblemente al norte de Bethel), Lida (Lod) y Ramathaim, en la vertiente occidental de la cordillera efraimítica, frente a la llanura costera.

Jonatán consideró aquellos favores como un éxito sólo parcial. Las tropas sirias seguían en la acrópolis y en Bet-Sur. Pero Demetrio II no parecía dispuesto a hacer más concesiones, ni siquiera después que Jonatán participara con éxito en una revuelta contra el rey en Antioquía con un contingente de tropas (1 Mac 11, 41-53). Nuevas complicaciones de la situación favorecieron a Jonatán, pero al fin se volvieron contra él. Un tal Diodoto Trifón de Apamea nombró antirrey al hijo de Alejandro Balas, menor de edad, con el nombre de Antíoco VI. Jonatán y su hermano Simón se ofrecieron a luchar en favor de Trifón en la Siria meridional y media, a fin de asegurar al futuro soberano una base territorial. Los grandes éxitos que los hermanos cosecharon y los contactos que Jonatán mantuvo con los romanos y con los espartanos (1 Mac 12, 1-23) le parecieron a Trifón demasiado peligrosos. Este aspiraba a la soberanía, sin que el rey Demetrio pudiera imponerse de modo claro. Logró atraerse por la astucia a Jonatán, con escasa tropa, a Ptolemaida y, tras un recibimiento honroso, le hizo prender. Simón, hermano de Jonatán, se apresuró a marchar sobre Jerusalén, donde pudo ganarse a buena parte del pueblo en favor de la prosecución de la lucha. Cuando Trifón atacó a Judea, llevando consigo prisionero a Jonatán, tuvo que ceder ante los ataques de Simón; pero éste no fue capaz de liberar a Jonatán. En su retirada a Galaad, Trifón hizo ejecutar a Jonatán en Baskama [24]. Parece ser que Simón hizo trasladar sus restos mortales de allí a Modín para darle una honrosa sepultura.

Jonatán fue un personaje muy diferente de Judas Macabeo. Pero ambos tenían en común la decisión y la dureza para quebrantar resistencias, y perseguir los objetivos con energía, esperar el momento favorable y sacar provecho hasta de las situaciones más negativas. Jonatán fue más audaz que Judas en el trato con los adversarios a nivel diplomático y supo ganarse las simpatías ajenas cuando esperaba algo de ellas. Pero en el peligroso embrollo de los soberanos seléucidas, en definitiva superiores, se convirtió a pesar de su flexibilidad en una figura trágica que, aunque en ocasiones pareciese útil, quizá no valiera la pena y al fin cayó víctima de los intereses de poder de los otros. En la lucha de los Macabeos se combinan la grandeza y la tragedia. La salvaje decisión de Matatías y Judas estuvo inspirada en el celo por la ley de Dios de Israel, y ellos salvaron esa ley y el culto divino en el templo, en la más grave crisis producida después del exilio, contra todos los ataques e intentos de extranjerización. Pero la

[24] Situación desconocida.

fortaleza político-militar de los seléucidas no podía quebrantarse y limitó sensiblemente las posibilidades de negociación de Jerusalén y de Judea. Por eso los Macabeos, ante la aparente inexpugnabilidad de la guarnición siria de la acrópolis y de Bet-Sur, fueron más allá de sus intereses religiosos y se vieron obligados a pasar del celo por la ley a la política de poder.

Sólo la indecisión y la debilidad del gobierno central sirio podrían permitir a los Macabeos alcanzar su objetivo religioso y su independencia política. Las circunstancias favorables hicieron que Simón encontrara un equilibrio de poder y explotarlo para ayudar a Jerusalén y a Judea a obtener un estatuto sorprendentemente nuevo e independiente.

23

LA DINASTIA DE LOS ASMONEOS Y EL INICIO DE LA DOMINACION ROMANA EN JERUSALEN Y EN JUDEA

Con Simón, hermano de Jonatán, comenzó una nueva época. El consiguió lo que nadie en la familia de Matatías y Judas Macabeo había logrado. Recuperó para Jerusalén y para Judea la independencia casi total, conquistó la acrópolis jerosolimitana, símbolo aparentemente inexpugnable de la presencia seléucida en medio del pueblo judío, y pudo convertirse al fin en el fundador de una nueva dinastía que se mantuvo hasta el primer siglo a. C. Los motivos e impulsos religiosos quedaron al trasfondo del comportamiento político de los asmoneos y las consideraciones de tipo político y estratégico tuvieron en ellos un claro predominio; esto constituye algo caracterísico de esa dinastía que es, a su manera, un fiel reflejo de toda la época. Su éxito y sus posibilidades, en efecto, sólo se pueden comprender a la luz de la evolución general de la política en la segunda mitad del siglo II a. C.

La primera causa del encumbramiento de los asmoneos fue la progresiva decadencia del poder ptolomeico y seléucida. Siria y Egipto, que eran los vecinos naturales de Israel y Judea y que significaban, en consecuencia, su mayor amenaza, se vieron envueltos en luchas intestinas, a la vez que temían la creciente expansión de Roma hacia el oriente. En la propia Roma comenzó el período de las guerras civiles el año 133 a. C. con las luchas de los Gracos, una situación que sólo tocará a su fin con la instauración del imperio por Augusto el año 31 a. C. Las disensiones en las guerras contra Yugurta de Numidia (111-105 a. C.) y contra los cimbrios (113-101) y contra los aliados de Italia (91-98) y las luchas de desgaste contra Mitrídates de Ponto [1] obligaron a Roma a realizar un gran esfuerzo militar. En esta situación los

[1] Mitrídates VI, rey de Capadocia septentrional, debió su ascensión a la caída del reino-imperio seléucida. Intentó extender su soberanía al territorio limítrofe del mar Negro. De ahí el nombre de Pontus dado a sus dominios. En el Bósforo chocó con los intereses romanos; ocupó la pro-

países de oriente se vieron libres de la intervención inmediata de Roma; pero fueron consumiendo sus fuerzas, incapacitándose así parar resistir fuertes ataques del exterior. Siria sucumbió en los años 83-69 a. C. al poderío del rey armenio Tigranes, yerno de Mitrídates, y en Judea estalló una lucha por el poder hasta que intervino Pompeyo e impuso irrevocablemente el fin de la independencia seléucida y asmonea.

La siguiente tabla cronológica puede facilitar una visión sinóptica de los acontecimientos

Ptolomeos		*Seléucidas*	
Ptolomeo VI Filométor	181-145	Demetrio I Soter	162-150
Ptolomeo VII Euergetes II («Physkon»)	169-164 145-116	Alejandro I Balas	153-145
		Demetrio II Nicátor	145-139 129-125
		Antíoco VI Dioniso	145-141
Ptolomeo IX Soter II Látiro	116-107	Antíoco VII Sidetes	139-129
		Seleuco V	125
Ptolomeo X Alejandro I	107-89	Antíoco VIII Gripo	125-113 111-96
Ptolomeo IX Látiro	89-81	Antíoco IX Kyzikenos	113-95
Ptolomeo IX Alejandro II	80	Luchas de los herederos del trono	95-83
Ptolomeo XII Neo Dioniso Auletes	80-51	Siria bajo Tigranes de Armenia	83-89
Cleopatra VII	51-30	Antíoco XIII Asiático	69-65
		Siria prov. romana	desde 65

Asmoneos	
Simón	142/1-134
Juan Hircano I	134-104
Aristóbulo I	104-103
Alejandro Janneo	103-76
Salomé Alejandra	76-67
Aristóbulo II	67-63
Hircano II	63-40

vincia de Asia y marchó sobre Grecia, como hiciera Antíoco III en su tiempo. En la primera guerra de Mitrídates (88-85 a. C.) Sila logró recuperar los territorios romanos. La segunda guerra mitridática (83/82) quedó en tablas. Entretanto creció el poder del rey Tigranes de Armenia, yerno de Mitrídates. Estalló la tercera guerra mitridática, que se centró en la posesión de Bitinia (74-64). El cónsul L. Licinio Luculo obtuvo algunos éxitos, pero fue víctima de un amotinamiento de sus tropas en la meseta armenia.

En la época de las luchas entre Demetrio I Soter y Alejandro Balas, Ptolomeo VI Filométor intervino en los asuntos sirios [2]. Balas derrotó a Demetrio (150 a. C.) y se casó con una hija de Ptolomeo en Acó. Este fue el último intento realizado por un Ptolomeo para ejercer influencia en Siria, en una actitud audaz frente a la constante desconfianza de Roma hacia el afán expansionista de los soberanos en los límites de sus dominios. Ptolomeo se apartó finalmente de Alejandro Balas y reconoció a Demetrio Nicátor, al que entregó su hija Cleopatra por esposa y con el que pudo vencer a Balas. Pero Ptolomeo murió poco después a consecuencia de las heridas que recibió en la lucha (145 a. C.).

Diodoto Trifón se sublevó en Siria y proclamó rey a un hijo de Alejandro Balas con el nombre de Antíoco VI; pero él mismo pretendió la soberanía y liquidó a Antíoco el año 141. A pesar de todo, Demetrio II se mantuvo en el poder; pero se vio amenazado por los partos en el flanco norte de su área de dominación mesopotámica y por eso procuró crear una situación segura en el sur. Así las cosas, Simón consiguió de Demetrio la promesa de la independencia y exención de impuestos para Judea. El año 170 de la era seléucida [3] (142/1 a. C.) Simón fue reconocido en Jerusalén como «sumo sacerdote, general y jefe de los judíos» (1 Mac 13, 42) y dató desde aquella fecha los años de su reinado. Así el año 142/1 es el primer año de su era. En su segundo año conquistó la acrópolis (141) y pudo festejar allí la entrada de judíos fieles a la Ley. Un año después (140) llegó a ser oficialmente etnarca de Judea. Los sacerdotes y jefes del pueblo le confirieron la dignidad de príncipe sacerdote (1 Mac 14, 25-49) con los derechos de sucesión hereditaria (14, 41). Así se sentaban las bases para el afianzamiento de los asmoneos en línea dinástica.

Simón pudo ampliar el territorio de Judea. Lo más importante fue la toma de la ciudad portuaria de Jafa, logrando así un acceso directo al mar (1 Mac 14, 5). Pudo anexionar además la región antaño samaritana al suroeste de Siquen, en el distrito de Akraba, extendiendo así notablemente su dominio hacia el norte [4]. La conquista de Bet-Sur y Gazara (Geser) aparece mencionada en un himno que describe de modo insólito los bienes

[2] Cf. p. 464.

[3] El año 170 de la era seléucida comprende desde el 26 de marzo de 142 al 12 de abril de 141 a. C. R. Hanhart: BZAW 88 (1964) 95.

[4] Avanzó así sobre los tres distritos de Afairema, Ramathaim y Lida, que fueron adjudicados a Jonatán en 145 a. C. Cf. p. 464, nota 23; también M. Noth, *Geschichte Israels*, [6]1966, 340 s.

que Simón trajo al país (1 Mac 14, 6-15) y que se basa en el trasfondo de una tradición cuyos modelos hay que buscar en ideologías regias de Egipto [5].

Simón pasó por otra grave amenaza. Antíoco VII Sidetes subió al trono el 139 a. C. después que su hermano Demetrio II fuese capturado por los partos. Sidetes logró, tras diversos combates en Siria meridional, sitiar a Trifón en Dora (Dor), la antigua ciudad portuaria al sur del Carmelo, pero con dudoso éxito. Trifón pudo evadirse en barco y más tarde encontró la muerte en Apamea, Siria media [6]. Antíoco VII, pese a su actitud inicial amistosa, había recusado ya en el sitio de Dora la ayuda judía. Ahora exigió la devolución del territorio de Judea, especialmente Jafa, y la acrópolis de Jerusalén. Simón se resistió a tal pretensión. Entonces se presentó el general sirio Cendebeo (Kendebaios) para atacar a Judea, empezando desde la llanura costera en la región de Jamnia. Los hijos de Simón, Judas y Juan, le derrotaron en las cercanías de Modín, le hicieron retroceder hasta la llanura y aseguraron así de nuevo la independencia de Judea (1 Mac 15, 25-16, 10) [7].

Un signo de la inseguridad interna reinante y de los elementos de resistencia que actuaban en aquel Estado que Simón iba

[5] Esto demuestra la extraordinaria fuerza de irradiación del culto al rey egipcio, cuyas tradiciones acogieron los ptolomeos y cuya terminología influyó en el mundo helenístico, incluida la Judea judaico-helenística. Elke Blumenthal - S. Morenz, *Spuren ägyptischer Königs-ideologie in einem Hymnus auf den Makkabäerfürsten Simon*: ZAS 93 (1966) 21-29.

[6] Según Estrabón 14, 5, 2, p. 668, Trifón se vio obligado a quitarse la vida.

[7] Los contactos de Simón con Esparta (1 Mac 14, 20-23) y Roma (1 Mac 14, 24; 15, 15-21) plantean un problema especial. Los citados pasajes traen el comunicado de notas diplomáticas de Esparta y de Roma relacionado con el anuncio del envío a Roma de un gran escudo de oro por parte de Simón. Se trata, en cualquier caso, de afianzar las relaciones de los judíos con Esparta y Roma. Se discute la autenticidad y la fecha de estas notas, como ocurre con el decreto similar de Valerio que cita Josefo *Ant.* XIV, 8, 5 (144-148), pero que atribuye a la época de Hircano. A. Giovannini - H. Müller, *Die Beziehungen zwischen Rom und den Juden im 2. Jh. v. Chr.*: Museum Helveticum 28 (1971) 156-171, explican el documento de 1 Mac 15, 15-21 como una falsificación y trasladan el decreto de Valerio al año 134 a. C., época de Hircano I. Defiende la autenticidad de los documentos, con nuevas propuestas cronológicas, Th. Fischer: ZAW 86 (1974) 90-93. Estos escritos demuestran, a su juicio, cómo los macabeos y los asmoneos se independizaron en creciente medida frente a los seléucidas, pero se pasaron al mismo tiempo «a la clientela romana». Relaciona dichos textos con el problema de las «renovaciones de tratados» con Roma D. Timpe, *Der römische Vertrag mit den Juden von 161 v. Chr.*: Chiron 4 (1974) 133-152, esp. 146-152.

configurando con tanto éxito fue el ataque de su yerno Ptolomeo, gobernador de la región de Jericó, a cuyas manos pereció Simón el año 134 con sus hijos Matatías y Judas. El hecho ocurrió durante un viaje de inspección de Simón, cuando hizo un alto en la pequeña fortaleza de Dok [8], que Ptolomeo había edificado para sí. El móvil de éste al liquidar al benemérito suegro fue sin duda el afán de hacerse con todo el poder. Tras el triple asesinato de Dok, en efecto, Ptolomeo intentó eliminar al hijo de Simón, Juan, que residía en Gazara (Geser). Pero pudieron avisarle a tiempo para que escapara al atentado. Antes de llegar Ptolomeo, él estaba en Jerusalén, donde el pueblo le nombró para heredar los derechos de su padre.

Ptolomeo fue rechazado ya a las puertas de la ciudad. Se retiró de nuevo a la fortaleza de Dok en Jericó, donde fuera asesinado Simón, pero donde permanecía aún la madre de Juan. Este sitió la fortaleza, pero no forzó su rápida conquista por consideración a su madre y hermanos. A pesar de ello, todos encontraron la muerte a manos de Ptolomeo, mientras que éste pudo escapar a Filadelfia, antiguo Rabbat Ammón, en Transjordania [9].

Juan escogió el nombre de Juan Hircano I y pudo mantener su reinado en Judea desde 134 hasta su muerte en 104 a. C. Pero pronto estallaron las luchas, como demostración de la escasa consistencia que presentaba la autonomía del Estado judío obtenida por Simón. Ptolomeo, refugiado en Transjordania, logró persuadir a Antíoco VII Sidetes para que interviniera en los asuntos del reino asmoneo. El fracaso de su general Cendobeo en la época de Simón le movió a apoderarse de Judea. Antíoco conquistó el país, sitió a Juan Hircano en Jerusalén y atacó a la ciudad con todas sus fuerzas. El sirio hubo de retirarse y confirmó la autonomía de Judea, pero desmanteló las fortificaciones de Jerusalén y exigió tributos por las comarcas del oeste y noroeste, y concretamente por la ciudad portuaria de Jafa. Hubo que entregar armas y ofrecer rehenes, entre ellos el hermano de Hircano [10]. Judea sufrió una vez más el destino del vencido.

8 El nombre de esta fortaleza aparece hoy evocado por la fuente *'en-duk* al noroeste de Jericó en el curso superior del *wadi en nuwe' ime*. El libro primero de los macabeos acaba relatando los asesinatos de Simón y sus hijos por Ptolomeo, que respeta sólo a Jonatán (1 Mac 16, 11-22).

9 Josefo, *Ant.* XIII, 8, 1 (230-235); *Bell. Jud.* I, 2, 3-4 (54-66).

10 Josefo, *Ant.* XIII, 8, 2.3 (236-248).

La muerte de Antíoco VII el año 129, en lucha contra los partos, favoreció a Juan Hircano [11]. Antes fue liberado de nuevo Demetrio II, que ya había sido capturado por los partos en 139/8, para luchar contra su hermano; ahora ocupó una vez más el trono seléucida (129-125 a. C.). El asmoneo Hircano se consideró de nuevo independiente y lo fue en efecto durante el siguiente decenio, mientras que en Siria numerosas intrigas alrededor del trono debilitaban notablemente el aparato del reino seléucida. Hircano reconstruyó las fortalezas al norte de Jerusalén. Una de ellas era «Baris», al noroeste del emplazamiento del templo, la precursora de la futura Torre Antonia [12].

En política exterior Hircano intentó asegurarse la amistad de los romanos con la renovación de las antiguas declaraciones del senado [13] y, sobre todo, recuperar la ciudad de Jafa. Es difícil reconstruir la historia de las diversas embajadas enviadas a Roma y de los decretos emanados a raíz de ellas. Después de la muerte de Antíoco Sidetes en 129 a. C, parece ser que se obtuvo en el decreto Fannius la independencia de Judea, mas no la recuperación-restitución de Jafa. Esto último ocurrió sólo a finales del gobierno de Hircano, entre 114 y 104, como se desprende de un decreto que Josefo cita en el marco de una decisión

[11] Amplia exposición en Th. Fischer, *Untersuchungen zum Partherkrieg Antiochus' VII. im Rahmen der Seleukidengeschichte,* tesis doctoral, München - Tübingen 1970.

[12] Josefo, *Ant.* XV. 11, 4 (403). La actividad constructora en Jerusalén durante la época asmonea desde Simón y sobre todo desde Hircano I ha despertado el interés de la reciente investigación arqueológica. Así Kathleen M. Kenyon, que hizo excavaciones en la colina suroriental durante los años 1961-1967, constató que los muros y torres próximos al borde superior de la colina, designados antaño como «bastión» y «rampa de los jebuseos», representan la muralla más antigua de Jerusalén y datan de la segunda mitad del siglo II, la época de Simón o de Hircano I. Parece ser que ya en la época asmonea la ciudad se extendió hasta la altura de estas colinas hacia el oeste y el norte. Las excavaciones israelíticas de los últimos tiempos han confirmado esto, al descubrir en la zona del barrio judío de la antigua ciudad de Jerusalén restos de murallas del período asmoneo. Allí estuvo ubicado también, probablemente, el palacio de los asmoneos. K. M. Kenyon, *Jerusalem. Die heilige Stadt von David bis zu den Kreuzzügen. Ausgrabungen 1861-1967,* Bergisch-Gladbach 1968, 147-155; Id., *Digging up Jerusalem,* London 1974, 188-204; EAE II, 599-603. Cf. también Y. Yadin (ed.), *Jerusalem revelead,* 1975, 11 s; 22 s; T. Kollek-M. Pearlman, *Jerusalem. Seine Geschichte in vier Jahrtausenden,* Hamburg 1976, 85-93; A. Sharon, *Planning Jerusalem,* Jerusalem 1973, 18 s; 178 s.

[13] Decreto Valerio (Josefo, *Ant.* XIV, 8, 5. 144-148) y carta a Ptolomeo (1 Mac 15, 15-21); cf. *supra* p. 470, nota 7.

de los ciudadanos de Pérgamo (el denominado decreto de los pergamenos)[14].

El largo reinado de Hircano puede considerarse en general como positivo porque, entre otras cosas, pudo defender militarmente Judea y someter a sus vecinos. Se sirvió para ello de soldados mercenarios, una innovación para aquella época, pero que permitió a Hircano una mayor autonomía y movilidad frente a la población de Judea. Avanzó en el sur, presionó sobre el antiguo Edon y conquistó en el área meridional. al sur de Hebrón, las ciudades de Adora (*dūra*) y Maresá (*tell sandaḥanne*). En esta comarca llamada en adelante Idumea, impuso la circuncisión y la observancia de la ley, incorporando así a los idumeos en la comunidad cultual de Jerusalén. Al norte del antiguo territorio israelita, Hircano destruyó el santuario de los samaritanos en el monte Garizim, cerca de Siquem, y atacó también la ciudad de Samaría. Los samaritanos pidieron ayuda a los seléucidas, pero sin éxito. Tras un año de asedio, Hircano tomó la ciudad y la destruyó (107 a. C.)[15].

Es difícil calibrar las repercusiones internas de estos éxitos miltares de Hircano. La independencia lograda por Judea tiene como trasfondo las luchas seléucidas por el poder. Las monedas acuñadas por Hircano son un signo de sus ambiciones; en ellas se lee «sumo sacerdote Juan y la comunidad de los judíos», entre otras cosas[16]. Pero es opinión generalizada que Hircano sólo acuñó monedas propias al final de su reinado; además, las monedas eran de bronce[17]. Según el relato de Josefo, la autodenomina-

[14] Decreto Fannius: Josefo, *Ant.* XIII, 9, 2 (259-266); decreto de los pergamenos: *Ant.* XIV, 10, 22 (247)-255). Se discuten la identidad y la dependencia de los decretos, pero éstos han despertado interés en los últimos tiempos. Cf. principalmente Th. Fischer, *Untersuchungen,* tesis doctoral, 64-73 (Decreto Fannius); 73-85 (Decreto de los pergamenos); resumen de Fischer: ZAW 86 (1974) 90-93. Estudia estos documentos en el marco de las renovaciones de tratados D. Timpe: Chiron 4 (1974) 147 s.

[15] Josefo, *Ant.* XIII, 10, 2.3 (275-283).

[16] Cf. M. Noth, *Geschichte Israels,* ⁶1966, 147 y la bibliografía citada en la obra, esp. A. Reifenberg, *Ancient Jewish coins,* ²1947, 13 s; 40 s, pl. II

[17] B. Kanael, *The beginning of the Maccabean coinage*: IEJ 1 (1950/51); Id., *Altjüdische Münzen, Jahrbuch für Numismatik und Geldgeschichte* 17 (1967) 166 s. Y. Meshorer estudia el inicio de la acuñación de moneda asmonea en la época de Alejandro Janneo; cf. U. Westermark, *Syria,* en *A survey of numismatic research 1966-71* I, New York 1973, 184 s; 187. Y. Meshorer, *The beginning of the Hasmonean coinage*: IEJ 24 (1974) 59-61. Cf. también la panorámica sobre las monedas asmoneas basada en Meshorer, en IJH, 560-562. Cf. además Th. Fischer, *Johannes Hyrkan I.*

ción de sumo sacerdote dio ocasión a desavenencias con los fariseos [18]. Este extremo, de cariz dramático, puede revelar una crítica de los fariseos a la política de los asmoneos, crítica que indujo a Hircano a aproximarse a los saduceos tras sus iniciales simpatías con los fariseos. Conviene aludir, a este propósito, a los diversos grupos judíos existentes en aquel período.

El punto de arranque de la formación de grupos fue la repulsa de la mentalidad helenística por parte de algunos círculos judíos. No parece fundado el supuesto de que sólo en la época de Antíoco IV Epífanes se produjera una escisión interna en la comunidad; en efecto, el grupo de los *hasidim* o «piadosos» es más antiguo que las persecuciones religiosas desatadas por los seléucidas [19]. Por otra parte los *hasidim* no pueden considerarse como los precursores inmediatos de los fariseos. Representan sin duda un grupo de adictos a la ley, con una actitud antiseléucida, pero su oposición iba dirigida también a aquellos círculos judíos que menospreciaban la ley de los antepasados. A ellos pertenecían los sumos sacerdotes que ejercían el cargo por designación seléucida. Según 1 Mac 7, 1-22, parece ser que una parte de los *hasidim,* cuando Demetrio I nombró a Alcimo sumo sacerdote, estaban dispuestos a prestar su apoyo al sacerdocio oficial (7, 13 s). Pero la conducta de Alcimo no fue la más apropiada para atraerse a los «piadosos». Es posible que el curso de los acontecimientos favoreciese la formación de grupos hasideos que exigían una estricta observancia de la ley y que se fueran independizando progresivamente del sacerdocio dominante. También los laicos pudieron participar en este movimiento. Su denominación griega de «fariseos» se inspira probablemente en el plural arameo *perisajja,* «los separados»; mas no consta que se tratase de una autodenominación; más bien se les aplicaba el término por lo general, en el sentido peyorativo de «separatistas» [20].

auf Tetradrachmen Antiochos' VII? Ein Beitrag zur Deutung der Beizeichen auf hellenistischen Münzen: ZDPV 91 (1975) 191-196 y tablas 19.

[18] Josefo, *Ant.* XIII, 10, 5.6 (288-298). Hircano debía dejar la dignidad de sumo sacerdote y contentarse con gobernar al pueblo. Así se lo dijo un fariseo en un banquete, sin encontrar eco en los otros. Pero Hircano sospechó que aquel hombre decía en voz alta lo que los demás callaban.

[19] Cf. 1 Mac 2, 42, donde los hasideos aparecen diferenciados de los macabeos.

[20] La bibliografía sobre los fariseos es abundante, como también lo son las opiniones sobre sus orígenes. Baste remitir aquí a R. Meyer, *Tradition und Neuschöpfung im antiken Judentum. Dargestellt an der Geschichte des Pharisäismus.* Con un trabajo de H.-F. Weiss, *Der Pharisäismus im Lichte der Überlieferung des Neuen Testaments,* Sitzungsberichte Sächs. Akad. d. Wiss., Phil.-hist. Kl. 110/12, Berlin 1965; cf. también la exposición global de Cl. Thoma, *Der Phrisäismus* en J. Maier - J. Schreiner (ed.), *Literatur und Religion des Frühjudentums,* Würzburg 1973, 254-272.

La estricta observancia de la ley reclamada por los fariseos fue rechazada por otros grupos, abiertos a la mentalidad de la época e inclinados a una política de signo helenista. Entre ellos se cuentan principalmente los sacerdotes. La denominación de «saduceos» que suele aplicarse a estos grupos podría derivar de la antigua palabra «sadoqueos», que calificó a los sacerdotes como funcionarios descendientes de Sadoc, sacerdote de la época de David. Dado que muchos sacerdotes de Jerusalén simpatizaban con los griegos y aceptaban las novedades helenísticas, el término «saduceo» pasó a ser una especie de designación ideológica y partidista. Los saduceos admitían la *thora* escrita, pero rechazaban su adaptación a los tiempos por temor a ver restringidas sus propias posiciones. Por otra parte, los fariseos con sus declaraciones sobre explicaciones de la ley profesaban algunas doctrinas consideradas como tradiciones orales. Esto hizo que con el correr del tiempo las ideas saduceas quedasen confinadas fundamentalmente a los círculos sacerdotales y aristocráticos, mientras que los fariseos, con su apertura social, representaban un grupo fuertemente ligado al pueblo. No formaron, sin embargo, un partido popiamente dicho, aparte de carecer de todo recurso político. Fueron más bien un movimiento dentro del judaísmo que no se limitó a Judea, sino que irradió hacia la diáspora. Los fariseos no formaron estamentos directivos, como se dio entre los saduceos. Por eso eran más libres en el desarrollo de su pensamiento e imprimieron una orientación creadora y evolutiva a la tradición escrita[21].

La formación de estos grupos comenzó en el período asmoneo. Los intereses de poder de los asmoneos y su estilo político provocaron la oposición en Judea. Por eso no es de extrañar que los fariseos aparezcan por primera vez a plena luz bajo Juan Hircano I como un grupo que no discute la soberanía del monarca, pero sí su dignidad de sumo sacerdote. Es difícil precisar las consecuencias inmediatas que tuvo esta actitud. Pero constituyó la base del conflicto de los asmoneos con los fariseos e influyó también en el destino de los sucesores de Hircano[22].

21 Sobre la historia y las características de estos dos grupos cf. H. D. Mantel, *The Sadducees and Pharisees,* en WHJP I, 8, Jerusalem 1977, 99-123; también G. Baumbach, *Der sadduzäische Konservatismus,* en Maier-Schreiner (cf. nota anterior), 201-213; Sh. Safrai, *Das jüdische Volk im Zeitalter des Zweiten Tempels,* Neukirchen 1978, 106-112.

22 Los juicios posteriores sobre Hircano no podían menos de ser encontrados. La literatura rabínica destaca su actitud antifarisea (cf. Sota 9.10); Josefo da una imagen sorprendentemente favorable de él y califica su reinado de feliz, sobre todo en comparación con la actuación de sus hijos. Josefo afirma que Hircano gozó de tres máximos privilegios: el gobierno de su pueblo, la dignidad de sumo sacerdote y el don de profecía (*Ant.* XIII, 10, 7 [299 s]; *Bell. Iud.* I. 2, 8 [66-69]).

Juan Hircano I murió el año 104 a. C. Había designado a su esposa como responsable del gobierno. Pero su hijo mayor Aristóbulo le arrebató el poder por un año y parece haber sido el primer asmoneo que adoptó el título del rey [23]. Aquel personaje ambicioso y cruel entró en la historia con el nombre de Aristóbulo I (104-103 a. C.). Puso en prisión a su madre y la dejó morir de hambre; arrestó a tres de sus hermanos; sólo dejó en libertad inicialmente a Antígono, al que apreciaba, pero también éste cayó al fin víctima de sus asechanzas, bien porque Aristóbulo recelara de los éxitos militares de su hermano, bien por haber dado créditos a calumnias propaladas con el fin de enemistar a los hermanos. A pesar de su breve reinado, Aristóbulo obtuvo éxitos en el norte contra los itureos [24]. Parece ser que extendió su influencia más allá de Samaría y de Bet-Sean, escenario de triunfos bélicos de su padre Juan Hircano, y obligó a una parte de la población galilea a observar las leyes cúlticas de Jerusalén. Les impuso la circuncisión.

Después de la muerte repentina de Aristóbulo I, su esposa Salomé Alejandra liberó a los hermanos arrestados. Nombró rey a uno de ellos y se casó con él. Fue Alejandro Janneo (103-76 a. C.), que agregó su nombre hebreo Jonatán al griego Alejandro en la forma abreviada «Jannai» [25]. Aparece como una personalidad lábil, sin unas líneas fijas de gobierno, pero que logró reconquistar en numerosas campañas bélicas el antiguo territorio israelítico-judío y supo afirmarse frente a sus enemigos internos y externos. Se atribuyó la dignidad real, según consta por las monedas acuñadas [26]. Salomé Alejandra ejerció una influencia considerable en su reinado. Ella asumió el gobierno después de su muerte

[23] Josefo, *Ant.* XIII, 11, 1 (301); *Bell. Iud.* I, 3, 1 (70). Es de otra opinión Estrabon, *Geographica* 16.2, 40. De las monedas que se atribuyen a Aristóbulo, ninguna le da el título de rey ni ostenta su nombre griego de Aristóbulo. Su nombre corriente era Jehúda (Judas).

[24] Josefo, *Ant.* XIII, 11, 3 (318 s). En la misma sección se dice que se calificaba a Aristóbulo de «amigo de los griegos» (*philhellen*). Ed. Meyer supone que no se trata de una observación, sino que era un verdadero título: «llevaba como sobrenombre Philhellen», y remite al modelo de los reyes partos. Ed. Meyer, *Ursprung und Anfänge des Christentums* II, 1921, 277.

[25] La tradición griega o latina le llama Alejandro Jannaios o Jannaeus.

[26] En la moneda antigua típica figura la inscripción «Del sumo sacerdote Jonatán y la comunidad de los judíos». Aparecen, además, monedas bilingües: «El rey Jonatán» (hebreo) «Rey Alejandro» (griego). A Reifenberg, *Ancient Jewish coins,* [2]1947, 14 s; 41; pl. II; M. Avi-Yonah (ed.), *Geschichte des Heiligen Landes,* Frankfurt/M. 1971, 123.

Alejandro Janneo supo ampliar y mantener su territorio en una serie de duros combates que le llevaron al borde de la derrota. Atacó primero el área costera del norte y puso sitio a Ptolemaida (Acó), mientras los seléucidas Antíoco Filométor y Antíoco Kyzikenos se enzarzaban en luchas. Los habitantes de Ptolemaida pidieron ayuda a Ptolomeo Látiro, expulsado de Egipto por Cleopatra (III), que residía a la sazón en Chipre. Este llegó a Siria por barco con fuerzas de combate y Alejandro abandonó el asedio; entonces Ptolomeo le obligó a concentrarse en el territorio jordano medio, cerca de Asofón [27], y consiguió derrotarle. Pero en vista de los peligros que le amenazaban por parte de Egipto, donde se miraba con malos ojos la ampliación de su poder, Ptolomeo desalojó el país y regresó a Chipre.

Alejandro Janneo tuvo así las manos libres e invadió la zona media y septentrional de Transjordania, donde conquistó las ciudades de Gadara [28] y Amathus [29]. Posteriormente se dirigió a la parte meridional de la llanura costera y conquistó Raphia y Gaza, entre otros lugares. Sus éxitos no siempre fueron duraderos. La ciudad de Amathus hubo de consquistarla por segunda vez antes de seguir avanzando hacia el nordeste. Allí se interesó por la comarca de Gaulanítide (actual *dshōlān* o Golán), al norte del río Jarmuk. Pero en aquel mismo paraje al rey de los nabateos, Obodat (Obedas), marchaba contra Damasco y Alejandro casi se encontró en un callejón sin salida, por lo que huyó a Jerusalén. Allí tuvo que enfrentarse con la resistencia de su propio pueblo. Su despotismo, su política militar y también su indiferencia religiosa le habían malquistado los ánimos de la población. Intentó vengarse con persecuciones y asesinatos, pero sólo consiguió exacerbar el descontento de los jerosolimitanos, que al fin pidieron

[27] Asafón o Asofón se identifica a menudo con Safón (Jos 13, 27: Jue 12, 1) y éste a su vez con *tell es-sa'īdije* sobre el tramo meridional del *wādi kufrindschi,* a 1, 8 kilómetros al este del Jordán. Cf. F.-M. Abel, *Géographie de la Palestine* II, Paris ³1967, 448. Pero recientes excavaciones americanas realizadas desde el invierno de 1964 no han permitido aún una identificación segura con un lugar bíblico. J. B. Pritchard en EAE IV, 1028-1032 (con bibliografía).

[28] Gadara (*umkēs*), en el valle medio del Jordán, al sureste del mar de Tiberíades, en zona montañosa, lado sur del Jarmuk. F.-M. Abel, *Géographie de la Palestine* II, Paris ³1967, 323.

[29] Amathus (*'ammata*), en el valle medio del Jordán, cerca de la salida del *wādi rāsdschib* desde la montaña. F.-M. Abel, *Géographie de la Palestine* II, Paris ³1967, 242 s; cf. otro tipo de consideraciones en J. Schmitt: ZDPV 91 (1975) 50-54.

ayuda al seléucida Demetrio III Eukairos (Eukaeros). Sus tropas derrotaron a Alejandro en Siquem, pero éste logró escapar y, de modo sorprendente, supo encontrar nuevos partidarios. Demetrio se retiró y Alejandro volvió a ser lo bastante fuerte como para tomarse una sangrienta y cruel venganza de sus adversarios judíos. Sólo así pudo afianzar su poder, inspirando temor y guardando sus espaldas con miras a nuevas empresas bélicas.

Los nabateos constituían un grave peligro en el flanco sur y sureste. Eran un grupo de población que avanzó desde el espacio de Arabia al sur del mar Muerto y desde las montañas limítrofes del este hasta los territorios de Alejandro. El rey de los nabateos, Aretas, marchó sobre Cisjordania y venció a Alejandro cerca de Adida, en la comarca de Lida. Pero Alejandro llegó a un acuerdo pacífico con Aretas y los nabateos tuvieron que retirarse de esta zona. El propio Alejandro avanzó luego hacia Transjordania, donde pudo tomar una serie de ciudades importantes, entre ellas la conocida Gerasa.

Hay que recordar también que la fundación de las fortalezas macabeas o asmoneas de Alexandreion y Maqueronte se debe muy probablemente a Alejandro Janneo, y acaso también la de Masada. Este las utilizó principalmente como bastiones contra los nabateos y comenzó a reconstruirlas. Pero su importancia sólo fue relevante en los siguientes decenios, sobre todo desde que Herodes el Grande (37-4 a. C.) las convirtió en castillos fortificados, con algunas espléndidas construcciones anejas, adonde él mismo se retiraba en ocasiones [30].

Alejandro Janneo murió el año 76 a. C. a la edad de 49 años en Transjordania, durante el sitio del fuerte de Ragaba, actual *radshib,* al norte del Jaboc. Josefo refiere que falleció víctima del alcoholismo y que fue consciente de que se le aproximaba la muerte. Aconsejó a su esposa conceder privilegios a los fariseos, porque ejercían gran influencia en el pueblo. Añadió, se-

30 O. Plöger, *Die makkabäischen Burgen*: ZDPV 71 (1955) 141-172; reimpreso en O. Plöger, *Aus der Spätzeit des Alten Testaments,* Göttingen 1971, 102-133. Sobre Masada, Y. Yadin, *Masada. Herod's fortress and the zealot's last stand,* London 1966 (con bibliogr.), principalmente el informe sobre las excavaciones. En Masada sólo se encontraron indicios de restos de la época preherodiana. Sobre Maqueronte en varios estudios A. Strobel: *Machärus. Geschichte und Ende einer Festung im Lichte archäologisch-topographischer Beobachtungen,* en *Bibel und Qumran. Festschrift H. Bardtke,* Berlin 1968, 198-225; cf. también ZDPV 90 (1974) 128-184; 93 (1977) 247-267. Sobre el castillo la fortaleza hircana (*chirbet mird*) O. Plöger, *Aus der Spätzeit,* 109-112.

gún el mismo Josefo, que había sido tan odiado, que no podía contar con una tumba digna. Determinó que Salomé Alejandra asumiera su sucesión [31].

Es difícil emitir un juicio justo sobre Alejandro Janneo. Suele afirmarse que la degeneración de los asmoneos alcanzó en él un perfil atroz. Hay que reconocer, sin embargo, que a este heredero tardío del poder asmoneo no le fue fácil mantener la posesión de Judea y de las zonas circundantes y defenderlas, concretamente contra la creciente amenaza de los nabateos. El carácter ambicioso y violento, pero sin duda lábil, de este hombre no era capaz de realizar un gobierno equilibrado en todos los aspectos. No pudo dominar la oposición interior, sobre todo a causa de su enfrentamiento con los fariseos. Creyó hasta sus últimas horas que la violencia y el terror eran los únicos medios viables para pacificar Judea y poder continuar las guerras. Este hombre, hostigado por la época y rodeado de peligros, no sucumbió tanto al poder de sus adversarios como a sus propios errores. El juicio de M. Stern expresa bien la conflictiva situación: «El propio Alejandro Janneo fue consciente de que no podría gobernar a la larga contra la voluntad del pueblo y al final de su reinado hizo muchas concesiones para congraciarse al menos con una parte de sus adversarios judíos. Sus últimas victorias le granjearon además grandes simpatías en Judea» [32].

Salomé Alejandra mantuvo buenas relaciones con los fariseos a lo largo de sus nueve años de reinado (76-67 a. C.). Esto le aseguró una autoridad y dio un tiempo de paz al país. Pudo tener a raya a sus inquietos hijos. Confió a su hijo mayor Hircano (II) el sumo sacerdocio que ella no podía ejercer legalmente. Pero su hijo menor Aristóbulo intentó sacar partido del descontento de los saduceos, que se sentían postergados con el creciente favor y protección otorgado a los fariseos. La obra de Salomé Alejandra fue muy estimable. No sólo orientó a Alejandro Janneo, sino que fue lo bastante hábil para imprimir una nueva dirección a la política interior, mantuvo el Estado asmoneo sin emprender guerras y no dejó que la oposición de sus hijos degenerase en conflicto abierto. Pero a su muerte, a los 73 años, la lucha de los hijos por el poder asmoneo fue inevitable. También aumentaron las amenazas externas. Los nabateos volvían a pre-

31 Sobre el fin de Alejandro Janneo y la decisión de su esposa acerca de la sucesión, Josephus, *Ant.* XIII, 15, 5 (398-404).

32 M. Stern en Ben-Sasson (ed.), *Geschichte des jüdischen Volkes* I, München 1978, 294.

sionar en el sur, y del oeste y el norte llegaban los romanos. Sonó la hora, con Pompeyo, de entregar definitivamente el oriente medio a la gran potencia de occidente.

El sumo sacerdote Hircano II asumió la dignidad real a la muerte de su madre Salomé Alejandra. Pero su enérgico hermano Aristóbulo pudo moverle a la renuncia al trono tras un breve asedio de Jerusalén y con ayuda de los saduceos. Hircano buscó refugio y ayuda en los nabateos por mediación del gobernador Antipas (Antípatros). Logró ganar para su causa al rey Aretas III, residente en Petra, a cambio del territorio moabita, que le prometió en firme. Hircano se presentó delante de Jerusalén con la ayuda nabatea y cercó a la ciudad y a Aristóbulo. La población apoyó en su mayoría a Hircano, en contra de los saduceos. En este conflicto extremo entre los herederos del poder asmoneo ocurrió algo inesperado al pueblo de Jerusalén y a los aliados nabateos a las puertas de la ciudad. Tanto Hircano como Aristóbulo buscaron apoyo en el lugarteniente de Pompeyo en Damasco, el legado romano Scauro. Este se decidió por Aristóbulo. Los nabateos hubieron de retirarse por orden de Roma. Aristóbulo tomó el mando en Jerusalén, pero ya no fue el único dueño de la situación; había aceptado la dependencia de Roma.

Los inicios de la presencia romana en Siria van estrechamente ligados a las victorias de Pompeyo. El infeliz L. Licinio Luculo, que había fracasado en Armenia y ya no pudo asegurarse el apoyo de Roma, fue sustituido a principios de 67 a. C. por Pompeyo, que obtuvo poderes extraordinarios. Este logró en tres meses liberar el Mediterráneo de los piratas y en el año 66 se le confiaron las provincias de Bitinia y Cilicia, contra la voluntad del senado, pero con el apoyo de César. Marchó contra Mitrídates para finalizar la guerra. Pompeyo exigió la rendición incondicional, y la guerra siguió adelante. Las tropas de Mitrídates fueron derrotadas en las cercanías del Eufrates y él mismo, tras el intento de un contraataque, se quitó la vida (63 a. C.). Ponto y Bitinia pasaron a ser una doble provincia. Tigranes pactó con los armenios. Ya en 65 a. C. Pompeyo había enviado al legado M. Emilio Scauro a Siria, liquidando así de hecho el Estado de los seléucidas. En Damasco se enteró de la lucha que sostenían Hircano y Aristóbulo en Judea, pero no pudo imponer aún una decisión definitiva. Pompeyo pasó el invierno de 64/63 a. C. en Siria y llegó en la primavera del 63 a Damasco. Allí aparecieron personalmente Aristóbulo e Hircano para ganarse el favor de Roma. Antípater envió un legado que abogó en favor de Hircano, mientras una delegación de Jerusalén exigía el fin de la soberanía asmonea y demandaba un fortalecimiento del sacerdocio»[33].

Pompeyo dudó a la hora de inmiscuirse en los complejos problemas judíos. Estimó que los nabateos constituían el mayor peligro. Pero Aristóbulo creyó poder hacerse con el mando en Judea y organizó la resistencia en Jerusalén. Por eso Pompeyo no avanzó ya hacia Transjordania, sino que se dirigió a Jerusalén. Parece ser que pasó el Jordán en Escitópolis (Bet-Sean) y que llegó en dirección sur hasta el *wādi fār'a*. Cerca de su salida al foso del Jordán se levanta el Alexandreion, uno de los castillos construidos y fortificados por Alejandro Janneo. Aristóbulo se había parapetado en él, pero debió abandonarlo ante los ataques de Pompeyo, que le persiguió de cerca y le acosó hasta los alrededores de Jerusalén, después de pasar Jericó. Aristóbulo se presentó en el campamento de los romanos y prometió la entrega de la ciudad. Pero Gabinio, enviado de Pompeyo, no fue admitido en la ciudad, y entonces atacó todo el ejército romano. Aristóbulo, arrestado por Pompeyo desde su aparición en el campamento, fue tratado como prisionero. Ante la situación de extremo peligro, la población abrió las puertas de la ciudad. Pero en la zona fortificada del templo hubo dura resistencia. Después de tres meses de sitio cayó también esa zona en manos de los romanos. Pompeyo entró en el templo y en el santísimo, una profanación a los ojos de los fieles judíos Pero no hubo destrucción ni saqueo. Al día siguiente pudo continuar al culto religioso; Hircano volvió a ejercer de sumo sacerdote. Así comenzó el año 63 a. C. en Jerusalén el dominio romano. La ciudad pasó a ser tributaria. Un miembro de la casa asmonea desempeñó un papel secundario en la figura del sumo sacerdote Hircano. Su violento hermano Aristóbulo fue deportado a Roma, donde participó como prisionero en el desfile triunfal de Pompeyo el año 61 a. C.

[33] Josefo, *Ant.* XIV, 3, 2 (37-45; sobre el rechazo de la soberanía real: 41). El razonamiento de la comisión jerosolimitana en el sentido de que el pueblo sólo debía obedecer a los sacerdotes tenía al menos una apariencia jurídica en relación con los acuerdos anteriores entre Roma y los macabeos y asmoneos, no investidos aún con la dignidad real. Cf. a propósito de una tradición de Diodoro, Th. Fischer, *Zum jüdischen Verfassungsstreit vor Pompejus* (Diodoro 40, 2): ZDPV 91 (1975) 46-49. E. Bammel, *Die Neuordnung des Pompejus und das römisch-jüdische Bündnis*: ZDPV 75 (1959) 76-82 considera las medidas de Pompeyo dentro de un marco más amplio que, a pesar de la enérgica actitud romana, era favorable a los judíos y les garantizó un tratamiento especial dentro de la política romana de acuerdos con los otros pueblos.

Era natural que los romanos efectuaran una reorganización de los territorios sometidos; pero crearon distritos administrativos teniendo en cuenta las circunstancias históricas. Jerusalén siguió incluyendo en su jurisdicción Judea, los distritos de Samaría meridional conquistados antaño por el macabeo Jonatán, y al sur Idumea, que anexionó Juan Hircano I; Judea comprendía además bajo la designación de Perea, una parte de Transjordania meridional y media, como también territorios centrales de Galilea, donde regía el sistema cúltico y legal de Jerusalén. Samaría quedó sometida directamente a la administración romana de Siria. Otro tanto hay que decir de los centros urbanos de la llanura costera y de un grupo de ciudades helenísticas al norte de Transjordania, que empezó a desempeñar su propio papel con el nombre de «Decápolis» y fundó incluso una era «pompeyana» [34]. Toda el área sirio-«palestina», que constituía de hecho la parte sustancial del antiguo imperio seléucida, fue sometida como «provincia de Siria» a un gobernador. El primero de ellos fue M. Emilio Scauro.

Este ordenamiento territorial y administrativo duró en sus elementos básicos hasta la época poscristiana. Pero el gobernador Gabinio modificó de nuevo algunos aspectos de Jerusalén el año 57 a. C. Hircano perdió todas las atribuciones políticas y hubo de limitarse a las tareas de culto. Se crearon además cinco distritos independientes sometidos directamente al gobernador [35]. Pero en los años siguientes, a raíz de graves disensiones surgidas entre los romanos y los últimos miembros de la casa asmonea, especialmente con Alejandro, hijo de Aristóbulo [36], fue abolido el ordenamiento de Gabinio. El sumo sacerdote recuperó sus competencias para todo el territorio. Craso, famoso por el triunvirato del 60 a. C., se hizo cargo de la provincia

[34] H. Bietenhard, *Die Dekapolis von Pompeius bis Traian. Ein Kapitel aus der neutestamentlichen Zeitgeschichte*: ZDPV 79 (1963) 2458; S. T. Parker, *Decapolis reviewed*: JBL 94 (1975) 437-441.

[35] Se trata de los distritos de Jerusalén (con inclusión de la montaña de Judea y de Idumea), de Gazara con las colinas occidentales (a diferencia de Kanael, que propone en lugar de Gazara el nombre de Adora y hace de Idumea el centro de un distrito independiente), de Jericó con una parte de la montaña limítrofe al sur y al noroeste, de Amathus, comprendiendo el territorio de Perea, y de Séforis en la Galilea media. Cf. Josefo, *Ant.* XIV, 5, 4 (90 s). Cf. también H. Guthe, *Bibelatlas,* Leipzig [2]1962, mapa 10. B. Kanael, *The partition of Judea by Gabinius*: IEJ 7 (1957) 98-106; E. Bammel, *The organization of Palestine by Gabinius*: JJS 12 (1961) 159-162; E. M. Smallwood, *Gabinius' organization of Palestine*: JJS 18 (1967) 89-92.

[36] Este Alejandro debía ser llevado a Roma junto con Aristóbulo, pero pudo evadirse. Otro hijo, Antígono, vivió en Roma con Aristóbulo.

el 54 a. C., pero cayó poco después en lucha contra los partos. Su cuestor C. Casio Longino administró la provincia de Siria desde 53-51 a. C.

La presencia de los romanos en el antiguo territorio israelítico-judío y la formación de la provincia de Siria constituyen el límite extremo de la historia de Israel en el antiguo testamento. Las luchas de Aristóbulo y de sus hijos por conseguir una nueva influencia en la vida judía, las querellas del sumo sacerdote con las autoridades romanas y también la aparición de Herodes y sus descendientes forman una nueva sección de la historia cuya exposición pormenorizada no tiene cabida en estas páginas [37]. El pueblo israelítico-judío, dividido en diversos distritos administrativos y entregado a los intereses de instancias particulares, salió extremadamente perjudicado en su independencia y en sus derechos históricos. La dominación romana fue una dura carga para Israel. La exacerbada voluntad de resistencia de este pueblo contra los romanos no se explica sólo por la prepotencia políticomilitar de Roma, sino en último extremo por el profundo contraste entre el sistema romano y la concepción estatal y religiosa de Israel, contraste más acentuado que en los planes de helenización de los seléucidas. Roma era una potencia militar de occidente que nada tenía que dar a oriente, pero pretendía dominarlo absolutamente. Esto hubiera podido conducir a una paralización de las fuerzas más íntimas de Israel. En realidad fue el acicate para la extrema resistencia. Y preparó también a algunos individuos de este pueblo para escuchar y acoger las palabras de la más antigua tradición bajo una nueva dimensión y a una luz diferente. La aparición y la obra de Jesucristo deben considerarse sobre el trasfondo de este período histórico y de su extrema turbulencia, y no pueden disociarse de él. Pero las palabras y obras de Jesús sobrepasaron también con mucho las expectativas que se

[37] Cabe remitir aquí a la exposición clásica de E. Schürer, *Geschichte des jüdischen Volkes im Zeitalter Jesu Christi* I-III, Leipzig 1901-1909 (reimpr. Hildesheim 1964); tomo I, ahora en edición inglesa revisada y completada: *The history of the Jewish people* I, rev. Engl. version of G. Vermes et. al., Edinburgh 1973. J. Leipoldt - W. Grundmann, *El mundo del nuevo testamento* I-III, Madrid 1973-1974. Los tres tomos ofrecen exposición, textos e ilustraciones. A. Schalit (ed.), *The Hellenistic age. Political history of Jewish Palestine from 332 B.C.E. to 67 B.C.E.*, WHJO I, 6, London 1976. F. F. Bruce, *Israel and the nations from 332 B.C.E. to 67 B.C.E.*, en WHJP I, 6 London 1976. F. F. Bruce, *Israel and the nations from the Exodus to the fall of the second temple*, 1963 (exposición amplia sobre la época del segundo templo). Obras más antiguas: Ed. Meyer *Ursprung und Anfänge des Christentums* II, Stuttgart 1921; A. Schlatter, *Geschichte Israels von Alexander dem Grossen bis Hadrian*, Stuttgart [3]1925.

habían despertado desde el tiempo de Antíoco IV Epífanes. Por eso conviene hacer una referencia, como conclusión, a la evolución espiritual de Jerusalén y Judea desde la época de los Macabeos.

No es fácil imaginar las vejaciones a que se vio sometida la comunidad jerosolimitana y judaica, al menos desde el período de Antíoco Epífanes, en los avatares de las luchas políticas y espirituales, ni calibrarlas en su repercusión sobre la conciencia del pueblo judío. Las pugnas constantes y las intervenciones de las potencias extranjeras en un territorio relativamente pequeño al oeste y al este del Jordán tuvieron como efecto una progresiva merma de la población y debían conducir a una paralización de la voluntad de resistencia y de las premisas espirituales de la misma. Pero no deja de ser sorprendente la magnitud de esta voluntad de resistencia y el vigor de la lucha por la supervivencia en aquella comunidad que se veía gravemente amenazada por todas partes. Es natural que la política oscilante y las diversas circunstancias ocasionaran graves escisiones en el seno del cuerpo social jerosolimitano-judío, y esto llevó en creciente medida a la formación de grupos y de partidos. Así se comprende la aparición de los hasideos, de los fariseos, afines a ellos, y de los saduceos a raíz de las guerras macabeas y de la actuación de los soberanos asmoneos, y que en este período comienzan a desempeñar su propio papel. El estudio de la fe de los antepasados, la lucha por la ley y la cuestión de la justicia de Dios ante el espectáculo del mundo circundante tan terriblemente hostil estimularon a los nuevos grupos en la búsqueda de sus propias soluciones y en la creación de nuevas formas de expresión literaria [38].

Debido a esta complejidad, sabemos poco sobre los inicios y los supuestos de los diversos grupos y movimientos. Sólo cabe clarificar de modo hipotético y con mayor o menor certeza los numerosos escritos de uno u otro grupo. La literatura apocalíptica

[38] La obra en tres tomos de Emil Schürer mencionada en la nota anterior informa ampliamente sobre la situación histórica desde Antíoco IV; el primer tomo narra la historia política desde 175 a. C.; el segundo tomo, *Die inneren Zustände,* aborda la constitución y las instituciones de la madre patria; y el tercero, la situación de la diáspora y la literatura judía. Exposiciones más breves sobre el mismo período ofrecen Sh. Safrai, *Das jüdische Volk im Zeitalter des Zweiten Tempels,* Neukirchen 1978; Nahum N. Glatzer, *Anfänge des Judentums,* Gütersloh 1966; D. S. Russell, *Zwischen den Testamenten,* Neukirchen 1962. Las investigaciones recientes aparecen reflejadas en dos obras amplias: M. Hengel: *Judentum und Hellenismus,* Tübingen [2]1973; M. Avi-Yonah and Z. Baras (ed.), *Society and religion in the second temple period,* en WHJP I, 8, Jerusalem 1977.

nos ofrece, al menos desde mediados del siglo II a. C., la nueva dimensión del espíritu israelita que viene a expresar las experiencias políticas desde la perspectiva del pueblo judío. La segunda parte del libro de Daniel (Dan 7-12) podría ser el ejemplo más antiguo de este género literario y es el único integrado en el canon del antiguo testamento. Las obras posteriores suelen catalogarse entre los escritos apócrifos y pseudoepigráficos [39]; pero la literatura apocalíptica halló acogida en el nuevo testamento en la figura del Apocalipsis (Revelación) de Juan [40].

La apocalíptica con sus grandes cuadros visionarios y las reflexiones anejas ofrece determinadas interpretaciones de la historia universal y constituye uno de los intentos más singulares de concebir a nivel espiritual y teológico el presente y el futuro de la humanidad. Tuvo sus antecedentes en aquellas lacónicas descripciones que se conocen como «visiones nocturnas» del profeta Zacarías (Zac 1, 7-6, 8), imágenes y breves acciones simbólicas que sugerían el puesto que correspondía a Jerusalén entre las naciones y la estructura interna de la ciudad [41]. La apocalíptica del libro de Daniel contempla casi exclusivamente la gran historia universal y se introduce simbólicamente en Dan 7 con la imagen de los cuatro animales que surgen del mar caótico y representan los cuatro reinos. Se trata de la reelaboración de un esquema tradicional; originariamente fue la representación de las edades del mundo, que fue asumida por Israel y que descansa probablemente en antiguos modelos griegos (Hesíodo) e indo-

[39] Traducciones: E. Kautzsch, *Die Apokryphen und Pseudoepigraphen des Alten Testaments in Verbindung mit anderen übersetzt und herausgegeben* I-II, 1900 (reimpr. 1921); P. Riessler, *Altjüdisches Schriftum ausserhalb der Bibel, übersetzt und erläutert,* Awsburg 1928; próxima aparición W. G. Kummel (ed.), *Jüdische Schriften aus hellenistisch-römischen Zeit* I-V, Gütersloh 1973 s; cf. también Eissfeldt, *Einleitung,* ³1964; L. Rost, *Einleitung in die alttestamentlichen Apokriphen und Pseudoepigraphen einschliesslich der grossen Qumran-Handschriften,* Heidelberg 1971.

[40] Sobre el movimiento apocalíptico, J. Schreiner, en Maier - Schreiner (eds.), *Literatur und Religion des Frühjudentums,* Würzburg 1973, 214-253 con bibliografía; conviene mencionar también J. M. Schmidt, *Die jüdische Apokalyptik. Die Geschichte ihrer Erforschung von den Anfängen bis zu den Textfunden von Qumran.* Neukirchen 19669; H. H. Rowley, *Apokalyptik. Ihre Form und Bedeutung zu biblischer Zeit,* Einsiedeln ³1965; sobre la aparición y precedentes de la apocalíptica O. Plöger, *Theokratie und Eschatologie,* WMANT 2, ³1968; en un tono propagandístico y polémico K. Koch, *Ratlos vor der Apokalytik,* Gütersloh 1970.

[41] H. Gese, *Anfang und Ende der Apokalyptik, dargestellt am Sacharjabuch,* 1973; reimpresión en *Vom Sinai zum Zion,* München 1974, 202-230.

iranianos [42]. El mismo esquema subyace en la tradición reelaborada en Dan 2, donde la sucesión de los reinos no se representa con la presencia de diversos animales, sino con los diversos materiales de una estatua (el «coloso de los pies de barro»). Cabe suponer, muy probablemente, que el libro de Daniel alude con la imagen de los cuatro animales y de la estatua a los cuatro grandes reinos de la época y que ejercieron una influencia mediata o inmediata sobre el pueblo israelítico-judío: los reinos de los babilonios, de los medos, de los persas y de los griegos desde Alejandro Magno, con inclusión de los estados helenísticos. No se contempla, en todo caso, el imperio romano. El cuarto animal es de especial interés en Dan 7, 7s:

«(7) Después tuve otra visión nocturna: una cuarta fiera, terrible, espantosa, fortísima; tenía grandes dientes de hierro, con los que comía y descuartizaba, y las sobras las pateaba con las pezuñas. (8) Era diversa de las fieras anteriores, porque tenía diez cuernos. Miré atentamente los cuernos y vi que entre ellos salía otro cuerno pequeño; para hacerle sitio, arrancaron tres de los cuenos precedentes. Aquel cuerno tenía ojos humanos y una boca que profería insolencias» [43].

La interpretación del cuarto animal con sus cuernos se hace en Dan 7, 19, y se adivina con toda claridad que el cuerno pequeño, nombrado al final, es Antíoco IV Epifanes que «luchó contra los santos y los derrotó» (7, 21), que «cambió el calendario y la ley» (7, 25). Entonces los diez cuernos son los seléucidas [44], y los tres cuernos arrancados para hacer lugar al cuerno pequeño se refieren a los tres reyes vencidos. Salvo algunos puntos inciertos, se indica también la serie de los soberanos: 1. Alejandro Magno; 2. Seleuco I; 3. Antíoco I; 4. Antíoco II; 5. Se-

[42] K. Koch, *Spätisraelitisches Geschichtsdenken am Beispiel des Buches Daniel*: Historische Zeitschrift 193 (1961) 1-32; M. Noth, *Das Geschichtsverständnis der alttestamentlichen Apokalypsis,* 1954, reimpresión en: *Ges. Studien* I, München ^{3}1966, 248-273.

[43] Traducción alemana de O. Plöger, *Das Buch Daniel,* KAT 18, 1965, 101.

[44] Sobre la inspiración del apocalíptico para simbolizar el imperio griego con la figura de múltiples cuernos, cabe añadir que Alejandro Magno y los primeros seléucidas aparecen representados en monedas provistos de cuernos, a diferencia de los ptolomeos, en los que no ocurre esto. A esta circunstancia se refiere S. Morenz, *Das Tier mit den Hörnern. Ein Beitrag zu Dan. 7, 7 s*: ZAW 63 (1951) 151-154; reimpresión en S. Morenz, *Religion und Geschichte des alten Ägypten,* Weimar-Köln-Wien 1975, 429-432.

leuco II; 6. Seleuco III; 7. Antíoco III el Grande [45]. Cabe identificar con bastante certeza los tres reyes vencidos después de Antíoco III: 1 Seleuco IV, predecesor de Antíoco IV, asesinado por su ministro de finanzas Heliodoro; 2. Demetrio, hijo de Seleuco IV, que fue canjeado por Antíoco IV y vivió en Roma como rehén; 3. Antíoco, otro hijo de Seleuco IV, muerto prematuramente o liquidado por Antíoco IV. Estos tres habrían aspirado a la soberanía, pero se vieron imposibilitados por especiales circunstancias y ayudaron así a Antíoco IV, el pretencioso cuerno pequeño, a ocupar el trono. Los acontecimientos del pasado reciente estuvieron, pues, presentes en toda su viveza ante los ojos del autor y contribuyeron a la gestación de este cuadro fantástico [46].

El capítulo 7 de Daniel constituye un prototipo de la literatura apocalíptica por su simbolismo político-visionario, patente en las figuras de animales, y por la breve representación de la escena celestial que reproduce a escala sublime el mundo transcendente propio de la espiritualidad israelita tardía e influyó en el capítulo 1 del Apocalipsis de Juan. Al brotar el cuerno pequeño del cuarto animal, hay un cambio de escenario: aparece la sala celestial, se colocan tronos y Dios mismo, calificado aquí como «el anciano», toma asiento. Comienza un juicio; los cuatro reinos son condenados y destruidos. Pero luego llega entre las nubes del cielo una figura humana, como un «hijo de hombre» [47], en contraposición a los animales, y que se presenta al anciano. Sobre él dice el pasaje 7, 14: «Todos los pueblos, naciones y lenguas lo respetarán. Su dominio es eterno y no pasa, su reino no tendrá fin». Esta figura humana que llega sobre las nubes del cielo es la imagen simbólica de un nuevo ejercicio de la soberanía en el mundo. Más adelante se dice que el reino venidero pertenecerá

45 La serie es hipotética. Pero si no se incluye a Alejandro Magno, cabe contemplar reconstrucciones aún más audaces, por ejemplo la inserción de Antíoco Hierax, que intervino entre 240 y 227 como antirrey de Seleuco II. Cf. sobre la opinión expuesta O. Plöger, *Das Buch Daniel,* 116 s.

46 Hay otros intentos de explicación de los tres cuernos arrancados, pero excesivamente artificiosos. La solución aquí propuesta tiene la ventaja de considerar a personajes que se hallan en una relación de parentesco y que pueden reclamar para sí derechos dinásticos. Cf. para este y otros problemas O. Plöger *l. c.*

47 La traducción corresponde literalmente al original arameo; el sentido es que aparece algo con «figura humana». El término «hijo» expresa la pertenencia al género «hombre». Sólo posteriormente pudo independizarse el término «hijo del hombre» y aplicarse como un título al Mesías. Dan 7, 13, además, sólo compara la aparición con una figura humana; no se trata, pues, del «Mesías» como persona en sentido escatológico.

a los «santos del Altísimo»[48]. No se especifica quiénes son estos santos. Pero, de no tratarse de una magnitud absolutamente ideal y típica de un futuro lejano, son cuando menos aquellos que ven en la política de las grandes potencias de la época el mal que es preciso erradicar. Dios impondrá su voluntad en la tierra mediante los «santos del Altísimo» y las naciones tendrán el final que se merecen. Tal es la expectativa de los «apocalípticos», cuya crítica al presente es absoluta y cuya esperanza se orienta por eso al futuro. Lo que ellos quieren ver «revelado» y «patente» es el plan de Dios sobre su pueblo, cuyos miembros fieles a la ley y ligados al Dios de Israel recibirán la bendición del tiempo venidero. Lo que no se dice es quién encarna concretamente tales esperanzas, si se trata de grupos organizados y específicos o si las ideas apocalípticas proliferaban en todos los grupos, por ejemplo entre los fariseos, con mayor o menor intensidad[49]. Así no es extraño que se haya hablado de «círculos apocalípticos» o de un «movimiento apocalíptico», con perfiles muy concretos a nivel de una filosofía de la historia.

El libro de Daniel ofrece desde el capítulo 10 un esbozo de análisis histórico que deja muy atrás por sus rasgos pormenorizados al cuadro esquemático de los cuatro reinos universales. El pasaje 11, 3-39 considera el acontecer histórico desde Alejandro Magno, sobre todo a partir de 11, 21, que presupone los acontecimientos ocurridos desde la subida al trono de Antíoco IV. El pasaje Dan 11, 29-39 alude a la segunda campaña de Antíoco en Egipto el año 167. Se menciona la muerte del rey; cabe suponer, sin embargo, que la composición de Dan 11 fue anterior a este acontecimiento, que tuvo lugar en diciembre de 164[50].

En la perspectiva apocalíptica, está patente la crítica a las grandes potencias políticas; éstas deben ser aniquiladas antes de que comience la soberanía de Dios. Una de las secuelas de las experiencias históricas de la comunidad judía es, pues, una visión dualista del mundo, donde el reino del mundo y el reino de Dios aparecen contrapuestos. La pregunta de los apocalípticos es hasta qué punto es o podría ser el reinado de Dios para la historia

48 M. Noth, *Die Heiligen des Höchsten,* 1955; reimpresión en *Ges. Stud.* I, [3]1966, 274-290.

49 Para la comprensión exacta de estos hechos cf. D. Rössler, *Gesetz und Geschichte. Untersuchungen zur Theologie der jüdischen Apokalyptik und der pharisäischen Orthodoxie,* en WMANT 3, Neukirchen 1960.

50 K. Koch llama la atención sobre las cuestiones y problemas de la cronología bíblica en relación con la apocalíptica: *Die mysteriösen Zahlen der judäischen Könige und die apokalyptischen Jahrwochen*: VT 28 (1978) 433-441.

universal y para la suerte del Israel escindido. Desde esta perspectiva se desprende elementos decisivos para el pensamiento teológico del futuro. La idea del reino de Dios como una magnitud transcendente cristalizó en la pregunta sobre el momento de su aparición, sobre sus portadores y testigos, sobre los criterios de selección de éstos y sobre las circunstancias especiales que acompañarán a su inicio. Así se formaron los elementos de un «drama escatológico» que llega desde la destrucción de los poderes hostiles a Dios, pasando por el juicio de los impíos y la aparición del Mesías, hasta la era definitiva de salvación. Cada uno de estos elementos presuponía una sólida base de tradiciones independientes.

Esto se constata en otra colección de tradiciones apocalípticas que no entraron en el canon bíblico: el llamado libro etiópico de Henoc [51]. Se trata evidentemente de una obra de compilación; la fecha de composición de sus diversas partes es muy controvertida [52]. Lo que tiene un sabor más antiguo es el «apocalipsis de las diez semanas» en los capítulos 93 y 91, 12-17, que no parecen incluir la rebelión macabea. Este fragmento podría ser casi coetáneo de los fragmentos del apocalipsis de Daniel. Otros fragmentos del libro de Henoc se pueden situar hipotéticamente en los años de Judas Macabeo, bajo Juan Hircano I o quizá más tarde, bajo Alejandro Janneo, hasta el siglo I a. C. El mundo apocalíptico experimentó un amplio proceso de desarrollo. No se limita ya a la oposición entre el poder mundano y el reinado de Dios, sino que busca el orden y las leyes del cielo como objeto de consideración, surgiendo una verdadera apocalipsis en el sentido de «revelaciones» de los misterios del reino de los cielos en sentido amplio. De gran relevancia son los discursos de los capítulos 37-71, donde la figura simbólica del hijo del hombre de Daniel 7 deriva en una personalidad escatológica independiente y de ese modo las funciones del «mesías» adquieren gran relieve [53].

51 Sólo se conserva la versión etíope. El texto original era hebreo o arameo y fue traducido al griego; el texto griego fue la base de la versión etíope. Traducción en Kautzsch, *Apokr. u. Pseudoepigr.* II, 217-310 (revisión por G. Beer); P. Riessler *Altjüd. Schriftum,* 355-451; 1291-1297.

52 Pero las tradiciones más antiguas no empiezan antes del Antíoco IV Epífanes; la obra concluyó, según la opinión más general, a mediados del siglo I a. C. Se discute si el lenguaje figurado de los cap. 37-71 está retocado en sentido cristiano. Más información en Eissfeldt, *Einleitung,* [3]1964, 836-843.

53 E. Sjöberg, *Der Menschensohn im äthiopischen Henochbuch,* 1946. Cf. también la amplia exposición de P. Volz, *Die Eschatologie der jüdischen Gemeinde im neutestamentlichen Zeitalter,* Tübingen 1934; más re-

Todas estas tradiciones y esquemas llevan a preguntar por sus autores, transmisores y fuerzas comunitarias plasmadoras que puedan considerarse como soporte de ese potencial teológico altamente elaborado. A este respecto constituyó una sorpresa, aunque no supuso la solución de todos los problemas pendientes, un hallazgo casual realizado en 1947, como también las excavaciones posteriores de las ruinas de un monasterio perteneciente a una comunidad cuyos inicios se sitúan en el siglo II a. C. El hallazgo casual fue un lote de manuscritos en algunas cuevas de la franja oriental del desierto de Judá; y en sus proximidades, en *chirbet kumrān* (Qumran), sobre una terraza margosa de la ribera noroccidental del mar Muerto, a un kilómetro de la fuente *'ēn feschcha,* se encontraron los restos del monasterio que perteneció muy probablemente a dicha comunidad; ésta habría ocultado más tarde sus textos sagrados en las cercanas cuevas de la terraza y del macizo montañoso, en evitación de posibles rapiñas, sobre todo por parte de los romanos. Los manuscritos guardados en vasijas han superado los siglos en buen estado de conservación [54].

Gracias a la bibliografía especializada, ya casi inabarcable, que se ha producido sobre los hallazgos de Qumran [55], al estudio intensivo del material descubierto [56] y a los trabajos arqueológicos

ciente J. Klausner, *The messianic idea in the apocryphal literature,* en WHJP I, 8, Jerusalem 1977, 153-186.

[54] Para la información sobre los primeros hallazgos y como introducción a la problemática general cf. M. Burrows, *Die Schriftrollen von Toten Meer,* München 1957; Id., *Mehr Klarheit über die Schriftrollen,* München 1958. Como introducción y exposición, H. Bardtke, *Die Handschriftenfunde am Toten Meer,* Berlin 1953; Id., *Die Handschriftenfunde am Toten Meer. Die Sekte von Qumran,* Berlin 1958; Id., *Die Handschriftenfunden in der Wüste Juda,* Berlin 1962 (exposición del hallazgo de otros materiales en la zona del desierto de Judea, concretamente en el *wadi murabba'at*, en *chirbet mird* y en otras partes). Breve descripción del poblado de Qumran y de los hallazgos más importantes en G. L. Harding, *Auf biblischem Boden,* Wiesbaden 1961, 209-224.

[55] Esta bibliografía crece sin cesar. Recientemente se han editado nuevos textos. Y. Yadin publicó en 1977 el «rollo del templo», conocido desde 1960 y así denominado por él; Y. Yadin, *Megillat ham-Miqdas. The Temple Scroll* I-III (Hebrew edition), Jerusalem 1977. Una primera traducción alemana de Johann Maier: *Die Tempelrolle vom Toten Meer, überstzt und erläutert,* UTB, 829, München 1978. Sobre otros textos de Qumran informan algunas introducciones al antiguo testamento, como Eissfeldt, [3]1964, y Rost, *Einleitung in die alttestamentlichen Apokryphen und Pseudepigraphen einschliesslich der grossen Qumran-Handschriften,* Heidelberg 1971. Bibliografía sobre Qumran en Char. Burchard (1959 y 1965); B. Jongeling (1971).

[56] Colecciones de textos traducidos: J. Maier, *Die Texte vom Toten Meer* I (traducción), II (notas), Munich, 1960; J. Carmignac - P. Guilbert,

realizados en aquel lugar [57], apenas cabe duda de que allí estuvo ubicada una comunidad religiosa que vivó unida en la vida común, el estudio, la transcripción de textos sagrados [58] y una doctrina aceptada por todos sus miembros. Pero el intento de equiparar esta comunidad con alguno de los grupos de Judea o de la diáspora ya conocidos no ha dado éxito hasta hoy; tampoco consta su identificación con el grupo de los esenios [59], contra lo que muchos han supuesto. Las coincidencias de los fragmentos hallados con un escrito, anteriormente descubierto, de una «comunidad de la nueva alianza en el país de Damasco» [60], coincidencias que se conocieron poco después del hallazgo de los manuscritos, indican la posible existencia de numerosos grupos religiosos judíos desde el siglo II a. C., a veces ligados entre sí. Sus formas de vida eran muy dispares y sus ideas cristalizaron en tradiciones que a veces eran totalmente independientes unas de otras. En ciertos casos se comprometían a llevar una vida común, como en Qum-

Les textes de Qumran I (1961), II (1963). Entre las numerosas investigaciones especiales cabe mencionar F. M. Cross-Sh. Talmon (ed.), *Qumran and the history of the biblical text,* Cambridge (Mass.) London 1975.

57 M. Noth presume que el lugar o un poblado anterior se menciona en el antiguo testamento con el nombre de «la ciudad de la sal» (Jos 15, 62). Cf. M. Noth, *Der alttestamentliche Name der Siedlung auf chirbet qumran*: ZDPV 71 (1955) 111-123; reimpresión en ABLAK 1 (1971) 332-343.

58 Esto sugieren las mesas y bancos de escritos hallados en un recinto especial de Qumran; su reproducción por ejemplo en Burrows, *Die Schrifttrollen,* München 1957, 225. No se puede demostrar que todos los rollos encontrados se escribieron en Qumran. Pero al menos es probable que en el marco de la comunidad se llevara a cabo una labor continuada de escritura.

59 La tesis sobre los esenios ha tenido general aceptación, pero no deja de ser discutida; diversas opiniones en J. Maier - K. Schubert, *Die Qumran - Essener,* UTB 224, München 1973; tesis matizada en J. Licht, *The Qumran sect and its scrolls* en WHJP I, 8, 1977, 125-152, esp. 145-147. K. H. Rengstorf supone que no se trata de un poblado esenio, sino de una sede de la administración del templo de Jerusalén, que habría desplazado una parte de la biblioteca del templo a Qumran: *Hirbert Qumran und die Bibliothek vom Toten Meer*: Studia Delitzschiana 5, Stuttgart 1960; Id., *Erwägungen zur Frage des Landbesitzes des zweiten Tempels in Judäa und seiner Verwaltung,* en *Bibel und Qumran, Festschrift H. Bardtke,* Berlin 1968, 156-176. Al margen de los problemas de la investigación sobre Qumran, S. Wagner, *Die Essener in der wissenschaftlichen Diskussion vom Ausgang des 18. bis zum Beginn des 20. Jahrhunderts,* BZAW 79, Berlin 1960.

60 Llamado ordinariamente «escrito de Damasco». Descubierto por S. Schechter en la *guenizá* de la sinagoga Esdras del antiguo Cairo el año 1896. Fragmentos del mismo escrito se encontraron en las cuevas 2, 4 y 5 de Qumran. Eissfeldt, *Einleitung,* ^{3}1964, 880-884; L. Rost, *Einleitung,* 1971, 127-130.

ran, vida común que protegía su existencia en un aislamiento voluntario, lejos de la turbulencia de las empresas político-militares de la época. A pesar de ello, y como demuestra el yacimiento arqueológico, la comunidad de Qumran no estuvo al abrigo de posibles sorpresas. Parece que el lugar permaneció deshabitado durante mucho tiempo, quizá a consecuencia de un terremoto, cuyas huellas son aún visibles, especialmente en la escalera resquebrajada que descendía hasta una cisterna [61]. Probablemente la despoblación duró desde el 31 a. C., año del terremoto, al 4 a. C. aproximadamente, es decir, hasta el final del reinado de Herodes el Grande, como sugieren ciertos hallazgos numismáticos.

De los escritos de la comunidad de Qumran se desprende que sus expectativas de futuro eran específicas y su doctrina se apoya en determinadas autoridades, entre las cuales la del «maestro de la justicia» desempeñaba un relevante papel. Este maestro, al que se presenta como sacerdote, fue perseguido por un «sacerdote sacrílego», caracterizado con rasgos que evocan el sacerdocio de tipo asmoneo, que condenó severamente a la comunidad. Esta tuvo conciencia de ser «hija de la luz» en lucha con los «hijos de las tinieblas», que eran los demás judíos y las naciones del mundo. Vivían en un sistema donde todos debían aportar «su conocimiento, su fuerza y su capacidad para la unión con Dios» [62], donde regía la comunidad de bienes y se buscaba con el máximo celo la observancia de la *thora* «para practicar la fidelidad, la unión y la humildad, la justicia, el derecho, la solidaridad amorosa y la conducta humilde en todos los actos» [63]. Fórmulas de este tipo muestran una afinidad con la tradición legal y profética. El rollo de los himnos (Hodajot) produce una impresión de profunda piedad que se orienta en el lenguaje de los salmos. La unión sacral del grupo, que se expresaba también en la comida comunitaria, tiene un sentido escatológico. El presente es el tiempo final. Se vive a la espera de la «lucha de los hijos de la luz contra los hijos de las tinieblas» [64]. Dos figuras mesiánicas son los órganos de la salvación futura: un Mesías sacerdote, en la línea de Aarón, y un Mesías caudillo de Israel [65], expectativa que responde a las complejas ideas dualistas de la comunidad, a sus ideales sacrales y profanos. Entre

[61] Reproducido a menudo; buena fotografía en G. L. Harding, *Auf biblischem Boden,* 1961, lám. 39, p. 192; excelentes láminas en color: *Jerusalem und seine grosse Zeit,* ed. Popp, Würzburg 1977, 85-102, 255.

[62] *Sektenkanon* (IQS) I, 12. J. Maier, *Die Texte vom Toten Meer* I, 22.

[63] *Sektenkanon* V, 3.4. Maier, *o. c.,* 29.

[64] Este título dio Sukenik, por razón de su contendio, al texto conocimo como «rollo de la guerra» (1 QM) o «War scroll» (DSW). Maier, *o. c.,* 123-148.

[65] Escrito de Damasco (Dam) XX, 1. Maier, *o. c.,* 68.

los últimos se cuenta también el ideal de pobreza y de servicialidad sin límites.

«La comunidad de unión» se identificaba con el verdadero santuario de Dios. Frente al templo de Jerusalén, que estaba en manos ajenas, esta comunidad hubo de esbozar una imagen ejemplar de templo para mantener viva la idea de la redención. En este punto aparece un elemento plenamente sacerdotal; los sacerdotes son los custodios de la alianza y los indagadores de la voluntad divina [66]. Esta complejidad de ideas que auna la aceptación de la *thora* con las tradiciones proféticas y apocalíptico-escatológicas y el rechazo del Israel actual, explica que no sea fácil equiparar sin más la comunidad de Qumran con otros grupos. No han faltado intentos de establecer relaciones entre Qumran y el futuro cristianismo. Qumran hunde sus raíces, fundamentalmente, en la tradición veterotestamentaria y paleojudía y, pese a las similitudes en aspectos particulares, no se puede considerar como precursora o transición hacia otras comunidades posteriores. La nota esotérico-aislacionista de estos hombres de Qumran tan atentos a su propia vida, es otro motivo que impide dicha equiparación.

Entre los escritos hallados en Qumran se encontraron fragmentos de obras bíblicas y apócrifas. Entre ellos, el rollo de Isaías constituye uno de los hallazgos más impresionantes [67]. Cabe suponer que todos estos escritos tenían su importancia para la comunidad, lo cual confirma su fuerte arraigo en la tradición. No es fácil determinar dónde comienza en este proceso de recepción la aportación creadora del grupo. A pesar del aislamiento voluntario, la comunidad de Qumran ofrece para su tiempo un ejemplo vivo de múltiple reelaboración de ideales tradicionales y contemporáneos, al margen de la política profana, y esto dentro de la fe en el verdadero Israel del futuro.

Los escritos de Qumran no permiten extraer conclusiones directas sobre acontecimientos de la época y sólo podemos reconstruir las vicisitudes del grupo partiendo de los yacimientos del poblado. Hay, en cambio, otro escrito que hace referencia a los acontecimientos del final de la soberanía asmonea, a la aparición de Pompeyo en Jerusalén el año 63 a. C. y a su muerte en la

[66] *Sektenkanon* V, 9. Maier, *o. c.,* 30.

[67] Las transcripciones de Qumran —existe una segunda transcripción de Isaías— son los documentos más antiguos de textos veterotestamentarios canónicos. Ellos confirman la fiabilidad de la transmisión y dan acceso a un estadio anterior en unos mil años a las transmisiones masoréticas conocidas. Una parte de los textos hallados en Qumran se encuentra hoy en el Museo de Israel, de Jerusalén, «armario del libro», donde figura de modo significativo el rollo de Isaías. Cf. la serie de transcripciones fotográficas en M. Avi-Yonah, *Jerusalem - Die Helige Stadt,* 1974, 120-125; dos buenas reproducciones en C. Thubron, *Jerusalem,* Amsterdam 1976, 179.

costa egipcia cerca de Pelusium el año 48 a. C. Se trata de los «Salmos de Salomón», transmitidos en traducción griega y siríaca, una serie de 18 salmos que se atribuyen con gran unanimidad a la tradición y redacción fariseas [68]. Son de particular importancia los salmos 17 y 18, que describen la investidura de un Mesías representado en figura tradicional, un Mesías al que se llama hijo de David [69] y cuya palabra fulmina y juzga a los pueblos [70]. Dice de él (Sal Sal 17, 36-38):

> «Y él está limpio de todo pecado, por eso puede reinar sobre un gran pueblo, castigar a los jefes y borrar los pecados con palabra poderosa. Tampoco pecará nunca contra su Dios; pues Dios le ha fortalecido en el espíritu santo y le ha dado sabiduría, con fuerza operativa y justicia.
> Así la bendición del Señor está con él, plena de fuerza, y nunca pecará».

Estas palabras, consideradas en el marco de la obra global de los Salmos de Salomón, que fueron escritos a mediados del siglo I a. C., expresan las esperanzas en un Mesías que es muy superior a los jefes políticos y militares de todo tipo, a uno de los cuales acababa de conocer Jerusalén en la figura de Pompeyo. Está claro que los rasgos concretos de esta tradición mesiánica apuntan a una dirección que se corresponde con el futuro cristianismo. Pero el movimiento suscitado por Jesús no deriva en concreto de ninguno de los grupos políticos y espirituales del judaísmo de los últimos siglos precristianos. Jesús asume más bien, en el marco de la tradición, formas muy variadas de religiosidad judía, por lo que resulta vano el intento de aproximar la comunidad de Qumran a los primeros seguidores de Jesús. Es indudable que Jesús y el cristianismo primitivo bebieron directamente en la tradición veterotestamentaria y paleojudía. Pero no está claro, desde la perspectiva histórica, por qué y bajo qué supuestos la doctrina de Jesús destacó tanto frente a las otras tradiciones y

[68] Kautzsch (ed.), *Apokr. u. Pseudepgr.* II, 127-148 (revisado por R. Kittel); Riessler, *Altjüd. Schriftum,* 881-902. 1323 f. Texto griego también en la edic. Setenta de Rahlfs, II, 471-489. Cf. O. Eissfeldt, *Einleitung,* [3]1964, 826-831; L. Rost, *Einleitung,* 1971, 89-91. A la luz del origen de los fariseos se constatan diversas corrientes dentro de este movimiento, como se advierten también en los Salmos de Salomón; así lo entiende Eissfeldt, *o. c.;* y recientemente, a base de un análisis preciso del texto, J. Schüpphaus, *Die Psalmen Salomos,* Leiden 1977.

[69] Salmos de Salomón 17, 21-25 con temas de Is 11, 1 s y Sal 2.

[70] Salmos de Salomón 17, 34 s.

grupos judíos, hasta independizarse de ellos. En cualquier caso, el horizonte de las expectativas teológicas al que apuntan las palabras de Jesús estuvo preparado por la teología de su tiempo y por las duras presiones políticas que sufría el país. El hecho de que Jesús renunciara a la influencia política, y se volviera de modo tan decisivo al hombre amenazado y desesperado, fue lo que le abrió los corazones de aquellos que le escuchaban. Su muerte hubiera podido sellar el fracaso de su empresa; el nacimiento de una fe en el Resucitado cae, en rigor, fuera de todo cálculo histórico.

La historia del pueblo israelítico-judío que aquí se ha expuesto, desbordando la época del antiguo testamento, hasta el comienzo de la dominación romana sobre Jerusalén y Judea, estuvo sometida en este lapso de tiempo a una de sus pruebas más duras. Los romanos consiguieron el total sometimiento del país, que perdió su independencia en el siglo II d. C.; pero el pueblo no perdió sus esencias y mucho menos su fuerza espiritual y religiosa, que transmitió a occidente y al mundo. El naciente cristianismo asumió el antiguo testamento como sagrada Escritura, convirtiéndolo en parte sustancial del canon bíblico. En ese sentido, la iglesia antigua se insertó en la tradición del pueblo de Israel; pero se comprometió también en las disputas dogmáticas de los primeros siglos y en el pensamiento greco-occidental. Al mismo tiempo, el judaísmo se embarcó en las tradiciones exegéticas de la Misná y del Talmud y posteriormente en una filosofía y literatura características que garantizaron su supervivencia y le ayudaron a conservar su cultura. Por eso la historia del Israel veterotestamentario es un requisito necesario para comprender la religión judía y el pensamiento cristiano. Porque Israel experimentó en el curso de su historia la acción de un Dios que es común a judíos y cristianos.

BIBLIOGRAFIA

A) OBRAS GENERALES

Exposiciones globales

Albright, W. F.: *From the stone age to christianity,* New York [2]1957.

Anderson, G. W.: *The history and religion of Israel,* Oxford 1966.

Auerbach, E.: I. *Wüste und Gelobtes Land. Geschichte Israels von den Anfängen bis zum Tode Salomos,* Berlin [2]1938; II. *Wüste und Gelobtes Land. Geschichte Israels vom Tode Salomos bis Ezra und Nehemia,* Berlin 1936.

Ben-Sasson, H. H. (ed.): *Geschichte des jüdischen Volkes* I: *Von den Anfängen bis zum 7. Jahrhundert,* München 1978.

Bright, J.: *La historia de Israel,* Bilbao [3]1977 (edición inglesa aumentada en 1979).

Bruce, F. F.: *Israel and the nations. The history of Israel from the exodus to the fall of the second temple,* Devon 1963.

Ehrlich, E. L.: *Historia de Israel desde los principios hasta la destrucción del templo 70 d. de Cristo,* México 1961.

Fohrer, G.: *Geschichte Israels. Von den Anfängen bis zur Gegenwart,* Heidelberg [3]1981 (ed. aumentada).

Gunneweg, A. H. J.: *Geschichte Israels bis Bar Kochba,* Stuttgart [2]1976.

Hayes, J. H.-Miller J. M. (eds.): *Israelite and Judaean history,* London 1977.

Metzger, M.: *Grundriss der Geschichte Israels,* Neukirchen [5]1977.

Noth, M.: *Historia de Israel,* Barcelona 1966.

Ohler, A.: *Israel, Volk und Land,* Stuttgart 1979.

Renan, E.: *Historia de Israel* I-II, Barcelona 1971.

Vaux, R. de: *Historia antigua de Israel* I-II, Madrid 1975.

World history of the Jewish people (The): I) E. A. Speiser (ed.), *At the dawn of civilization,* 1964; II) B. Mazar (ed.), *Patriarchs,* 1970; III) B. Mazar (ed.), *Judges,* 1971; VI) A. Schalit (ed.), *The hellenistic age. Political history of Jewish Palestine from 332 B.C.E. to 67 B.C.E.,* 1976; VIII) M. Avi-Yonah - Z. Baras (eds.), *Society and religion in the second temple period,* 1977.

Otras exposiciones

Guthe, H.: *Geschichte des Volkes Israel,* Tübingen ³1914.
Kittel, R.: *Geschichte des Volkes Israel,* Stuttgart (I. ⁵⁻⁶1923; II. ⁷1925; III/1. ¹⁻²1927; III/2 ¹⁻²1929).
Olmstead, A. T.: *History of Palestine and Syria.* New York 1931.
Sellin, E.: *Geschichte des israelitisch-jüdischen Volkes,* Leipzig (I. ²1935; II. 1932).
Wellhausen, J.: *Geschichte Israels,* 1880 (edición privada); nueva edición en J. Wellhausen, *Grundrisse zum Alten Testament* (editado por R. Smend), München 1965, 13-64; *Israelitische und jüdische Geschichte,* Berlin (1894) ⁹1981; *Prolegomena zur Geschichte Israels,* Berlin ⁶1981.

Obras sobre la historia de Israel

Alt, A.: *Kleine Schriften zur Geschichte des Volkes Israel* I-III, München (I. ⁴1968; II. ³1964; III. ²1968). Selección de *Kleine Schriften* (editada por Rud. Meyer), Berlin 1962; *Grundfragen der Geschichte des Volkes Israel* (ed. S. Herrmann), München 1969.
Eissfeldt, O.: *Kleine Schriften* I-VI, Tübingen (1962-1963-1966-1968-1973-1979).
Freedman, D. N.-Greenfield, J. C. (eds.), *New directions in biblical archaeology,* New York 1969.
Freedman, D. N.-Wright, G. E.-Campbell, E. F. (eds.), *The biblical archaeologist reader* I-III, New York 1961-1970.
Galling, K.: *Studien zur Geschichte Israels im persischen Zeitalter,* Tübingen 1964.
Kuschke, A.-Kutsch, E. (eds.): *Archäologie und Altes Testament (Fest. f. K. Galling),* Tübingen 1970.
Malamat, A.: *Mari and the Bible. A collection of studies,* Jerusalem 1973.
Mazar, B.: *Canaan and Israel. Historical essays,* Jerusalem 1974 (en hebreo); *Cities and districts in Eretz-Israel,* Jerusalem 1975 (en hebreo); Id. (ed.): *Eretz Israel. Archaeological, historical and geographical studies*XV, Jerusalem 1981.
Meshel, Z.-Finkelstein, I. (eds.): *Sinai in antiquity. Researches in the history and archaeology of the Peninsula,* Tel Aviv 1980.
Noth, M.: *Aufsätze zur biblischen Landes-und Altertumskunde* I-II, Neukirchen-Vluyn 1971 (ed. por H. W. Wolff); *Gesammelte Studien zum Alten Testament* I-II, München (³1966-1969).
Noth, M. (ed.): *Geschichte und Altes Testament (Fest. Al. Alt),* Tübingen 1953
Plöger, O.: *Aus der Spätzeit des Alten Testaments. Studien,* Göttingen 1971.
Rendtorff, R.: *Gesammelte Studien zum Alten Testament,* München 1975.
Rost, L.: *Das kleine Credo und andere Studien zum Alten Testament,* Heidelberg 1965.
Sanders, J. A. (ed.): *Near eastern archaeology in the twentieth century (Essays in honor of Nelson Glueck),* New York 1970.
Soggin, J. A.: *Old testament and oriental studies,* Rom 1975.
Vaux, R. de: *Bible et Orient,* Paris 1967.
Wright, G. E. (ed.): *The Bible and the ancient near east (Essays in honor of W. F. Albright),* London 1961.

Manuales y Lexika

Avi-Yonah, M.-Stern, E. (eds.): *Encyclopedia of archaeological excavations in the holy land* I-IV, Oxford-Jerusalem 1975-1978.
Cohen, R.-Schmitt, G.: *Drei Studien zur Archäologie und Topographie Altisraels,* Wiesbaden 1980.
Dictionnaire de la Bible. Suppléments I-X, Paris 1928-1974.
Galling, K.: *Biblisches Reallexikon,* Tübingen (1937) ^{2}1977.
Haag, H.: *Diccionario de la Biblia,* Barcelona ^{8}1981.
Hastings, J.: *Dictionary of the Bible* (obra revisada por F. C. Grant y H. H. Rowley), Edinburgh ^{2}1963.
Interpreter's dictionary of the Bible I-IV, New York-Nashville 1962 (suplemento de 1976).
Jenni, E. Westermann, C. (eds.): *Diccionario teológico manual del antiguo testamento* I-II, Madrid 1978-1984.
Keel, O.-Kühler, M.: *Orte und Landschaften der Bibel,* Zürich-Einsiedeln-Köln-Göttingen 1982.
Koch y otros (eds.): *Reclams Bibellexikon,* Stuttgart 1978.
Mazar, B. (ed.): *Thirty years of archaeology in Eretz-Israel, 1948-1978,* Jerusalem 1981.
Negev, A.: *Archäologisches Lexikon zur Bibel,* Jerusalem-München 1972.
Noth, M.: *El mundo del antiguo testamento,* Madrid 1976.
Reicke, B.-Rost, L.: *Biblisch-historisches Handwörterbuch* I-III, Göttingen 1963-1966; IV, 1979.
Varios, *Enciclopedia de la Biblia,* Estella 1983.
Vaux, R. de: *Instituciones del antiguo testamento,* Barcelona 1964.

Textos

Beyerlin, W. (ed.): *Religionsgeschichtliches Textbuch zum Alten Testament,* Göttingen 1975.
Breasted, J. H.: *Ancient records of Egypt* I-V, Chicago 1906-1907.
Donner, H.-Röllig, W.: *Kanaanäische und Aramäische Inschriften* I-III, Wiesbaden ^{2}1966-1968.
Frey, J. B.: *Corpus inscriptionum Judaicarum* I-II, Rom 1936-1953.
Galling, K.: *Texbuch zur Geschichte Israels,* Tübingen (1950) ^{3}1979.
Gibson, C. L.: *Textbook of Syrian semitic inscriptions* I-II, Oxford 1971-1975.
Grayson, A. K.: *Assyrian royal inscriptions* I-II, Wiesbaden 1972-1976; *Assyrian and Babylonian chronicles. Texts from cuneiform sources* V, New York 1975.
Gressmann, H. (ed.): *Altorientalische Texte und Bilder zum Alten Testament* I-II, Berlin ^{2}1926-1927.
Luckenbill, D. D.: *Ancient records of Assyria and Babylonia* I-II, Chicago 1926-1927.
Maier, J.: *Die Texte vom Toten Meer* I-II, München 1960; *Die Tempelrolle vom Toten Meer,* München 1978.
Pritchard, J. B. (ed.): *Ancient near eastern texts relating to the old testament,* Princeton ^{3}1969; *La sabiduría del antiguo oriente,* Barcelona 1966.
Resenhöfft, W.: *Nachträge zur Textgestaltung der Geschichte Alt-Israels,* Bern 1979.

Rummel, S. (ed.): *Rash Samra parallels. The texts from Ugaritic and the Hebrew Bible* III, Roma 1981.
Tcherikover, V. A.-Fuks, A.-Stern, M.: *Corpus papyrorum Judaicarum* I-III, Cambridge, Mass. 1957-1964.

Atlas

Aharoni, Y.-Avi-Yonah, M.: *The Macmillan Bible atlas,* 1968.
Atlas bíblico, Estella 1983.
Atlas de la Biblia I, Madrid 1984.
Atlas of Israel, Jerusalem [2]1970.
Atlas of Jerusalem, Jewish History Publications, Israel 1962.
Fraine, J. de: *Atlas histórico y cultural de la Biblia,* Madrid 1963.
Grollenberg, L. H.: *Panorama del mundo bíblico,* Madrid 1966.
Guthe, H.: *Bibelatlas,* Leipzig [2]1976.
May, H. G. (ed.): *Oxford Bible atlas,* London [2]1974.
Negenman, J. H.: *Grosser Bildatlas zur Bibel,* Gütersloh 1969.
Wright, G. E.-Filson, F. V.: *The Westminster historical atlas to the Bible,* Philadelphia [2]1956.

Ilustraciones

Avi-Yonah, M.: *Jerusalem, die Heilige Stadt* (fotografías: W. Braun), Genf 1974; Id. (ed.): *A history of the holy land,* London 1969.
Bardtke, H.: *Zu beiden Seiten des Jordans,* Berlin 1958; *Vom Roten Meer zum See Genezareth,* Berlin 1962; *Vom Nildelta zum Sinai,* Berlin 1967.
Eichholz, G.: *Landschaften der Bibel,* Neukirchen [3]1972.
Goldmann, E. u.Z.-Wimmer, H.: *Israel. Seine Legende und seine Geschichte,* Luzern-Frankfurt a.M. 1974.
Gressmann, H. (ed.): *Altorientalische Bilder zum Alten Testament,* Berlin [2]1927.
Hollis, Chr.-Brownrigg, R.: *Holy places,* London 1969.
Jerusalem und seine grosse Zeit. Leben und Kultur in der Heiligen Stadt zur Zeit Christi, Würzburg 1977.
Lessing, E. (ilustración)-Westermann, C. (texto): *Gott sprach zu Abraham,* Freiburg Br. 1976.
Lessing, E. en colaboración con H. Cazelles, J. Bottéro y otros, *Vérité et poésie de la Bible,* Fribourg-Paris 1969.
Lüpsen, F.: *Sehen wirst du das Land. Unterwegs zu biblischen Stätten,* Witten-Berlin 1973.
Prawer, J.-Meyer, P. (fotos): *Heiliges Land. Seine Geschichte in Text und Bild,* Bern-Stuttgart 1975.
Pritchard, J. B. (ed.): *The ancient near east in pictures relating to the old testament,* Princeton (1969) [2]1974.
Reich, H. (ilustraciones)-Tavor, M. (texto): *Jerusalem,* München 1968.
Thubron, C. y la redacción de Time-Life-Bücher-Misel, J. (fotos), *Jerusalem,* Amsterdam 1976.

B) BIBLIOGRAFIA SOBRE LOS DIFERENTES APARTADOS DEL LIBRO

El territorio

Abel, A. M.: *Géographie de la Palestine* I-II, Paris 1933-1938.
Aharoni, Y.: *The land of the Bible,* Philadelphia 1967.
Avi-Yonah, M.: *The holy land from the Persian to the Arab conquests (536 B.C. to A.D. 640). A historical geography,* Grand Rapids 1973 (ed. revisada 1977).
Baly, D.: *Geography of the Bible,* London 1974 (ed. revisada); *Geographical companion to the Bible,* London 1963.
Bamm, P.: *Por los caminos bíblicos,* Estella 1967.
Buit, M. du: *Geographie de la terre sainte,* Paris 1958.
Donner, H.: *Einführung in die biblische Landes-und Altertumskunde,* Darmstadt 1976.
González Lamadrid, A.: *La fuerza de la tierra,* Salamanca 1981.
Noth, M.: *El mundo del antiguo testamento,* Madrid 1976.
Orni, E.-Efrat, E.: *Geographie Israels,* Jerusalem 1972.
Simons, J.: *The geographical and topographical texts of the old testament,* Leiden 1959.
Thomsen, P.: *Die Palästine-Literatur. Eine internationale Bibliographie in systematischer Ordnung mit Autoren-und Sachregister* I-VI (obras de los años 1895-1939); el volumen A, Berlin 1960, muestra las obras de los años 1878-1894. Los volúmenes A y VI están preparados con la colaboración de F. Maass, O. Eissfeldt y L. Rost. La bibliografía abarca la geografía, la historia, la economía y la sociedad hasta el momento actual.

La época

Cambridge ancient history (The) I-II, Cambridge [3]1970-1975; III, Cambridge 1929.
Fischer Weltgeschichte: II-IV: *Die altorientalischen Reiche,* Frankfurt a.M. 1965-1967; V-VIII: *Die Mittelmeerwelt im Altertum,* Frankfurt a.M. 1965-1966.
Díez Macho, A.-Bartina Gassiot, S.: *Enciclopedia de la Biblia* I-VI, Barcelona 1969.
Drioton, E.: *El Egipto faraónico,* Bilbao 1968.
Gardiner, A. H.: *Egypt of the pharaons,* Oxford 1961.
Gordon, C. H.: *The world of the old testament,* Garden City, NY 1958.
Hallo, W. W.-Simpson, W. K.: *The ancient near east- A history,* New York 1971.
Helck, W.: *Geschichte des Alten Ägypten,* Leiden 1968; *Die Beziehungen Ägyptens zu Vorderasien im 3. und 2. Jahrtausend v. Chr.,* Wiesbaden [2]1971.
Jepsen, A (ed.): *Von Sinuhe bis Nebukadnezar,* Berlin [3]1979.
Junker, H.-Delaporte, L.: *Die Völker des antiken Orients,* Freiburg Br. 1933.
Kitchen, K. A.: *Ancient orient and old testament,* London 1966; *The third intermediate period in Egypt (1100-650 BC),* Warminster 1973.

Meyer, Ed.: *Geschichte des Altertums*, Darmstadt 1965-1969 (nueva edición de 5 volúmenes en 8 tomos).
Moscati, S.: *Las antiguas civilizaciones semíticas*, Barcelona 1960.
Olmstead, A. T.: *History of Persian empire*, Chicago 1948.
Otto, E.: *Ägypten - der Weg des Pharaonenreiches*, Stuttgart [4]1966.
Pirenne, J.: *Historia de la civilización en el antiguo Egipto* I-III, Barcelona [2]1971.
Saggs, H. W. F.: *The greatness that was Babylon*, London 1962.
Scharff, A.-Moortgat, A.: *Ägypten und Vorderasien im Altertum*, München [3]1962.
Schmökel, H.: *Ur, Asur y Babilonia*, Madrid 1965; *Kulturgeschichte des Alten Orient*, Stuttgart 1961.
Wiseman, D. J. (ed.): *Peoples of old testament times*, Oxford 1973.
Wolf, W.: *Das alte Ägypten*, München 1971.

Testigos y testimonios

Albright, W. F.: *Arqueología de Palestina*, Barcelona 1962.
Avi-Yonah, M.-Stern, E. (eds.): *Encyclopedia of archaeological excavations in the holy land* I-IV, Oxford 1975-1978; *Palästina*, München 1974.
Bardtke, H.: *Bibel Spaten und Geschichte*, Leipzig 1969.
Bernhardt, K. H.: *Die Umwelt des Alten Testaments* I. *Die Quellen und ihre Erforschung*, Gütersloh 1967.
Galling, K.: *Biblisches Reallexikon*, Tübingen (1937) [2]1977.
Görg, M.: *Untersuchungen zur hieroglyphischen Wiedergabe palästinischer Ortsnamen*, Bonn 1974.
Harding, G. L.: *Auf biblischem Boden. Die Altertümer in Jordanien*, Wiesbaden 1961.
Jirku, A.: *Die Ausgrabungen in Palästina und Syrien*, Hall S. 1956.
Kallai, Z.: *The tribes of Israel*, Jerusalem 1967 (en hebreo).
Kenyon, K. M.: *Arqueología en tierra santa*, Barcelona 1963; *Digging up Jericho*, London 1957; *Digging up Jerusalem*, London 1974; *Excavations at Jericho* III, London 1981.
Noth, M.: *El mundo del antiguo testamento*, Madrid 1976.
Thomas, D. W. (ed.): *Archaeology and old testament study*, Oxford 1967.
Wright, G. E.: *Arqueología bíblica*, Madrid 1975.
Yadin, Y.: *The art of warfare in biblical land* I-II, Jerusalem-Ramat Gan 1963; Id. (ed.): *Jerusalem revealed. Archaeology in the holy city 1968-1974*, Jerusalem 1975.

I. *Formación del pueblo de Israel*

Albright, W. F.: *Abram the Hebrew:* BASOR 163 (1961) 36-54; *Yahwe and the Gods of Canaan*, London 1968.
Bächli, O.: *Amphiktyonie im Alten Testament*, Basel 1977.
Bimson, J. J.: *Redating the exodus and conquest*, Sheffield 1978.
Bright, J.: *Early Israel in recent history writing*, London 1956.

Buber, M.: *Königtum Gottes,* Heidelberg 1956.
Cazelles, H.: *Patriarches,* en *Dictionnaire de la Bible, Suppl.* 7, 1961, 81-156; *Les localisations de l'Exode et la critique littéraire:* RB 62 (1955) 321-364.
Eissfeldt, O.: *The exodus and the wanderings,* en CAH 2, 3, Cambidge [3]1975, 307-330.
Geus, C. H. J. de: *The tribes of Israel,* Amsterdam 1976.
Giveon, R.: *Les bédouins Shosou des documents égyptiens,* Leiden 1971.
Gottwald, N. K.: *The tribes of Yahweh,* Maryknoll, NY [2]1981.
Haldar, A.: *Who were the Amorites?,* Leiden 1971.
Herrmann, S.: *Israels Aufenthalt in Ägypten,* Stuttgart 1970.
Jaroš, K.: *Sichem. Eine archäologische und religionsgeschichtliche Studie mit besonderer Berücksichtigung von Jos. 24,* Freiburg/Schweiz-Göttingen 1976.
Kallai, Z.: *The wandering-traditions from Kadesh-Barnea to Canaan. A study in biblical historiography:* JJS 33 (1982) 175-184.
Kaufmann, Y.: *The biblical account of the conquest of Palestine,* Jerusalem 1953.
Kenyon, K. M.: *Digging up Jericho,* London 1957; *Amorites and Canaanites,* London 1966.
Klengel, H. (ed.): *Beiträge zur sozialen Struktur des alten Vorderasien,* Berlin 1971.
Macalister, R. A. S.: *The Philistines,* London 1914.
Malamat, A.: *Conquest of Canaan. Israelite conduct of war according to the biblical tradition,* en *Encyclopedia Judaica Yearbook 1975-1976,* Jerusalem 1976, 166-182; *Charismatic leadership in the book of Judges,* en F. M. Cross-P. Hanson (eds.): *Magnalia Dei. The mighty acts of God,* Garden City, NY 1976, 152-168; *Early Israelite warfare and the conquest of Canaan,* Oxford 1978.
Mayes, A. D. H.: *Israel in the period of the Judges,* London 1974.
Meyer, Ed.: *Die Israeliten und ihre Nachbarstämme,* Halle S. 1906 (nueva edición en Darmstadt 1967).
Nicholson, E. W.: *Exodus and Sinai in history and tradition,* Oxford 1973.
Noth, M.: *Das System der zwölf Stämme Israels,* Stuttgart 1930.
Osswald, E.: *Das Bild des Mose in der kritischen alttestamentlichen Wissenschaft seit Julius Wellhausen,* Berlin 1962.
Rad, G. von: *Der heilige Krieg im alten Israel,* Zürich 1951.
Redford, D. B.: *A study of the biblical story of Joseph,* Leiden 1970.
Rowley, H. H.: *From Joseph to Joshua,* London 1950.
Sandars, N. K.: *The sea peoples,* London 1978.
Sellnow, J. (ed.): *Das Verhältnis von Bodenbauern und Viehzüchtern in historischer Sicht,* Berlin 1968.
Seters, J. van: *Abraham in history and tradition,* New Haven 1975.
Smend, R.: *Das Mosebild von Heinrich Ewald bis Martin Noth,* Tübingen 1959; *Jahwekrieg und Stämmebund,* Göttingen 1963.
Strobel, A.: *Der spätbronzezeitliche Seevölkerstum,* Berlin 1976.
Täubler, E.: *Biblische Studien. Die Epoche der Richter,* Tübingen 1958.
Thiel, W.: *Die soziale Entwicklung Israels in vorstaatlicher Zeit,* Neukirchen-Vluyn 1980.
Thompson, Th. L.: *The historicity of the patriarchal narratives,* Berlin 1974.

Timm, S.: *Die Dynastie Omri. Quellen und Untersuchungen zur Geschichte Israels im 9. Jahrhundert vor Christus,* Göttingen 1982.

Vaux, R. de: *Historia antigua de Israel* I-II, Madrid 1975.

Weidmann, H.: *Die Patriarchen und ihre Religion im Licht der Forschung seit J. Wellhausen,* Göttingen 1968.

Weippert, M.: *Die Landnahme der israelitischen Stämme in der neueren wissentschaftlichen Diskussion,* Göttingen 1967; *Abraham der Hebräer?:* Biblica 52 (1971) 407-432.

Westermann, C.: *Genesis 12-50,* Darmstadt 1975.

World history of the Jewish people (The): II) B. Mazar (ed.): *Patriarchs,* Israel 1961, London 1970; III) B. Mazar (ed.): *Judges,* Israel 1961, London 1971.

Wright, G. E.: *Shechem. The biography of a biblical city,* New York-Toronto 1965.

Yadin, Y.: *Hazor,* London 1972; *Hazor. Die Wiederentdeckung der Zitadelle König Salomos,* Hamburg 1976.

Yeivin, S.: *The Israelite conquest of Canaan,* Istambul 1971.

Zobel, H. J.: *Stammesspruch und Geschichte,* Berlin 1965.

Zuber, B.: *Vier Studien zu den Ursprüngen Israels,* Freiburg/Schweiz-Göttingen 1976.

II. *Los reinos de Israel y de Judá*

Aharoni, Y.: *Arad inscriptions. Judean desert studies,* Jerusalem 1975 (en hebreo).

Alt, A.: *Kleine Schriften zur Geschichte des Volkes Israel,* München (II, [3]1964; III, [2]1968).

Andersen, K. T.: *Die Chronologie der Könige von Israel und Juda:* Studia Theologica 23 (1969) 69-114.

Begrich, J.: *Die Chronologie der Könige von Israel und Juda und die Quellen des Rahmens der Königsbücher,* Tübingen 1929.

Ben-Barak, Z.: *«The manner of the king» and «the manner of the kingdom»,* Jerusalem 1972 (tesis doctoral); *The Mizpah covenant (1Sam 10, 25). The source of the Israelite monarchic covenant:* ZAW 91 (1979) 30-43.

Briend, J.: *Israel y Judá en los textos del próximo oriente antiguo,* Estella 1982.

Brinkman, J. A.: *A political history of Post-Kassth Babylonia, 1158-722 B.C.,* Rom 1968.

Bryce, G. E.: *A legacy of wisdom. The Egyptian contribution to the wisdom of Israel,* London 1979.

Buber, M.: *Der Glaube der Phropheten,* Zürich 1950; *Königtum Gottes,* Heidelberg [3]1956.

Buccellati, G.: *Cities and nations of ancient Syria. An essay on political institutions with special reference to the Israelite kingdoms,* Rom 1967.

Busink, T. A.: *Der Tempel von Jerusalem* I: *Der Tempel Salomos,* Leiden 1970.

Childs, B. S.: *Isaiah and the Assyrian crisis,* Naperville, 1967.

Cogan, M.: *Imperialism and religion: Assyria, Judah and Israel in the eighth and seventh centuries B.C.,* Missoula, Mont. 1974.

Donner, H.: *Israel unter den Völkern,* Leiden 1964; *Herrschergestalten in Israel,* Berlin 1970.

Eissfeldt, O.: *The Hebrew kingdom,* en CAH II/2, Cambridge 1975.

Elat, M.: *The campaigns of Shalmaneser III against Aram and Israel:* IEJ 25 (1975) 25-35; *Economic relations in the lands of the Bible: c. 1000-539 B.C.,* Jerusalem 1977 (en hebreo).

Eph'al, I.: *The penetration of Arab tribes to the periphery of Palestine and southern Syria in the 8th century B.C.,* en *Fifth world congress of Jewish studies* I, Jerusalem 1969, 145-151 (en hebreo).

Forrer, E.: *Die Provinzeinteilung des assyrischen Reiches,* Leipzig 1920.

Galling, K.: *Die israelitische Staatsverfassung in ihrer vordeorientalischen Umwelt,* Leipzig 1929.

Grønbaek, J. H.: *Die Geschichte vom Aufstieg Davids (1. Sam 15-2 Sam 5),* Kopenhagen 1971.

Gunn, D. M.: *The story of king David,* Sheffield 1978.

Heaton, E. W.: *The Hebrew kingdoms,* Oxford 1968.

Ishida, T.: *The royal dinasties in ancient Israel,* Berlin 1977.

Jepsen, A.: *Israel und Damaskus:* AfO 44/14 (1941) 153-172; *Die Quellen des Königsbuches,* Hall/S. [2]1956; Id. y R. Hanhart, *Untersuchungen zur israelitisch-jüdischen Chronologie,* Berlin 1964.

Katzenstein, H. J.: *The history of Tyre,* Jerusalem 1973.

Kittel, R.: *Gestalten und Gedanken in Israel,* Leipzig 1925.

Lindblom, J.: *Prophecy in ancient Israel,* Oxford 1962.

McCarthy, D. J.: *The inauguration of monarchy in Israel:* Interpretation 27 (1973) 401-412.

Malamat, A.: *Organs in statecraft in the Israelite monarchy:* BA 28 (1965) 34-50; *Aspects of the foreing policies of David and Solomon:* JNES 22 (1963) 1-17; *Kingship and council in Israel and Sumer. A paralel:* JNES 11 (1963) 247-252; *Jeremiah and the last two kings of Judah:* PEQu 83 (1951) 81-87; *The last kings of Judah and the fall of Jerusalem:* IEJ 18 (1968) 137-156; *Josiah's bid for Armageddon:* Journal of the Near Eastern Society of Columbia University 5 (1973) 267-279; *The twilight of Judah:* VTS 28 (1974) 123-125.

Mettinger, T. N.: *Solomic state officials,* Lund 1971; *King and Messiah,* Lund 1976.

Millard, A. R.-Tadmor, H.: *Adad-Nirari III in Syria:* Iraq 35 (1973) 57-64.

Na'aman, N.: *Sennacherib's «letter to God» on his campaign to Judah:* BASOR 214 (1974) 25-39.

Naveh, J.: *A Hebrew letter from the 7th century B.C.:* IEJ 10 (1960) 129-139.

Noth, M.: *Aufsätze zur biblischen Landes-und Altertumskunde* I-II, Neukirchen 1971; *Überlieferungsgeschichtliche Studien* I, Tübingen [3]1967; *Könige (I.1-16),* Neukirchen [2]1983.

Oded, B.: *The Phoenician cities and the Assyrian empire in the time of Tiglathpileser III:* ZDPV 90 (1974) 38-49.

Otero, A. L.: *Cronología e historia de los reinos hebreos (1028-587 A.C.),* Lugo 1964.

Parker, R. A.-Dubberstein, W. H.: *Babylonian chronology 626 B.C. - A.D. 75,* Providence, Rhode Island 1956.

Payne, D. F.: *Kingdoms of the Lord. A history of the Hebrew kingdoms from Saul to the fall of Jerusalem,* Grand Rapids 1981.

Randles, R. J.: *The interaction of Israel, Judah and Egypt. From Solomon to Josiah,* The Southern Baptist Theological Seminary 1980 (tesis doctoral).

Rendtorff, R.: *Beobachtungen zur altisraelitischen Geschichtsschreibung anhand der Geschichte vom Aufstieg Davids,* en *Probleme biblischer Theologie (Fest. G. v. Rad),* 1971, 428-439.

Rose, M.: *Der Ausschliesslichkeitsanspruch Jahwes. Deuteronomische Schultheologie und die Volksfrömmigkeit in der späten Königszeit,* Stuttgart 1975.

Rost, L.: *Die Überlieferung von der Thronnachfolge Davids,* Stuttgart 1926: nueva edición en L. Rost, *Das kleine Credo und andere Studien zum Alten Testament,* Heidelberg 1965, 119-253.

Scharbert, J.: *Die Propheten Israels um 600 v. Chr.,* Köln 1967.

Schunck, K.-D.: *Benjamin,* Berlin 1963.

Soden, W. von: *Der Aufstieg des Assyrerreiches als geschichtliches Problem,* Leipzig 1937; *Herrscher im Alten Orient,* Berlin 1954.

Soggin, J. A.: *Das Königtum in Israel,* Berlin 1967; *Old Testament and oriental studies,* Rom 1975.

Spieckermann, H.: *Juda unter Assur in der Sargonidenzeit,* Göttingen 1982.

Stoebe, H. J.: *Das erste Buch Samuelis,* Gütersloh 1973.

Tadmor, H.: *Azriyau of Yaudi:* Scripta Hierosolymitana 8 (1961) 232-271; *The southern border of Aram:* IEJ 12 (1962) 114-122; *Philistia under Assyrian rule:* BA 29 (1966) 86-102; *Assyria and the west. The ninth century and its aftermath,* en H. Goedicke-J-J.M. Roberts (eds.), *Unity and diversity,* Baltimore 1975, 36-48.

Thiele, R. R.: *The mysterious numbers of the Hebrew kings,* Grand Rapids, Mich. 1965; *A chronology of the Hebrew kings,* Grand Rapids, Mich. 1977.

Veijola, T.: *Die ewige Dynastie,* Helsinki 1975.

Wallis, G.: *Geschichte und Überlieferung. Gedanken über alttestamentliche Darstellungen der Frühgeschichte Israels und der Anfänge seines Königtums,* Stuttgart 1968.

Weber, M.: *Das antike Judentum,* en *Ges. Aufsätze zur Religionssoziologie* III, Tübingen (1920) [7]1983.

Weippert, Z.: *Menahem von Israel und seine Zeitgenossen in einer Steleninschrift des assyrischen Königs Tiglathpileser III. aus dem Iran:* ZDPV 89 (1973) 26-53.

Weiser, A.: *Samuel. Seine geschichtliche Aufgabe und religiöse Bedeutung,* Göttingen 1962.

Welten, P.: *Die Königs-Stempel. Ein Beitrag zur Militärpolitik Judas unter Hiskia und Josia,* Wiesbaden 1969.

Whybray, R. N.: *The sucession narrative. A study of II Sam 9-20 and I Kings 1 and 2,* London-Naperville 1969.

Widengren, G.: *Sakrales Königtum im Alten Testament und im Judentum,* Stuttgart 1955.

Wiseman, D. J.: *Chronicles of Chaldaean kings (626-556 B.C.) in the British Museum,* London 1956.

Wood, L. J.: *Israel's united monarchy,* Grand Rapids 1979.

Würthwein, E.: *Der'amm hā'ārez im Altem Testament,* Stuttgart 1936; *Die Erzählung von der Thronfolge Davids-Theologische oder politische Geschichtsschreibung?,* Zürich 1974; *Die Bücher der Könige. 1. Könige 1-16,* Göttingen 1976.

Zadok, R.: *Geographical and onomastic notes:* The Journal of the Ancient Near Eastern Society of Columbia University 8 (1976) 113-123.

III. *Israel bajo las grandes potencias*

a) Persas, griegos, romanos. El medio ambiente de Israel

Badian, E.: *Rom und Antiochos der Grosse,* en *Die Welt als Geschichte* 20, 1960, 203-225.

Bellinger, A. R.: *The end of the Seleucids,* New Haven 1949.

Bengtson H.: *Griechische Geschichte. Von den Anfängen bis in die römische Kaiserzeit,* en *Handbuch der Altertumswissenschaft,* 3 secciones, 4 volúmenes, München [5]1977 (edición especial sin notas y bibliografía, München [5]1979); *Zur Geschichte des Niedergangs des Ptolemäerreiches,* Abh. d. Bayer. Ak. d. Wiss. 17, München 1938; *Die Strategie in hellenistischer Zeit* I-III, München 1937-1952; *Griegos y persas,* Madrid [9]1984.

Bickermann, E.: *Bellum Antiochicum:* Hermes 67(1932) 47-76.

Bunge, J. G.: *Die sogenannte Religionsverfolgung Antiochus IV. Epiphanes und die griechischen Städte:* JSJ 10 (1979) 155-165.

Cambridge ancient history (The) VII-XII, Cambridge 1928-1939.

Cary, M.: *A history of the Greek world from 323 to 146 B.C.,* London 1932: nueva edición con nueva bibliografía 1963: última edición 1977.

Christ, K.: *Krise und Untergang der römischen Republik,* Darmstadt 1979.

Dietrich, A.-Widengren, G.-Heichelheim, F. M.: *Orientalische Geschichte von Kyros bis Mohammed,* en *Handbuch der Orientalistik* I, 2.4.2, Leiden-Köln 1966.

Fischer, Th.: *Untersuchungen zum Partherkrieg Antiochos VII. im Rahmen der Seleukidengeschichte,* München-Tübingen 1970 (tesis doctoral).

Fischer Weltgeschichte 5-7, Frankfurt a.M. 1965-1966.

Flach, D.: *Der sogenannte römische Imperialismus. Sein Verständnis im Wandel der neuzeitlichen Erfahrungswelt:* Hist. Ztschr. 222 (1976) 1-42.

Fraser, P.M.: *Ptolemaic Alexandria* I-III, Oxford 1972.

Giovannini, A.-Müller, H.: *Die Beziehungen zwischen Rom und den Juden im 2. Jh. v. Chr.:* Museum Helveticum 28 (1971) 156-171.

Gruen, E. S.: *Rome and the Seleucids in the aftermath of Pydna:* Chiron 6 (1976) 73-96.

Jones, A. H. M.: *The later Roman empire* I-III, Oxford 1964.

Kienitz, F. K.: *Die politische Geschichte Ägyptens vom 7. bis zum 4. Jahrhundert v. d. Z.,* Berlin 1953.

Liebmann-Frankfort, Th.: *La frontière orientale dans la politique extérieure de la République romaine depuis le traité d'Apamée jusqu'à la fin des conquêtes asiatiques de Pompée (189/8-163),* Acad. Royale de Belg., Cl. des Lettres, Mém. 3, 59, Bruxelles 1969.

McDonald, A. H.: *The treaty of Apamea (188 B. C.):* Journal of Roman Studies 57 (1967) 1-8.

Momigliano, A.: *Alien wisdom. The limits of hellenization,* Cambridge 1975.

Mørkholm, O.: *Antiochos IV of Syria,* Kopenhagen 1966.

Polaček, A.: *Le traité de paix d'Apamée:* Revue Internationale des Droits de l'Antiquité 18 (1971) 591-621.

Posener, G.: *La première domination perse en Égypte. Recueil d'inscriptions hiéroglyphiques,* Le Caire 1936.

Rostovtzeff, M.: *Sozial- und Wirtschaftsgeschichte der hellenistischen Welt* I-III, Darmstadt 1955-1956 (ed. castellana: *Historia social y económica del mundo helenístico* I-II, Espasa Calpe).

Schmitt, H. H.: *Untersuchungen zur Geschichte Antiochos' d. Gr. und seiner Zeit,* Wiesbaden 1964.

Schottroff, W.: *Zur Sozialgeschichte Israels in der Perserzeit:* Verk. und Forsch. 1/27 (1982) 46-48.

Stern, E.: *Material culture of the land of the Bible in the Persian period 538-332,* Jerusalem 1982.

Stier, H. E.: *Roms Aufstieg zur Weltmacht und die griechische Welt,* Köln 1967; *Welteroberung und Weltfriede im Wirken Alexander d. Gr.,* Opladen 1973.

Tarn, W. W.: *Hellenistic civilization,* London ³1952.

Walbank, F. W.: *A historical commentary on Polybius* II, Oxford 1967; *Polybius,* Berkeley 1972; *Polybios and Rome's eastern policy:* Journal of Roman Studies 53 (1963) 1-13.

Werner, R.: *Das Problem des Imperialismus und die römische Ostpolitik im zweiten Jahrhundert v. Chr.,* en H. Temporini-W. Haase (eds.), *Aufstieg und Niedergang der römischen Welt* I/1, Berlin 1972, 501-563.

Will, E.: *Histoire politique du monde hellenistique* I-II, Nancy 1966-1967.

b) Israel entre el exilio babilónico y la dominación romana

Abel, F. M.: *Histoire de la Palestine, depuis la conquête d'Alexandre jusqu'à l'invasion arabe* I-II, Paris 1952; *Géographie de la Palestine* I-II, Paris 1933/1938; ³1967; *Les livres des Maccabées,* Paris ²1951; Id.-J. Starcky, *Les livres des Maccabées,* Paris ³1961.

Ackroyd, P. R.: *Exile and restoration,* London 1968; *Israel under Babylon and Persia,* Oxford 1970.

Alon, G.: *Jews, Judaism and the classical world,* Jerusalem 1977.

Bartlett, J. R.: *The first and second books of the Maccabees,* London 1973.

Beckwith, R. T.: *The pre-history and relationships of the pharisees, sadducees and essenes. A tentative reconstruction:* Rev. de Qumran 46/11 (1982) 3-46.

Bickermann, E.: *Der Gott der Makkabäer,* Berlin 1937; *Institutions des séleucides,* Paris 1938; *From Ezra to the last of the Maccabees. Foundations of post-biblical Judaism,* New York 1962; *La charte séleucide de Jérusalem:* Revue des Etudes Juives 100 (1935) 4-35.

Bousset, W.-Gressmann, H.: *Die Religion des Judentums im späthellenistischen Zeitalter,* Tübingen ³1926: nueva edición 1966.

Bunge, J. G.: *Untersuchungen zum Zweiten Makkabäerbuch,* Bonn 1971 (tesis doctoral).

Burr, V.: *Rom und Judäa im 1. Jh. v. Chr* (Pompeius und die Juden), en H. Temporini - W. Haase (eds.), *Aufstieg und Niedergang der römischen Welt* I/1, Berlin 1972, 875-886.

Burrows, M.: *Die Schriftrollen vom Toten Meer,* München 1957; *Mehr Klarheit über die Schriftrollen,* München 1958.

Coggins, R. J.: *Samaritans and Jews. The origins of samaritanism reconsidered*, Oxford 1975.

Cross, F. M.: *A reconstruction of the Judean restoration:* JBL 94 (1975) 4-18 = Interpretation 29 (1975) 187-203.

Díez Merino, L.: *Fuente histórica desconocida para el período macabaico: «Megillat Antiochus»*, en *Servidor de la palabra (Miscelánea bíblica en honor del P. Colunga)*, Salamanca 1979, 127-165.

Finkelstein, L.: *The pharisees. The sociological background of their faith*, Philadelphia (1938) [3]1946.

Fischer, Th.: *Zu den Beziehungen zwischen Rom und den Juden im 2. Jahrhundert v. Chr.:* ZAW 86 (1974) 90-93; *Johannes Hyrkan I. auf Tetradrachmen Antiochos' VII?:* ZDPV 91 (1975) 191-196.

Freyne, S.: *Galilee from Alexander the Great to Hadrian. 323 B. C. E. to 135 C. E. A study of second temple Judaism*, Notre Dame, Ind. 1980.

Galling, K.: *Studien zur Geschichte Israels im persischen Zeitalter*, Tübingen 1964.

Guevara Castillo, H.: *Ensayo sobre la resistencia de Judea contra Roma en la época de Jesús*, Roma 1981.

Habicht, Chr.: *Hellenismus und Judentum in der Zeit des Juda Makkabäus*, en *Jb. Heidelberger Ak. d. Wiss.*, 1974, 97-110.

Hengel, M.: *Judentum und Hellenismus*, Tübingen [2]1973; *Juden, Griechen und Barbaren*, Stuttgart 1976.

Herzog, C.-Gichom, M.: *Battles of the Bible*, London 1978.

Janssen, E.: *Juda in der Exilszeit. Ein Beitrag zur Frage der Entstehung des Judentums*, Göttingen 1956.

Jepsen, A.-Hanhart, R.: *Untersuchungen zur israelitisch- jüdischen Chronologie*, Berlin 1964.

Josephus, en 9 volúmenes con traducción inglesa de H. St. J. Thackeray, R. Marcus y otros, The Loeb Classical Library, Cambridge-London 1926-1965 (con muchas ediciones de cada volumen).

— *Des Flavius Josephus Jüdische Altertümer* (H. Clementz), Halle a. S. 1899 (nueva edición en Wiesbaden s/f); *Des Flavius Josephus Jüdischer Krieg* (H. Clementz), Halle a. S. 1900 (nueva edición Wiesbaden s/f); Flavius Josephus: *De bello Judaico* (edición bilingüe de los siete libros en 3 volúmenes realizada por O. Michel y O. Bauernfeind), Darmstadt 1959-1969; A. Schalit (ed.), *Zur Josephus-Forschung*, Darmstadt 1973; *A complete concordance to Flavius Josephus. 3 parts* (K. H. Rengstorf), Leiden 1969 s; W. C. van Unnik, *Flavius Josephus als historischer Schriftsteller*, Heidelberg 1978; Flavius Josèphe, *Histoire ancienne des juifs & la guerre des juifs contre les romains 66-70 ap. J.-C* (textos traducidos por A. d'Andilly y J. A. C. Buchon), Paris 1968-1973.

Kellermann, U.: *Nehemia. Quellen, Überlieferung und Geschichte*, Berlin 1967.

Kippenberg, H.-G.: *Religion und Klassenbildung im antiken Judäa*, Göttingen (1978) [2]1981 (aumentado).

Koch, K.: *Ezra and the origins of Judaism:* JSS 19 (1974) 173-197.

Lenger, M. T.: *Corpus des ordonnances des Ptolémées* (reimpresión de la edición original, 1964, corregida y puesta al día), Bruxelles 1980.

Liebmann-Franfort, T.: *Rome et le conflit judéo-syrien (164-161 avant notre ère):* L'Antiquité Classique 38 (1969) 101-120.

Maier, J.: *Das Judentum,* München 1973.
Maier, J.-Schreiner, J. (eds.): *Literatur und Religion des Frühjudentums,* Würzburg 1973.
Matthiae, K.: *Chronologische Übersichten und Karten zur spätjudischen und urchristlichen Zeit,* Berlin - Stuttgart 1978.
Mazar, B.: *The Tobiads:* IEJ 7 (1957) 137-145; 229-238.
Medico, H. E. del: *La prise de Jérusalem par Pompée d'après le légende juive de la ville inconquise:* Bonner Jahrbücher 164 (1964) 53-87.
Meyer, Ed.: *Der Papyrusfund von Elephantine,* Leipzig ²1912; *Ursprung und Anfänge des Christentums* I-III: II) *Die Entwicklung des Judentums und Jesus von Nazaret,* Stuttgart-Berlin 1921.
Meyer, Rud.: *Tradition und Neushöpfung im antiken Judentum,* Berlin 1965.
Parker, R. A.-Dubberstein, W. H.: *Babylonian chronology 626 B. C.-A. D. 75,* Providence, Rhode Island 1956.
Paul, A.: *El mundo judío en tiempos de Jesús,* Madrid 1982.
Plöger, O.: *Die Feldzüge der Seleukiden gegen den Makkabäer Judas:* ZDPV 74 (1958) 158-188 = O. Plöger, *Aus der Spätzeit des Alten Testaments,* Göttingen 1971, 134-164.
Rabin, C.: *Alexander Jannaeus and the pharisees:* JJS 7 (1956) 3-11.
Rad, G. von: *Das Geschichtsbild des chronistischen Werkes,* Stuttgart 1930.
Rappaport, M.: *La Judée et Rome pendant la règne d'Alexandre Jannée:* Revue des Etudes Juives 127 (1968) 329-345.
Rössler, D.: *Gesetz und Geschichte,* Neukirchen 1960.
Russell, D. R.: *Zwischen den Testamenten,* Neukirchen 1962; *The Jews from Alexander to Herod,* London 1967.
Safrai, Sh.: *Das jüdische Volk im Zeitalter des Zweiten Tempels,* Neukirchen ²1980.
Schaeder, H. H.: *Esra der Schreiber,* Tübingen 1930.
Schäfer, P.: *Der Bar Kokhba-Aufstand. Studien zum zweiten jüdischen Krieg gegen Rom,* Tübingen 1981.
Schlatter, A.: *Geschichte Israels von Alexander dem Grossen bis Hadrian,* Stuttgart ³1925.
Schubert, K.: *Die Entwicklung der eschatologischen Naherwartung im Frühjudentum,* en *Vom Messias zum Christus,* Freiburg/Basel 1964, 1- 54; *Die jüdischen Religionsparteien im neutestamentlichen Zeitalter,* Stuttgart 1970.
Schunck, K.-D.: *Die Quellen des I. und II. Makkabäerbuches,* Halle/S. 1954.
Schürer, E.: *Geschichte des jüdischen Volkes im Zeitalter Jesu Christi* I-III, Leipzig 1901-1909 (nueva edición: Hildesheim 1964).
Segert, St.: *Aramäische Studien* I: *Die neuen Editionen von Brooklyn Papyri und Aršāms Briefe in ihrer Bedeutung für die Bibelwissenschaft:* Archiv Orientální 24 (1956) 383-403.
Smallwood, E. M.: *The Jews under Roman rule: From Pompey to Diocletian. A study in political relations,* Leiden 1981.
Stern, M.: *The hasmonean revolt and its place in the history of Jewish society and religion:* Journal of World History 11 (1968) 92-106; *Greek and Latin authors of Jews and Judaism* I, Jerusalem 1974; *Documents on the history of the hasmonean revolt,* Tel Aviv ²1972 (en hebreo).
Stone, M. E.: *Reactions to destructions of the second temple:* JSJ 12 (1981) 195-204.

Tcherikover, V.: *Hellenistic civilization and the Jews,* Philadelphia-Jerusalem 1959.
Timpe, D.: *Der römische Vertrag mit den Juden von 161 v. Chr.:* Chiron 4 (1974) 133-152.
Wagner, S.: *Die Essener in der wissenschaftlichen Diskussion vom Ausgang 18. bis zum Beginn des 20. Johrhunderts,* Berlin 1960.
Weiss, H.-F.: *Pharisäismus und Hellenismus:* OLZ 74 (1979) 421-433.
Welch, A. C.: *The work of the Chronicler,* London 1939.
Welten, P.: *Geschichte und Geschichtsdarstellung in den Chronikbüchern,* Neukirchen 1973.
Willi, Th.: *Die Chronik als Auslegung,* Göttingen 1972.
World history of the Jewish people (The) I/6: A. Schalit (ed.), *The hellenistic age,* London 1976; I/8: M. Avi-Yonah y Zvi Baras (eds.), *Society and religion in the second temple period,* Jerusalem-London 1977.
Zeitlin, S.: *The rise and fall of the Judaean State* I-II, Philadelphia 1962-1967.
Zucker, H.: *Studien zur jüdischen Selbstverwaltung im Altertum,* Berlin 1936.

INDICE DE NOMBRES

INDICE DE LUGARES CITADOS

1 CRÓNICAS

SIGLAS

AAb	Aegyptologische Abhandlungen
AASOR	Annual of the American Schools of Oriental Research, New Haven
AFLNW/G	Veröffentlichungen der Arbeitsgemeinschaft für Forschung des Landes Nordrhein-Wesfalen / Geisteswissenschaften
AfO	Archiv für Orientforschung, Graz
AGF-G	cf. AFLNW/G
AJA	American Journal of Archaeology
Alt, Kl. Schr.	A. Alt, Kleine Schriften zur Geschichte des Volkes Israel I, ^{4}1968; II, ^{3}1964; III, ^{2}1968
Am.	cf. p. 50, nota 82
ANEP	The Ancient Near East in Pictures relating to the Old Testament, ed. por J. B. Pritchard, Princeton ^{2}1969
ANET	Ancient Near Eastern Texts relating to the Old Testament, ed. por J. B. Pritchard, Princeton ^{3}1969
ANVAOT	Avhandlinger utgitt av Det Norske Videnskaps Akademi i Oslo
AO	Der Alte Orient. Gemeinverständliche Darstellungen
AOB	Altorientalische Bilder zum AT, ed. por Gressmann, ^{2}1927
AOT	Altorientalische Texte zum AT, ed. por Gressmann, ^{2}1926
APAW	Abhandlungen der Preussischen Akademie der Wissenschaften
ASAE	Annales du Service des Antiquités de l'Égypte, Kairo
ASTI	Annual od the Swedish Theological Institute in Jerusalem
AT	The Alalakh Tablets, 1953 (ed. D. J. Wiseman)

ATD	Das Alte Testament Deutsch
AThANT	Abhandlungen zur Theologie des Alten und Neuen Testaments, Zürich
BA	The Biblical Archaeologist, New Haven
BASOR	Bulletin of the American Schools of Oriental Research, New Haven
BBB	Bonner Biblische Beiträge
BHH	Biblisch-Historisches Handwörterbuch, ed. por B. Reicke y L. Rost
BHK	Biblia Hebraica ed. Kittel
Bibl(ica)	Biblica, Roma
Bibl. Stud.	Biblische Studien
BIES	Bulletin of the Israel Exploration Society, Jerusalem
BJPES	Bulletin of the Jewish Palestine Exploration Society: Yedioth
BJRL	Bulletin of the John Rylands Library, Manchester
BK	Biblischer Kommentar Altes Testament
B.M.	British Museum
BRL	K. Galling, Biblisches Reallexikon, 1937
BVSAW	Berichte über die Verhandlungen der (Königlich) Sächsischen Akademie der Wissenschaften zu Leipzig
BWANT	Beiträge zur Wissenschaft vom Alten und Neuen Testament
BZ	Biblische Zeitschrift
BZAW	Beihefte zur Zeitschrift für die Alttestamentliche Wissenschaft
CAH	Cambridge Ancient History
CAT	Commentaire de l'Ancien Testament, Neuchâtel
Chronique d'Égypte	Chronique d'Égypte, Bruxelles
DTMAT	Diccionario teológico manual del AT (ed. E. Jenni y C. Westermann), 1978 s
E	Elohist
EA	cf. p. 50, nota 82
EAE	Encyclopedia of Archaeological excavations in the Holy Land (ed. M. Avi-Yonah y E. Stern) I-VI, 1975-1978.
Eissfeldt, Kl. Schr.	O. Eissfeldt, Kleine Schriften I, 1962; II, 1963; III, 1966; IV, 1968; V, 1973
EJ	Encyclopaedia Judaica
EThL	Ephemerides Theologicae Lovanienses, Louvain
EvTh(eol)	Evangelische Theologie
FRLANT	Forschungen zur Religion und Literatur des Alten und Neuen Testaments
Ges.Stud.	Gesammelte Studien
Guthe, Bibelatlas	H. Guthe, Bibelatlas, ^{2}1926
Guthe, Palästina	H. Guthe, Palästina, Monographien zur Erdkunde 21, ^{2}1927

HAT	Handbuch zum Alten Testament
HdO	Handbuch der Orientalistik, ed. por B. Spuler, Leiden
Helck, (Die) Beziehungen	W. Helck, Die Beziehungen Ägyptens zu Vorderasien, ²1971
HK	Handkommentar zum Alten Testament
HSAT	Die Heilige Schrift des Alten Testaments (Kautzsch), 1922-⁴1923, ed. por Bertholet
HThR	Harvard Theological Review, Cambridge (Mass.)
HUCA	Hebrew Union College Annual, Cincinnati
IEJ	Israel Exploration Journal, Jerusalem
IJH	Israelite and Judaean History (ed. J. H. Hayes y J. M. Miller), London 1977
J	Jahwist
JBL	Journal of Biblical Literature, New York, New Haven, Philadelphia
JEA	Journal of Egyptian Archaeology, London
JJS	Journal of Jewish Studies, London
JNES	Journal of Near Eastern Studies, Chicago
JPOS	Journal of the Palestine Oriental Society, Jerusalem
JSJ	Journal of the Study of Judaism in the Persian, Hellenistic and Roman Period, Leiden
JSS	Journal of Semitic Studies, Manchester
KAI	H. Donner-W. Röllig, Kanaanäische und aramäische Inschriften I, ²1967; II, ²1968; III ²1969
KAT	Kommentar zum Alten Testament
KuD	Kerygma und Dogma
LXX	Septuaginta
MDAIK	Mitteilungen des Deutschen Archäologischen Instituts Abt. Kairo
MDO	Mitteilungen der Deutschen Orient-Gesellschaft
MGWJ	Monatsschrift für Geschichte und Wissenschaft des Judentums
MIO	Mitteilungen des Instituts für Orientforschung
Mitt. u. Nachr. des DPV	Mitteilungen und Nachrichten des Deutschen Palästina-Vereins
Noth, Aufsätze	M. Noth, Aufsätze zur biblischen Landes- und Altertumskunde, 1971
Noth, WAT	M. Noth, Die Welt des Alten Testaments, ⁴1962
OLZ	Orientalistische Literaturzeitung
Or.	Orientalia, Roma
Oriens Antiquus	Oriens Antiquus, Roma
OTS	Oudtestamentische Studiën, Leiden
P	Priesterchrift
PEFQSt	Palestine Exploration Fund, Quarterly Statement, London
PEQ	Palestine Exploration Quarterly, London
PJB	Palästinajahrbuch
Probleme biblischer	Probleme biblischer Theologie. G. v. Rad zum

Theologie	70. Geb., ed. por H. W. Wolff, 1971
RA	Revue d'Assyriologie et d'Archéologie Orientale, Paris
von Rad, Teología	Teología del antiguo testamento I-II, ^{5}1982-^{5}1984
RB	Revue Biblique, Paris
REJ	Revue des Études Juives, Paris
RGG	Die Religion in Geschichte und Gegenwart
RHPhR	Revue de l'Histoire et de Philosophie Religieuses, Strasbourg, Paris
SAM	Sitzungsberichte der Bayerischen Akademie der Wissenschaften (München)
SAT	Die Schriften des Alten Testaments
SBS	Stuttgarter Bibelstudien
SGV	Sammlung gemeinverständlicher Vorträge aus dem Gebiet der Theologie und Religionsgeschichte
SSAW	Sitzungsberichte der Sächsischen Akademie der Wissenschaften
StBTh	Studies in Biblical Theology, London
SVT	of. VTS(uppl.)
Syria	Syria. Revue d'Art Oriental et d'Archéologie, Paris
TGI	K. Galling, Textbuch zur Geschichte Israels, 1950, ^{2}1968
ThLZ	Theologische Literaturzeitung
ThZ	Theologische Zeitschrift, Basel
UF	Ugarit-Forschungen. Internationales Jahrbuch für die Altertumskunde Syrien-Palästinas
Urk.	Urkunden des Ägyptischen Altertums
de Vaux, Historia	Historia antigua de Israel I-II, 1975
VT	Vetus Testamentum, Leiden
VTS(uppl.)	Vetus Testamentum Supplements, Leiden
W(d)O	Die Welt des Orients. Wissenschaftliche Beiträge zur Kunde des Morgenlandes
WHJP	The World History of the Jewish People, Jerusalem 1970 ss
WMANT	Wissenschaftliche Monographien zum Alten und Neuen Testament
ZAW	Zeitschrift für die Alttestamentliche Wissenschaft
ZÄS	Zeitschrift für Ägyptische Sprache und Altertumskunde
ZDMG	Zeitschrift der Deutschen Morgenländischen Gesellschaft
ZDPV	Zeitschrift des Deutschen Palästina-Vereins
ZS	Zeitschrift für Semitistik

MAPAS

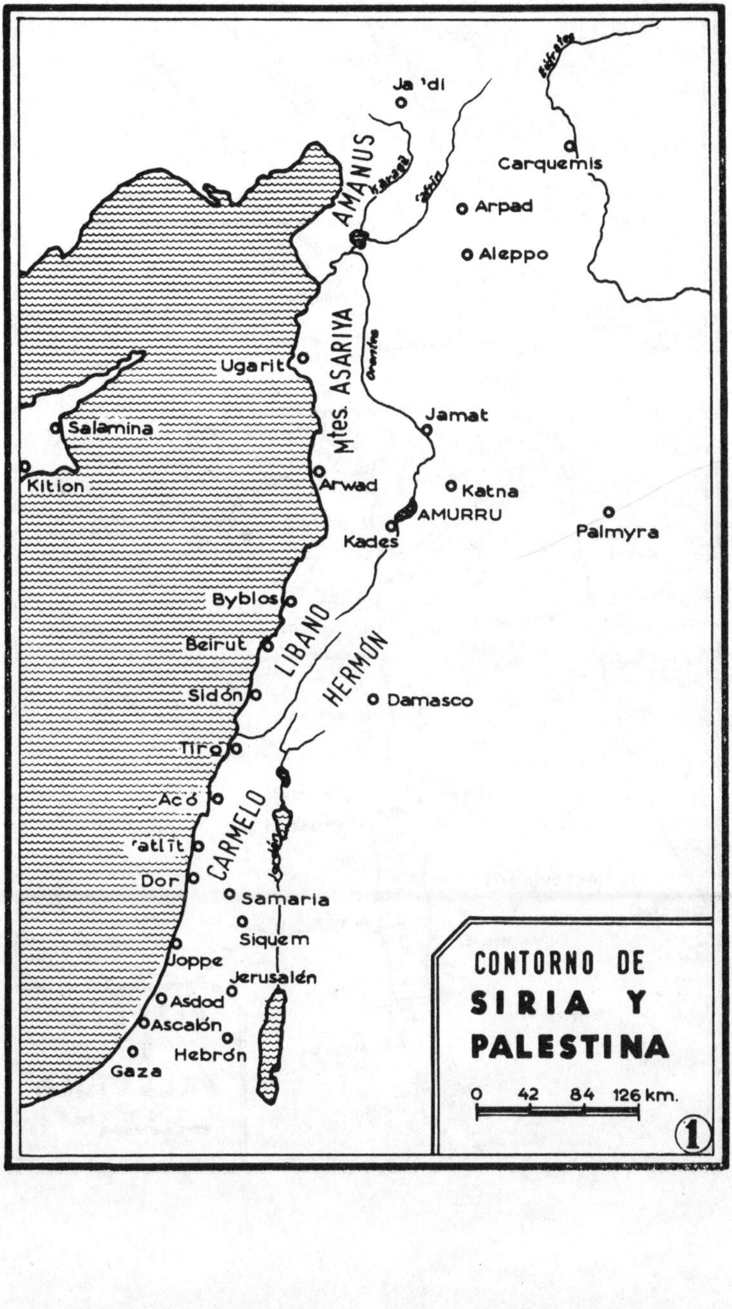
CONTORNO DE
SIRIA Y
PALESTINA
0 42 84 126 km.
1
Ja 'dl
Carquemis
AMANUS
Arpad
Aleppo
Ugarit
Mtes. ASARIYA
Salamina
Kition
Jamat
Arwad
Katna
AMURRU
Kades
Palmyra
Byblos
LIBANO
Beirut
HERMÓN
Sidón
Damasco
Tiro
Acó
'atlīt
CARMELO
Dor
Samaria
Siquem
Joppe
Jerusalén
Asdod
Ascalón
Hebrón
Gaza

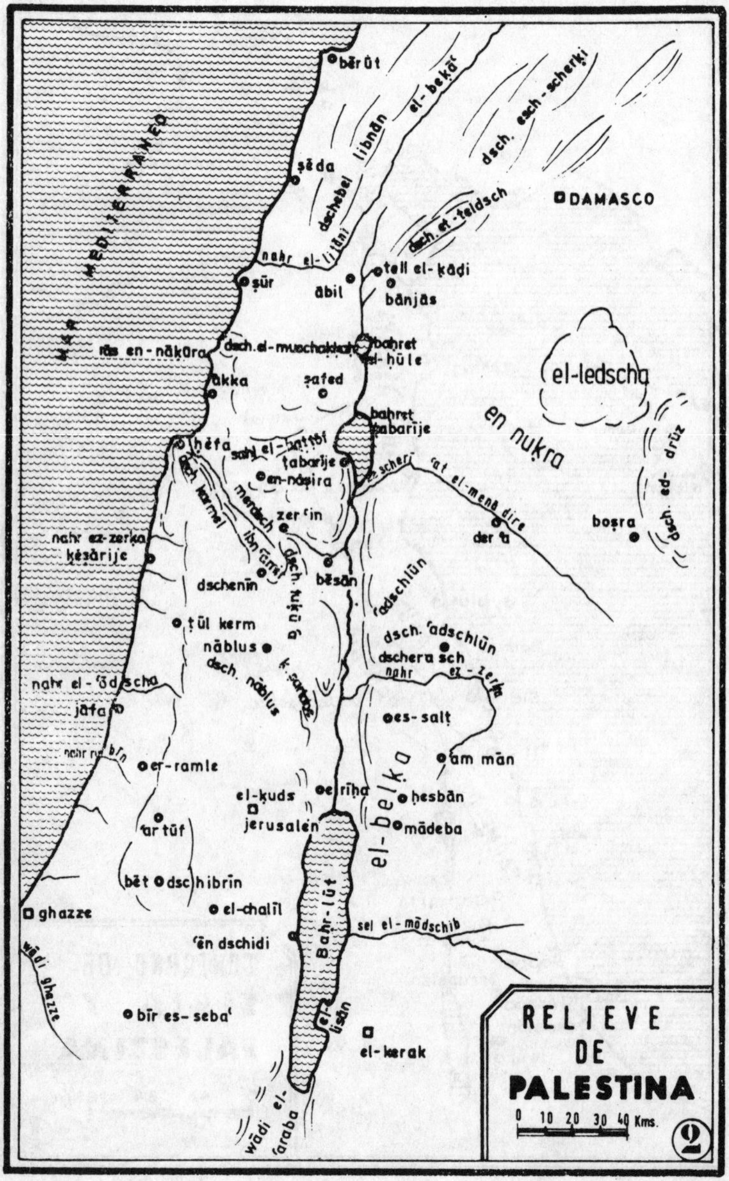

RELIEVE DE PALESTINA

0 10 20 30 40 Kms.

2

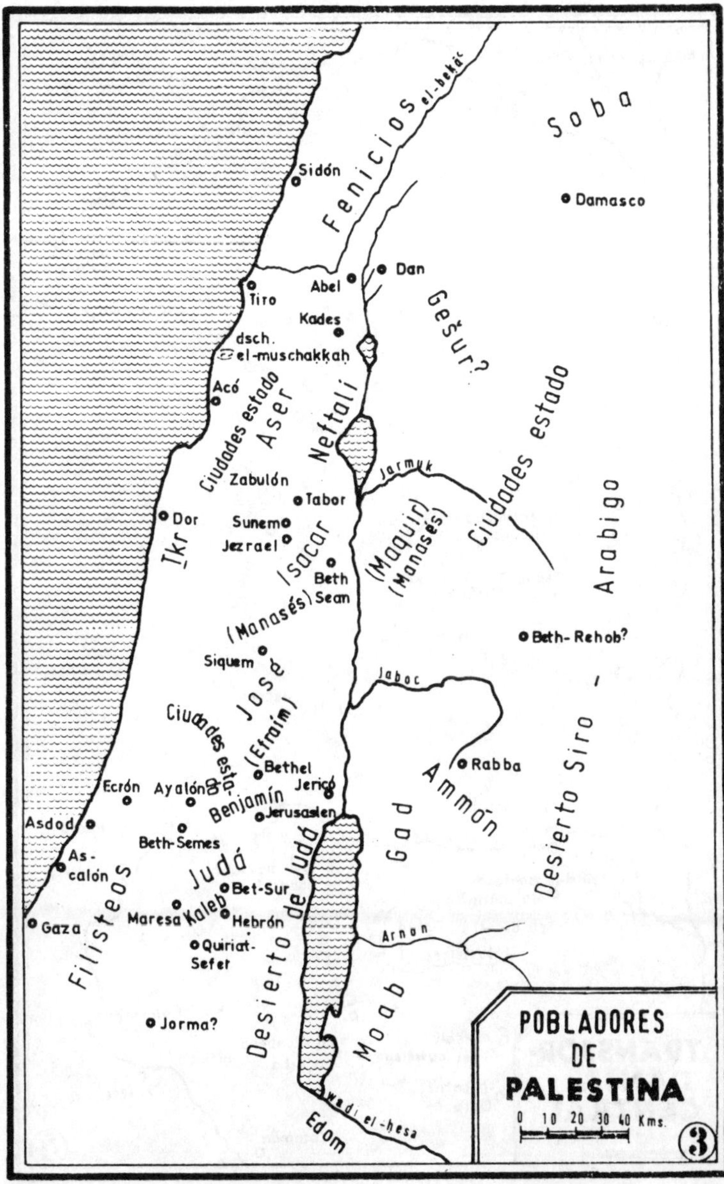
Soba
Fenicios
el-bekā'
Sidón
Damasco
Dan
Abel
Tiro
Kades
dsch. el-muschakkah
Gešur?
Acó
Ciudades estado
Aser
Neftali
Ciudades estado
Jarmuk
Zabulón
Tabor
Dor
Sunem
Jezrael
Tkr
Isacar
Beth Sean
(Maquir)
(Manasés)
Arabigo
(Manasés)
Beth-Rehob?
Siquem
José
Jaboc
(Efraím)
Ciudades esta-do
Bethel
Rabba
Ecrón
Ayalón
Jericó
Benjamín
Jerusalén
Ammón
Desierto Siro
Asdod
Beth-Semes
Gad
As-calón
Judá
Bet-Sur
Desierto de Judá
Gaza
Maresa
Kaleb
Hebrón
Filisteos
Quiriat-Sefer
Arnon
Moab
Jorma?
wadi el-ḥesa
Edom
POBLADORES DE PALESTINA
0 10 20 30 40 Kms.
3

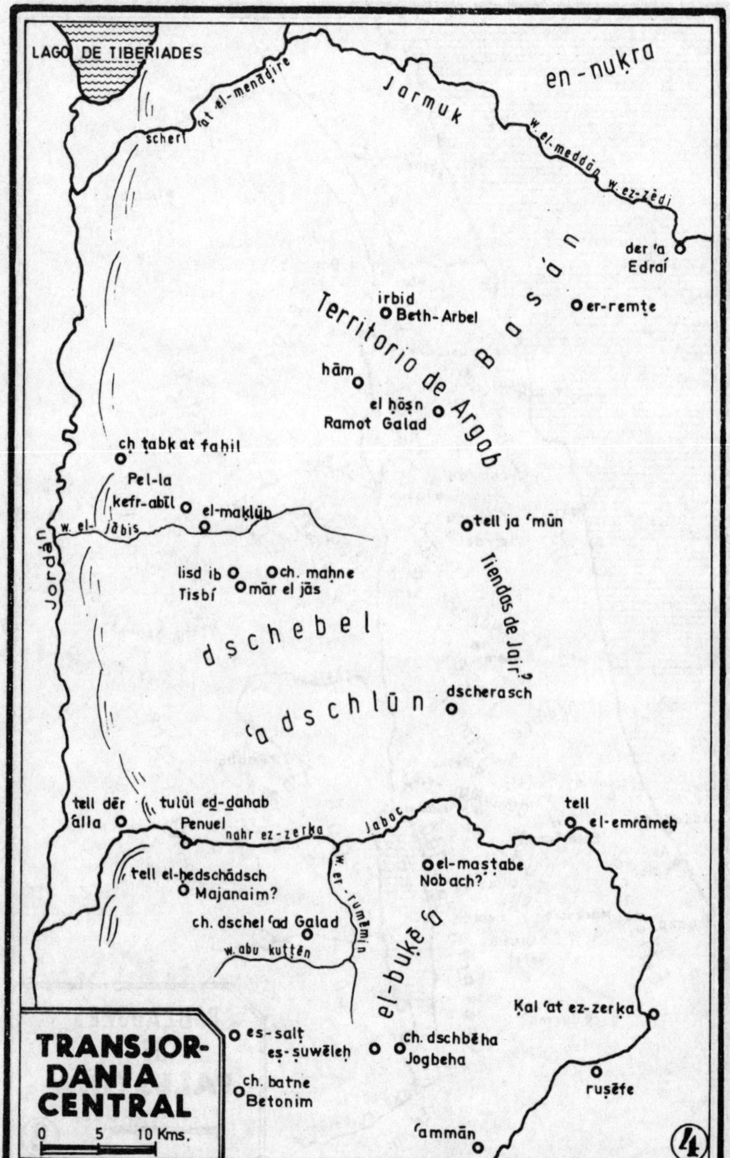
LAGO DE TIBERIADES
scheri'at el-menāḍire
Jarmuk
en-nuḳra
w. el-meddān
w. ez-zēdi
der 'a
Edraí
Basán
Territorio de Argob
irbid
Beth-Arbel
er-remṭe
hām
el ḥōṣn
Ramot Galad
ch. ṭabḳ at faḥil
Pel-la
kefr-abīl
el-maḳlūb
w. el-jābis
Jordán
tell ja 'mūn
Tiendas de Jair?
lisd ib
Tisbí
ch. maḥne
mār el jās
dschebel
'adschlūn
dscherasch
tell dēr
'alla
tulūl ed-ḏahab
Penuel
nahr ez-zerḳa
Jaboc
tell
el-emrāmeh
w. er-rumēmin
el-mastabe
Nobach?
tell el-ḥedschādsch
Majanaim?
ch. dschel 'ad Galad
w. abu kuttēn
el-buḳē 'a
Ḳal 'at ez-zerḳa
es-salṭ
eṣ-ṣuwēleḥ
ch. dschbēha
Jogbeha
ch. batne
Betonim
ruṣēfe
'ammān
TRANSJOR-
DANIA
CENTRAL
0 5 10 Kms.
4

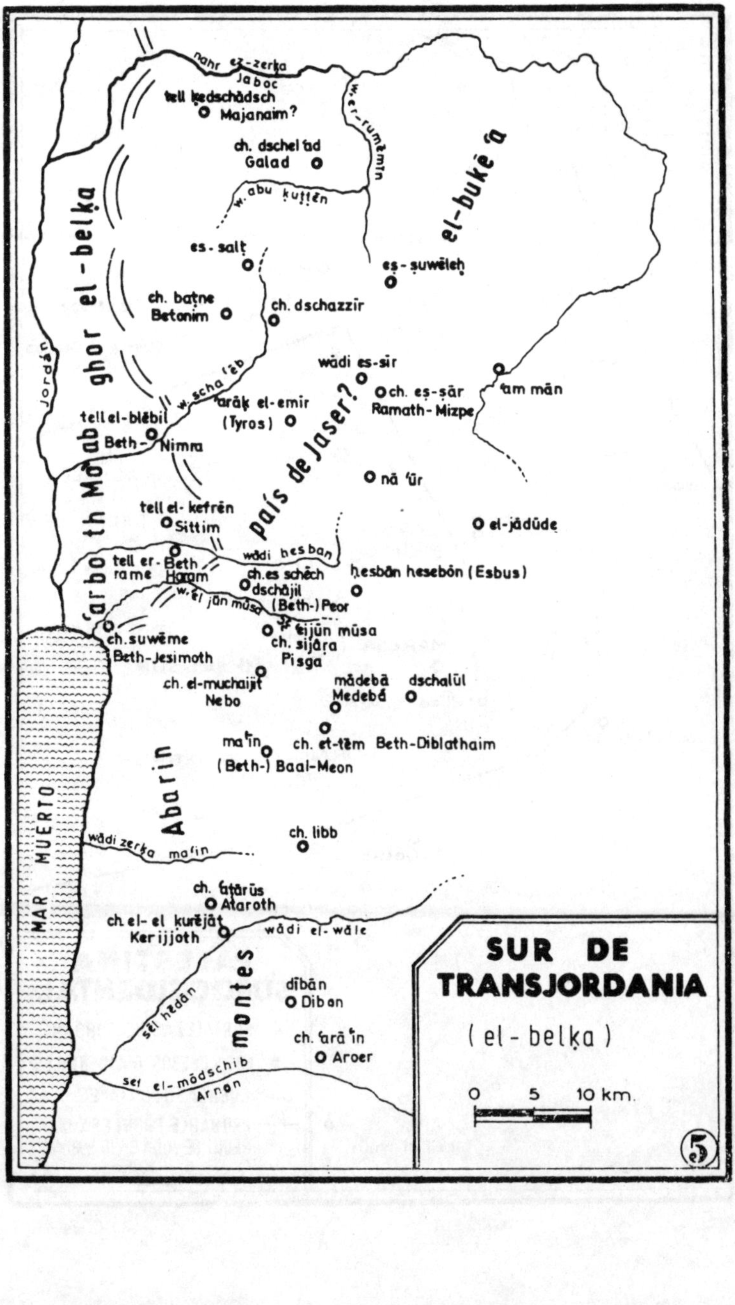
nahr ez-zerka
Jaboc
tell hedschâdsch
Majanaim?
ch. dschel'ad
Galad
w. er-rumêmîn
el-bukê'a
w. abu kuttên
es-salt
es-suwêleh
ch. batne
Betonim
ch. dschazzîr
ghor el-belka
Jordán
w. scha'êb
wâdi es-sir
ch. es-sâr
Ramath-Mizpe
'am mân
'arâk el-emir
(Tyros)
tell el-blêbil
Beth-Nimra
País de Jaser?
nâ'ûr
'arboth Moab
tell el-kefrên
Sittim
el-jâdûde
wâdi hesban
tell er-rame
Beth-Haram
ch. es schêch
dschâjil
hesbân hesebôn (Esbus)
w. 'el jûn mûsa
(Beth-) Peor
'ejûn mûsa
ch. sijâra
Pisga
ch. suwême
Beth-Jesimoth
ch. el-muchaijit
Nebo
mâdebâ
Medebâ
dschalûl
ma'in
ch. et-têm
Beth-Diblathaim
(Beth-) Baal-Meon
Abarin
MAR MUERTO
ch. libb
wâdi zerka ma'in
ch. 'atârûs
Ataroth
ch. el-el kurêjât
Kerijjoth
wâdi el-wâle
montes
sêl hêdân
dîbân
Dibon
ch. 'arâ'in
Aroer
sel el-môdschib
Arnon
SUR DE TRANSJORDANIA
(el-belka)
0 5 10 km.
5

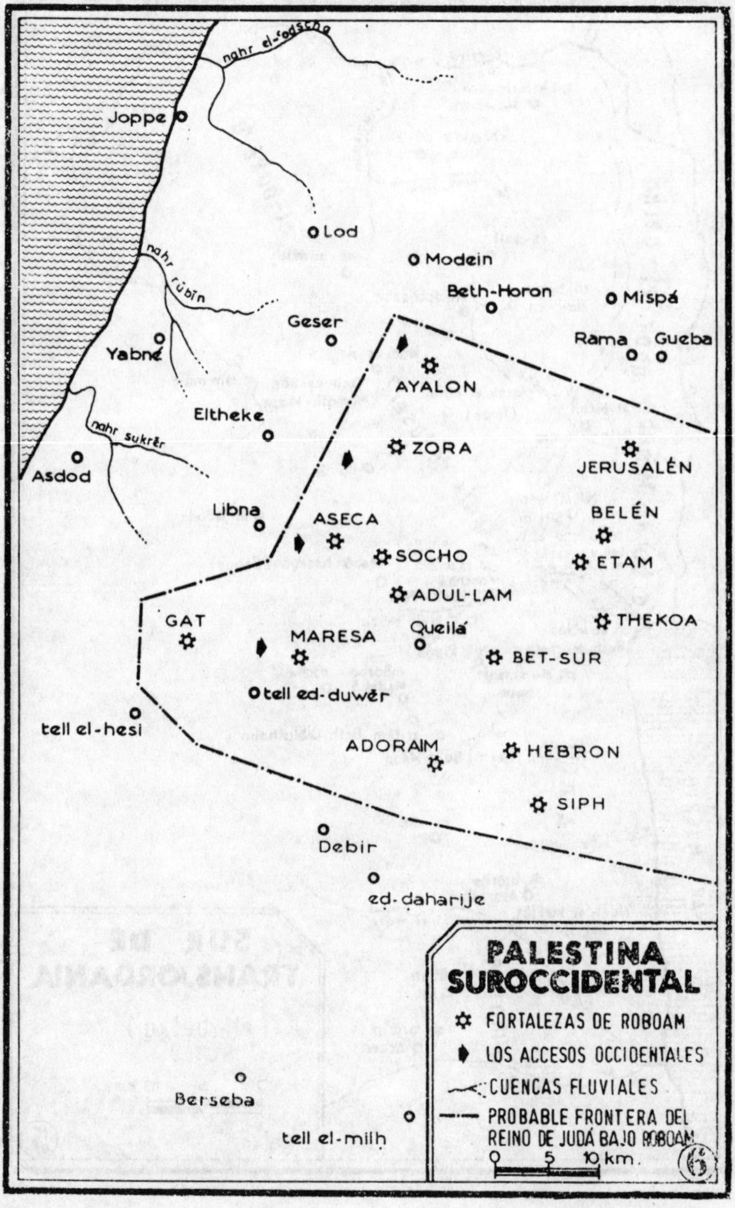
nahr el-ʿodscha
Joppe
Lod
Modein
nahr rūbīn
Beth-Horon
Mispá
Geser
Yabné
Rama
Gueba
AYALON
Eltheke
nahr sukrēr
ZORA
Asdod
JERUSALÉN
Libna
ASECA
BELÉN
SOCHO
ETAM
ADUL-LAM
GAT
Queilá
THEKOA
MARESA
BET-SUR
tell ed-duwēr
tell el-hesi
ADORAIM
HEBRON
SIPH
Debir
ed-daharije
PALESTINA SUROCCIDENTAL
FORTALEZAS DE ROBOAM
LOS ACCESOS OCCIDENTALES
CUENCAS FLUVIALES
PROBABLE FRONTERA DEL REINO DE JUDÁ BAJO ROBOAM
0 5 10 km.
Berseba
tell el-milh
6

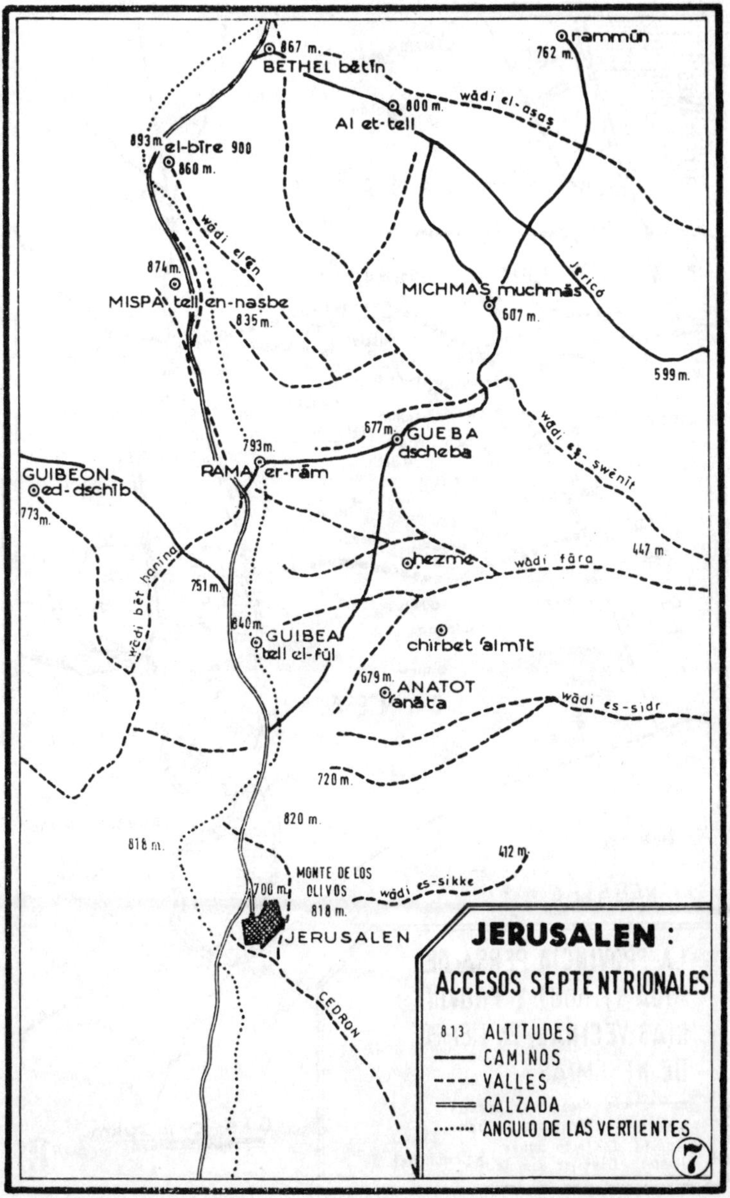
867 m.
BETHEL bētīn
rammūn
762 m.
800 m.
wādi el-asas
Al et-tell
893 m.
el-bīre 900
860 m.
wādi el-ēn
874 m.
MISPA tell en-nasbe
835 m.
MICHMAS muchmās
607 m.
Jericó
599 m.
wādi es-swēnīt
677 m.
GUEBA
dscheba
793 m.
RAMA er-rām
GUIBEON
ed-dschīb
773 m.
wādi bēt hanina
751 m.
hezme
wādi fāra
447 m.
840 m.
GUIBEA
tell el-fūl
chirbet 'almīt
679 m.
ANATOT
'anāta
wādi es-sidr
720 m.
820 m.
818 m.
412 m.
MONTE DE LOS OLIVOS
818 m.
700 m.
wādi es-sikke
JERUSALEN
CEDRON
JERUSALEN:
ACCESOS SEPTENTRIONALES
813 ALTITUDES
CAMINOS
VALLES
CALZADA
ANGULO DE LAS VERTIENTES
7

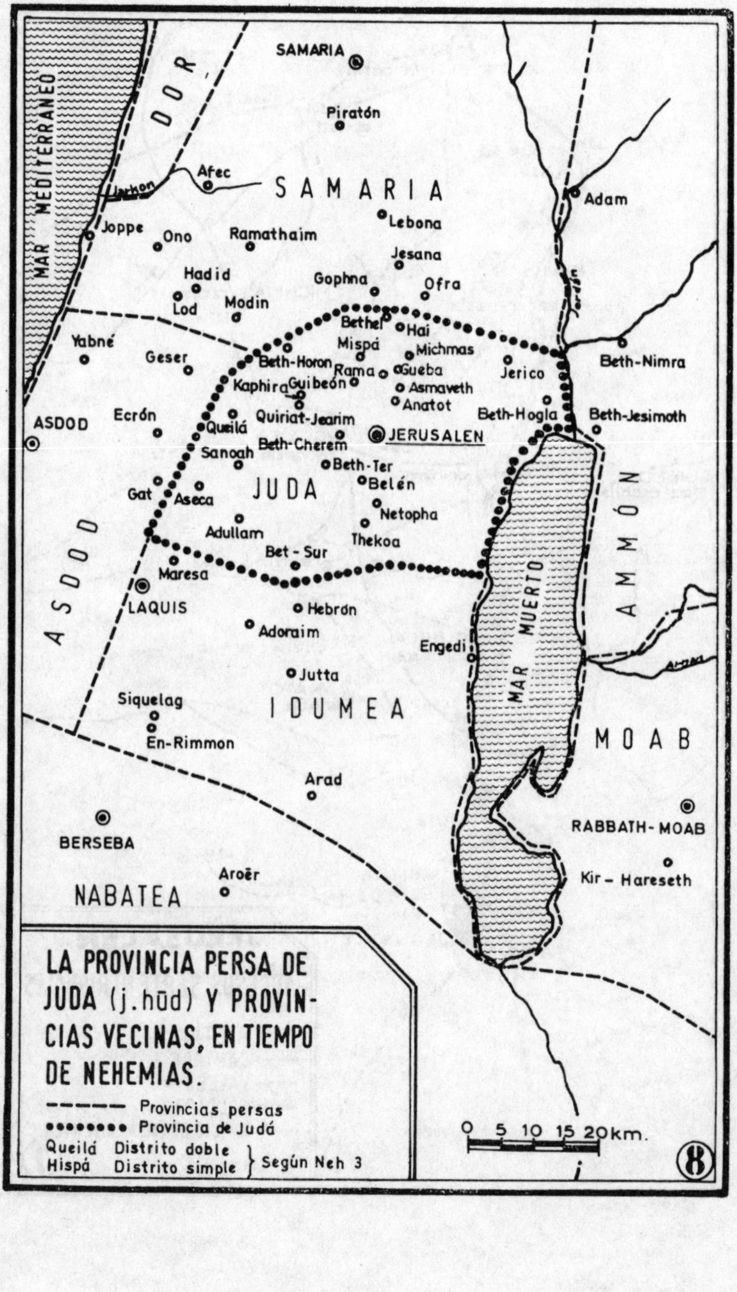

LA PROVINCIA PERSA DE JUDA (j.hūd) Y PROVINCIAS VECINAS, EN TIEMPO DE NEHEMIAS.